앙굿따라 니까야

숫자별로 모은 경[增支部]

제2권

넷의 모음

앙굿따라 니까야

Aṅguttara nikāya

숫자별로 모은 경

제2권

넷의 모음

초기불전연구원

∴

그분

부처님

공양 올려 마땅한 분

바르게 깨달으신 분께 귀의합니다.

Namo tassa Bhagavato Arahato Sammāsambuddhassa

제2권 목차

약어
앙굿따라 니까야 제2권 해제 ____ 13

넷의 모음____45

I. 첫 번째 50개 경들의 묶음(A4:1~50)____ 47
제 1장 반다가마 품(A4:1~10)____ 47
제 2장 걷고 있음 품(A4:11~20)____ 75
제 3장 우루웰라 품(A4:21~30)____ 92
제 4장 바퀴 품(A4:31~40)____ 117
제 5장 로히땃사 품(A4:41~50)____ 144

II. 두 번째 50개 경들의 묶음(A4:51~100)____ 164
제 6장 공덕이 넘쳐흐름 품(A4:51~60)____ 164
제 7장 합리적인 행위 품(A4:61~70)____ 184

제 8장 티 없음 품(A4:71~80)____ 205
제 9장 동요하지 않음 품(A4:81~90)____ 219
제10장 아수라 품(A4:91~100)____ 236

III. 세 번째 50개 경들의 묶음(A4:101~150)____ 256
제11장 비구름 품(A4:101~110)____ 256
제12장 께시 품(A4:111~120)____ 278
제13장 두려움 품(A4:121~130)____ 294
제14장 사람 품(A4:131~140)____ 318
제15장 빛 품(A4:141~150)____ 332

IV. 큰 50개 경들의 묶음(A4:151~200)____ 336
제16장 기능 품(A4:151~160)____ 336
제17장 도닦음 품(A4:161~170)____ 351
제18장 의도 품(A4:171~180)____ 373
제19장 무사 품(A4:181~190)____ 401

제20장 대품(A4:191~200)____ 430

V. 다섯 번째 50개 경들의 묶음(A4:201~271)____ 496

제21장 참된 사람 품(A4:201~210)____ 496

제22장 아름다움 품(A4:211~220)____ 514

제23장 좋은 행위 품(A4:221~230)____ 520

제24장 업 품(A4:231~240)____ 526

제25장 범계에 대한 두려움 품(A4:241~250)____ 544

제26장 최상의 지혜 품(A4:251~260)____ 558

제27장 업의 길 품(A4:261~270)____ 569

제28장 탐욕의 반복 품(A4:271~)____ 574

찾아보기____ 577

약어

A. Aṅguttara Nikāya(증지부)
AA. Aṅguttara Nikāya Aṭṭhakathā = Manorathapūranī(증지부 주석서)
AAṬ. Aṅguttara Nikāya Aṭṭhakathā Ṭīkā(증지부 복주서)

BG. Bhagavadgīta(바가왓 기따)
BHD Buddhist Hybrid Sanskrit Dictionary
BPS Buddhist Publication Society
BvA. Buddhavaṁsa Aṭṭhakathā

D. Dīgha Nikāya(장부)
DA. Dīgha Nikāya Aṭṭhakathā = Sumaṅgalavilāsinī(장부 주석서)
DAṬ. Dīgha Nikāya Aṭṭhakathā Ṭīkā(장부 복주서)
Dhp. Dhammapada(법구경)
DhpA. Dhammapada Aṭṭhakathā(법구경 주석서)
Dhs. Dhammasaṅgaṇi(法集論)
DhsA. Dhammasaṅgaṇi Aṭṭhakathā = Aṭṭhasālinī(법집론 주석서)
DPPN. *G. P. Malalasekera's Dictionary of Pali Proper Names*
Dv. Dīpavaṁsa(島史), edited by Oldenberg

It. Itivuttaka(如是語)
ItA. Itivuttaka Aṭṭhakathā(여시어 주석서)

Jā. Jātaka(本生譚)
JāA Jātaka Aṭṭhakathā(본생담 주석서)

KhpA.	Khuddakapātha Aṭṭhakathā(小誦經 주석서)
M.	Majjhima Nikāya(중부)
MA.	Majjhima Nikāya Aṭṭhakathā(중부 주석서)
Miln.	Milindapañha(밀린다왕문경)
Mtu.	Mahāvastu(Edited by Senart)
Mhv.	Mahāvaṁsa(大史), edited by Geiger
Nd1.	Mahā Niddesa(大義釋)
Nd2.	Cūla Niddesa(소의석)
Netti.	Nettippakaraṇa(指道論)
NMD	Ven. Ñāamoli's *Pali-English Glossary of Buddhist Terms*
Pe.	Peṭakopadesa(藏釋論)
PED	*Pāli-English Dictionary*(PTS)
Pm.	Paramatthamañjūsā = Visuddhimagga Mahāṭīkā(청정도론 복주서)
Ps.	Paṭisambhidāmagga(무애해도)
Ptn.	Paṭṭhāna(發趣論)
PTS	Pāli Text Society
Pug.	Puggalapaññatti(人施設論)
PugA.	Puggalapaññatti Aṭṭhakathā(인시설론 주석서)
Pv.	Petavatthu(아귀사)
Rv.	Ṛgveda(리그베다)

S. Saṁyutta Nikāya(상응부)
SA. Saṁyutta Nikāya Aṭṭhakathā = Sāratthappakāsinī(상응부 주석서)
SAṬ. Saṁyutta Nikāya Aṭṭhakathā Ṭīkā(상응부 복주서)
Sn. Suttanipāta(經集)
SnA. Suttanipāta Aṭṭhakathā(경집 주석서)

Thag. Theragāthā(장로게)
ThagA. Theragāthā Aṭṭhakathā(장로게 주석서)
Thig. Therīgāthā (장로니게)
ThigA. Ther gāthā Aṭṭhakathā(장로니게 주석서)

Ud. Udāna(감흥어)
UdA. Udāna Aṭṭhakathā(감흥어 주석서)

Vbh. Vibhaṅga(分別論)
VbhA. Vibhaṅga Aṭṭhakathā = Sammohavinodanī(분별론 주석서)
Vin. Vinaya Piṭaka(율장)
VinA. Vinaya Piṭaka Aṭṭhakathā = Samantapāsādikā(율장 주석서)
Vis. Visuddhimagga(청정도론)
VṬ Abhidhammaṭṭha Vibhavinī Ṭīkā(위바위니 띠까)
Vv. Vimānavatthu(천궁사)
VvA. Vimānavatthu Aṭṭhakathā(천궁사 주석서)

Yam. Yamaka(쌍론)
YamA. Yamaka Aṭṭhakathā = Pañcappakaraṇa(야마까 주석서)

냐나몰리	*The Middele Length Discourses of the Buddha.*
우드워드	*The Book of the Gradual Sayings*
육차결집본	*Vipassana Research Institute* 간행 육차결집 본
청정도론	대림 스님 옮김, 초기불전연구원, 2004.

⊙ 일러두기

(1) 삼장(Tipitaka)과 주석서(Aṭṭhakathā)들과 『디가 니까야 복주서』 (DAṬ)는 별다른 언급이 없는 한 모두 PTS본임. 그 외의 복주서(Ṭīkā)들은 미얀마 육차결집본(인도 Vipassana Research Institute 간행)이고 『청정도론』은 HOS본임. A1:14:1은 『앙굿따라 니까야』 「하나의 모음」 14번째 품 첫 번째 경을 뜻하고 A3:65는 『앙굿따라 니까야』 「셋의 모음」 65번째 경을 뜻한다. A.ii.234는 PTS본 『앙굿따라 니까야』 제2권 234쪽을 뜻하고, D16/ii.145는 『디가 니까야』 16번 경으로 『디가 니까야』 제2권 145쪽을 나타냄.

(2) 본문의 단락번호는 PTS본의 단락번호를 따랐고 PTS본에 없는 것은 역자가 임의로 붙인 것임.

(3) 『숫따니빠따』 『법구경』 『장로게』 『장로니게』 등은 PTS본의 게송번호이고 『청정도론 복주서』(Pm)의 숫자는 미얀마 6차결집본의 단락번호임.

앙굿따라 니까야 제2권 해제(解題)

1. 들어가는 말

『앙굿따라 니까야』는 부처님이 남기신 가르침 가운데서 그 주제의 법수가 분명한 말씀들을 숫자별로 모아서 결집한 것이다. 『앙굿따라 니까야』는 이러한 주제를 하나부터(A1) 열하나까지(A11) 모두 11개의 모음(Nipāta)으로 분류하여 결집하였다.

『앙굿따라 니까야』 제2권은 부처님의 말씀 가운데서 그 주제의 법수가 넷인 경들을 모은 것이다. 그래서 명칭도 「넷의 모음」(Catuka-nipāta)이다. PTS본에 의하면 「넷의 모음」(A4)에는 모두 271개의 경이 포함되어 있다. 이 가운데는 『맛지마 니까야』에 포함된 경들 정도의 길이에 해당하는 경들도 많고 단지 넷에 관계된 법수를 나열하고 있는 짧은 경들도 많다. PTS본과 육차결집본에서는 「넷의 모음」도 「셋의 모음」처럼 경의 처음부터 끝까지 순차적으로 일련번호로 매기고 있다. 그래서 역자도 A4:1부터 A4:271까지로 경의 번호를 매겼다.

2. 「넷의 모음」의 구성

「넷의 모음」에는 모두 271개의 경들이 포함되어 있다. 이 경들을 모두 28개의 품(Vagga)으로 나누어서 제27품까지는 각 품마다 10개의 경들을 배정하고, 맨 마지막 제28품에만 1개의 경을 배당하였다. 제28품은 반복되는 정형구를 담고 있기 때문에 육차결집본은 무려 510개의 경들로 번호를 매기고 있다. 여기에 대해서는 본서 제1권 역자서문 §5를 참조하기 바란다. 그리고 이 28개의 품은 모두 다섯 개의 '50개 경들의 묶음'으로 묶었다. 그래서 네 번째 묶음까지는 5개씩의 품을 배정하였고 다섯 번째 묶음에는 8개의 품을 배정하였다.

각 품의 명칭은 그 품에 포함되어 있는 경들 가운데 『앙굿따라 니까야』를 모아서 편집한 옛 스님들이 중요하다고 생각한 표제어를 골라서 붙인 것이다.

그럼 각 경들의 묶음 별로 간단하게 전체를 개관해보자.

(1) 「**첫 번째 50개 경들의 묶음**」

본 묶음은 제1장 「반다가마 품」, 제2장 「걷고 있음 품」, 제3장 「우루웰라 품」, 제4장 「바퀴 품」, 제5장 「로히땃사 품」으로 구성되어 있으며 각 품은 모두 10개씩의 경들을 포함하고 있다. 여기서 가장 중요한 사실은 이 첫 번째 묶음에 포함된 50개의 경들과 「두 번째 50개 경들의 묶음」 가운데 제6품과 제7품에 포함된 20개의 경들은 모두 게송을 포함하고 있다는 점이다. 「넷의 모음」은 이처럼 게송을 포함한 경들을 먼저 모아서 편집하고 있는 것이 큰 특징이다.

(2) 「**두 번째 50개 경들의 묶음**」

본 묶음은 제6장 「공덕이 넘쳐흐름 품」, 제7장 「합리적인 행위 품」, 제8장 「티 없음 품」, 제9장 「동요하지 않음 품」, 제10장 「아수라 품」의 다섯 개 품으로 구성되어 있으며 각 품은 모두 10개씩의 경들을 포함하고 있다. 처음 두 품에 포함된 경들은 모두 게송을 포함하고 있다. 같은 주제를 가진 경들은 예를 들면 「공덕이 넘쳐흐름 경」 1(A4:51)과 「공덕이 넘쳐흐름 경」 2(A4:52)로 앞뒤로 모아서 편집하였지만 각 품에 포함된 경들 간에 서로 공통된 점은 찾기 힘들다. 물론 비슷한 주제는 함께 모아서 같은 품에 포함하여 편집한 흔적은 아주 뚜렷하지만 전체적으로 꼭 그런 것은 아니다. 같은 주제를 가진 경들이 다른 품에 포함된 경우도 많기 때문이다.

(3) 「**세 번째 50개 경들의 묶음**」

본 묶음은 제11장 「비구름 품」, 제12장 「께시 품」, 제13장 「두려움 품」, 제14장 「사람 품」, 제15장 「빛 품」의 다섯 개 품으로 구성되어 있으며 각 품은 모두 10개씩의 경들을 포함하고 있다. 이 가운데서 제11장 「비구름 품」은 10가지 비유를 들어서 인간을 설명하고 있는데 부처님의 인간에 대한 이해가 얼마나 예리한지를 알 수 있는 경들이다. 제12장 「께시 품」의 처음 네 경은 말과 코끼리 조련에 비유해서 인간을 네 부류로 나누고 있다. A4:119부터 A4:122까지의 네 개 경은 두려움이 주제이다. 제15품은 아주 짧은 경들로 구성되어 있다. 여기뿐만 아니라 「넷의 모음」 전체에서 같은 주제의 경들은 앞뒤에 함께 모아서 편집하는 경향이 강하다.

(4) 「**큰 50개 경들의 묶음**」

본 묶음은 제16장 「기능 품」, 제17장 「도닦음 품」, 제18장 「의도 품」, 제19장 「무사 품」, 제20장 「대품」의 다섯 개 품으로 구성되어 있으며 각 품들은 모두 10개씩의 경들을 포함하고 있다.

「큰 50개 경들의 묶음」이라는 제목이 암시하듯이 네 번째 묶음에는 「넷의 모음」에 나타나는 다른 경들보다 긴 경들이 포함되어 있고 그중에서도 제20장 「대품」은 더욱 긴 경들을 포함하고 있다. 그러나 제16장 「기능 품」의 처음 8개의 경들은 길이가 아주 짧다. 앞의 묶음에 포함되어야 할 경들이라 할 수 있는데 50개씩 나누어서 경들의 묶음을 만들다 보니 이 묶음에 포함된 듯하다.

그리고 제17장「도닦음 품」의 8개 경들(A4:161~168)은 모두 도닦음을 넷으로 분류하여 고찰해보고 있으며 나머지 두 경도 모두 도닦음과 관련한 중요한 가르침을 담고 있다.

(5)「**다섯 번째 50개 경들의 묶음**」

본 묶음은 제21장「참된 사람 품」, 제22장「아름다움 품」, 제23장「좋은 행위 품」, 제24장「업 품」, 제25장「범계에 대한 두려움 품」, 제26장「최상의 지혜 품」, 제27장「업의 길 품」, 제28장「탐욕의 반복 품」의 여덟 개 품으로 구성되어 있다. 처음의 일곱 품은 각각 10개씩의 경들을 포함하고 있고 마지막인 제28장「탐욕의 반복 품」은 한 개의 경을 포함하고 있다. 그러나 육차결집본에 의하면 제28장「탐욕의 반복」(Rāga-peyyāla, A4:271)으로 이름붙인 이 하나의 품은 무려 510개의 경을 포함하는 것으로 나타난다.

다섯 번째 묶음의 제22장「아름다움 품」, 제23장「좋은 행위 품」, 제27장「업의 길 품」은 각 품마다 서로 관련된 주제를 가진 짧은 경들로 구성되어 있다. 특히 제27품에 포함된 10개의 경들은 십불선업도와 십선업도에 해당되는 살생·불살생부터 사견·정견까지의 열 가지로 구성되어 있다.

3.「**넷의 모음**」**의 특징**

「넷의 모음」에 포함되어 있는 271개 경들 전체를 살펴보면 다음의 몇 가지 특징을 발견할 수 있다.

첫째, 게송을 포함하고 있는 70개의 경들을 경의 전반부에 편집해서 넣었다. 초기경에서 게송을 포함하고 있는 경들은 크게 몇 가지로 구분해볼 수 있다. ① 산문으로 된 가르침이 먼저 나오고 이러한 가르침을 게송으로 경의 후반부에 요약하는 형식이다. 즉 『앙굿따라 니까야』의 경들 특히 본 「넷의 모음」에 나타나는 게송을 포함하고 있는 경들은 대부분 여기에 속하는 것으로 보인다. ② 게송이 먼저 나오고 산문으로 이러한 게송을 설명하는 형식이다. 『맛지마 니까야』의 「밧다에까라따 경」(Bhaddekaratta Sutta, 성스러운 하나에의 몰입, M131)부터 131번 경까지 등이 여기에 해당된다 할 수 있다. 물론 ①과 ②를 정확하게 구분한다는 것은 쉽지 않은 일이고 불가능해 보일 수도 있다. ③ 산문과 게송을 자연스럽게 섞어 가면서 설하는 형식이다. 즉 본서 제2권 「우루웰라 경」 1(A4:21)과 『디가 니까야』 제2권 「제석문경」(D21)과 『상윳따 니까야』의 「사가타 상응」(S1)을 비롯한 제1권 즉 S1부터 S11까지의 경들 등을 들 수 있다.

둘째, 긴 경들을 네 번째 묶음인 「큰 50개 경들의 묶음」에 모아서 편집하였다. 이 가운데서 특히 더 긴 것들은 제20장 「대품」 안에 넣었다. 긴 경들을 「대품」(Mahā-vagga)이라는 이름으로 모은 것은 빠알리 삼장 전체에서 두드러진 특징이기도 하다.

셋째, 「셋의 모음」(A3)에는 「작은 50개 경들의 묶음」이라 하여 짧은 경들만을 모은 묶음을 따로 만들었지만 본 「넷의 모음」에는 짧은 경들만을 모은 묶음이나 품은 따로 만들지 않았다. 그러나 짧은 경들은 주로 마지막의 「다섯 번째 50개 경들의 묶음」에 모아져있다.

넷째, 넷의 주요한 법수인 사성제를 주제로 한 경들은 나타나지 않는다. 물론 본서에서 사성제의 가르침이 전혀 나타나지 않는 것이 아니다. 「좋은 혈통 경」1(A4:256)과 「항아리 경」(A4:103) 등 14개 정도의 경들은 그 안에 사성제를 포함하고 있다. 그러나 사성제를 근본 주제로 한 경들은 나타나지 않는다. 왜 이러한 중요한 가르침이 「넷의 모음」에서

배제된 것일까? 그 이유는 사성제는 넷이라는 숫자에 초점을 맞추어서 결집을 하지 않고 진리[諦, sacca]라는 주제에 초점을 맞추어서 결집을 하였기 때문이다. 그래서 사성제와 관련된 경들 131개는 『상윳따 니까야』 「진리 상응」(Sacca-saṁyutta, S56)에 모아서 결집을 하였고 본서에서는 제외한 것이다.

다섯째, 넷과 관련된 주요 법수인 사념처와 사정근과 사여의족 등도 각각 한두 번 정도만 언급되고 있다. 이러한 법수들도 넷이라는 숫자에 초점을 맞추어서 결집하지 않고 염처와 정근과 여의족이라는 주제에 초점을 맞추어서, 각각 「염처 상응」(Satipaṭṭhāna-saṁyutta, S47)과 「정근 상응」(Sammappadhāna-saṁyutta, S49)과 「여의족 상응」(Iddhipāda-saṁyutta, S51)으로 주제별로 모아서(saṁyutta, 상응) 모두 『상윳따 니까야』에서 각각 하나의 상응(상윳따)으로 결집하고 있다. 그러다보니 『앙굿따라 니까야』에서는 이러한 기본 법수에 포함되지 않은 경들을 그 경에 담고 있는 주제의 숫자 별로 분류를 해서 모았다.

4. 「넷의 모음」에 나타나는 주요 주제들

「넷의 모음」에 나타나는 271개의 경들 가운데서 많이 나타나고 있는 주제들을 중심으로 몇 가지를 살펴보자.

첫째, 사람을 네 가지로 분류한 경들이 아주 많다. 전체적으로 61군데 이상이나 된다. 이러한 경들은 여러 관점에서 인간을 분류해보고 있는데 이러한 분류방법은 사람을 여러 측면에서 분류하고 있는 논장의 『인시설론』(人施設論, Pug)과 같은 방법이라 할 수 있다. 이런 면 때문에 학자들은 『인시설론』은 상좌부 칠론(七論) 가운데 가장 먼저 형성된 것으로 보기도 하며 『인시설론』은 경장에 가까운 논서라고 본다.[1]

이 61개가 넘는 경들을 다시 그 특징별로 정리해보면 다음과 같다. 「비구름 경」1(A4:101)부터 「뱀 경」(A4:110)까지의 10개 경은 네 부류의 사람을 여러 가지 비유를 통해서 분류하고 있다.

「화장터 나무토막 경」(A4:95)부터 「공부지음 경」(A4:99)까지의 다섯 개 경은 도닦음을 자신의 이익을 위하고 남의 이익을 위하는 네 관점에서 사람을 분류해서 설하고 있다.

「음식 경」부터 네 개의 경들(A4:87~90)은 동요하지 않는 사문, 백련(白蓮)과 같은 사문, 홍련(紅蓮)과 같은 사문, 사문들 가운데서 가장 세련된 사문으로 인간을 분류하고 있다.

「삼매경」1/2/3/(A4:92~94)과 「쌍 경」(A4:170) 등은 사마타와 위빳사나의 관점에서 사람을 분류하고 있는데 수행의 측면에서 꼭 살펴봐야 할 경이다.

「흐름을 따름 경」(A4:5)과 「족쇄 경」(A4:131) 등을 비롯한 다섯 개 경들은 10가지 족쇄 가운데 몇 가지 족쇄를 풀었는가에 초점을 두면서 인간을 넷으로 분류하고 있다.

제21장 「참된 사람 품」의 「학습계목 경」(A4:201)부터 「열 가지 도 경」(A4:206)까지의 여섯 개 경들과 다른 품에 포함된 「참된 사람 경」(A4:73) 등 7개 정도의 경들은 참된 사람과 참되지 못한 사람에 대해서 설하고 있다.

그 외에도 세존께서는 참으로 예리하고 심도깊이 인간을 고찰하여 그것을 넷으로 분류하고 계신다. 이런 61개가 넘는 경들을 통해서 부처님의 인간에 대한 성찰과 고찰이 얼마나 깊고 예리한 지를 충분히 살펴볼 수 있다. 부처님을 사람을 잘 길들이시는 분(조어장부)이라 부르는데 이러한 경들은 조어장부로서의 세존의 진면목을 유감없이 드러내고 있다.

---

1) K.R. Norman, 102~103; Hinüber, 70 참조.

둘째, 몸과 말과 마음으로 짓는 행위, 삿된 견해와 바른 견해, 은혜를 앎과 은혜를 모름 등의 조합으로 된 주제를 가르치는 경들이 「불방일 경」(A4:116)과 「은혜를 모름 경」(A4:223) 등을 비롯한 13개 정도가 된다.

셋째, 「탐하는 자 경」(A4:66)과 「밧디야 경」(A4:193) 등을 비롯한 9개 정도의 경에서는 탐욕 · 성냄 · 어리석음과 자만 · 열의 · 두려움 · 폭력 등의 조합으로 된 주제를 설하고 있다.

넷째, 제17장 「도닦음 품」의 8개 경들(A4:161~168)은 도닦음을 넷으로 분류하여 고찰해보고 있으며 나머지 두 경, 즉 「정력적인 노력 경」(A4:169)과 「쌍 경」(A4:170)도 모두 도닦음과 관련하여 중요한 가르침을 담고 있다. 특히 「쌍 경」은 사마타와 위빳사나 둘 중에서 어떤 것을 먼저 닦아야 하는가에 대한 가르침인데 아래 §5의 (7)을 참조하기 바란다.

다섯째, 「깨달음 경」(A4:1)과 「정수 경」(A4:150) 등을 비롯한 8개 정도의 경에서는 계와 삼매와 통찰지와 해탈(계 · 정 · 혜 · 해탈)의 네 가지 법의 무더기[四法蘊]를 설하고 있다.

여섯째, 「함께 삶 경」1(A4:53)부터 「범천 경」(A4:63)까지의 11개 경들은 재가자들의 삶에 있어서 중요한 덕목을 설하신 경들을 모은 것이다.

그 외 세존의 말씀 가운데 네 가지 주제를 다루고 있는 많은 경들이 「넷의 모음」에 포함되어 있지만 너무도 다양하여 지면 관계상 이정도로 줄인다.

5. 관심을 가져야 할 경들

이제「넷의 모음」에 포함된 세존의 금구성언 가운데서 우리가 보다 더 주의를 기울여서 살펴봐야 한다고 생각되는 경들을 소개하면서 해제를 마무리하고자 한다.

(1)「**흐름을 따름 경**」(A4:5)

『앙굿따라 니까야』 전체에서 세존께서는 사람들을 다양한 측면에서 여러 방법으로 고찰하시어 여러 가지 부류로 나누어서 설하고 계시는데 특히「넷의 모음」에는 사람을 다양하게 분류하여 자세하게 설명하는 경들이 많이 나타난다. 본경은「넷의 모음」에 포함되어 있는 이러한 경들 가운데서 제일 처음으로 나타나는 가르침이다. 본경에서 세존께서는 사람들을 흐름을 따르는 사람, 흐름을 거스르는 사람, 확고한 사람, [흐름을] 건너서 저 언덕에 가서 맨 땅에 서있는 바라문의 네 부류로 나누어서 설명하신다.

여기서 흐름을 따르는 사람은 감각적 욕망에 빠져 지내고 악한 업을 짓는 사람이고, 흐름을 거스르는 사람은 감각적 욕망에 빠져 지내지 않고 악한 업을 짓지 않으며 괴로움과 정신적 고통을 겪더라도 완전하고 지극히 깨끗한 청정범행을 닦는 사람이다.

확고한 사람은 불환과를 얻은 사람이라고 언급되는데 게송 부분에 나타나듯이 예류자, 일래자, 불환자라는 유학에 속하는 모든 사람을 의미한다. 맨 땅에 서있는 바라문이란 아라한과를 증득한 사람이다.

세존께서는 이처럼 범부를 두 가지로 나누고 성자를 두 가지로 나누어서 네 부류의 사람을 고찰하고 계신다. 나는 이 가운데 어떤 부류에 속하는 사람인지 자신을 잘 점검하여 세존께서 보여주신 해탈열반의 언덕에 도달하기 위해서 노력하는 사람이 진정한 부처님 제자일 것이다.

(2) 「**우루웰라 경**」 1(A4:21)

본경은 『상윳따 니까야』(S6:2)에도 나타나는 가르침이며 참다운 귀의처를 밝히신 경으로 우리에게 잘 알려져 있다.

세존께서는 정등각을 이루신 뒤에 니그로다 강변의 염소치기의 니그로다 나무 아래에 앉아서 다음과 같이 깊이 사유하신다. '아무도 존중할 사람이 없고 의지할 사람이 없이 머문다는 것은 괴로움이다. 참으로 나는 어떤 사문이나 바라문을 존경하고 존중하고 의지하여 머물러야 하는가?'

그렇다. 존중하고 의지할 사람이 없이 머문다는 것은 괴로운 일이다. 부처님께서도 이렇게 스스로에게 말씀하시는데 우리 범부중생이야 말해 무엇하겠는가? 황막한 광야를 치달리는 것과 같은 우리의 삶에서 진정한 의지처란 무엇인가? 이러한 고뇌에서 인류에게는 종교가 생긴 것이리라. 그러면 참다운 귀의처, 끝내 우리에게 아무런 해코지도 퇴락도 상처도 주지 않는 진정한 의지처란 무엇인가? 부처님께서는 다시 사유하신다.

'내가 아직 완성하지 못한 계의 무더기[戒蘊]가 있다면 … 삼매의 무더기[定蘊]가 있다면 … 통찰지의 무더기[慧蘊]가 있다면 그것을 완성하기 위해서 나는 다른 사문이나 바라문을 존경하고 존중하고 의지하여 머물러야 할 것이다. 그러나 나는 신과 마라와 범천을 포함한 세상에서, 사문 · 바라문과 신과 사람을 포함한 무리 가운데에서, 나보다도 더 계를 …삼매를 … 통찰지를 잘 구족하여 내가 존경하고 존중하고 의지할 만한 다른 어떤 사문이나 바라문도 보지 못한다.'

이처럼 세존께서는 자신의 의지처가 되어줄 세상의 모든 것을 두루 고찰해보았지만 자신에게 귀의처가 되어줄 그 어떤 존재도 발견하지 못하셨다. 이것은 결코 세존의 자만심이 아니다. 깨달은 분은 있는 그대로 보시는 분이다. 초기경들의 도처에서 세존께서는 당신을 능가할 어떤 존재도 보지 못한다고 단언하고 계신다. 만일 자신을 능가하는 다른 존재를 보셨다면 그분은 당연히 그런 존재를 찬탄하셨을 것이고 그런 존재를 의지처로 삼으셨을 것이다. 이렇게 고찰하신 뒤 마침내 세존께서는 다음의 결론에 도달하셨다.

'참으로 나는 내가 바르게 깨달은 바로 이 법(dhamma)을 존경하고 존중하고 의지하여 머무르리라.'

이것은 우리에게도 잘 알려진 가르침이며 불교를 대표하는 말씀이기도 하다. 의지처가 없는 사람은 깨달은 분일지라도 괴로운 것이다. 세존께서는 마침내 법을 의지처로 삼겠노라고 결심하셨으며 이것은 45년간 전법에 헌신한 그분의 삶에서 그대로 입증되고 있다. 세존께서는 당신의 의지처인 그 법을 선포하셨고, 그 법으로 중생들을 제접하셨으며, 꾸시나라의 사라쌍수 아래서 반열반에 드시면서도 "법과 율이 그대들의 스승이 될 것이다."라고 유훈을 남기셨다. 우리의 스승 세존께서 이처럼 법등명과 법귀의를 천명하셨는데 하물며 그분의 제자인 우리는 말해무엇하겠는가? 불자가 가슴깊이 새겨야 할 가르침이다.

(3) 「**유행승 경**」(A4:30)

본경은 세존께서 외도 유행승들에게 하신 말씀이다. 세존께서는 네 가지 사실은 어떤 종교집단에 속하는 출가자라 하더라도 거부할 수 없고 거절할 수 없으며 아무도 비난할 수 없는 것이라고 말씀하시는데 그 넷은 욕심 없음, 악의 없음, 바른 마음챙김, 바른 삼매라고 말씀하신다. 출가라는 거룩한 삶의 방식을 택한 사람이 이러한 네 가지를 내팽개쳐 버리고 산다면 그는 출가자라 부를 수 없다는 말씀이시다.

출가자가 이득과 명성과 환대 등에 강하게 집착하고 욕심을 내면 세상 사람들은 그를 비웃는다. 출가자가 악의와 분노와 해코지의 생각에 가득하여 세상을 향해서 독설을 내뱉고 폭력을 휘두른다면 그는 세상의 빛이 아니라 세상을 파멸로 이끄는 자이다. 마음을 챙기지 않고 마음이 고요하지 않고 평화롭지 못한 출가자는 더 이상 출가자가 아니다. 그래서 어떠한 신념체계나 어떠한 수행체계를 가진 어떠한 출가 집단도 이러한 네 가지는 과거에도 거부하지 못했고 미래에도 거부하지 못할 것이며 지금도 거부하지 못한다고 말씀하시는 것이다.

그래서 세존께서는 "욱깔라 지역 사람들과 왓사와 반냐 사람들은 원인 없음을 말하는 자(무인론자)들이요 [업]지음 없음을 말하는 자(도덕부정론자)들이요 아무 것도 없음을 말하는 자(허무론자)들이었는데, 그들조차도 이러한 네 가지 법의 부분을 비난하지 않아야 하고 공박하지 않아야 한다고 생각하였다."라고 단언하셨다. 본경은 특히 출가자들이 유념해야 할 가르침이다.

(4) 「**로히땃사 경**」1(A4:45)

인간은 구경의 진리 혹은 최고의 진리를 추구할 줄 아는 존재이다. 그래서 여러 가지 방법이나 수단을 동원하여 이를 추구하여왔다. 그러나 불행히도 대부분의 사람들은 이런 것을 저 밖을 향하여 찾았고 그리하여 우리가 추구하는 것을 채 알기도 전에 삶을 마감하곤 해왔다. 끊임없이 밖으로 치달리는 이러한 인간의 성향에 대해서 거듭해서 반성과 자제를 촉구하신 분이 바로 부처님이시다.

본경에 등장하는 로히땃사는 하늘을 아주 빨리 나는 신통을 가진 신이다. 그는 이러한 신통으로 세상의 끝에 도달하려고 동서남북으로 치달렸지만 세상의 끝에는 끝내 이르지 못했다. 그래서 세존께 와서 이러한 사실을 말씀드리자 세존께서는 아무리 빨리 가는 능력을 가졌더라도 밖으로 치달려서는 "태어남도 없고 늙음도 없고 죽음도 없고 떨어짐도 없고 생겨남도 없는" 그러한 세상의 끝, 세상의 궁극, 세상의 최고점에 도달하지 못한다고 단언하신다. 만일 저 밖에 세상의 끝, 세상의 궁극이 있다면 우리는 과학소설이나 영화에서처럼 최고로 빠른 우주선을 타고 그곳으로 날아갈 수 있을 지도 모를 일이다. 하지만 부처님께서는 그런 것은 부질없는 일이라 하셨다.

그래서 세존께서는 말씀하신다.

"도반이여, 참으로 태어남도 없고 늙음도 없고 죽음도 없고 떨어짐도 없고 생겨남도 없는 그런 세상의 끝을 걸어감을 통해서 알고 보고 도달할 수 있다고 나는 말하지 않는다."

밖으로 아무리 걸어가고 날아가도 세상의 끝에는 도달하지 못한다는 말씀이다. 그러나 이러한 세상의 끝에 도달하지 않고서는 괴로움을 끝낼 수 있다고 말하지 않는다고 세존께서는 말씀하신다. 주석서의 설명대로 형성된 세상(saṅkhāra-loka), 즉 오온의 끝에 이르지 않고서는 결코 괴로움의 끝, 즉 최고의 이상향, 최고의 경지에는 도달하지 못한다는 말씀이시다.

그러면 진정한 세상의 끝, 세상의 궁극, 세상의 최고점은 어디에 있는가? 부처님께서는 단언하신다. 그것은 내 안에 있다. 그래서 세존께서는 선언하신다.

"도반이여, 나는 인식과 마음을 더불은 이 한 길 몸뚱이 안에서 세상과 세상의 일어남과 세상의 소멸과 세상의 소멸로 인도하는 도닦음을 천명하노라."

여기에 대해서 주석서는 이렇게 덧붙이고 있다.

"'세상'이란 괴로움의 진리[苦諦]이다. '세상의 일어남'이란 일어남의 진리[集諦]이다. '세상의 소멸'이란 소멸의 진리[滅諦]이다. '세상의 소멸로 인도하는 도닦음'이란 도의 진리[道諦]이다. 세존께서는 '도반이여, 나는 이러한 네 가지 진리(四諦)를 풀이나 나무등걸 등에서 천명하지 않는다. 네 가지 근본물질[四大]로 이루어진 바로 이 몸에서 천명한다.'라고 말씀하시는 것이다."(AA.iii.88~89)

「로히땃사 경」은 『상윳따 니까야』(S.i.61)에도 나타나고 있는데 이 가르침은 상좌부 불교에서는 아주 잘 알려진 것이다. 특히 이 마지막 구절은 남방의 스님들이 즐겨 인용하는 가르침이다. 내 안에서 세상과 세상의 집·멸·도를 설하셔서 나고 죽는 인생의 근본문제를 내 안에서 그것도 바로 지금여기에서 해결하게 하고자 하는 것이 불교의 가장 큰 관심사이기 때문이다. 또한 이것은 중국 선불교의 관심사이기도 하다.

(5) 「**음식 경**」(A4:87)**부터** 「**무더기 경**」(A4:90)**까지의 네 개 경**

이 네 개의 경들은 10가지 족쇄가운데 몇 가지를 풀었는가, 팔정도를 구족하였는가, 오온의 일어나고 사라짐을 통찰하였는가, 마음의 해탈[心解脫]과 통찰지를 통한 해탈[慧解脫]을 구족하였는가, 여덟 가지 해탈[八解脫]을 성취하였는가 등을 토대로 하여 수행자들을 동요하지 않는 사문, 백련(白蓮)과 같은 사문, 홍련(紅蓮)과 같은 사문, 사문들 가운데서 가장 세련된 사문의 넷으로 분류하여 여러 가지 측면에서 설명하고 있다.

수행자들이 자신을 점검해볼 수 있게 해주는 가르침이다.

(6) 「**삼매 경**」1/2/3(A4:92~94)

사마타와 위빳사나는 불교수행을 대표하는 술어이며 특히 상좌부 불교의 수행체계를 극명하게 드러내는 핵심 술어이기도 하다. 그리고 이 두 술어는 일찍이 중국에서 각각 지(止)와 관(觀)으로 정착되었다. 그래서 지와 관을 고르게 닦을 것을 강조하여 지관겸수(止觀兼修)로 정착되었고 이것은 다시 선종에서 정혜쌍수(定慧雙修)로 계승되었다. 불교 2600년사에서 내로라하는 논사들이나 수행자들이 하도 지와 관에 대해서 많은 말을 하다 보니 현대를 살아가는 우리의 관심은 '주석서나 후대 논사들이나 후대 수행자들의 견해가 아닌 초기경에서 그것도 부처님이 직접 사마타와 위빳사나를 설명하신 것은 무엇인가? 부처님께서는 도대체 사마타와 위빳사나를 어떻게 정의하셨는가?' 하는 것으로 기울게 되었다 할 수 있다.

이런 측면에서 이 세 개의 경들은 사마타와 위빳사나에 대한 훌륭한 답변을 제공하고 있다. 세존께서는 말씀하신다.

"비구들이여, 여기 어떤 사람은 안으로 마음의 사마타[止, samatha]는 얻었지만 위빳사나[觀, vipassanā]의 높은 통찰지는 얻지 못했다. 비구들이여, 그러나 여기 어떤 사람은 위빳사나의 높은 통찰지는 얻었지만 안으로 마음의 사마타는 얻지 못했다. 비구들이여, 그러나 여기 어떤 사람은 안으로 마음의 사마타도 얻지 못했고 위빳사나의 높은 통찰지도 얻지 못했다. 비구들이여, 그러나 여기 어떤 사람은 안으로 마음의 사마타도 얻었고 위빳사나의 높은 통찰지도 얻었다."

이 세 개의 경들에서 "마음의 사마타"와 "통찰지라 [불리는] 법들에 대한 위빳사나"라는 표현에서 보듯이 사마타는 마음의 개발을 뜻하는 삼매와 동의어이고 위빳사나는 통찰지와 동의어이다.[2)]

그래서 「삼매 경」3(A4:94)에서는 사마타를 얻기 위해서는 사마타를 체득한 스님을 찾아가서 '도반이여, 어떻게 마음을 고정시켜야 합니까? 어떻게 마음을 안정시켜야 합니까? 어떻게 마음을 하나가 되게 해야 합니까? 어떻게 마음이 삼매에 들게 해야 합니까?'라고 물어야 한다고 설명하고 있다. 그리고 위빳사나를 얻기 위해서는 위빳사나에 통달한 분을 찾아가서 '도반이여, 형성된 것[行, saṅkhāra]들을 어떻게 보아야 합니까? 형성된 것들을 어떻게 명상해야 합니까? 형성된 것들을 어떻게 깊이 관찰해야 합니까?'라고 물어야 한다고 말씀하신다.

이처럼 사마타는 마음을 [하나의 대상에] 고정시키고 고요하게 하는 삼매를 개발하는 수행이며 위빳사나는 유위제법을 명상하고 관찰하여 무상·고·무아를 통찰하는 수행이라고 부처님께서는 분명하게 밝히고 계신다. 그리고 이 둘을 다 얻은 사람은 "유익한 법들에 굳게 서서 번뇌

---

2) 본서 제1권 해제 §4의 (2)도 참조할 것.

들을 소멸하기 위해서 수행해야 한다."고 말씀하신다.

(7) 「**쌍 경**」(A4:170)

그러면 사마타를 먼저 닦아야 하는가, 아니면 위빳사나를 먼저 닦아야 하는가, 아니면 둘 다를 동시에 닦아야 하는가? 이것도 사마타와 위빳사나에 관심을 가진 모든 사람들의 토론거리가 되고 있다. 「쌍 경」은 여기에 대한 명확한 지침을 준다. 결론은 사마타를 먼저 닦을 수도 있고, 위빳사나를 먼저 닦을 수도 있고, 사마타와 위빳사나를 함께 닦을 수도 있다는 것이다. 그것은 각 개인의 문제이지 어느 것을 먼저 닦아야 하는가는 정해진 것이 아니라는 것이다.

「쌍 경」은 아난다 존자가 비구들에게 설한 것이다. 본경에서 아난다 존자는 "도반들이여, 어떤 비구든 비구니이든 나의 곁에서 아라한과를 증득했다고 설명하는 자는 모두 네 가지 가운데 어느 하나에 속합니다."라고 하면서 사마타를 먼저 닦고 위빳사나를 닦는 경우, 위빳사나를 먼저 닦고 사마타를 닦는 경우, 사마타와 위빳사나를 쌍으로 닦는 경우, [성스러운] 법이라고 생각하면서 일어난 들뜸에 의해서 마음이 붙들린 경우[3]의 넷을 들고 있다.

그러면 도대체 사마타와 위빳사나를 쌍으로 닦는다는 것은 어떤 것인가? 사마타에 든 상태에서 위빳사나를 닦는다는 말인가? 경에서는 별다른 설명이 없다. 그러나 주석서는 사마타와 위빳사나를 쌍으로 닦는 경우를 다음과 같이 명쾌하게 설명하고 있다.

"증득[等至]에 든 마음으로 형성된 것[行]들을 명상할 수는 없다. 그러므로 이것은 증득에 든 만큼 형성된 것들을 명상하는 것이고 형성된 것들을 명상하는 만큼 [다시] 증득에 든 것이라는 [말이다.] 어떻게? 초선을 증득한다. 거기서 출정(出定)한 뒤 형성된 것들을 명상한다. 형성된

---

3) 주석서는 이것은 사마타와 위빳사나 [수행 도중에 생기는] 법들 가운데 열 가지 위빳사나의 경계라고 설명한다.(AA.iii.143)

것들을 명상한 뒤 제2선의 증득에 든다. 거기서 출정한 뒤 다시 형성된 것들을 명상한다. … 비상비비상처의 증득에 든다. 거기서 출정한 뒤 형성된 것들을 명상한다. 이와 같이 하는 것을 사마타와 위빳사나를 쌍으로 닦는다고 한다."(AA.iii.143)

사마타와 위빳사나를 쌍으로 닦는다는 이 말씀에 대해 사마타 즉 본삼매에 든 상태에서 무상·고·무아를 통찰하는 위빳사나를 동시에 닦는 것으로 잘못 생각하는 분들이 있다면 주석서의 이 설명에서 명확해질 것이다. 사마타와 위빳사나는 그 대상이 완전히 다르다. 사마타는 표상이라는 개념(paññatti)이 그 대상이고 위빳사나는 일어나고 사라지는 법(dhamma)이 그 대상이다. 그러므로 한 순간에 서로 다른 대상을 가진 사마타와 위빳사나는 결코 함께 일어날 수 없다.

이처럼 『앙굿따라 니까야』는 사마타와 위빳사나에 대한 중요한 언급들을 포함하고 있다.

(8) 「**항아리 경**」(A4:103)

본경은 수행자에 대한 세존의 예리한 고찰을 담고 있는 경이다. 세존께서는 다음과 같이 수행자들을 네 부류로 분류하신다.

"비구들이여, 세상에는 항아리의 비유와 같은 네 부류의 사람이 있다. 무엇이 넷인가? 텅 비었지만 잘 닫힌 자, 가득 찼지만 열린 자, 텅 비었고 열린 자, 가득 차고 잘 닫힌 자이다."

본문에 의하면 즉 사성제를 통찰하지 못하는 자를 텅 빈 자라 하고 밖으로 위의(威儀)를 잘 갖춘 자를 닫힌 자라 한다. 가득 찬 자와 열린 자는 각각 이와 반대의 경우를 말한다.

한편 복주서는 이렇게 설명한다. "여기서 안으로 고결한 것이라고는 하나도 없는 자를 '텅 빈 자'라고 한다. 밖으로 멋지게 보이는 자를 '잘 닫힌 자'라 한다."(AAṬ.ii.294)

밖으로 위의를 갖추고 근엄하게 행동하지만 부처님의 가르침과는 거리가 먼 외도의 견해를 굳게 거머쥐고는 자기야말로 진정한 불교 수행자요 부처님 제자라고 주장하는 가엾은 분들이 있다. 드물기는 하지만 밖으로 위의를 갖추지는 못했지만 연기와 무아에 바탕한 사성제를 말씀하는 분들도 있다. 더 드물기는 하지만 밖으로 위의를 갖추었고 사성제를 통찰하여 이를 천명하는 분들도 있다. 나는 어떤 부류에 속하는가? 나는 닫힌 자인가, 열린 자인가? 나는 텅 빈 자인가, 가득 찬 자인가?

(9) 「**께시 경**」(A4:111)

본경은 세존께서 말 조련사 께시에게 하신 말씀이다. 께시가 말을 길들일 때 온화하게 길들이기도 하고 혹독하게 길들이기도 하고 온화함과 혹독함 둘 다로 길들이기도 한다고 말씀드리자 세존께서는 그렇게도 못할 때는 어떻게 하는가라고 물으신다. 께시는 그때는 말을 죽여 버리는데 그것은 자기 스승의 가문을 욕되게 하지 않기 위해서라고 대답한다.

세존께서도 역시 사람들을 이렇게 길들인다고 말씀하신다. 그러자 께시가 "세존이시여, 참으로 세존께서는 생명을 결코 죽이지 않으십니다. 그런데 세존께서는 '나는 그를 죽여 버린다.'고 말씀하십니다."라고 의아해하자 세존께서는 이렇게 단호하게 대답하신다.

"께시여, 참으로 이 성스러운 율에서 여래가 훈도해서는 안 된다고 생각하고 교계해서는 안 된다고 생각하고, 청정범행을 닦는 지혜로운 동료 수행자들이 훈도해서는 안 된다고 생각하고 교계해서는 안 된다고 생각하는 그런 사람은 살해된 자이니라."

본경을 통해서 왜 세존이 사람을 잘 길들이는 분[調御丈夫]이신지 그 진면목을 알 수 있다. 그래서 『율장 주석서』(VinA.i.120)는 '사람을 잘 길들이는 분'을 설명하는 보기로 본경을 들고 있다. 참으로 출가 수행자가 가슴 깊이 새겨야 할 말씀이다.

⑽ 「**다른 점 경**」1/2(A4:123~124)

이 두 개의 경은 범부인 신과 예류자와 일래자와 불환자인 신의 차이점을 보여주고 있다. 아라한이 되기 전에는 예류과와 일래과와 불환과를 증득한 불교의 성자라도 죽으면 태어나는 곳이 반드시 있기 마련이다. 이러한 성자들이 태어나는 곳을 이 두 경은 분명하게 보여주고 있다. 그러나 그러한 천상에 머무는 범부인 신들과 예류와 일래와 불환의 경지를 증득한 성자인 신들은 분명히 다르다. 범부인 신들은 그곳에서 수명이 다 하면 다시 육도윤회의 길로 들어서지만 성자인 신들은 그곳에서 반열반에 들거나 다시 몇 번 인간으로 태어난 뒤 완전한 열반을 증득한다. 성자인 신들은 삼악도에는 떨어지지 않는다. 그래서 세존께서는 말씀하신다.

"거기서 범부는 그 신들의 수명의 한계만큼 거기 머물다가 그 기간이 모두 다 하면 지옥에도 가고 축생에도 가고 아귀에도 간다. 그러나 세존의 제자는 그 신들의 수명의 한계만큼 거기 머물다가 그 기간이 모두 다 하면 바로 거기서 존재의 완전한 멸진인 반열반에 든다. 비구들이여, 갈 곳과 태어남에 관한 한 이것이 많이 배운 성스러운 제자와 배우지 못한 범부 사이의 차이점이고 이것이 특별한 점이고 이것이 다른 점이다."

⑾ 「**족쇄 경**」(A4:131)

본경은 열 가지 족쇄를 낮은 단계의 족쇄들, 태어남을 얻게 하는 족쇄들, [태어남의 조건인] 존재를 얻게 하는 족쇄들의 셋으로 구분한 뒤 이를 기준으로 사람을 네 부류로 분류해서 설명하고 있는 경이다. 다른 곳에서는 찾아보기 드문 경이다.

세존께서는 일래자(예류자도 여기에 포함됨)는 낮은 단계의 족쇄들과 태어남을 얻게 하는 족쇄들과 태어남의 조건인 존재를 얻게 하는 족쇄들을 모두 다 제거하지 못한 자들이라고 분류하고 계신다. 일래자까지는 세 가지 족쇄는 풀었지만 낮은 단계에 속하는 감각적 욕망과 악의의 족쇄는 아직 미미하게 남아있기 때문에 다 끊어버린 것이 아니다.

이런 방법으로 아라한은 낮은 단계의 족쇄들과 태어남을 얻게 하는 족쇄들과 태어남의 조건인 존재를 얻게 하는 족쇄들을 모두 다 풀어버린 사람이라 한다. 본경에는 불환자에 해당하는 존재들을 상세하게 분류하고 있다. 자세한 것은 본경의 주해를 참조하기 바란다.

⑿「**바라문의 진리 경**」(A4:185)

출가란 말 그대로 집을 떠나는 행위이다. 집을 떠난다 함은 단순히 물질적인 집을 떠나는 것이 아니라, 집으로 표현되는 세상의 모든 의무나 권리나 욕망이나 희망을 모두 접는다는 뜻이기도 하다. 본경은 세존께서 같은 출가자의 길을 걷고 있는 외도 유행승들에게 어떤 자가 진정한 출가자(사문)이고 진정한 종교인(바라문)인지를 밝히신 경이다. 세존께서는 말씀하신다.

"유행승들이여, 여기 바라문은 '모든 생명을 상해해서는 안 된다.'라고 말한다. … '모든 감각적 욕망은 무상하고 괴롭고 변하기 마련인 법이다.'라고 말한다. … '모든 존재는 무상하고 괴롭고 변하기 마련인 법이다.'라고 말한다. … '나는 어디에도 누구에게도 속하지 않는다. 그러므로 어느 곳에서든 누구에게 있어서든 내 것이란 결코 없다.'라고 말한다.

이렇게 말하는 바라문은 진리를 말한 것이지 거짓을 말한 것이 아니다. 그는 … 이러한 진리를 최상의 지혜로 안 뒤 생명들에 대한 동정과 연민을 위해서 도를 닦는다."

출가 수행자라면, 진정한 종교인이라면 그는 당연히 생명을 존중하고 감각적 욕망을 줄이고 세상이란 무상한 것이라고 통찰하고 무소유의 삶을 실천하는 이러한 네 가지를 기본 덕목으로 할 수 밖에 없을 것이다. 이것은 세상의 모든 출가자나 종교인들에게 보편적으로 적용되는 가르침이다. 생명을 천시 여기고 욕망에 휘둘리고 세상이 무상하다는 것을 모르고 자기 것을 늘리려 아등바등한다면 그는 더 이상 출가자가 아니고 세상의 빛이 되고 소금이 되는 종교인이 아닐 것이다.

⒀「**밧디야 경**」(A4:193)

개종은 한일합방이라는 수치와 6·25 전쟁이라는 처참한 동족상쟁과 이를 극복하기 위해 극심한 서구화를 경험한 근대와 현대의 한국인들에게 중요한 화두 가운데 하나였다. 종교를 바꾼다는 것은 자신의 신념체계를 바꾼다는 말이고 자신의 삶의 태도를 바꾼다는 중요한 사실이다.

세존께서는 깨달음을 실현하시고 인도 중원에서 전법을 시작하신 직후부터 불을 섬기던 가섭 삼형제[4]와 그들의 제자 1000명이 부처님의 제자가 되고, 당시에 마가다 등지에서 존경 받던 유행승들과 연로하고 유명한 바라문들이 부처님의 신도가 되는 등 불교는 급속도로 인도에 퍼져나갔다. 그래서 부처님 당대에 이미 '고따마는 개종시키는 요술을 써서 외도들을 개종시킨다.'는 말이 공공연히 나돌았던 것 같으며 다른 교단으로부터 많은 견제를 받았던 듯하다.[5] 그럼 과연 진정한 개종이란 어떤 것인가? 진정한 신념체계를 바꾼다는 것은 어떤 것인가? 진정한 삶의 태도를 바꾼다는 것은 어떤 것인가? 본경은 여기에 대한 부처님의 명쾌한 설명을 담고 있는 귀중한 가르침이다.

본경은 릿차위의 밧디야와 세존의 대화로 구성되어 있다. 밧디야가 세존께 와서 "사문 고따마는 요술쟁이다. 그는 개종시키는 요술을 알아서 다른 외도들을 제자로 개종시킨다."라고들 말하는데 그들의 말이 맞

---

4) 본서 제1권 A1:14:4-6의 주해를 참조할 것.

5) 여기에 대해서는 본서 제1권「사라바 경」(A3:64) §1의 주해도 참조할 것.

는지 아닌지를 여쭙는다. 세존께서는 본서 제1권 「깔라마 경」(A3:65)에서 깔라마 인들에게 말씀하신 대로 탐욕, 성냄, 어리석음과 본경에서는 한 가지를 더하여 폭력 없음에 대해서 밧디야와 대화를 나누신다. 그래서 세존께서는 이렇게 대화를 마무리 지으신다.

"밧디야여, 세상에 있는 참된 사람[眞人]들은 그들의 제자에게 이렇게 가르친다. '이리 오시오, 아무개 사람이여. 그대는 탐욕을 길들이고 머무시오. 그대가 탐욕을 길들이고 머물면 몸과 말과 마음으로 탐욕에서 생긴 업을 짓지 않을 것이오. 그대는 성냄을 … 어리석음을 … 폭력적인 마음을 길들이고 머무시오. 그대가 폭력적인 마음을 길들이고 머물면 몸과 말과 마음으로 폭력적인 마음에서 생긴 업을 짓지 않을 것이오.'라고."

즉 모든 수행자나 종교인은 만일 그가 참된 사람이라면 모두 탐욕과 성냄과 어리석음과 폭력적인 마음을 길들이는 것을 가르친다는 말씀이며 세존도 이러한 것을 가르치는 사람이지 요술을 써서 사람을 개종시키기에 혈안이 된 자가 아니라는 말씀이다.

대화 끝에 세존께 감격한 밧디야는 재가 신자가 되고 이렇게 말씀드린다.

"세존이시여, 세존의 개종시키는 요술은 축복입니다. 세존이시여, 그 개종시키는 요술은 훌륭합니다. 세존이시여, 나의 사랑하는 혈육과 친척들이 이러한 개종으로 개종한다면 나의 사랑하는 혈육과 친척들에게 오랜 세월 동안 이익과 행복이 있을 것입니다."

세존께서는 그의 감격에 찬 말을 크게 인정하시면서 만일 이 모든 사람들이 "해로운 법들을 버리고 유익한 법들을 두루 갖추기 위해서 개종을 한다면"이라고 분명하게 말씀하신 뒤에 "밧디야여, 만일 이 큰 살라 나무들조차도 해로운 법들을 버리고 유익한 법들을 두루 갖추기 위해서 개종을 한다면 이 큰 살라 나무들에게 오랜 세월을 이익과 행복이 있을 것이다. 물론 그들이 인간처럼 생각할 수 있다면 말이다."라고 결론지으신다.

우리는 스스로 불자라는 자부심을 가져야 하고, '나는 불교 신자'라고 떳떳하게 말해야 한다. 그러나 이름만이 불자요 이름만이 불교 신자일 뿐 안으로는 탐욕, 성냄, 어리석음, 폭력적 성향이 득시글거린다면 어찌 자신을 부처님 아들이라고 부처님의 제자라고 하겠는가? 우리는 모두 탐욕 없음, 성냄 없음, 어리석음 없음, 폭력 없음으로 개종해야 한다. "해로운 법들을 버리고 유익한 법들을 두루 갖추기 위해서" 개종해야 한다. 그래야 그가 진정한 부처님의 아들이요 부처님의 제자다. 이것이 세존께서 「밧디야 경」을 통해서 우리들에게 해주시는 간곡한 말씀이다.

⑭ 「**갈애 경**」(A4:199)

본경은 지금여기에서 벌어지고 있는 갈애의 적나라한 모습을 36가지로 정리하고 있다. 세존께서는 말씀하신다.

"이 세상은 갈애에 의해서 망가지고 둘러싸이고 실에 꿰어진 구슬처럼 얽히게 되고 베 짜는 사람의 실타래처럼 헝클어지고 문자 풀처럼 엉키며 비참한 곳[苦界], 불행한 곳[惡處], 파멸처, 지옥을 건너지 못한다."

본경에서 세존께서는 '내가 있다.' '나는 여기에 있다.'등의 18가지 안을 취착하여 일어나는 갈애와 '이것에 의해서 내가 있다.' '이것에 의해서 나는 여기에 있다.' 등의 18가지 밖을 취착하여 일어나는 갈애를 들고 계시는데 다른 곳에서는 찾아보기 힘든 가르침이다. 그리고 이런 안팎의 36가지 갈애는 과거와 현재와 미래와 조합이 될 때 108가지 갈애가 된다.

⑮ 「**소나까야나 경**」(A4:233)

본경은 목갈라나라는 바라문이 세존께 와서 여쭌 문제에 대한 세존의 설명으로 구성되어 있다. 목갈라나 바라문이 세존께 "소나까야나라는 바라문 학도가 말하기를 '사문 고따마는 모든 업들의 지음 없음(akiriya)

을 천명합니다. 그는 모든 업들의 지음 없음을 천명하여 단멸론(uccheda)을 말하면서도 세상이란 것은 업이 진리이며 업의 적집으로 유지되는 것이라고 말합니다.'라고 하는데 그것이 사실입니까?"라고 여쭙는다.

즉 '고따마는 업을 짓는 것이란 없다는 도덕부정을 설하면서도 어떻게 다시 업이 진리라고 하여 혼란스럽게 만드느냐?'는 식의 악의적인 소문을 세존께 말씀드리는 것이다.

여기에 대해서 세존께서는 "바라문이여, 검은 과보를 가져오는 검은 업이 있다. 흰 과보를 가져오는 흰 업이 있다. 검고 흰 과보를 가져오는 검고 흰 업이 있다. 검은 과보도 흰 과보도 가져오지 않고, 업의 소멸로 인도하는 검지도 희지도 않은 업이 있다."고 바로 앞의 「상세하게 경」(A4:232)에서처럼 네 가지 업을 말씀하시고 그 예를 들고 계신다.

세존의 가르침은 업을 뛰어넘는 것을 근본으로 한다. 이것이 네 번째인 검지도 희지도 않은 업이다. 이런 가르침을 일부 외도들과 바라문들은 단멸과 허무와 도덕부정의 가르침이라고 매도하는 것을 본경은 보여주고 있다. 지금도 마찬가지다. 많은 불자들조차도 부처님 가르침의 핵심인 무아와 연기를 허무주의적으로 단멸론적으로 잘못 이해하여 두려워하고 겁먹고 갈팡질팡한다. 이 경을 통해서 좀 더 진지하게 부처님 가르침을 사유하고 음미하여 자신의 삶에 적용시키리라 기대해본다.

그리고 계속해서 「성스러운 도 경」(A4:235)에서는 검지도 않고 희지도 않은 업 즉 업을 뛰어넘는 것을 실현하는 방법으로 팔정도를 들고 계시며 「깨달음의 구성요소 경」(A4:236)에서는 칠각지를 그 방법으로 들고 계신다.

이처럼 부처님 가르침의 핵심은 육도 윤회를 종식시키는 것이며 그것은 팔정도와 칠각지 등의 37보리분법을 통해서 이루어지는 것이라고 거듭 강조하신다.

(16) 「**사문 경**」(A4:239)

본경은 세존께서 오직 불교에만 사문이 있다고 자신 있게 천명하시는 가르침이다. 세존께서는 말씀하신다.

"비구들이여, 오직 여기에만 사문이 있다. 여기에만 두 번째 사문이 있다. 여기에만 세 번째 사문이 있다. 여기에만 네 번째 사문이 있다. 다른 교설들에는 사문들이 텅 비어 있다. 비구들이여, 그대들은 이와 같이 바르게 사자후를 토하라."라고 말씀하신 뒤 이 넷을 각각 예류자, 일래자, 불환자, 아라한으로 설명하고 계신다.

이러한 사자후는 『디가 니까야』 제2권 「대반열반경」(D16 §5.27)에서 세존의 마지막 출가 제자가 된 수밧다에게 하신 말씀과 동일하다. 「대반열반경」에서 세존께서는 말씀하신다.

"수밧다여, 어떤 법과 율에서든 여덟 가지 성스러운 도[八支聖道]가 있으면 거기에는 사문이 있다. 거기에는 두 번째 사문도 있다. 거기에는 세 번째 사문도 있다. 거기에는 네 번째 사문도 있다. 수밧다여, 이 법과 율에는 여덟 가지 성스러운 도가 있다. 수밧다여, 그러므로 오직 여기에만 사문이 있다. 여기에만 두 번째 사문이 있다. 여기에만 세 번째 사문이 있다. 여기에만 네 번째 사문이 있다. 다른 교설들에는 사문들이 텅 비어 있다."

불자는 팔정도를 실천하는 사람이다. 팔정도를 실천할 때 그가 진정한 사문이며 그가 진정한 부처님의 제자이다.

6. 재가자에게 도움이 되는 경들

「넷의 모음」에는 재가신도들이 가져야 할 삶의 태도를 다룬 경들도 적지 않게 포함되어 있다. 이런 경들은 하나같이 어떻게 재가의 삶을 살아야 할 것인지를 잘 설명하고 있다. 본서를 읽는 재가 불자님들을 위해서 몇 가지 경들을 소개하고자 한다.

(1) 「**어울리는 삶 경**」1(A4:55)

우리는 주위에서 금슬이 좋은 부부도 보고 서로 원수처럼 지내는 부부도 본다. 금슬이 좋아서 내생에서도 부부의 인연을 맺으려 한다면 금생에 부부가 어떠한 태도로 삶을 살아야 할 것인가? 본경은 여기에 대해서 그 답을 제공해준다.

본경은 500생 동안 부처님의 부모였다고 하는 금슬이 좋기로 소문난 나꿀라삐따 장자와 그의 아내 나꿀라마따에게 하신 말씀이다. 태어나는 곳마다 부부의 연을 맺기 위해서는 어떻게 해야 하는가에 대해서 부처님께서는 이렇게 말씀하신다.

"장자와 부인이여, 만일 그대들 둘이 지금여기에서도 서로서로 보기를 원할 뿐만 아니라 내세에서도 서로서로 보기를 원한다면 그대들 둘은 동등한 믿음과 동등한 계행과 동등한 베풂과 동등한 통찰지를 가져야 한다. 그러면 그대들은 지금여기에서도 서로서로 보게 될 것이고 내생에서도 서로서로 보게 될 것이다."

즉 같은 인연을 지속하기 위해서는 둘 다 동등한 믿음을 가져야 하고, 둘 다 계를 잘 지켜야 하며, 둘 다 보시하는 넓은 마음을 가져야 하며, 둘 다 지혜를 개발해야 한다는 말씀이다.

(2) 「**숩빠와사 경**」(A4:57)

보시하는 자는 어떠한 마음가짐으로 보시를 해야 할까? 본경은 음식이나 물질을 승가나 남들에게 보시하는 자가 가져야 할 기본자세를 설하고 계신 경이다. 세존께서는 이렇게 말씀하신다.

"숩빠와사여, 음식을 보시하는 성스러운 여제자는 받는 자들에게 네 가지로 보시한다. 무엇이 넷인가? 수명을 보시하고 아름다움을 보시하고 행복을 보시하고 힘을 보시한다."

계속해서 세존께서는 말씀하신다. "수명을 보시한 뒤 그는 천상이나 인간의 수명을 나누어 가지게 된다. 아름다움을 보시한 뒤 그는 천상이나 인간의 아름다움을 나누어 가지게 된다. 행복을 보시한 뒤 그는 천상이나 인간의 행복을 나누어 가지게 된다. 힘을 보시한 뒤 그는 천상이나 인간의 힘을 나누어 가지게 된다."

즉 이러한 네 가지 자세로 보시한 사람은 다음 생에 천상이나 인간에 태어나서 수명과 아름다움과 행복과 힘을 가지게 된다는 말씀이다. 초기경의 여러 곳에서 부처님께서는 재가자들에게 항상 시·계·생천(施·戒·生天)을 먼저 말씀하셨다.[6] 세존께서는 이처럼 보시하고 계를 지켜서 천상에 태어나는 것을 먼저 재가자들에게 강조하신 뒤 이를 잘 실천하는 자들에게 사성제를 말씀하셨다.

(3) 「**합리적인 행위 경**」(A4:61)

세상 사람들은 너나 할 것 없이 재물이 많기를 바라고 자신과 가문이 큰 명성을 얻기를 바라고 오래 살기를 바라고 죽어서는 천상에 태어나기를 바란다. 이것은 모든 나라의 모든 백성들이 가지고 있는 원초적인 희망이면서도 쉽게 이루어지지 않는 것이기도 하다.

그래서 본경에서도 부처님께서는 급고독 장자에게 세상 사람들이 모두 원하지만 그렇게 되기 어려운 것으로 '법답게 재물을 얻는 것, 친척들과 스승들과 더불어 명성을 얻는 것, 오래 살고 긴 수명을 가지는 것, 죽어서 몸이 무너진 다음에는 천상 세계에 태어나는 것'의 네 가지를 말씀하신다.

그러면 어떻게 하면 모든 나라 모든 사람들이 가지고자 하는 이러한

6) "보시에 관한 말씀(dāna-katha), 계에 관한 말씀(sīla-katha), 천상에 관한 말씀(sagga-katha)"(D.i.110; M.i.379; A.iv.186 등)

네 가지를 성취하게 되는가? 세존의 대답은 간단하고 분명하다. 그것은 믿음을 구족하고 계를 구족하고 보시를 구족하고 통찰지를 구족하는 것이다. 구체적으로는 부처님께 대한 흔들림 없는 믿음을 구족하고, 5계를 잘 지키고, 항상 남에게 베푸는 자세를 가지고, 다섯 가지 장애로 대표되는 오염원들을 제거해야 한다고 설하신다. 믿음, 계행, 보시, 지혜의 이 네 가지를 닦고 실천할 때 그 사람은 재산과 명성과 긴 수명과 천상을 얻게 된다는 말씀이다.

이렇게 말씀하신 뒤 재가자들은 자신의 노력으로 법답게 얻은 재물로 다음의 네 가지를 실천해서 바른 업을 지어야 한다고 가르치신다.

첫째는 자신과 부모와 아들과 아내와 하인과 일꾼들과 친구와 친척들을 행복하게 하고 만족하게 하고 바른 행복을 보호하는 것이다. 즉 자기 식솔들을 잘 부양해야 한다는 말씀이다.

둘째는 이러한 재물을 재난, 즉 불과 물과 왕과 도둑과 적과 나쁜 마음을 가진 상속인 등의 여러 가지 재난으로부터 보호해야 한다. 재물을 잘 보호해야 한다는 말씀이다.

셋째는 친지에게 하는 헌공, 손님에게 하는 헌공, 조상신들에게 하는 헌공, 왕에게 하는 헌공(세금), 신에게 하는 헌공의 다섯 가지 헌공을 해야 한다. 사회적인 의무를 위해서 사용해야 한다는 말씀이다.

넷째는 사문・바라문들에게 보시를 해야 한다. 이러한 사문・바라문들에게 하는 보시는 고귀한 결말을 가져다주고 신성한 결말을 가져다주며 행복을 익게 하고 천상에 태어나게 하기 때문이다. 수행자들과 종교인들을 후원해야 한다는 말씀이다.

벌 줄도 알아야 하지만 쓸 줄도 알아야 한다고들 말한다. 세존께서는 각자가 번 돈으로 구체적으로 해야 할 일들을 위의 네 가지로 설명하고 계시는데 현대를 살아가는 우리 재가불자들에게도 그대로 적용되는 중요한 말씀이다.

(4) 「**빚 없음 경**」(A4:62)

본경은 세존께서 급고독 장자에게 하신 말씀을 담은 경으로 재가자가 바르게 누리는 네 가지 행복을 들고 계신다. 그것은 소유하는 행복, 재물을 누리는 행복, 빚 없는 행복, 비난받을 일이 없는 행복이다.

열정적인 노력으로 얻었고 팔의 힘으로 모았고 땀으로 획득했으며 법에 따라서 얻은 재물을 소유하는 행복을 세존께서는 재가자들이 누리는 첫 번째 행복으로 들고 계신다.

두 번째의 재물을 누리는 행복이란 이렇게 자신의 노력으로 바르게 얻은 재물로 그것을 즐기고 공덕을 짓는 것을 말한다. 재물은 바르게 사용할 때, 특히 이러한 재물로 공덕을 지을 때 그것이 행복이 된다. 그렇지 못한 재물은 화의 근본이 될 뿐이다.

재가자가 누리는 세 번째 행복은 빚 없는 행복이다. 경제적인 면에서뿐만 아니라 이 세상에 대해 진정한 의미에서 아무런 빚도 지지 않는 사람이야말로 전정한 행복을 누리는 사람일 것이다.

네 번째 행복은 비난받을 일이 없는 행복이다. 본경은 몸과 말과 마음으로 비난받을 일이 없는 업을 짓는 것이라고 설명하는데 구체적으로는 몸으로 살생 투도 사음을 하지 않고 말로는 거짓말, 이간질, 욕설, 잡담을 하지 않는 것이며 마음으로는 강한 탐욕, 악의, 삿된 견해를 가지지 않는 것을 말한다.

한편 스리랑카의 릴리 드 실바 교수는 「세속인의 행복」이라는 글에서 이 넷을 기본 주제로 하여 잘 설명하고 있다.7)

(5) 「**범천 경**」(A4:63)

본경을 통해서 세존께서는 아들들이 부모를 공경하는 그런 가문들은

---

7) 『한발은 풍진 속에 둔 채』 김재성 옮김, 고요한 소리, 1990, 11~18쪽 참조.

범천, 최초의 스승, 고대의 신들이 함께하는 가문이고 공양 받아야 할 가문이라고 천명하신다.

『앙굿따라 니까야』의 여러 곳에서 세존께서는 부모를 공경하고 잘 모실 것을 설하고 계신다. 그래서 본서 제1권「은혜를 보답하지 못함 경」(A2:4:2)에서 세존께서는 이렇게 강조하신다.

"비구들이여, 수명이 백 년인 때에 태어나 백 년 동안 살면서 내내 한쪽 어깨에 어머니를 태우고 다른 한쪽 어깨에 아버지를 태워드리더라도, 향수를 뿌리고 안마를 해 드리고 목욕시켜드리고 몸을 문질러 드리면서 봉양을 하더라도, 대소변을 받아내더라도 그들은 부모님의 은혜에 보답하지 못한다. 비구들이여, 어떤 사람이 그의 부모님을 비록 칠보가 가득한 큰 대지를 통치하는 최고의 왕위에 모시더라도 부모님의 은혜에 보답하지 못한다."

(6)「**말리까 경**」(A4:197)

본경은 세존께서 말리까 왕비에게 하신 말씀이다. 말리까 왕비가 세존께 "세존이시여, 무슨 원인과 무슨 조건 때문에 여기 어떤 여인은 용모가 나쁘고 못생기고 보기에 흉하고 가난하며 게다가 소유물이 적고 재물이 적고 따르는 사람이 적습니까?"라는 방법으로 네 가지를 질문드리자 세존께서는 여기에 대해서 하나하나 설명해주시는 경이다.

세존께서는 성 잘 내고 조그만 일에도 흥분하는 자는 용모가 나쁜 과보를 받고, 그와 반대로 행하는 자는 용모가 좋은 과보를 받는다고 말씀하신다. 그리고 보시하지 않는 자는 가난한 과보를 받고 보시를 많이 한 자는 부유한 과보를 받으며, 질투심이 많은 자는 따르는 무리가 적은 과보를 받고 그렇지 않은 자는 따르는 무리가 많은 과보를 받는다고 말씀하신다.

그러자 말리까 왕비는 자신은 성을 잘 내어서 지금 못생긴 과보를 받왔고 보시를 잘해서 부유한 과보를 받았고 질투심이 없어서 따르는 무리가 많은 과보를 받은 것 같다고 하면서 앞으로는 성을 내지 않고 보시하고 질투심을 가지지 않을 것이라고 말씀드리고 부처님의 신도가 된다.

7. 맺는 말

이상으로 「넷의 모음」을 개관해보았다. 「넷의 모음」에 포함된 271개의 경들 가운데는 특히 사람을 여러 부류로 분류해서 설명하는 경들이 눈에 많이 띈다. 이러한 가르침들을 통해서 나는 어떤 부류에 속하는 인간인지 스스로를 돌아보고 점검하는 기회를 가진다면 그것은 세존의 금구성언을 통해서 세세생생 악도를 여의고 선처로 향상하며 해탈·열반을 실현하는 튼튼한 디딤돌을 놓는 가장 귀중한 인연이 될 것이다.

『앙굿따라 니까야』 제2권은 「넷의 모음」만을 담고 있기 때문에 「하나의 모음」과 「둘의 모음」과 「셋의 모음」을 담고 있는 본서 제1권보다 그 분량이 적다. 그래서 본서 제1권에 해당하는 찾아보기도 모두 본서에 모아서 엮었다. 사용에 불편한 점이 있겠지만 제1권과 제2권의 분량을 조절하기 위한 것이므로 독자여러분들의 이해를 구하면서 제2권의 해제를 마무리한다.

앙굿따라 니까야

넷의 모음

Catukka-nipāta

그분 부처님 아라한 정등각께 귀의합니다.

앙굿따라 니까야

넷의 모음

Catukka-nipāta

I. 첫 번째 50개 경들의 묶음

Paṭhama-paññāsaka

제1장 반다가마 품

Bhaṇḍagāma-vagga

깨달음 경(A4:1)[8]

Anubuddha-sutta

1. 이와 같이 나는 들었다. 한때 세존께서는 왓지[9]에서 반다가

---

8) 본경은 부처님의 마지막 발자취를 소상하게 보여주고 있는 『디가 니까야』 제2권 「대반열반경」(D16) §§4.2~4.3과 같은 내용이다.

9) 왓지(Vajjī)는 인도 중원의 16국(16국은 본서 제1권 「팔관재계 경」(A3:70) §17을 참조할 것) 가운데 하나였다. 웨살리(Vesāli)를 수도로 하였으며 공화국 체제를 유지한 강성한 국가였다. 강가(Gaṅgā) 강을 경계로 하여 남쪽으로는 강대국 마가다가 있었다. 왓지국은 몇몇 부족들로 이루어져 있었다고 하는데 그 가운데서 릿차위(Licchavī)와 위데하

마[10]에 머무셨다. 그곳에서 세존께서는 "비구들이여."라고 비구들을 부르셨다. "세존이시여."라고 비구들은 세존께 응답했다. 세존께서는 이렇게 말씀하셨다.

2. "비구들이여, 네 가지 법을 깨닫지 못하고 꿰뚫지 못하였기 때문에 나와 그대들은 이처럼 긴 세월을 [이곳에서 저곳으로] 치달리고 윤회하였다. 어떤 것이 네 가지인가?"

3. "비구들이여, 성스러운 계(戒)를 깨닫지 못하고 꿰뚫지 못하였기 때문에 나와 그대들은 이처럼 긴 세월을 [이곳에서 저곳으로] 치달리고 윤회하였다. 비구들이여, 성스러운 삼매[定]를 깨닫지 못하고 꿰뚫지 못하였기 때문에 나와 그대들은 이처럼 긴 세월을 [이곳에서 저곳으로] 치달리고 윤회하였다. 비구들이여, 성스러운 통찰지[慧]를 깨닫지 못하고 꿰뚫지 못하였기 때문에 나와 그대들은 이처럼 긴 세월을 [이곳에서 저곳으로] 치달리고 윤회하였다. 비구들이여, 성스러운 해탈을 깨닫지 못하고 꿰뚫지 못하였기 때문에 나와 그대들은 이처럼 긴 세월을 [이곳에서 저곳으로] 치달리고 윤회하였다."[11]

(Videha)가 강성하였다고 하며, 『브르하다란냐까 우빠니샤드』에 의하면 바라문 전통에서 성군으로 칭송받는 자나까(Janaka) 왕이 위데하의 왕이었다. 부처님 당시에는 릿차위가 강성하여(MA.i.394.) 초기경에서는 릿차위와 왓지는 동일시되다시피 하고 있다.

10) 반다가마(Bhaṇḍagāma)는 웨살리 북쪽에 있었던 마을이다. 부처님의 마지막 발자취를 다루고 있는 『디가 니까야』 제2권 「대반열반경」(D16) §4.1에 의하면 부처님께서는 웨살리를 떠나서 이 반다가마로 향하신 것으로 나타난다.

11) 우리에게 잘 알려진 계・정・혜 삼학에다 해탈(vimutti)을 넣어 네 가지 법의 무더기가 된다. 『디가 니까야』 제3권 「합송경」(D33) §1.11.(25)에

4\. "비구들이여, 이제 성스러운 계를 깨닫고 꿰뚫었다. 성스러운 삼매를 깨닫고 꿰뚫었다. 성스러운 통찰지를 깨닫고 꿰뚫었다. 성스러운 해탈을 깨닫고 꿰뚫었다. 그러므로 존재에 대한 갈애는 잘라졌고, 존재에 [묶어두는] 사슬[12]은 부수어졌으며, 다시 태어남은 이제 더 이상 존재하지 않는다."

세존께서는 이렇게 말씀하셨다. 선서께서는 이렇게 말씀하신 뒤 다시 [게송으로] 이와 같이 설하셨다.

5\. "계와 삼매와 통찰지와 위없는 해탈 —
명성을 가진 고따마는 이 법들을 깨달았노라.
괴로움을 끝내었고 혜안을 가졌고
[오염원들을] 모두 멸진한 깨달은 스승은
법을 최상의 지혜로 안 뒤에
이제 그 법을 비구들에게 설하노라."

서는 이 넷을 법의 무더기[法蘊, dhammakkhandha]라고 정리하고 있으며, 「십상경」(D34) §1.6.⑩과 『상윳따 니까야』(S.i.99~100; 139; v.162) 등에서는 여기에다 해탈지견(解脫知見, vimutti-ñāṇadassana)을 첨가하여 다섯 가지 법의 무더기[五法蘊]라고 정리하고 있다. 본서 제1권 「왓차곳따 경」(A3:57) §3에도 이 다섯 가지가 나타나고 있다.

12) "갈애의 동의어이다. 이것으로 중생을 마치 소처럼 목덜미를 잡아서 각각의 존재로 인도하기 때문에 존재에 [묶어두는] 사슬(bhava-netti)이라 한다."(AA.iii.2)

떨어짐 경(A4:2)

Papatita-sutta

1. "비구들이여, 네 가지 법을 갖추지 못한 자는 이 법과 율로부터 떨어졌다고 말한다. 무엇이 넷인가?

비구들이여, 성스러운 계를 갖추지 못한 자는 이 법과 율로부터 떨어졌다고 말한다. 비구들이여, 성스러운 삼매를 갖추지 못한 자는 이 법과 율로부터 떨어졌다고 말한다. 비구들이여, 성스러운 통찰지를 갖추지 못한 자는 이 법과 율로부터 떨어졌다고 말한다. 비구들이여, 성스러운 해탈을 갖추지 못한 자는 이 법과 율로부터 떨어졌다고 말한다.

비구들이여, 이러한 네 가지 법을 갖추지 못한 자는 이 법과 율로부터 떨어졌다고 말한다."

2. "비구들이여, 네 가지 법을 갖춘 자는 이 법과 율로부터 떨어지지 않았다[13]고 말한다. 무엇이 넷인가?

비구들이여, 성스러운 계를 갖춘 자는 이 법과 율로부터 떨어지지 않았다고 말한다. 비구들이여, 성스러운 삼매를 갖춘 자는 이 법과 율로부터 떨어지지 않았다고 말한다. 비구들이여, 성스러운 통찰지를 갖춘 자는 이 법과 율로부터 떨어지지 않았다고 말한다. 비구들이여, 성스러운 해탈을 갖춘 자는 이 법과 율로부터 떨어지지 않았다고 말한다.

비구들이여, 이러한 네 가지 법을 갖춘 자는 이 법과 율로부터 떨

---

13) "떨어지지 않았다(appapatita)는 것은 확고하다(patiṭṭhita)는 뜻이다." (*Ibid*)

어지지 않았다고 말한다."

3. "죽은 자들은 떨어졌고 떨어진 자들은 죽었노라.[14]
탐욕에 빠진 자들은 다시 [윤회로] 오는 것.[15]
[그러나 그는] 해야 할 바를 다 해 마쳤고
즐거워해야 할 것을 즐거워하였으며[16]
행복으로 행복을 얻었노라."[17]

파 없음 경1(A4:3)

Khata-sutta

1. "비구들이여, 네 가지 속성(dhamma)을 가진[18] 어리석고 영

---

14) 원문은 cutā patanti patitā인데 주석서는 "죽은 자들은 떨어진다(ye cutā, te patanti nāma)고 하고 떨어진 자들은 죽었다고 한다(ye patitā, te cutā nāma)."라고 풀이하면서 "죽었기 때문에 떨어졌고 떨어졌기 때문에 죽은 것이라는 뜻이라고 설명하고 있다."(*Ibid*)

15) "'다시 [윤회로] 오는 것(punarāgatā)'은 다시 태어나고, 다시 늙고, 다시 병들고, 다시 죽는 것을 말한다."(*Ibid*)

16) "'즐거워해야 할 것을 즐거워하였으며(rataṁ rammaṁ)'라는 것은 즐거워할 가치가 있는 덕의 무더기(guṇa-jāta)를 즐거워하였다는 말이다." (*Ibid*)

17) "'행복으로 행복을 얻었다.(sukhenānvāgataṁ sukhaṁ)'는 것은 행복으로 행복을 누렸다는 말인데 인간의 행복으로 천상의 행복을, 禪의 행복으로 위빳사나의 행복을, 위빳사나의 행복으로 도의 행복을, 도의 행복으로 과의 행복을, 과의 행복으로 열반의 행복을 증득했다, 얻었다는 뜻이다."(*Ibid*)

18) 본서 제1권의 「파 없음 경」1(A2:12:5)에서는 두 가지 속성을 가진 사람의 경우를 들었다.

민하지 못하고 참되지 못한 사람은 자신을 파서 엎어버리고 파멸시킨다. 그는 비난받아 마땅하고 지자들의 비난을 받으며 많은 악덕(惡德)을 쌓는다. 무엇이 넷인가?

잘 알지도 못하고 충분히 검증하지도 않고서 비난받아야 할 사람을 칭송하여 말한다. 잘 알지도 못하고 충분히 검증하지도 않고서 칭송받아야 할 사람을 비난하여 말한다. 잘 알지도 못하고 충분히 검증하지도 않고서 청정한 믿음을 내지 않아야 할 곳에 청정한 믿음을 표시한다. 잘 알지도 못하고 충분히 검증하지도 않고서 청정한 믿음을 내어야 할 곳에 청정한 믿음을 표시하지 않는다.

비구들이여, 이러한 네 가지 속성을 가진 어리석고 영민하지 못하고 참되지 못한 사람은 자신을 파서 엎어버리고 파멸시킨다. 그는 비난받아 마땅하고 지자들의 비난을 받으며 많은 악덕을 쌓는다."

2. "비구들이여, 네 가지 속성을 가진 현명하고 영민하고 참된 사람은 자신을 파서 엎지 않고 파멸시키지 않는다. 그는 비난받을 일이 없고 지자들에게 비난받지 않고 많은 공덕을 쌓는다. 무엇이 넷인가?

잘 알고 충분히 검증한 뒤 비난받아야 할 사람을 비난하여 말한다. 잘 알고 충분히 검증한 뒤 칭송받아야 할 사람을 칭송하여 말한다. 잘 알고 충분히 검증한 뒤 청정한 믿음을 내지 않아야 할 곳에 청정한 믿음을 표시하지 않는다. 잘 알고 충분히 검증한 뒤 청정한 믿음을 내어야 할 곳에 청정한 믿음을 표시한다.

비구들이여, 이러한 네 가지 속성을 가진 현명하고 영민하고 참된 사람은 자신을 파서 엎지 않고 파멸시키지 않는다. 그는 비난받을 일이 없고 지자들에게 비난받지 않고 많은 공덕을 쌓는다."

3. "책망받아 마땅한 것을 칭송하거나
칭송받아 마땅한 것을 책망하는 자
입으로 최악의 패[19]를 모은 것이니
그런 최악의 패로는 결코 행복을 얻지 못하리.
노름에서 자기의 모든 재산을 잃고
자기 자신까지 [잃는 자]
그의 최악의 패는 오히려 하찮은 것이지만
바른 삶을 사는 사람들에 대해[20] 마음을 더럽힌 자

---

19) '최악의 패'로 옮긴 원어는 kali인데 인도 전통 노름의 네 가지 패 가운데서 가장 나쁜 패를 일컫는다. 인도의 전통적인 노름은 주사위(akkha, *die*)를 던져서 나오는 패를 가지고 승부를 겨룬다고 한다. 패에는 네 가지가 있다. 가장 좋은 패는 끄르따(kṛta)라고 하며, 그다음은 뜨레따(tretā), 그다음은 드와빠라(dvāpara)라고 하고, 가장 나쁜 패는 깔리(kali)라고 한다. 그래서 인도 문헌 전반에서 깔리(kali)는 '사악함, 불운, 죄악' 등의 의미로도 쓰인다.
한편 인도에서는 일찍부터 이런 네 가지 패를 시대(yuga) 구분에도 적용시켜 부르는데 끄르따 유가(kṛta-yuga)는 참된 시대(satya-yuga)라고도 불리듯이 가장 좋은 시대를 뜻하고 이런 시대는 점점 타락하여 차례대로 뜨레따 유가, 드와빠라 유가가 되고 마침내 가장 나쁜 말세인 깔리 유가(kali-yuga)가 된다고 한다. 힌두 신화에서는 지금 시대를 깔리 유가(말세)라고 설명한다.

20) '바른 삶을 사는 사람들에 대해서'로 옮긴 원어는 sugatesu이다. sugata는 대부분 선서(善逝, 잘 가신 분)로 옮겨 부처님을 뜻하지만 여기서는 그냥 "바른 삶을 사는 사람들에 대해(sammaggatesu pugglesu)" (AA.iii.3)라고 주석서는 설명하고 있다.
본 게송에서는 인생에 있어서 최악의 패를 그 정도의 깊이에 따라 세 가지로 순차적으로 설명하고 있다. 즉 노름에서 자기의 모든 재산과 자기 자신을 잃는 것은 사소한 것이고, 바른 삶을 사는 사람들에 대해 마음을 더럽히는 것은 그보다 더 큰 것이고, 성자들을 비난하는 악은 헤아릴 수 없을 정도로 긴 기간 동안 지옥에 떨어질 정도로 가장 큰 것이라고 주석서는 설

그의 최악의 패는 아주 낭패스러운 것이 되노라.
성자들을 비난하는 자
말과 마음으로 악을 지어
10만과 36니랍부다[21] 동안
그리고 5압부다 만큼 더 지옥에 떨어질지니."[22]

파 엎음 경2(A4:4)

1. "비구들이여, 네 가지 삿된 짓거리를 하는[23] 어리석고 영민하지 못하고 참되지 못한 사람은 자신을 파서 엎어버리고 파멸시킨다. 그는 비난받아 마땅하고 지자들의 비난을 받으며 많은 악덕을 쌓

명한다.(*Ibid*) 그러므로 만일 sugatā를 선서들이라고 해석해버리면 아래서 성자들보다 더 뛰어난 분들을 먼저 말한 것이 되어서 순차적인 설명이 되지 못한다. 그래서 주석서는 바른 삶을 사는 사람들로 해석하는 것이다.

21) 『상응부 복주서』는 '압부다(abbuda)'와 '니랍부다(nirabbuda)'를 이렇게 설명한다. "참깨가 가득 든 어떤 항아리(kosalaka)에서 백 년에 한 개씩 참깨를 꺼내어서 그 참깨가 모두 없어지는 기간은 압부다(abbuda)의 기간에 미치지 못한다. 이렇게 설명이 되는 압부다에 20배를 한 것이 니랍부다이다. 이러한 니랍부다로 10만 니랍부다라는 뜻이다."(SAṬ.i.212)
그리고 니랍부다는 이러한 기간 동안 고통을 받는 지옥의 이름으로도 쓰인다.

22) 이 게송은 『숫따니빠따』 등(Sn.657~660; S.i.149; A.v.171; Netti.131)에도 나타나고 있다.

23) '삿된 짓거리를 하는'은 micchā-paṭipajjamāna를 옮긴 것이다. 주석서는 어머니를 못살게 군 밋따윈다까(Mittavindaka), 아버지를 살해한 아자따삿뚜(Ajātasattu) 왕, 부처님 몸에 피를 낸 데와닷따(Devadatta), 부처님의 제자들을 성가시게 한 꼬깔리까(Kokālika, 데와닷따의 제자)를 본경에서 설하는 네 가지 삿된 짓거리의 보기로 들고 있다.(AA.iii.4)

는다. 무엇이 넷인가?

비구들이여, 어머니에 대해서 삿된 짓거리를 하는 어리석고 영민하지 못하고 참되지 못한 사람은 스스로가 손상되고 파멸될 뿐만 아니라, 비난받게 되고 지자들로부터 책망을 받고 많은 악덕을 생기게 한다. 아버지에 대해서 … 여래에 대해서 … 여래의 제자에 대해서 삿된 짓거리를 하는 어리석고 영민하지 못하고 참되지 못한 사람은 자신을 파서 엎어버리고 파멸시킨다. 그는 비난받아 마땅하고 지자들의 비난을 받으며 많은 악덕을 쌓는다.

비구들이여, 이러한 네 가지 삿된 짓거리를 하는 어리석고 영민하지 못하고 참되지 못한 사람은 자신을 파서 엎어버리고 파멸시킨다. 그는 비난받아 마땅하고 지자들의 비난을 받으며 많은 악덕을 쌓는다.

2. "비구들이여, 네 가지 바른 행을 하는[24] 현명하고 영민하고 참된 사람은 자신을 파서 엎지 않고 파멸시키지 않는다. 그는 비난받을 일이 없고 지자들에게 비난받지 않고 많은 공덕을 쌓는다. 무엇이 넷인가?

비구들이여, 어머니에 대해서 바른 행을 하는 현명하고 영민하고 참된 사람은 스스로가 손상되지 않고 파멸되지 않을 뿐만 아니라, 비난받지 않고 지자들로부터 책망을 받지 않고 많은 공덕을 생기게 한다. 아버지에 대해서 … 여래에 대해서 … 여래의 제자에 대해서 바른 행을 하는 현명하고 영민하고 참된 사람은 자신을 파서 엎지 않고 파멸시키지 않는다. 그는 비난받을 일이 없고 지자들에게 비난받지 않고 많은 공덕을 쌓는다.

비구들이여, 이러한 네 가지 바른 행을 하는 현명하고 영민하고 참

24) '바른 행을 하는'은 sammā-paṭipajjamāna를 옮긴 것이다.

된 사람은 자신을 파서 엎지 않고 파멸시키지 않는다. 그는 비난받을 일이 없고 지자들에게 비난받지 않고 많은 공덕을 쌓는다."

3. "어머니 아버지에게 삿된 짓거리를 하고
여래 · 정등각께 혹은 그의 제자에게 [나쁜 행을 하는]
그러한 인간은 많은 악덕을 쌓노라.
부모에게 그러한 비법(非法)을 행하는 자는
여기 [이 생에서] 현자들의 비난을 받고
죽은 뒤에는 불행한 곳에 가노라.
어머니 아버지에게 바른 행을 하고
여래 · 정등각께 혹은 그의 제자에게 [바른 행을 하는]
그러한 인간은 많은 공덕을 쌓노라.
부모에게 그러한 법을 행하는 자는
여기 [이 생에서] 현자들의 칭송을 받고
죽은 뒤에는 천상에서 즐거워하리."

흐름을 따름 경(A4:5)

Anusota-sutta

1. "비구들이여, 세상에는 네 부류의 사람이 있다. 무엇이 넷인가? 흐름을 따르는 사람, 흐름을 거스르는 사람, 확고하게 서있는 사람, [흐름을] 건너 저 언덕에 가서 맨 땅에 서있는 바라문[25)]이다.

---

25) "'바라문(brāhmaṇa)'이란 최상(seṭṭha)이며 결점이 없다는(niddosa) 뜻이다."(AA.iii.4)
"사악함을 내몰았기(bāhita-pāpatā) 때문에 바라문이라는 술어가 생긴 것이니 번뇌 다한 자(khīṇāsava)를 말한다."(AAṬ.ii.203)

비구들이여, 그러면 누가 흐름을 따르는 사람인가? 비구들이여, 여기 어떤 사람은 감각적 욕망에 빠져 지내고 악한 업을 짓는다. 비구들이여, 이를 일러 흐름을 따르는 사람이라 한다.

비구들이여, 그러면 누가 흐름을 거스르는 사람인가? 비구들이여, 여기 어떤 사람은 감각적 욕망에 빠져 지내지 않고 악한 업을 짓지 않는다. 그는 괴로움을 겪고 정신적 고통을 겪어 얼굴이 눈물이 범벅이 되도록 울면서도 완전하고 지극히 깨끗한 청정범행을 닦는다. 비구들이여, 이를 일러 흐름을 거스르는 사람이라 한다.

비구들이여, 그러면 누가 확고하게 서있는 사람인가? 비구들이여, 여기 어떤 사람은 다섯 가지 낮은 단계의 족쇄[26]를 완전히 없애고 [정거천에] 화생하여 그곳에서 완전히 열반에 들어 그 세계로부터 다시 돌아오지 않는 법을 얻는다.[不還者][27] 비구들이여, 이를 일러 확고하게 서있는 사람이라 한다.

비구들이여, 그러면 누가 [흐름을] 건너 저 언덕에 가서 맨 땅에 서있는 바라문인가? 비구들이여, 여기 어떤 사람은 모든 번뇌가 다하여 아무 번뇌가 없는 마음의 해탈[心解脫]과 통찰지를 통한 해탈[慧解脫][28]을 바로 지금여기에서 스스로 최상의 지혜로 알고[29] 실현하

『법구경』 바라문 품(Dhp.390~423)에서도 부처님께서는 진정한 바라문을 여러 가지로 정의하고 계시는데 탐·진·치가 다 하고 번뇌가 다한 성자야말로 진정한 바라문이라고 강조하신다.

26) 10가지 족쇄를 비롯하여 족쇄를 없앤 성자의 단계에 관한 것은 본서 「족쇄 경」(A4:131) §1의 주해들을 참조할 것.

27) 본문은 다섯 가지 낮은 단계의 족쇄를 다 풀어버린 불환자를 나타내는 정형구로 초기경에서 정착이 되어 나타난다.

28) '마음의 해탈'은 ceto(마음의)-vimutti(해탈)의 역어이고 '통찰지를 통한 해탈'은 paññā(통찰지의)-vimutti(해탈)의 역어이다.

고 구족하여 머문다. 비구들이여, 이를 일러 [흐름을] 건너 저 언덕에

『맛지마 니까야 주석서』에서는 본문에 대해서 "여기서 마음이라는 단어로 아라한과와 함께하는 삼매가, 통찰지라는 단어로 아라한과와 함께하는 통찰지가 설해졌다. 여기서 삼매(samādhi)는 감각적 욕망으로부터 해탈하였기 때문에 마음의 해탈이고, 통찰지는 무명으로부터 해탈하였기 때문에 통찰지의 해탈이라고 알아야 한다. … 감각적 욕망이 빛바랬기 때문에 마음의 해탈이라 하고, 무명이 빛바랬기 때문에 통찰지의 해탈이라 한다. 그리고 사마타[止]의 결실(samatha-phala)이 마음의 해탈이며, 위빳사나의 결실이 통찰지의 해탈이라고 알아야 한다."(MA.i.165)라고 상세하게 설명하고 있다.

한편 『상윳따 니까야 주석서』에서는 "마음의 해탈은 아라한과의 삼매이고, 통찰지의 해탈은 아라한과의 통찰지이다."(SA.ii.175)라고 나타난다.

여기서 보듯이 마음은 삼매의 동의어로 마음의 해탈은 삼매를 통한 해탈이고, 통찰지의 해탈은 통찰지(반야)를 통한 해탈이다. 주석서에서 통찰지를 통한 해탈에는 마른 위빳사나를 닦은 자(sukkha-vipassaka)와 네 선으로부터 출정하여 아라한과를 얻은 자들로 모두 다섯 가지 경우가 있다고 설명하고 있다.(DA.iii.879)

그리고 마음의 해탈이 단독으로 나타나는 경우는 거의 없으며 대부분 이렇게 통찰지의 해탈과 함께 나타난다. 그러나 통찰지의 해탈은 단독으로 나타나는 곳이 있다. 이와 관련해서 양면해탈(ubhatobhāga-vimutti)도 언급해야 하는데 양면해탈과 통찰지의 해탈에 대해서 관심이 있는 분은 『디가 니까야』 제2권 「대인연경」(D15) §36의 주해를 참조할 것.

29) '최상의 지혜로 알고'로 옮긴 원어는 abhiññā이다. 주석서에서는 abhiññā를 abhivisiṭṭhena ñāṇena(특별한 지혜로)라고 설명하기도 하고(DA.i.99) adhikena ñāṇena ñatvā(뛰어난 지혜로 안 뒤에)라고도 설명한다.(DA.i.175) 그래서 이 문맥에 나타나는 abhiññā를 동명사 abhiññāya의 축약된 형태로 간주하여 '최상의 지혜로 알고'로 본서 전체에서 통일해서 옮겼다.

한편 명사 abhiññā는 『청정도론』과 『아비담마 길라잡이』에서는 초월지나 신통지로 옮겼다. 주로 육신통을 나타내는 문맥에서 사용되기 때문이다. 그러나 본서를 비롯한 경에서는 주석서의 설명을 중시하여 거의 대부분 '최상의 지혜'로 옮기고 있으며 동명사 등으로 나타날 때는 '최상의 지혜로 알고' 등으로 옮겼다. 물론 본서에서도 신통의 문맥에서 나타날 때는 초월지나 신통지로 옮기고 있다.

가서 맨 땅에 서있는 바라문이라 한다.

비구들이여, 세상에는 이러한 네 부류의 사람이 있다.”

2. “여기 어떤 사람들은 감각적 욕망을 절제하지 못하고
탐욕을 여의지 못하고 감각적 욕망을 즐긴다.
그들은 갈애에 얽매여서 거듭거듭 태어나고 늙으리니
흐름을 따르는 자들이다.
그래서 지자는 여기서 마음챙김을 확고히 하여
감각적 욕망과 악한 행위에 빠지지 않고
괴로움을 겪더라도 감각적 욕망을 버리나니
이를 일러 흐름을 거스르는 인간이라 하네.”

3. “다섯 가지 번뇌를 버려
유학을 성취한 자는 결핍됨이 전혀 없고[30]
마음의 자유자재를 얻고 감각기능들이 안정되었나니
그를 일러 참으로 확고하게 서있는 사람이라 하리.
높고 낮은[31] 법들을 통달하여
흩어지고 꺼져 더 이상 존재하지 않나니
그를 일러 지혜의 달인, 청정범행을 완성한 자
세상의 끝에 도달한 자, 피안에 이른 자라 하리.”

---

30) ‘결핍됨이 전혀 없는’으로 옮긴 원어는 apahāna-dhamma(VRI: aparihānadhamma; Sinh: asahānadhamma)이다. 주석서는 ‘모자람이 없는 고유성질을 가진(aparihīna-sabhāva)’으로 설명하고 있어서(AA.iii.5) 이렇게 옮겼다.

31) “‘높고 낮은(parovarā)’이란 수승하고 저열하다(uttama-lāmakā)는 말이며 유익하고 해롭다(kusala-akusalā)는 뜻이다.”(*Ibid*)

적게 배움 경(A4:6)

Appassuta-sutta

1. "비구들이여, 세상에는 네 부류의 사람이 있다. 무엇이 넷인가? 적게 배웠고 배움으로 성취하지 못하는 자, 적게 배웠지만 배움으로 성취하는 자, 많이 배웠지만 배움으로 성취하지 못하는 자, 많이 배웠을 뿐만 아니라 배움으로 성취하는 자이다.

비구들이여, 그러면 어떻게 [어떤] 사람은 적게 배웠고 배움으로 성취하지 못하는가?

비구들이여, 여기 [이 세상에서] 어떤 사람은 경(經), 응송(應頌), 상세한 설명[記別, 授記], 게송(偈頌), 감흥어(感興語), 여시어(如是語), 본생담(本生譚), 미증유법(未曾有法), 문답[方等][32]을 적게 배웠다. 그는 이

---

32) 이것은 아홉 가지 구성요소를 가진 스승의 교법[九分教, navaṅga-satthu-sāsana]으로 불린다. 이 아홉 가지에 대한 『디가 니까야 주석서』의 설명을 옮겨보면 다음과 같다.(『디가 니까야』 제3권 585~586쪽에서 발췌하였음)

① [율장의] 두 가지 위방가(『비구 위방가』와 『비구니 위방가』)와 [소부의] 『의석』(Niddesa)과 [율장의] 칸다까(健度 = 『마하왁가』(대품)와 『쭐라왁가』(소품))와 『빠리와라』(補遺)와 [소부의] 『숫따니빠따』의 「길상경」 「보경」 「날라까 경」 「뚜왓따까 경」과 그 외에 경이라 이름하는 다른 여러 여래의 말씀이 바로 경(經, sutta)이라고 알아야 한다.

② 게송과 함께하는 경이 바로 응송(應頌, geyya)이라고 알아야 한다. 특히 『상윳따 니까야』(상응부)의 사가타 품(Sagātha-vagga, 『상윳따 니까야』의 첫째 권에 해당되는 품이다. 이 품에는 「천신 상응」(S1)부터 「삭까 상응」(S11)까지 모두 11개의 상응이 포함되어 있는데 산문과 운문이 함께 섞여 있다. 그래서 이 품은 모두 응송에 해당된다고 설명하고 있다.) 전체가 여기에 해당된다.

③ 전체 논장과 게송이 없는 경과 그 외에 다른 여덟 가지 구성요소에 포함되지 않는 부처님 말씀이 바로 상세한 설명(記別, 授記, veyyākaraṇa)

런 것을 적게 배웠을 뿐만 아니라 적게 배운 이런 것의 뜻도 제대로 모르고 법도 제대로 모르기 때문에[33] [출세간]법에 이르게 하는 법을 닦지 않는다.[34] 비구들이여, 이처럼 [어떤] 사람은 적게 배웠고 배움으로 성취하지 못한다.

이라고 알아야 한다.
④ 『법구경』과 『장로게』와 『장로니게』와 『숫따니빠따』에서 경이라는 이름이 없는 순수한 게송이 바로 게송(偈頌, gāthā)이라고 알아야 한다.
⑤ 기쁨에서 생긴 지혜로 충만한 게송과 관련된 82가지 경들이 바로 감흥어(感興語, udāna)라고 알아야 한다.
⑥ "세존께서는 이렇게 말씀하셨다."라는 등의 방법으로 전개되는 110가지 경들이 바로 여시어(如是語, itivuttaka)라고 알아야 한다.
⑦ 「아빤나까 본생담」 등 550개의 본생담이 바로 본생담(本生譚, jātaka)이라고 알아야 한다.
⑧ "비구들이여, 아난다에게는 네 가지 놀랍고 경이로운 법이 있다. 무엇이 넷인가?"(D16/ii.145)라는 등의 방법으로 전개되는 모든 놀랍고 경이로운 법과 관련된 경들이 바로 미증유법(未曾有法, abbhūtadhamma)이라고 알아야 한다.
⑨ 「소방등경」(M44), 「대방등경」(M43), 「정견경」(M9), 「제석문경」(D21), 「상카라 분석경」, 「대보름경」(M109), 등 모든 신성한 지혜와 만족과 여러 가지 이익됨이 질문된 경들이 바로 문답(方等, vedalla)이라고 알아야 한다.
한편 북방 소전에는 대부분 12분교로 나타나는데 이 아홉에다 비유(譬喩), 인연(因緣), 본사(本事)를 더한 것이다.

33) "'뜻(attha)도 제대로 모르고(aññā) 법(dhamma)도 제대로 모른다.'는 것은 주석서(aṭṭhakatha)와 성전(pāḷi)을 알지 못한다는 뜻이다."(AA.iii.6)

34) "'[출세간]법에 이르게 하는 법(dhamma-anudhamma)을 닦지 않는다.'는 것은 9가지 출세간법(lokuttara-dhamma)에 어울리는 법인 예비단계의 수행(pubbabhāga-paṭipada)을 계와 더불어 닦지 않는다는 말이다."(*Ibid*)
9가지 출세간법이란 예류도, 예류과부터 아라한과까지의 8가지와 열반을 말한다.

비구들이여, 그러면 어떻게 [어떤] 사람은 적게 배웠지만 배움으로 성취하는가?

비구들이여, 여기 [이 세상에서] 어떤 사람은 경 … 문답을 적게 배웠다. 그는 이런 것을 적게 배웠지만 적게 배운 이런 것의 뜻도 깊이 알고 법도 깊이 알기 때문에 [출세간]법에 이르게 하는 법을 닦는다. 비구들이여, 이처럼 [어떤] 사람은 적게 배웠지만 배움으로 성취한다.

비구들이여, 그러면 어떻게 [어떤] 사람은 많이 배웠지만 배움으로 성취하지 못하는가?

비구들이여, 여기 [이 세상에서] 어떤 사람은 경 … 문답을 많이 배웠다. 그는 이런 것을 많이 배웠음에도 불구하고 이런 것의 뜻도 제대로 알지 못하고 법도 제대로 알지 못하기 때문에 [출세간]법에 이르게 하는 법을 닦지 않는다. 비구들이여, 이처럼 [어떤] 사람은 많이 배웠지만 배움으로 성취하지 못한다.

비구들이여, 그러면 어떻게 [어떤] 사람은 많이 배웠을 뿐만 아니라 배움으로 성취하는가?

비구들이여, 여기 [이 세상에서] 어떤 사람은 경 … 문답을 많이 배웠다. 그는 이런 것을 많이 배웠을 뿐만 아니라 많이 배운 이런 것의 뜻도 깊이 알고 법도 깊이 알기 때문에 [출세간]법에 이르게 하는 법을 닦는다. 비구들이여, 이처럼 [어떤] 사람은 많이 배웠을 뿐만 아니라 배움으로 성취한다.

비구들이여, 세상에는 이러한 네 부류의 사람이 있다."

2. "배움도 적고 계에도 철저하지 않으면[35]

35) '철저하지 않으면'으로 옮긴 원어는 asamāhita이다. 주로 '집중되지 않은,

사람들은 계와 배움, 양쪽 모두로 그를 비난하노라.
비록 배움이 적더라도 계에 철저하면
사람들은 그의 계를 찬탄한다.
그의 배움도 성취된다.
비록 많이 배웠지만 계에 철저하지 않으면
사람들은 그의 계를 비난한다.
그의 배움도 성취되지 않는다.
많이 배웠고 계에 철저하면
사람들은 계와 배움, 양쪽 모두로 그를 찬탄하노라.
많이 배웠고, 법을 지니고, 통찰지를 갖춘
마치 잠부의 금과 같은 부처님 제자를
누가 감히 비난할 수 있으리.
신들도 그를 찬탄하고, 범천도 찬탄하도다."[36)]

아름다움 경(A4:7)

Sobhana-sutta

1. "비구들이여, 입지가 굳고 잘 훈련되었고 대담하며 많이 배우고 법을 바르게 호지하고 [출세간]법에 이르게 하는 법을 닦는 네 무리의 [제자]들은 승가를 아름답게 한다. 무엇이 넷인가?

비구들이여, 입지가 굳고 잘 훈련되었고 대담하며 많이 배우고 법

편히 머물지 않는'의 뜻으로 사용되나 여기서는 "완전하지 않은, 성취하지 않은, 철저하지 않은(aparipūrakārī)"(AA.iii.7)의 뜻이라고 주석서는 설명하고 있다.

36) 이 게송은 『청정도론』 I.136에 인용되어 있다.

을 바르게 호지하고 [출세간]법에 이르게 하는 법을 닦는 비구는 승가를 아름답게 한다. … 비구니는 … 청신사는 … 청신녀는 승가를 아름답게 한다.

비구들이여, 입지가 굳고 잘 훈련되었고 대담하며 많이 배우고 법을 바르게 호지하고 [출세간]법에 이르게 하는 법을 닦는 이러한 네 무리의 [제자]들은 승가를 아름답게 한다."

2. "입지가 굳고 대담하며
많이 배우고 법을 바르게 호지하고
[출세간]법에 이르게 하는 법을 닦는 자 —
이를 일러 승가를 아름답게 하는 자라 하노라.
계를 구족한 비구와 많이 배운 비구니
믿음 가진 청신사와 믿음 가진 청신녀 —
이들은 승가를 아름답게 하나니
이들은 승가를 아름답게 하는 자들이니라."

무외 경(A4:8)

Vesārajja-sutta

1. "비구들이여, 여래에게는 네 가지 담대함[四無畏][37]이 있나

---

37) "네 가지 담대함[四無畏, vesārajjāni]에서, 겁내는 것(sārajja)과 반대되는 것이 담대함(무외)이다. 이것은 네 가지 경우에 대해서 겁이 없음을 반조하여서 일어나는 기쁨(samanassa)으로 가득한 지혜(ñāṇa)의 다른 이름이다."(AA.ii.7.)
이 네 가지 담대함(사무외)과 열 가지 힘[十力]은 부처님만이 가지신 특질이라고 한다.(십력에 대해서는 『청정도론』 XII.76의 주해를 참조할 것.)

니 이러한 담대함을 구족하여 여래는 대웅의 위치[38]를 얻었고 회중에서 사자후를 토하고 신성한 바퀴[梵輪]를 굴린다. 무엇이 넷인가?

① '그대가 비록 바르게 깨달은 자[正等覺]라 자처하지만 이런 법들은 철저하게 깨닫지 못했다.'라고 이 세상에서 적절한 이유를[39] 가지고 나를 질책할 사문이나 바라문이나 신이나 마라[40]나 범천[41]의

---

38) '대웅의 위치'는 āsabha ṭhāna를 옮긴 것이다. 여기서 āsabha는 황소를 뜻하는 asabha(usabha, Sk. ṛṣabha)의 2차 곡용으로 '황소 같은, 황소에 속하는'이라는 뜻을 나타낸다. 초기경들에서 황소는 항상 남자다운 남자, 대장부에 비유되고 있다. 그래서 '대장부다운, 영웅다운'이라고 옮길 수 있다. 그래서 전체를 '대웅의 위치'로 옮겼다.
주석서는 "수승한(seṭṭha) 자리, 최상(uttama)의 자리로 옮겼으며 영웅다운 분들이란 이전의 부처님들(pubbabuddhā)이며 그분들의 자리라는 뜻이다."(AA.ii.7.)라고 설명하고 있다.

39) '적절한 이유를 가진'으로 옮긴 원어는 sahadhammena(법과 더불어)인데 주석서는 "이유를 가진(sahetunā sakāraṇena)"(AA.iii.10)으로 설명하고 있어서 이렇게 옮겼다.

40) 마라(Māra)에 대해서는 본서 「노력 경」(A4:13) §2의 주해를 참조할 것.

41) 초기경에서 신으로서 언급이 되는 범천(Brahma, 브라흐마)이 구체적으로 어떤 존재를 뜻하는지는 정확하지가 않다. 주석서들도 여기에 대해서는 별다른 언급이 없다. DPPN은 범천을 범천의 세상(brahma-loka)에 사는 자들로 정리하고 있다.
주석서에서는 색계 초선천부터 삼선천까지의 9가지 천상과 4선천의 무상유정천과 광과천과 다섯 가지 정거천과 네 가지 무색계 천상 — 이 20가지 천상을 모두 범천의 세상(brahma-loka)으로 부르고 있다.(VibhA. 521, 등) 마라가 욕계의 가장 높은 천상인 타화자재천에 거주하는 신이므로, 범천은 색계 이상의 천상에 거주하는 신으로 간주하면 되겠다.
두 번째로는 색계 초선천의 신들을 범천이라고 볼 수도 있다. 색계 초선천을 범신천(梵身天)이라 부르고 이 범신천은 다시 범중천과 범보천과 대범천으로 구분이 되는데, 이 천상의 키워드가 바로 범천(brahma)이기 때문이다.(범신천에 대해서는 본서 「다른 점 경」1(A4:123) §1의 주해를 참조할 것 특히 대범천의 몇몇 신들은 범천 혹은 대범천으로 초기경들에 나타

어떤 조짐도[42] 찾아볼 수 없다.

이 세상에서 법을 가지고 나를 질책하려 한다면, 비구들이여, 나는 내게서 이런 말을 들을 어떤 조짐도 찾아볼 수 없다. 비구들이여, 나는 내게서 이런 조짐을 찾아보지 못하기 때문에 안은(安隱)을 얻고 두려움 없음을 얻고 담대함을 얻어 머문다.

② '그대가 번뇌를 멸한 자라고 자처하지만 이런 번뇌는 완전히 멸하지 못했다.'라고 이 세상에서 적절한 이유를 가지고 나를 질책할 사문이나 바라문이나 신이나 마라나 범천의 어떤 조짐도 찾아볼 수 없다. 비구들이여, 나는 내게서 이런 조짐을 찾아보지 못하기 때문에 안은(安隱)을 얻고 두려움 없음을 얻고 담대함을 얻어 머문다.

③ '그대가 장애가 된다고 설한 법들[43]을 수용하더라도 전혀 장애

나고 있으므로 초선천을 범천으로 보는 것도 타당하다. 그러나 초선천을 범천이라 부르지 않고 범신천이라고 부르고 있기 때문에, 범천과 범신천이 정확히 일치한다고는 볼 수 없다. 그래서 DPPN도 색계 이상의 천상 즉 범천의 세상에 머무는 신들을 통틀어서 범천으로 정리하고 있는 것이다. 한편 범천으로 옮긴 brahma는 초기경에서 보통명사로 쓰이며 특히 합성어로도 많이 나타나고 있다. 이 경우에는 예외 없이 모두 '신성함, 거룩함, 높음, 위대함' 등의 뜻으로 쓰인다. 그래서 주석서는 "최상이라는 뜻에서(seṭṭhatthena) 브라흐마(brahma)라고 부른다."(DA.iii.865 등)라고 설명하고 있다. 예를 들면 청정범행으로 옮기는 브라흐마짜리야(brahma-cāriya)와 거룩한 마음가짐으로 옮기는 브라흐마위하라(brahma-vihāra), 최상의 존재로 옮기는 브라흐마부따(bhrahma-bhūta), 최고의 처벌로 옮기는 브라흐마단다(brahma-daṇḍa) 등이 있다. 이런 의미에서 색계와 무색계 천상을 일컫는 범천의 세상(brahma-loka)은 거룩한 천상 세계로 옮길 수 있다.

42) "여기서 조짐(nimitta)이란 인간도 조짐이고 법도 조짐이다. 나를 질책할 어떤 인간도 보지 못하고, 어떤 법을 제시하면서 그 법은 그대가 깨닫지 못하였다고 하면서 나를 질책할 그런 법도 보지 못한다는 뜻이다."(AA.iii.11)

가 되지 않는다.'라고 이 세상에서 적절한 이유를 가지고 나를 질책할 사문이나 바라문이나 신이나 마라나 범천의 어떤 조짐도 찾아볼 수 없다. 비구들이여, 나는 내게서 이런 조짐을 찾아보지 못하기 때문에 안은(安隱)을 얻고 두려움 없음을 얻고 담대함을 얻어 머문다.

④ '그대가 어떤 사람을 위해서 법을 설하고 그 사람이 그대로 실천하더라도 그것은 괴로움의 파괴로 인도하지 못한다.'라고 이 세상에서 적절한 이유를 가지고 나를 질책할 사문이나 바라문이나 신이나 마라나 범천의 어떤 조짐도 찾아볼 수 없다. 비구들이여, 나는 내게서 이런 조짐을 찾아보지 못하기 때문에 안은(安隱)을 얻고 두려움 없음을 얻고 담대함을 얻어 머문다.

비구들이여, 이것이 여래의 네 가지 담대함[四無畏]이다. 이러한 담대함을 구족하여 여래는 대웅의 위치를 얻었고 회중에서 사자후를 토하고 신성한 바퀴[梵輪]를 굴린다.

2. "어떤 자들은 여러 가지 교리에 얽매이고
사문・바라문들도 그런 [교리에] 매달리지만
그러나 대담한 여래 앞에서

---

43) "장애가 되는 법들(antarāyikā dhammā)이란 뜻으로 말하자면 일곱 가지 범계의 무더기(āpattikkhandhā)를 고의적으로(sañcicca) 범하는 것이다. 고의적으로 범하면 [7가지 범계의 무더기 가운데서 사소한] 악작죄(惡作罪, dukkaṭa, 잘못했다고 뉘우치기만 하면 해소가 되는 범계, 75가지 衆學이 여기에 속함)와 둡바시따(惡說, dubbhāsita, 더 사소한 것으로 남들의 나쁜 말을 듣는 것)까지도 도와 과에 장애를 준다. 그러나 여기서는 [특별히] 성행위(methunadhamma)를 두고 한 말이다. 성행위를 하면 누구에게든지 의심할 여지가 없이(nissaṁsayameva) 도와 과에 장애가 되기 때문이다."(AA.iii.11)
7가지 범계의 무더기는 본서 제1권 「하나의 모음」(A1:12:1~20) 첫 번째 경의 주해를 참조할 것.)

그런 교리는 힘없이 무너진다네.
[여래는] 법륜을 굴리고 모든 덕을 갖추었으며[44)]
모든 존재들에 연민을 가졌고
신과 인간들 가운데서 최상이니
존재의 피안에 이른 그분께 중생들은 예배하누나."

갈애 경(A4:9)

Taṇhā-sutta

1. "비구들이여, 비구에게 갈애가 일어날 때 네 가지 갈애가 일어난다. 무엇이 넷인가?

비구들이여, 의복을 원인으로 하여 비구에게 갈애가 일어난다. 탁발음식을 원인으로 하여 … 거처를 원인으로 하여 … 그 외 이런저런 [좋은] 것을 원인으로 하여[45)] 비구에게 갈애가 일어난다. 비구들이여, 비구에게 갈애가 일어날 때 이러한 네 가지 갈애가 일어난다.

2. "갈애와 짝하는 사람 오랜 세월 윤회하여
각양각색의[46)] 윤회를 건너지 못하도다.

---

44) 원문은 kevali인데 대개는 독존(獨尊)의 뜻으로 사용되나 주석서에서 모든 덕을 갖춘 분(sakala-guṇa-samannāgata)으로 설명하고 있어서 이를 따랐다.(AA.iii.12)

45) '그 외 이런저런 [좋은] 것을 원인으로 하여'는 itibhavābhava-hetu를 옮긴 것이다. 주석서는 "이런저런 것(bhavābhava)이란 상등품의 정제된 버터기름(sappi)과 정제된 생 버터(navanīta) 등을 말한다. 성취한 것(sampatti-bhava)들 가운데서 더 뛰어나거나 가장 뛰어난 것을 뜻하기도 한다."(AA.iii.12)고 설명하고 있다.

46) '각양각색의'로 옮긴 원어는 itthabhāvaññathābhāva인데 주석서에서는

그 위험을[47] 알고 갈애가 괴로움의 원인임을 알아
비구는 갈애를 건너 취착하지 않고 마음챙겨 유행하노라."

속박 경(A4:10)
Yoga-sutta

1. "비구들이여, 네 가지 속박이 있다. 무엇이 넷인가? 감각적 욕망의 속박, 존재의 속박, 견해의 속박, 무명의 속박이다.[48]

비구들이여, 그러면 무엇이 감각적 욕망의 속박인가? 비구들이여, 여기 어떤 자는 감각적 욕망의 일어남과 사라짐과 달콤함과 위험과 벗어남을 있는 그대로 분명하게 알지 못한다. 그가 감각적 욕망의 일어남과 사라짐과 달콤함과 위험과 벗어남을 있는 그대로 분명하게 알지 못하기 때문에 감각적 욕망에 대한 탐욕, 감각적 욕망을 즐거워함, 감각적 욕망에 대한 애정, 감각적 욕망에 대한 홀림, 감각적 욕망에 대한 갈증, 감각적 욕망에 대한 열병, 감각적 욕망에 대한 계박, 감각적 욕망에 대한 갈애가 잠복하게 된다. 비구들이여, 이것을 일러 감각적 욕망의 속박이라 한다.

두 가지로 설명한다. 첫째는 금생과 내생에 대한 윤회이고, 둘째는 인간과 그 나머지의 윤회이다.(*Ibid*)

47) "윤회하는 과거・미래・현재의 무더기(온)들에 대해서 그 위험을 안다는 뜻이다."(AA.iii.13)

48) "다섯 가닥의 감각적 욕망으로 된 것이 '감각적 욕망의 속박(kāma-yoga)'이다. 색계와 무색계의 존재에 대한 욕탐이 '존재의 속박(bhava-yoga)'이니 禪을 갈구하는 것(jhāna-nikanti)이다. 영원하다는 견해[常見,sassata-diṭṭhi]와 함께하는 욕망과 62가지 견해가 '견해의 속박(diṭṭhi-yoga)'이다. 사성제를 알지 못하는 것이 '무명의 속박(avijjā-yoga)'이다."

이것이 감각적 욕망의 속박이다. 그러면 존재의 속박이란 어떤 것인가?

비구들이여, 여기 어떤 자는 존재의 일어남과 사라짐과 달콤함과 위험과 벗어남을 있는 그대로 분명하게 알지 못한다. 그가 존재의 일어남과 사라짐과 달콤함과 위험과 벗어남을 있는 그대로 분명하게 알지 못하기 때문에 존재에 대한 탐욕, 존재에 대한 즐거움, 존재에 대한 애정, 존재에 대한 홀림, 존재에 대한 갈증, 존재에 대한 열병, 존재에 대한 계박, 존재에 대한 갈애가 잠복하게 된다. 비구들이여, 이것을 일러 존재의 속박이라 한다.

이것이 감각적 욕망의 속박이고 존재의 속박이다. 그러면 견해의 속박[49]이란 어떤 것인가?

비구들이여, 여기 어떤 자는 견해의 일어남과 사라짐과 달콤함과 위험과 벗어남을 있는 그대로 분명하게 알지 못한다. 그가 견해의 일어남과 사라짐과 달콤함과 위험과 벗어남을 있는 그대로 분명하게 알지 못하기 때문에 견해에 대한 탐욕, 견해에 대한 즐거움, 견해에 대한 애정, 견해에 대한 홀림, 견해에 대한 갈증, 견해에 대한 열병, 견해에 대한 계박, 견해에 대한 갈애가 잠복하게 된다. 비구들이여, 이것을 일러 견해의 속박이라 한다.

이것이 감각적 욕망의 속박이고 존재의 속박이고 견해의 속박이다. 그러면 무명의 속박이란 어떤 것인가?

비구들이여, 여기 어떤 자는 여섯 감각접촉의 장소들의 일어남과 사라짐과 달콤함과 위험과 벗어남을 있는 그대로 분명하게 알지 못

---

49) 본경에서 견해로 옮긴 원어는 diṭṭhi이다. 그런데 위 주해에서도 보았듯이 경이나 주석서에서 견해(diṭṭhi)는 별다른 설명이 없는 한 모두 삿된 견해(micchā-diṭṭhi)를 뜻한다.

한다. 그가 여섯 감각접촉의 장소들의 일어남과 사라짐과 달콤함과 위험과 벗어남을 있는 그대로 분명하게 알지 못하기 때문에 여섯 감각접촉의 장소들에 대한 무명과 무지가 잠복하게 된다. 비구들이여, 이것을 일러 무명의 속박이라 한다.

이것이 감각적 욕망의 속박이고 존재의 속박이고 견해의 속박이고 무명의 속박이다.

악하고 해롭고 정신적 오염원이며 다시 태어남[再生]을 가져오고 두렵고 괴로운 과보를 가져오고 미래의 태어남과 늙음과 죽음을 있게 하는 법들에 묶였기 때문에 속박으로부터 벗어나지 못한 자[50]라고 불린다. 비구들이여, 이것이 네 가지 속박이다.

2. "비구들이여, 네 가지 속박에서 벗어남[51]이 있다. 무엇이 넷인가? 감각적 욕망의 속박에서 벗어남, 존재의 속박에서 벗어남, 견해의 속박에서 벗어남, 무명의 속박에서 벗어남이다.

비구들이여, 그러면 무엇이 감각적 욕망의 속박에서 벗어남인가? 비구들이여, 여기 어떤 자는 감각적 욕망의 일어남과 사라짐과 달콤함과 위험과 벗어남을 있는 그대로 분명하게 안다. 그가 감각적 욕망의 일어남과 사라짐과 달콤함과 위험과 벗어남을 있는 그대로 분명하게 알기 때문에 감각적 욕망에 대한 탐욕, 감각적 욕망에 대한 즐거움, 감각적 욕망에 대한 애정, 감각적 욕망에 대한 홀림, 감각적 욕망에 대한 갈증, 감각적 욕망에 대한 열병, 감각적 욕망에 대한 계박,

---

50) '속박에서 벗어나지 못한 자'는 ayogakkhemi를 옮긴 것이다. 이것과 반대가 되는 yogakkhema는 '속박에서 벗어난(유가안은)'으로 옮기고 있는데 아래 주해를 참조할 것.

51) '속박에서 벗어남'은 visaṁyoga의 역어이다.

감각적 욕망에 대한 갈애가 잠복하지 않는다. 비구들이여, 이것을 일러 감각적 욕망의 속박에서 벗어남이라 한다.

이것이 감각적 욕망의 속박에서 벗어남이다. 그러면 존재의 속박에서 벗어남이란 어떤 것인가?

비구들이여, 여기 어떤 자는 존재의 일어남과 사라짐과 달콤함과 위험과 벗어남을 있는 그대로 분명하게 안다. 그가 존재의 일어남과 사라짐과 달콤함과 위험과 벗어남을 있는 그대로 분명하게 알기 때문에 존재에 대한 탐욕, 존재에 대한 즐거움, 존재에 대한 애정, 존재에 대한 홀림, 존재에 대한 갈증, 존재에 대한 열병, 존재에 대한 계박, 존재에 대한 갈애가 잠복하지 않는다. 비구들이여, 이것을 일러 존재의 속박에서 벗어남이라 한다.

이것이 감각적 욕망의 속박에서 벗어남이고 존재의 속박에서 벗어남이다. 그러면 견해의 속박에서 벗어남이란 어떤 것인가?

비구들이여, 여기 어떤 자는 견해의 일어남과 사라짐과 달콤함과 위험과 벗어남을 있는 그대로 분명하게 안다. 그가 견해의 일어남과 사라짐과 달콤함과 위험과 벗어남을 있는 그대로 분명하게 알기 때문에 견해에 대한 탐욕, 견해에 대한 즐거움, 견해에 대한 애정, 견해에 대한 홀림, 견해에 대한 갈증, 견해에 대한 열병, 견해에 대한 계박, 견해에 대한 갈애가 잠복하지 않는다. 비구들이여, 이것을 일러 견해의 속박에서 벗어남이라 한다.

이것이 감각적 욕망의 속박에서 벗어남이고 존재의 속박에서 벗어남이고 견해의 속박에서 벗어남이다. 그러면 무명의 속박에서 벗어남이란 어떤 것인가?

비구들이여, 여기 어떤 자는 여섯 감각접촉의 장소들의 일어남과 사라짐과 달콤함과 위험과 벗어남을 있는 그대로 분명하게 안다. 그가 여섯 감각접촉의 장소들의 일어남과 사라짐과 달콤함과 위험과 벗어남을 있는 그대로 분명하게 알기 때문에 여섯 감각접촉의 장소들에 대한 무명과 무지가 잠복하지 않는다. 비구들이여, 이것을 일러 무명의 속박에서 벗어남이라 한다.

이것이 감각적 욕망의 속박에서 벗어남이고 존재의 속박에서 벗어남이고 견해의 속박에서 벗어남이고 무명의 속박에서 벗어남이다.

악하고 해롭고 정신적 오염원이며 다시 태어남을 가져오고 두렵고 괴로운 과보를 가져오고 미래의 태어남과 늙음과 죽음을 있게 하는 법들로부터 풀려났기 때문에 속박으로부터 벗어난 자[52]라고 불린다. 비구들이여, 이것이 네 가지 속박에서 벗어남이다.

3. “감각적 욕망의 속박에 묶이고 존재의 속박에 묶이고
이 둘 다에 묶이고[53] 견해의 속박에 묶이고

---

52) ‘속박으로부터 벗어난 자’는 yogakkhemi를 옮긴 것이다. yogakkhema(요가케마)는 중국에서 유가안은(瑜伽安隱)으로 한역되었다. 유가(瑜伽)는 yoga의 음역이고 안은(安隱)은 khema의 의역이다. 이 단어는 리그베다에서부터 나타나는데 베다문헌에서 yoga는 획득을 khema는 보존(저축)을 뜻했다. 그러나 빠알리 주석서들에서 예외 없이 yoga를 본경에서 보듯이 속박으로 해석해서 “네 가지 속박에서 벗어난 안은한 아라한과”(DA.iii.910)나 “속박에서 벗어난 안은한 열반(SA.i.255)으로 설명한다. 유가안은(Sk. yogakṣema)의 개념은 까우띨랴(Kautilya)의 정치학 논서인 『아르타샤스뜨라』(Arthaśāstra, 富論)에서 왕도정치의 이념으로 표방되었으며, 초기부터 불교에서 받아들여 anuttara(無上)란 수식어를 붙여 anuttara yogakkhema(무상 유가안은)라는 표현으로 자주 등장한다. 이것은 열반의 동의어로 중요하게 쓰였다.

53) “어떤 자들은 이 두 가지 속박에 다 묶인다. 이런저런 속박에 묶인다는 뜻이다.”(AA.iii.15)

무명의 속박을 앞세우는 중생들
그들은 태어남과 죽음이 거듭되는 윤회를 하노라.
감각적 욕망과 존재의 속박을 모든 곳에서 철저히 알고
견해의 속박을 뿌리 뽑고 무명의 속박을 빛바래게 하여
모든 속박으로부터 풀린 자들은
참으로 속박을 넘어선 자들이어라."

제1장 반다가마 품이 끝났다.

첫 번째 품에 포함된 경들의 목록(uddāna)은 다음과 같다.

① 깨달음 ② 떨어짐, 두 가지 ③~④ 파 없음
다섯 번째로 ⑤ 흐름을 따름
⑥ 적게 배움 ⑦ 아름다움 ⑧ 무외
⑨ 갈애 ⑩ 속박 — 이러한 열 가지이다.

제2장 걷고 있음 품

Cara-vagga

걷고 있음 경(A4:11)

Cara-sutta

1. "비구들이여, 만일 비구가 걷는 동안에 감각적 욕망에 대한 생각(vitakka)과 악의에 대한 생각과 해코지에 대한 생각[54]이 일어난다면, 만일 그가 그것을 품고 있고 버리지 않고 제거하지 않고 끝내지 않고 없애지 않는다면, 비구들이여, 만일 비구가 이런 상태로 걷고 있다면, 그를 일러 근면하지 않고 수치심이 없고 언제나 한결같이 게으르고 정진이 부족하다고 한다.

비구들이여, 만일 비구가 서있는 동안에 감각적 욕망에 대한 생각과 악의에 대한 생각과 해코지에 대한 생각이 일어난다면, 만일 그가 그것을 품고 있고 버리지 않고 제거하지 않고 끝내지 않고 없애지 않는다면, 비구들이여, 만일 비구가 이런 상태로 서있다면, 그를 일러 근면하지 않고 수치심이 없고 언제나 한결같이 게으르고 정진이 부족하다고 한다.

비구들이여, 만일 비구가 앉아있는 동안에 감각적 욕망에 대한 생각과 악의에 대한 생각과 해코지에 대한 생각이 일어난다면, 만일 그가 그것을 품고 있고 버리지 않고 제거하지 않고 끝내지 않고 없애지 않는다면, 비구들이여, 만일 비구가 이런 상태로 앉아있다면, 그

54) 이 세 가지 생각은 팔정도의 두 번째인 바른 사유[正思惟, sammā-saṅkappa]와 반대되는 내용이다.

를 일러 근면하지 않고 수치심이 없고 언제나 한결같이 게으르고 정진이 부족하다고 한다.

비구들이여, 만일 비구가 잠들지 않고 누워있는 동안에 감각적 욕망에 대한 생각과 악의에 대한 생각과 해코지에 대한 생각이 일어난다면, 만일 그가 그것을 품고 있고 버리지 않고 제거하지 않고 끝내지 않고 없애지 않는다면, 비구들이여, 만일 비구가 이런 상태로 잠들지 않고 누워있다면, 그를 일러 근면하지 않고 수치심이 없고 언제나 한결같이 게으르고 정진이 부족하다고 한다."

2. "비구들이여, 만일 비구가 걷고 있는 동안에 감각적 욕망에 대한 생각과 악의에 대한 생각과 해코지에 대한 생각이 일어난다면, 만일 그가 그것을 품지 않고 버리고 제거하고 끝내고 없앤다면, 비구들이여, 만일 비구가 이런 상태로 걷고 있다면, 그를 일러 애쓰고 수치심이 있고 언제나 한결같이 열심히 정진하고 스스로를 독려한다고 말한다.

비구들이여, 만일 비구가 서있는 동안에 감각적 욕망에 대한 생각과 악의에 대한 생각과 해코지에 대한 생각이 일어난다면, 만일 그가 그것을 품지 않고 버리고 제거하고 끝내고 없앤다면, 비구들이여, 만일 비구가 이런 상태로 서있다면, 그를 일러 애쓰고 수치심이 있고 언제나 한결같이 열심히 정진하고 스스로를 독려한다고 말한다.

비구들이여, 만일 비구가 앉아있는 동안에 감각적 욕망에 대한 생각과 악의에 대한 생각과 해코지에 대한 생각이 일어난다면, 만일 그가 그것을 품지 않고 버리고 제거하고 끝내고 없앤다면, 비구들이여, 만일 비구가 이런 상태로 앉아있다면, 그를 일러 애쓰고 수치심이 있고 언제나 한결같이 열심히 정진하고 스스로를 독려한다고 말한다.

비구들이여, 만일 비구가 잠들지 않고 누워있는 동안에 감각적 욕망에 대한 생각과 악의에 대한 생각과 해코지에 대한 생각이 일어난다면, 만일 그가 그것을 품지 않고 버리고 제거하고 끝내고 없앤다면, 비구들이여, 만일 비구가 이런 상태로 잠들지 않고 누워있다면, 그를 일러 애쓰고 수치심이 있고 언제나 한결같이 열심히 정진하고 스스로를 독려한다고 말한다."

3. "걷고 있거나 서있거나 앉아있거나 누워있는 동안에
그는 오염원에서 비롯된[55] 사악함을 생각하고
미혹을 일으키는 것들에 혹해서 나쁜 도를 닦나니
이런 비구는 최상의 깨달음에 닿을 수 없으리.
그러나 걷고 있거나 서있거나 앉아있거나 누워있는 동안에
[나쁜] 생각을 가라앉히고[56] 생각을 고요히 함을 즐기는
이런 비구는 최상의 깨달음에 닿을 수 있으리."

계 경(A4:12)
Sīla-sutta

1. "비구들이여, 계를 구족하여 머물러라. 빠띠목카(계목)[57]를

---

55) 원어는 geha-nissita이다. geha는 '세속적인'의 뜻으로 주로 사용되지만 여기서는 오염원(kilesa)을 뜻한다고 주석서는 설명하고 있다.(AA.iii.16)

56) 위에서 언급한 그런 나쁜 생각을 숙고하는 수행의 힘(paṭisaṅkhāna-bhāvanā-bala)으로 가라앉힌다고 복주서는 설명하고 있다.(DAṬ.ii.212)

57) '빠띠목카(계목, 戒目)'는 pātimokkha를 음역한 것이다. 『청정도론』에서는 "여기서 빠띠목카란 학습계목의 계율(sikkhāpada-sīla)을 뜻한다.

구족하여 빠띠목카의 단속으로 단속하면서 머물러라. 바른 행실[58]과 행동의 영역[59]을 갖추고, 작은 허물에 대해서도 두려움을 보며, 학습계목[60]을 받아지녀 공부지어라. 비구들이여, 계를 구족하여 머

이것은 이것을 보호하고(pāti) 지키는 사람을 해탈케 하고(mokkheti), 악처 등의 고통으로부터 벗어나게 한다. 그래서 빠띠목카(pāṭimokkha)라고 한다."(Vis.I.43)고 설명하고 있다. 한편 '빠띠목카의 단속'으로 옮기고 있는 pātimokkha-saṁvara는 의미상 '빠띠목카를 통한 단속'의 뜻이 되겠는데 『청정도론』에서는 "빠띠목카삼와라(pātimokkha-saṁvara, 계목의 단속)라는 합성어는 빠띠목카가 바로 단속이라고 풀이된다."(*Ibid*)라고 설명하고 있다. 그래서 그냥 '빠띠목카의 단속'으로 옮기고 있음을 밝힌다. 빠띠목카(계목)의 단속은 『청정도론』 I.43 이하에 상세하게 설명되어 있다.

58) "바른 행실(ācāra)이 있고, 바르지 못한 행실이 있다. 몸으로 범하고, 입으로 범하고, 몸과 입 [둘 다로] 범하는 것이 바르지 못한 행실이다. 모든 나쁜 계행이 바르지 못한 행실이다. … 그러면 무엇이 바른 행실인가? 몸으로 범하지 않고, … 부처님께서 나무라신 다른 삿된 생계로 생계를 유지하지 않는다."(Vis.I.44)

59) '행동의 영역'으로 옮긴 gocara는 문자적으로 '소가 다니는 곳'이다. 마치 소가 정해진 들판에서 풀을 뜯지 않으면 길을 잃거나 맹수들로부터 해코지를 당하듯이 비구들도 탁발 등을 할 때 정해진 행동의 영역을 벗어나서는 안 된다는 의미로 이런 술어를 사용하는 것이다. 『위방가』(분별론)에서는 다음과 같이 행동의 영역을 설명하고 있다.
"어떤 것이 행동의 영역인가? 여기 어떤 자가 기생집을 행동의 영역으로 삼지 않고, 과부, 노처녀, 중성, 비구니, 술집을 행동의 영역으로 삼지 않으며, 왕들, 대신들, 외도들, 외도들의 제자들과 섞여 사람들과 부적절한 교제를 하면서 머물지 않고, 비구들과 비구니들과 청신사들과 청신녀들에 대해 신뢰가 있고 기뻐하고 우물과 같은 역할을 하고, 가사를 수한 자들이 자주 오가며 성인들의 출입을 좋아하고 이로움을 바라고 유가안은을 바라는 그런 가족을 의지해 살고, 섬기고, 자주 왕래한다. 이것이 행동의 영역이다."(Vbh.246～247)

60) "배워야 할 조목이라 해서 '학습계목(sikkhāpada)'이라 한다. 학습하는 항목(koṭṭhāsa)이라는 뜻이다. 혹은 학습하기 위한 조목이라 해서 학습계

물고, 빠띠목카(계목)를 구족하여 빠띠목카의 단속으로 단속하면서 머물고, 바른 행실과 행동의 영역을 갖추고 작은 허물에 대해서도 두려움을 보며 학습계목을 받아지녀 공부짓는 자에게 다시 더 해야 할 무엇이 있겠는가?

비구들이여, 만일 걷고 있는 동안 비구에게 감각적 욕망과 악의가 사라지고 해태와 혼침, 들뜸과 후회, 의심이 제거되어, 그에게 불굴의(asallīna) 정진이 생기고, 마음챙김이 확립되어 혼란스럽지 않으며, 몸이 경안하여 동요하지 않고, 마음이 한 끝으로 집중되면, 비구들이여, 이런 상태에서 걷고 있는 비구를 일러 애쓰고 수치심이 있고 언제나 한결같이 열심히 정진하고 스스로를 독려한다고 말한다.

비구들이여, 만일 서있는 동안 비구에게 감각적 욕망과 악의가 사라지고 해태와 혼침, 들뜸과 후회, 의심이 제거되어, 그에게 불굴의 정진이 생기고, 마음챙김이 확립되어 혼란스럽지 않으며, 몸이 경안하여 동요하지 않고, 마음이 한 끝으로 집중되면, 비구들이여, 이런 상태에서 서있는 비구를 일러 애쓰고 수치심이 있고 언제나 한결같이 열심히 정진하고 스스로를 독려한다고 말한다.

비구들이여, 만일 앉아있는 동안 비구에게 감각적 욕망과 악의가 사라지고 해태와 혼침, 들뜸과 후회, 의심이 제거되어, 그에게 불굴의 정진이 생기고, 마음챙김이 확립되어 혼란스럽지 않으며, 몸이 경안하여 동요하지 않고, 마음이 한 끝으로 집중되면, 비구들이여, 이런 상태에서 앉아있는 비구를 일러 애쓰고 수치심이 있고 언제나 한

목이라 한다. 높은 마음의 공부[增上心學]와 높은 통찰지의 공부[增上慧學]를 위해서 획득해야 할 수단(upāya)이라는 뜻이다."(DA.iii.1026) 이것은 부처님의 제자라면 반드시 받아 지녀야 할 계의 항목들로 비구계, 비구니계, 사미계, 사미니계, 오계, 8계, 10계 등이 여기에 해당한다.

결같이 열심히 정진하고 스스로를 독려한다고 말한다.

비구들이여, 만일 잠들지 않고 누워있는 동안 비구에게 감각적 욕망과 악의가 사라지고 해태와 혼침, 들뜸과 후회, 의심이 제거되어, 그에게 불굴의 정진이 생기고, 마음챙김이 확립되어 혼란스럽지 않으며, 몸이 경안하여 동요하지 않고, 마음이 한 끝으로 집중되면, 비구들이여, 이런 상태에서 잠들지 않고 누워있는 비구를 일러 애쓰고 수치심이 있고 언제나 한결같이 열심히 정진하고 스스로를 독려한다고 말한다.

2. "비구는 제어하면서 걷고, 제어하면서 서있고
제어하면서 앉아있고, 제어하면서 누워있고
제어하면서 구부리고, 제어하면서 펴야 한다.
위건 중간이건 아래건, 세상의 어느 곳이건
법들과 무더기들의 일어나고 사라짐을 깊이 살피고
마음 고요히 하고 바르게 공부짓고 항상 마음챙기는 자
그 비구를 일러 항상 스스로를 독려한다 하노라."

노력 경(A4:13)
Padhāna-sutta

1. 비구들이여, 네 가지 바른 노력[四正勤]이 있다. 무엇이 넷인가? 비구들이여, 여기 비구는 아직 일어나지 않은 나쁘고 해로운 법[不善法]들은 일어나지 않도록 하기 위해서 의욕을 일으키고 정진하고 힘을 내고 마음을 다잡고 애를 쓴다. 이미 일어난 나쁘고 해로운 법들은 제거하기 위하여 의욕을 일으키고 정진하고 힘을 내고 마음을

다잡고 애를 쓴다. 아직 일어나지 않은 유익한 법[善法]들은 일어나도록 하기 위해서 의욕을 일으키고 정진하고 힘을 내고 마음을 다잡고 애를 쓴다. 이미 일어난 유익한 법들은 지속하게 하고 사라지지 않게 하고 증장하게 하고 충만하게 하고 닦기 위해서 의욕을 일으키고 정진하고 힘을 내고 마음을 다잡고 애를 쓴다.[61]

비구들이여, 이것이 네 가지 바른 노력이다.

2. "[네 가지] 바른 노력은 마라[62]의 영역을 정복하노라.
[번뇌 다한] 그들은 집착이 없고
태어남과 죽음의 두려움을 건너 저 언덕에 도달했노라.

---

61) 바른 노력은 이처럼 선법·불선법에 대한 정확한 판단을 근거로 한다. 선법이 아닌 것을 얻거나 얻은 것을 잃지 않으려고 애를 쓰고 힘을 쓰는 것은 결코 바른 노력, 바른 정진이 아니다. 이 네 가지 바른 노력의 정형구는 팔정도의 여섯 번째인 바른 정진[正精進]의 내용이기도 하다.

62) '마라(Māra)'는 초기경의 아주 다양한 문맥에서 아주 많이 나타난다. 전통적으로 주석서는 이런 다양한 마라의 언급을 다섯 가지로 정리한다. 그것은 오염원(kilesa)으로서의 마라(ItvA.197; ThagA.ii.70 등), 무더기(蘊, khandha)로서의 마라(S.iii.195 등), 업형성력(abhisaṅkhāra)으로서의 마라, 신(devaputta)으로서의 마라, 죽음(maccu)으로서의 마라이다.(ThagA.ii.46; 46; Vism.VII.59 등)
『청정도론』에서는 부처님은 이러한 다섯 가지 마라를 부순 분(bhaggavā)이기에 세존(bhagavā)이라 한다고 설명하고 있다.(VII.59) 그러므로 열반이나 출세간이 아닌 모든 경지는 마라의 영역에 속한다고 할 수 있다. 특히 신으로서의 마라는 자재천(Vasavatti)의 경지에 있는 다마리까 천신(Dāmarika-devaputta)이라고도 불리는데 마라는 욕계의 최고 천상인 타화자재천(Paranimmitavasavatti)에 거주하면서 수행자들이 욕계를 벗어나 색계·무색계·출세간의 경지로 향상하는 것을 방해하는 자이기 때문이다.(SnA.i.44; MA.i.28) 그리고 그는 신들의 왕인 인드라(삭까)처럼 군대를 가지고 있으며 이를 마군(魔軍, Mārasena)이라고 한다. 이처럼 그는 유력한 신이다.

그들은 만족할 줄 알고 마라와 그의 무리를 이기고
욕망이 없으며 나무찌[63]의 모든 힘을 정복하여
[출세간의 행복으로] 행복하도다."

단속 경(A4:14)

Saṁvara-sutta

1. "비구들이여, 네 가지 노력이 있다.[64] 무엇이 넷인가? 단속하는 노력, 버리는 노력, 수행하는 노력, 보호하는 노력이다. 비구들이여, 그러면 어떤 것이 단속하는 노력인가?

비구들이여, 여기 비구는 눈으로 형상을 봄에 그 표상[全體相]을 취하지 않으며, 또 그 세세한 부분상[細相]을 취하지도 않는다.[65] 만약

---

63) '나무찌(Namuci)'는 마라의 다른 이름이다. 그래서 『장부 주석서』는 "중생들에게 불행을 불러일으켜 죽게 한다고 해서 마라라고 한다. 빠삐만(pāpiman)이란 그의 별명이다. 그는 참으로 사악한 법(pāpa-dhamma)을 고루 갖추고 있기 때문에 빠삐만(사악한 자)이라 부른다. 깐하(Kaṇha, 검은 자), 안따까(Antaka, 끝을 내는 자), 나무찌(Namuci), 방일함의 친척(pamatta-bhandu)이라는 다른 이름들도 그는 가지고 있다."(DA.ii.555)라고 설명한다.
한편 복주서들은 "중생들이 해로움을 가져오는 행동으로부터 풀려나지 못하게 한다(na muñcati)고 해서 나무찌(Namuci)라 한다."(SAṬ.ii.202 등)고 설명하고 있다. 불선법이나 욕계로부터 벗어나지 못하게 하기 때문에 붙여진 이름이다.

64) 본경의 게송 부분을 제외하면 『디가 니까야』 제3권 「합송경」(D33) §1.11(10)과 같다.

65) "'그 표상[全體相, nimitta]을 취하지 않으며'라는 것은 여자라든지 남자라든지 하는 표상이나 아름답다는 표상 등 오염원의 바탕이 되는 표상을 취하지 않는 것이다. 단지 본 것에서만 그친다. '세세한 부분상[細相, anuvyañjana]을 취하지도 않는다.'는 것은 손, 발, 미소, 웃음, 이야기, 앞

그의 눈의 감각기능[眼根]이 제어되어 있지 않으면 욕심과 싫어하는 마음[66]이라는 나쁘고 해로운 법[不善法]들이 그에게 [물밀듯이] 흘러 들어 올 것이다. 따라서 그는 눈의 감각기능을 잘 단속하기 위해 수행하며,[67] 눈의 감각기능을 잘 방호하고 눈의 감각기능을 잘 단속하기에 이른다. 귀로 소리를 들음에…, 코로 냄새를 맡음에…, 혀로 맛을 봄에…, 몸으로 감촉을 느낌에…, 마노[意]로 법[68]을 지각함에 그 표상을 취하지 않으며, 그 세세한 부분상을 취하지도 않는다. 만약 그의 마노의 기능[意根]이 제어되어 있지 않으면 탐욕스러움과 정신적 고통이라는 나쁘고 해로운 법[不善法]들이 그에게 [물밀듯이] 흘러 들어 올 것이다. 따라서 그는 마노의 기능을 잘 단속하기 위해 수행하며, 마노의 기능을 잘 방호하고, 마노의 기능을 [잘 방호하여] 잘

으로 봄, 옆으로 봄 등의 형태를 취하지 않는 것이다. 그런 형태는 오염원들을 더 상세하게 하기 때문에, 분명히 드러나게 하기 때문에 세세한 부분상이라는 이름을 얻는다. 그는 단지 있는 그대로 그것을 취한다."(『청정도론』 I.54)

66) '욕심과 싫어하는 마음'의 원어는 abhijjhā-domanassa이다. 초기불전연구원에서는 domanassa가 욕심(abhijjhā)과 함께 쓰일 때는 욕심이나 탐착과 대가 되는 '싫어하는 마음'으로 옮기고 domanassa가 somanassa(정신적 즐거움)와 함께 쓰일 때는 정신적 즐거움과 반대가 되는 '정신적 고통'으로 옮긴다.

67) '수행하다'로 옮긴 원어는 paṭipajjati이다. 다른 문맥에서는 주로 '도닦다'로 옮기고 특히 명사형인 paṭipatti나 paṭipāda는 모두 '도닦음'으로 옮기고 있다. 여기서는 문맥상 수행하다가 편하기 때문에 수행하다로 옮기고 있다. 도닦음(paṭipatti)과 도(magga)에 대해서는 본서 「꾸시나라 경」(A4:76) §2의 주해를 참조할 것.

68) 아비담마에서는 마노[意, mano]의 대상인 법으로 구체적으로 감성의 물질, 미세한 물질, 이전의 마음, 마음부수들, 열반, 개념의 여섯을 들고 있다. 『아비담마 길라잡이』 3장 §16을 참조할 것. 미세한 물질은 『아비담마 길라잡이』 6장 §7의 해설 5를 참조할 것.

단속하기에 이른다. 비구들이여, 이를 일러 단속하는 노력이라 한다."

2. "비구들이여, 그러면 어떤 것이 버리는 노력인가?

비구들이여, 여기 비구는 일어난 감각적 욕망에 대한 생각을 품고 있지 않고 버리고 제거하고 끝장내고 없앤다. 일어난 악의의 생각을 … 일어난 해코지하려는 생각을 … 계속적으로 일어나는 나쁘고 해로운 법들을 품고 있지 않고 버리고 제거하고 끝장내고 없앤다. 비구들이여, 이를 일러 버리는 노력이라 한다."

3. "비구들이여, 그러면 어떤 것이 수행하는 노력인가?

비구들이여, 여기 비구는 근원적으로 숙고하기 때문에 떨쳐버림을 의지하고 [탐욕의] 빛바램을 의지하고 소멸을 의지하고 철저한 버림으로 기우는 마음챙김의 깨달음의 구성요소[念覺支]를 닦는다.[69) … 법을 간택하는 깨달음의 구성요소[擇法覺支]를 닦는다. … 정진의 깨달음의 구성요소[精進覺支]를 닦는다. … 희열의 깨달음의 구성요소[喜覺支]를 닦는다. … 고요함의 깨달음의 구성요소[輕安覺支]를 닦는다. … 삼매의 깨달음의 구성요소[定覺支]를 닦는다. 근원적으로 숙고하기 때문에 떨쳐버림을 의지하고 [탐욕의] 빛바램을 의지하고 소멸을 의지하고 철저한 버림으로 기우는 평온의 깨달음의 구성요소[捨覺支]를 닦는다. 비구들이여, 이를 일러 수행하는 노력이라 한다."

4. "비구들이여, 그러면 어떤 것이 보호하는 노력인가?

비구들이여, 여기 비구는 일어난 경이로운 삼매의 표상을 잘 보호한다. 즉 [시체가] 해골이 된 것의 인식, 벌레가 버글거리는 것의 인

---

69) 칠각지 공부법은 『네 가지 마음챙기는 공부』 235~257을 참조할 것.

식, 검푸른 것의 인식, 문드러진 것의 인식, 끊어진 것의 인식, 부푼 것의 인식이다.[70] 비구들이여, 이를 일러 보호하는 노력이라 한다.

비구들이여, 이러한 네 가지 노력이 있다."

5. "단속과 버림과 수행과 보호 —
이것이 네 가지 노력이라고 태양의 후예는 말하노라.
여기 비구가 있어 이를 통해서 애를 쓸 때
그는 괴로움의 소멸을 얻으리라."

알려진 것 경(A4:15)

Paññatti-sutta

1. "비구들이여, 네 가지 으뜸이라고 알려진 것이 있다. 무엇이 넷인가?

비구들이여, 몸을 가진 자들 가운데서는 아수라의 왕인 라후[71]가 으뜸이다. 비구들이여, 감각적 욕망을 즐기는 자들 가운데서는 만다따 왕[72]이 최고이다. 비구들이여, 지배력을 가진 자들 가운데서는

---

70) 문드러진 것의 인식을 제외한 다섯 가지는 본서 제1권 「하나의 모음」 손가락 튕기기의 연속 품(A1:20)의 §§88~92에도 나타나 있다. 상세한 것은 『청정도론』 VI장의 부정(不淨)의 명상주제(asubha-kammaṭṭhāna)를 참조할 것.

71) 본래 라후(Rāhu)는 일식을 의인화한 것이다. 그래서 인도신화에서는 가장 신성한 태양을 먹는 자이므로 라후를 아수라의 우두머리로 간주한다.

72) 만다따(Mandhātā) 왕은 인류 최초의 왕이었으며, 사꺄 족의 최초의 왕이라는 마하삼마따(Mahāsammata)왕의 6대째가 되는 왕이었다고 한다.(J.ii.311; iii.454) 그는 엄청난 보화와 재물을 소유하였고 8만4천년을 왕자로 있었고 8만4천 년을 왕으로 있었고 아승지겁의 수명을 가지고 있

마라 빠삐만[73]이 최고이다. 비구들이여, 신과 마라와 범천을 포함한 세상에서, 사문・바라문과 신과 사람을 포함한 무리 가운데서는 여래・아라한・정등각이 으뜸이라고 말해진다.

비구들이여, 이것이 네 가지 으뜸이라고 알려진 것이다."

2. "몸을 가진 자들 가운데서는 라후가 으뜸
감각적 욕망 즐기는 자 가운데서는 만다따 왕이 으뜸
큰 성취와 명성으로 빛나는[74] 지배자들 가운데서는
마라가 으뜸
위건 중간이건 아래건, 세상의 그 어느 곳이건
신을 포함한 세상에서는 깨달은 자(부처)가 으뜸이로다."

미세함 경(A4:16)

Sukhuma-sutta

1. "비구들이여, 네 가지 미세한 특징을 통찰함[75]이 있다. 무

었지만 그것에 만족하지 못했다고 한다.(SnA.i.352) 그래서 본경에서는 그를 일러 감각적 욕망을 즐기는 자들 가운데서 제일이라 부르고 있다.

73) 마라(Māra)와 빠삐만(Pāpiman, 사악한 자)에 대해서는 본서 「노력 경」(A4:13) §2의 주해들을 참조할 것.

74) 원문은 iddhiyā yasasā jalaṁ이다. 주석서는 이 문장을 '신성한 성취(iddhi)와 수행원을 거느린 명성(yasā)으로 빛나는(jalaṁ)'으로 설명하면서 지배자들에 대한 수식어로 설명하고 있다. 그리고 jalaṁ을 jalantānaṁ(빛나는 자들)으로 설명한다.(AA.iii.21)

75) '미세한 특징을 통찰함'으로 풀어서 옮긴 원어는 sokhumma이다. 주석서에서 "미세한 특징(sukhuma-lakkhaṇa)을 꿰뚫어 아는(paṭivijjhanaka) 지혜이다."(AA.iii.21)라고 설명하고 있어서 이렇게 풀어서 옮겼다.

엇이 넷인가? 비구들이여, 여기 비구는 물질의 미세한 특징을 통찰함을 구족한다. 그는 물질의 미세한 특징에 대해 이렇게 뛰어나게 통찰하는 것보다 다른 더 뛰어나고 더 수승하게 통찰함을 보지 못한다. 그는 그보다 더 뛰어나고 더 수승하게 통찰함을 갈망하지도 않는다.

느낌의 미세한 특징을 통찰함을 … 인식의 미세한 특징을 통찰함을 구족한다. 그는 심리현상들의 미세한 특징에 대해 이렇게 뛰어나게 통찰하는 것보다 다른 더 뛰어나고 더 수승하게 통찰함을 보지 못한다. 그는 그보다 더 뛰어나고 더 수승하게 통찰함을 갈망하지도 않는다.

비구들이여, 이것이 네 가지 미세한 특징을 통찰함이다."

2. "물질의 미세한 특징을 통찰하는 것을 알고
느낌들의 기원을 [알고]
어디서 인식이 일어나고 사라지는지를 [알며]
심리현상들을 남[他]이라고
괴로움이라고 자아가 아니라고 안 뒤에
만일 바르게 보는 비구가 평화롭고
평화로운 경지[76]를 즐거워한다면
그는 마라와 그의 무리를 이기고서
[이 생에서] 그의 마지막 몸을 가지게 되리."

76) "열반을 말한다."(AA.ii.22)

잘못된 길 경1(A4:17)

Agati-sutta

1. "비구들이여, 네 가지 잘못된 길을 감이 있다.[77] 무엇이 넷인가?

열의 때문에 잘못된 길을 가고, 성냄 때문에 잘못된 길을 가고, 어리석음 때문에 잘못된 길을 가고, 두려움 때문에 잘못된 길을 간다. 비구들이여, 이러한 네 가지 잘못된 길을 감이 있다"

2. "열의, 성냄, 두려움, 어리석음 때문에 법과 어긋나는 자
그의 명성은 줄어드나니 마치 하현의 달과도 같이."

잘못된 길 경2(A4:18)

1. "비구들이여, 네 가지 잘못된 길을 가지 않음이 있다. 무엇이 넷인가?

열의 때문에 잘못된 길을 가지 않고, 성냄 때문에 잘못된 길을 가지 않고, 어리석음 때문에 잘못된 길을 가지 않고, 두려움 때문에 잘못된 길을 가지 않는다. 비구들이여, 이러한 네 가지 잘못된 길을 가지 않음이 있다."

2. "열의, 성냄, 두려움, 어리석음 때문에
법과 어긋나지 않는 자
그의 명성은 가득 차나니 마치 상현의 달과도 같이."

---

77) 본서 제1권 「찌꺼기 경」(A2:5:5)과 꼭 같다. 그리고 『디가 니까야』 제3권 「합송경」(D33) §1.11(19)에도 같은 내용으로 나타난다.

잘못된 길 경3(A4:19)[78)]

1. "비구들이여, 네 가지 잘못된 길을 감이 있다. 무엇이 넷인가?
열의 때문에 잘못된 길을 가고, 성냄 때문에 잘못된 길을 가고, 어리석음 때문에 잘못된 길을 가고, 두려움 때문에 잘못된 길을 간다. 비구들이여, 이러한 네 가지 잘못된 길을 감이 있다."

2. "비구들이여, 네 가지 잘못된 길을 가지 않음이 있다. 무엇이 넷인가?
열의 때문에 잘못된 길을 가지 않고, 성냄 때문에 잘못된 길을 가지 않고, 어리석음 때문에 잘못된 길을 가지 않고, 두려움 때문에 잘못된 길을 가지 않는다. 비구들이여, 이러한 네 가지 잘못된 길을 가지 않음이 있다."

3. "열의, 성냄, 어리석음, 두려움 때문에 법과 어긋나는 자
그의 명성은 줄어드나니, 마치 하현의 달과도 같이.
열의, 성냄, 어리석음, 두려움 때문에
법과 어긋나지 않는 자
그의 명성은 가득 차나니, 마치 상현의 달과도 같이."

음식 소임자 경(A4:20)
Bhattuddesaka-sutta

1. "비구들이여, 음식 소임자가 네 가지 법을 갖추면 마치 누가 그를 데려가서 놓는 것처럼 [반드시] 지옥에 떨어진다. 무엇이 넷

78) 위 17번과 18번 경의 조합이다.

인가?

열의 때문에 잘못된 길을 가고, 성냄 때문에 잘못된 길을 가고, 어리석음 때문에 잘못된 길을 가고, 두려움 때문에 잘못된 길을 간다. 비구들이여, 음식 소임자가 이러한 네 가지 법을 갖추면 마치 누가 그를 데려가서 놓는 것처럼 [반드시] 지옥에 떨어진다."

2. "비구들이여, 음식 소임자가 네 가지 법을 갖추면 마치 누가 그를 데려가서 놓는 것처럼 [반드시] 천상에 태어난다. 무엇이 넷인가?

열의 때문에 잘못된 길을 가지 않고, 성냄 때문에 잘못된 길을 가지 않고, 어리석음 때문에 잘못된 길을 가지 않고, 두려움 때문에 잘못된 길을 가지 않는다. 비구들이여, 음식 소임자가 이러한 네 가지 법을 갖추면 마치 누가 그를 데려가서 놓는 것처럼 [반드시] 천상에 태어난다."

3. "감각적 욕망을 제어하지 못하는 사람들
그들은 누구나 법답지 못하고 법을 존중하지 않는구나.
열의와 성냄과 두려움 때문에
잘못된 길을 가는 자들은
'회중의 쓰레기'라 일컬어진다고
아시는 분 그분 사문께서[79] 말씀하셨네.
칭송받는 참사람들은
법에 굳게 서서 악을 짓지 않나니
열의와 성냄과 두려움 때문에

79) 여기서 사문은 부처님을 뜻한다.(AA.iii.22)

잘못된 길을 가지 않는 자들은
'회중의 제호'라 일컬어진다고
아시는 분 그분 사문께서 말씀하셨네."

제2장 걷고 있음 품이 끝났다.

두 번째 품에 포함된 경들의 목록은 다음과 같다.

① 걷고 있음 ② 계 ③ 노력
④ 단속, 다섯 번째로 ⑤ 알려진 것
⑥ 미세함, 세 가지 ⑦~⑨ 잘못된 길
⑩ 음식 소임자 — 이러한 열 가지이다.

제3장 우루웰라 품

Uruvela-vagga

우루웰라 경1(A4:21)[80]

Uruvela-sutta

1. 한때 세존께서는 사왓티에서 제따 숲의 급고독원에 머무셨다. 그곳에서 세존께서는 "비구들이여."라고 비구들을 부르셨다. "세존이시여."라고 비구들은 세존께 응답했다. 세존께서는 이렇게 말씀하셨다.

"비구들이여, 정등각을 성취한 뒤 처음으로 나는 우루웰라에서 네란자라 강둑에 있는 염소치기의 니그로다 나무[81] 아래에서 머무른

---

80) 『상윳따 니까야』(S6:2)와 같은 내용임.

81) '염소치기의 니그로다 나무'로 옮긴 원어는 ajapāla-nigrodha이다. 수자따(Sujātā)가 고행을 그만두신 세존께 우유죽을 공양올린 곳이 바로 이 나무 아래였다.(J.i.16, 69) 부처님께서는 보드가야의 보리수 나무 아래서 깨달음을 이루신 후에 수차례 이곳을 찾아가셨다고 한다. 사함빠띠 범천이 부처님께 법륜을 굴리기를 간청한 곳도 이곳이었으며(Vi.i.5~7), 마라가 세존이 깨달으신 직후에 바로 열반에 드시기를 간청한 곳도 이곳이었다.(D16. §3.34 참조) 혹자는 세존께서는 이 니그로다 나무 아래서 깨달음을 성취하신 것으로 이해하기도 하지만 율장과 주석서에는 세존께서 보리수 아래서 깨달음을 성취하시고 삼매에서 출정하셔서 이 나무로 오신 것으로 밝히고 있다.(Vi.i.2, 3, 5 등)
본경에 해당하는 주석서는 부처님께서 정등각을 성취하신 뒤 다섯 번째 7일(pañcama sattāha)에 본경과 같은 사유가 일어났다고 밝히고 있다.(AA.iii.24)
한편 주석서는 왜 이 니그로다 나무를 염소치기의 니그로다 나무라 부르는가에 대해서 몇 가지로 설명을 한다. 첫째, 이 나무의 그늘에서 염소치

적이 있다. 내가 한적한 곳에 가서 홀로 앉아있는 중에 문득 이런 생각이 마음에 일어났다.

'아무도 존중할 사람이 없고 의지할 사람이 없이 머문다는 것은 괴로움이다. 참으로 나는 어떤 사문이나 바라문을 존경하고 존중하고 의지하여 머물러야 하는가?'

비구들이여, 그러자 나에게 이런 생각이 일어났다.

'내가 아직 완성하지 못한 계의 무더기[戒蘊]가 있다면 그것을 완성하기 위해서 나는 다른 사문이나 바라문을 존경하고 존중하고 의지하여 머물러야 할 것이다. 그러나 나는 신과 마라와 범천을 포함한 세상에서, 사문·바라문과 신과 사람을 포함한 무리 가운데에서, 나보다도 더 계를 잘 구족하여 내가 존경하고 존중하고 의지하여 머물러야 할 다른 어떤 사문이나 바라문도 보지 못한다.

내가 아직 완성하지 못한 삼매의 무더기[定蘊]가 있다면 그것을 완성하기 위해서 나는 다른 사문이나 바라문을 존경하고 존중하고 의지하여 머물러야 할 것이다. 그러나 나는 신과 마라와 범천을 포함한 세상에서, 사문·바라문과 신과 사람을 포함한 무리 가운데에서, 나보다도 더 삼매를 잘 구족하여 내가 존경하고 존중하고 의지하여 머물러야 할 다른 어떤 사문이나 바라문도 보지 못한다.

내가 아직 완성하지 못한 통찰지의 무더기[慧蘊]가 있다면 그것을

기들이 쉬었기 때문이며, 둘째 나이든 바라문들이 나이가 들어서 더 이상 베다를 암송하지 못하게 되자(ajapā) 이곳에 거처를 마련하고 살았기 때문이며, 셋째 한밤에 염소들에게 의지처가 되었기 때문이라고 한다.(UdA.51) 그리고 북방불교의 전승에 의하면 이 나무는 부처님께서 육년 고행을 하실 동안 의지처를 마련해드리기 위해서 염소치기가 심은 것이라고 한다.(Mtu.iii.302) 이런 정황을 참작하여 '염소치기의 니그로다 나무'로 옮겼다.

완성하기 위해서 다른 사문이나 바라문을 존경하고 존중하고 의지하여 머물러야 할 것이다. 그러나 나는 신과 마라와 범천을 포함한 세상에서, 사문 · 바라문과 신과 사람을 포함한 무리 가운데에서, 나보다도 더 통찰지를 잘 구족하여 내가 존경하고 존중하고 의지하여 머물러야 할 다른 어떤 사문이나 바라문도 보지 못한다.

내가 아직 완성하지 못한 해탈의 무더기[解脫蘊]가 있다면 그것을 완성하기 위해서 다른 사문이나 바라문을 존경하고 존중하고 의지하여 머물러야 할 것이다. 그러나 나는 신과 마라와 범천을 포함한 세상에서, 사문 · 바라문과 신과 사람을 포함한 무리 가운데에서, 나보다도 더 해탈을 잘 구족하여 내가 존경하고 존중하고 의지하여 머물러야 할 다른 어떤 사문이나 바라문도 보지 못한다.'

비구들이여, 그러자 나에게 이런 생각이 들었다. '참으로 나는 내가 바르게 깨달은 바로 이 법을 존경하고 존중하고 의지하여 머무르리라.'

2. "비구들이여, 그러자 사함빠띠 범천이 마음으로 내 마음에 일으킨 생각을 알고 마치 힘 센 사람이 구부렸던 팔을 펴고 폈던 팔을 구부리는 것처럼 범천의 세계에서 사라져서 내 앞에 나타났다. 그때 사함빠띠 범천은 한쪽 어깨가 드러나게 윗옷을 입고 땅에 오른쪽 무릎을 꿇은 뒤 나를 향해 합장하고 이렇게 말했다.

'참으로 그러하옵니다, 세존이시여. 참으로 그러하옵니다, 선서시여. 세존이시여, 과거의 아라한 · 정등각들이신 세존들께서도 역시 오직 법을 존경하고 존중하고 의지하여 머물렀습니다. 세존이시여, 미래의 아라한 · 정등각이신 세존들께서도 역시 오직 법을 존경하고 존중하고 의지하여 머무를 것입니다. 세존이시여, 지금의 아라한 ·

정등각이신 세존께서도 역시 오직 법을 존경하고 존중하고 의지하여 머무십시오.'

사함빠띠 범천은 이렇게 말하였다. 이렇게 말한 뒤 다시 [게송으로] 이렇게 말하였다.

3. '과거의 모든 바르게 깨달은 분들도
미래의 모든 부처님들도
현재의 바르게 깨달은 분도
모두 많은 사람들의 근심을 없애주시네.
그분들은 모두 정법을 공경하며
사셨고 살고 계시며 또한 살아가실 것이니
이것이 모든 부처님들의 법다움이라네.
그러므로 자신의 이익을 위해서
위대한 것을 추구하는 자
이러한 부처님들의 교법을 기억하여
정법을 존중해야 하리라.'

4. "비구들이여, 사함빠띠 범천은 이렇게 말하였다. 이렇게 말한 뒤 나에게 절을 올리고 오른쪽으로 [세 번] 돌아 [경의를 표한] 뒤에 그곳에서 자취를 감추었다. 비구들이여, 그러자 나는 범천의 간청을 충분히 고려하여 이것이 나에게 적절하다고 판단한 뒤, 참으로 내가 바르게 깨달은 바로 이 법을 존경하고 존중하고 의지하여 머물렀다. 비구들이여, 승가가 성립되어 위대함[82)]을 구족하게 되자 나의 승가도 역시 크게 존중되었다.[83)]"[84)]

---

82) "네 종류의 위대함이 있다. 그것은 구참 비구들이 많은 것, 나이 들고 젊고 어린 비구들이 다양하게 많은 것, 청정범행을 닦는 비구들이 많은 것, 공양을 많이 얻는 것이다."(AA.iii.26)

우루웰라 경2(A4:22)

1. "비구들이여, 한때 나는 우루웰라에서 네란자라 강둑에 있는 염소치기의 니그로다 나무 아래에서 처음 정등각을 성취하여 머물렀다. 비구들이여, 그때 늙어서 나이 들고 노후하고 긴 세월을 보냈고 노쇠한 많은 바라문들이 나에게 다가왔다. 와서는 나와 함께 환담을 나누었다. 유쾌하고 기억할 만한 이야기로 서로 담소를 나누고 한 곁에 앉았다. 한 곁에 앉아서 그 바라문들은 나에게 이렇게 말하였다.

'고따마 존자여, 사문 고따마는 늙고 나이 들고 노후하고 긴 세월을 보냈고 노쇠한 바라문들에게 절을 하거나 일어서거나 자리를 권하지 않는다고 들었습니다. 고따마 존자여, 고따마 존자가 늙고 나이 들고 노후하고 긴 세월을 보냈고 노쇠한 바라문들에게 이처럼 절을 하거나 일어서거나 자리를 권하지 않는 것은 적절하지 못합니다.'

2. "비구들이여, 그러자 나에게 '참으로 이 존자들은 장로나 장로가 되는 법을 알지 못하는구나.'라는 생각이 들었다.

---

83) "그러면 언제 세존께서는 승가에 존경을 표하셨는가? 마하빠자빠띠(Mahāpajāpati)가 기워서 만든 새 옷 두 벌을 보시하였을 때이다. 세존께서는 그때 자신에게 가져온 그 옷을 두고 "고따미여, 승가에 보시하라. 승가에 보시하면 나를 존경하는 것도 되고 승가를 존경하는 것도 될 것이다."(M142/iii.253)라고 말씀하시면서 승가에 존경을 표하셨다."(AA.iii.26)

84) 이 §4는 『상윳따 니까야』(S6:2)에는 나타나지 않는다. 본경은 승가에 대한 존중을 강조하는 것으로 끝맺고 있다. 부처님은 법을 존중하시고 부처님은 또 승가를 존중하시기 때문에 승가를 존중하는 것은 부처님과 법을 함께 다 존중하는 것이라는 논법을 사용하고 계시다고 여겨진다.

비구들이여, 비록 나이가 들어서 80이나 90이나 100살에 도달하였다 하더라도, 만일 그가 시기에 맞지 않는 말을 하고 사실이 아닌 것을 말하고 유익하지 못한 것을 말하고 법에 어긋나게 말하고 율에 저촉되는 말을 하며, 그리고 시의적절하지 않고 이유가 분명하지 못하고 [특정한 주제에] 제한되어 있지 못하고 이익을 주지 못하고 담아둘 만하지 못한 말을 하는 자라면, 그는 단지 '어리석은 장로'라는 이름을 얻을 뿐이다.

그러나 비록 나이가 젊어서 머리칼이 검고 축복 받은 젊음을 구족한 초년의 나이라 할지라도, 시기에 맞는 말을 하고 사실을 말하고 유익한 것을 말하고 법을 말하고 율을 말하며, 그리고 시의적절하고 이유가 분명하고 [특정한 주제에] 제한되어 있고 이익을 주고 담아둘 만한 말을 하는 자라면, 그는 '현명한 장로'라는 이름을 얻을 것이다."

3. "비구들이여, 네 가지 장로가 되는 법이 있다. 무엇이 넷인가?

비구들이여, 여기 비구는 계를 잘 지킨다. 그는 빠띠목카(계목)를 구족하여 빠띠목카의 단속으로 단속하면서 머문다. 바른 행실과 행동의 영역을 갖추고, 작은 허물에 대해서도 두려움을 보며, 학습계목을 받아지녀 공부짓는다.

그는 많이 배우고[多聞] 배운 것을 바르게 호지하고 배운 것을 잘 정리한다. 법들은 시작도 훌륭하고 중간도 훌륭하고 끝도 훌륭하며 의미와 표현을 구족하나니, 이러한 법들은 더할 나위 없이 완벽하며 지극히 청정한 범행(梵行)을 확실하게 드러낸다. 그는 이러한 법들을 많이 배우고 호지하고 말로써 친숙해지고 마음으로 숙고하고 견해로써 잘 꿰뚫는다.

그는 보다 높은 마음이요, 바로 지금여기에서 행복하게 머물게 하는 네 가지 선[四禪]을 원하는 대로 얻고 힘들이지 않고 얻고 어렵지 않게 얻는다.

그는 모든 번뇌가 다하여 아무 번뇌가 없는 마음의 해탈[心解脫]과 통찰지를 통한 해탈[慧解脫]을 바로 지금여기에서 스스로 최상의 지혜로 알고 실현하고 구족하여 머문다.

비구들이여, 이것이 네 가지 장로가 되는 법이다."

4. "들뜬 마음으로 쓸데없는 말을 많이 하고
생각이 산만하고 바른 법 즐기지 않고 어리석으며
확고함이 없고 악한 견해 가진 자는 존경받지 못하리.
계를 구족하고 잘 배웠고 영감을 갖추었으며
절제하고 현명하고 법들을 통찰지로 꿰뚫어 보며[85)]
일체 법에 대해서 통달하고 온화하고 영감을 갖추고
태어남과 죽음을 버리고 지고의 청정범행을 갖춘 자
그를 나는 장로라 부르나니
그에게는 이미 번뇌들이 존재하지 않는다.
번뇌 다한 비구를 일컬어 장로라 하느니."

세상 경(A4:23)

Loka-sutta

1. "비구들이여, 여래는 세상[86)]을 바르게 깨달았으며 여래는

---

85) "위빳사나가 함께 한 도의 통찰지(道慧, magga-paññā)를 통해 사성제의 뜻을 꿰뚫어 본다는 뜻이다."(AA.iii.30)

86) "여기서 '세상(loka)'은 괴로움의 진리(dukkha-sacca, 苦聖諦)이다."(AA.iii.31)

세상으로부터 벗어났다. 비구들이여, 여래는 세상의 일어남을 바르게 깨달았으며 여래는 세상의 일어남을 버렸다. 비구들이여, 여래는 세상의 소멸을 바르게 깨달았으며 여래는 세상의 소멸을 실현하였다. 비구들이여, 여래는 세상의 소멸로 인도하는 도닦음을 바르게 깨달았으며 여래는 세상의 소멸로 인도하는 도닦음을 수행하였다."[87)]

2. "비구들이여,[88)] 신들을 포함하고 마라를 포함하고 범천을 포함한 세상에서, 사문 · 바라문들을 포함하고 신과 인간을 포함한 생명체들이 보고 듣고 생각하고 알고 얻고 탐구하고 마음으로 고찰한 것을 여래는 모두 철저하고 바르게 깨달았다. 그래서 여래라 부른다.

비구들이여, 여래가 위없는 바른 깨달음을 철저하고 바르게 깨달은 그 밤으로부터 반열반에 든 그 밤에 이르기까지 설하고 말하고 가르친 그 모든 것은 여여(如如)했고 다르지 않았다. 그래서 여래라 부른다."

3. "비구들이여, 여래는 설하는 대로 행하는 자이고 행하는 대로 설하는 자이다. 이처럼 설하는 대로 행하는 자이고 행하는 그대로 설하는 자라고 해서 여래라 부른다.

비구들이여, 여래는 신들을 포함하고 마라를 포함하고 범천을 포

---

87) 본경의 이러한 가르침은 『상윳따 니까야』 「초전법륜경」(S.v.421*f*) 등에서 고성제는 철저하게 알아야 하고(pariññeyya) 집성제는 버려야 하고(pahātabba) 멸성제는 실현해야 하고(sacchikatabba) 도성제는 수행해야 한다(bhāvetabba)고 하신 가르침과 같은 내용이다. 단지 본경에서는 괴로움의 진리를 철저하게 알았다는 말 대신에 세상(고성제)으로부터 벗어난(visaṁyutta)이라고 표현하는 것만 다르다.

88) 이하 §§2~3은 『디가 니까야』 제3권 「정신경」(D29) §29와 같음.

함한 세상에서, 사문・바라문을 포함하고 신과 인간을 포함한 생명체들 가운데서 지배자요 지배되지 않는 자요 모든 것을 보는 자[89]요 자재자이다. 그래서 여래라 부른다."

4. "모든 세상 최상의 지혜로 안 뒤 모든 세상에 여여하며
모든 세상 벗어나 모든 세상에 취착하지 않노라.
모든 것[90] 지배하는 자요 지자이며 모든 매듭 풀어버려
최상의 평화와 어디서도 두려움 없는 열반에 닿았노라.
그가 바로 번뇌 멸한 부처이니 고통 없고 의심 잘랐으며
모든 업의 소멸에 도달했고
재생의 근거를 파괴하여 해탈하였노라.
그가 바로 세존이요 부처요 그가 바로 위없는 사자(獅子)
신들을 포함한 세상에서 신성한 바퀴를 굴리노라.
이러한 깨달은 분에 귀의하는 신과 인간들 함께 와서
위대하고 두려움 없는 그분께 예배하도다.
그는 제어된 자들 가운데서 가장 잘 제어된 자
평화로운 자들 가운데서 가장 평화로운 선인
해탈한 자들 가운데서 가장 수승한 자
건넌 자들 가운데서 가장 위대한 자로다.
그들은 위대하고 두려움 없는 그분께 예배하나니
신들을 포함한 세상에서 그에 필적할 사람 없어라."

---

89) 원문은 aññadatthu-daso인데 여기서 aññadatthu는 '절대적인(ekaṁsa)'의 뜻으로 사용된 불변화사이다.(AA.iii.33)

90) 여기서 모든 것이란 형상 등의 모든 대상을 뜻한다.(*Ibid*)

깔라까 경(A4:24)

Kāḷaka-sutta

1. 한때 세존께서는 사께따에서 깔라까 원림(園林)[91]에 머무셨다. 그곳에서 세존께서는 "비구들이여."라고 비구들을 부르셨다. "세존이시여."라고 비구들은 세존께 응답했다. 세존께서는 이렇게 말씀하셨다.

2. "비구들이여, 신들을 포함하고 마라를 포함하고 범천을 포함한 세상에서, 사문 · 바라문들을 포함하고 신과 인간을 포함한 생명체들이 보고 듣고 생각하고 알고 얻고 탐구하고 마음으로 고찰한 것을 나는 안다. 비구들이여, 신들을 포함하고 마라를 포함하고 범천을 포함한 세상에서, 사문 · 바라문들을 포함하고 신과 인간을 포함한 생명체들이 보고 듣고 생각하고 알고 얻고 탐구하고 마음으로 고찰한 것을 알았다. 여래는 그것을 분명히 알았지만[92] 여래는 그것을 집착하지 않는다.[93]

---

91) 주석서에 의하면 깔라까 원림(Kāḷakārāma)은 사께따(Sāketa)에 있는 원림인데 깔라까가 세존께 기증하여 승원을 지었다고 한다.(AA.iii.37~38) 사께따는 꼬살라에 있는 도시였으며 당시 가장 번창했던 6대 도시(짬빠, 라자가하, 사왓티, 사께따, 꼬삼비, 와라나시) 가운데 하나였다고 한다.(D16. §5.17 참조)

92) 바로 앞의 '알았다'로 옮긴 원어는 abbhaññāsiṁ인데 그냥 다른 사람들도 아는 것처럼 알았다(jāniṁ)는 의미이다. 여기서 나타나는 '분명히 알았다'에 해당되는 원어는 viditaṁ인데 부처님의 일체지의 경지를 드러내는 것이라고 주석서는 설명하고 있다.(AA.iii.38)

93) "여래는 여섯 감각대문을 통한 대상에 대해 갈애(taṇhā)나 사견(diṭṭhi)으로 집착하지 않는다는 뜻이다. 세존께서는 눈으로 형상을 보지만 욕탐

비구들이여, '신들을 포함한 … 세상에서, … 신과 인간을 포함한 생명체들이 보고 듣고 생각하고 알고 얻고 탐구하고 마음으로 고찰한 것을 나는 알지 못한다.'고[94] 내가 말한다면 나의 말은 거짓이 될 것이다. '나는 그것을 알기도 하고 알지 못하기도 하다.'고 내가 말한다면 그것도 역시 마찬가지이다. '나는 그것을 아는 것도 아니고 알지 못하는 것도 아니다.'라고 내가 말한다면 그것은 나에게 허물이[95] 된다.

비구들이여, 여래는 이와 같이 보아야 할 것을 보고서 그 본 것[96]에 대해 집착하지 않는다.[97] 보지 못한 것에 대해서도 집착하지 않는다. 보아야 할 것에 대해서도 집착하지 않는다. 보는 자에 대해서

이 없나니 세존께서는 참으로 완전히 해탈한 마음을 가지셨기 때문이다. 귀로 … 코로 … 혀로 … 몸으로 … 마노로 법을 아시지만 세존께는 욕탐이 없나니 세존께서는 참으로 완전히 해탈한 마음을 가지셨기 때문이다. 이 문장으로 번뇌 다한 자의 경지(bhūmi)를 설하셨다고 알아야 한다."(AA.iii.38~39)

94) PTS본에는 tamahaṁ jānāmīti vadeyyaṁ(나는 그것을 안다고 말한다.)으로 나타나지만(A.ii.25) 육차결집본에는 tamahaṁ na jānāmīti vadeyyaṁ(나는 그것을 알지 못한다고 말한다.)으로 나타난다. 그러나 문맥상 '모든 세상에서 생명체들이 보고 듣고 알고 얻고 탐구하고 마음으로 고찰한 것을 여래께서 아심에도 불구하고 만약 알지 못한다고 하면 그것은 거짓말을 한 것이다.'라는 내용이기 때문에 역자는 육차결집본을 따라 옮겼다.

95) 원문은 kali인데 여기서는 dosa(허물, 과실)라는 뜻이다.(AA.iii.39)

96) "여기서 '본 것'은 육안으로 보았거나 천안으로 본 형상의 감각장소[色處, rūpāyatana]와 동의어이다."(AAṬ.ii.231)

97) '집착하지 않는다.'로 옮긴 원어는 na maññati이다. maññati는 √man (*to think*)의 동사로 '생각하다, 고려하다, 여기다' 등의 뜻으로 사용되나, 이 문맥에서 사용되고 있는 집착하다(upaṭṭhāsi), 거머쥐다(ajjhositā)의 뜻과 일맥상통하기 때문에 이렇게 옮겼다.

도 집착하지 않는다. 들어야 할 것을 듣고서 그 들은 것에 대해 집착하지 않는다. 듣지 못한 것에 대해서도 집착하지 않는다. 들어야 할 것에 대해서도 집착하지 않는다. 듣는 자에 대해서도 집착하지 않는다. 생각해야 할 것을 생각하고서 그 생각한 것에 대해 집착하지 않는다. 생각하지 못한 것에 대해서도 집착하지 않는다. 생각해야 할 것에 대해서도 집착하지 않는다. 생각하는 자에 대해서도 집착하지 않는다. 알아야 할 것을 알고서 그 안 것에 대해 집착하지 않는다. 알지 못한 것에 대해서도 집착하지 않는다. 알아야 할 것에 대해서도 집착하지 않는다. 아는 자에 대해서도 집착하지 않는다.

비구들이여, 이와 같이 여래는 보고 듣고 생각하고 알아야 할 법들에 대해서 참으로 '여여한 분'이다.98) 그러나 이러한 '여여한 분' 이외에 다른 더 높거나 더 수승한 '여여한 분'은 없다고 나는 말한다."

3. "보고 듣고 생각한 것을
어떤 자들은 진리라고 거머쥔다.
스스로를 고수하는 자들99)의 [주장]을 두고

98) "여여한 분(tādi)이란 동일한 상태, 꼭 같은 상태를 뜻한다. 여래는 얻음 등에 대해서 여여하듯이(yādiso lābhādīsu), 손실 등에 대해서도 여여하시다(tādisova alābhādīsu). 그러므로 이와 같이 말씀하셨다. "얻을 때에도 잃을 때에도 여여하였고, 명예와 불명예에도 여여하였고, 비난과 칭송에도 여여하였고, 행복과 괴로움에도 여여하였다." 이런 여여한 상태로 여여한 분이다."(AA.iii.40)
이 가르침이 심오했기 때문에 세존께서 말씀을 마치시자 막 출가한 500명의 비구와 함께 모인 8만4천의 신과 인간들이 감로수(amata-pāna)를 마셨다고 주석서는 적고 있다.(*Ibid*)

99) '스스로를 고수하는 자들'로 옮긴 원어는 sayasaṁvutesu이다. 주석서는 이렇게 설명한다.
"이것은 [62가지] 사견을 가진 자들(diṭṭhigatikesu)을 뜻한다. 사견을 가

'여여한 분'은 진리 혹은 거짓이라 표방하지 않는다.
생명체들이 거머쥐고 있는 이러한 쇠살을[100]
[여래는] 미리 보았나니
'나는 안다. 나는 본다.'라는 이러한 거머쥠이
여래들에게는 존재하지 않노라."

청정범행 경(A4:25)

Brahmacariya-sutta

1. "비구들이여, 사람들을 속이기 위해서, 사람들에게 아첨하기 위해서, 이득과 존경과 명성을 얻기 위해서, 논쟁에서 벗어남을 얻기 위해서, '나는 이와 같은 사람이다.'라고 사람들에게 알리기 위해서 청정범행을 실천하는 것이 아니다. 비구들이여, 그러나 단속하고 버리고 탐욕을 빛바래게 하고 소멸하기 위해서 청정범행을 실천하는 것이다."

2. "열반에 깊이 들게 하고 재앙을 없애는[101]

진 자들은 자기를 고수한다, 사견을 가진 자들의 말 가운데 어느 하나에 대해서도 여여한 분(如來)은 '이것만이 진실이고 다른 것은 거짓이다.'라는 식으로 이것은 진실이고 이것은 거짓이라고 표방하지 않는다."(AA.iii.41)

100) "사견의 쇠살이다."(AA.iii.41)

101) '재앙을 없애는'으로 옮긴 원어는 anītihaṁ인데 anu + iti + √hā(*to abandon*)의 합성어이다. 복주서는 iti를 upaddavā로 설명하는데 이생과 내생의 재앙을 계속해서 없앤다는 뜻으로 교법을 통한 청정범행과 도를 통한 청정범행의 동의어라고 풀이하고 있다. 혹은 ītiha는 갈애 등의 오염원을 말하는데 이 청정범행에는 그것이 전혀 없다는 뜻이라고 설명한

청정범행을 그분 세존께서는 설하셨으니
단속하기 위함이고 버리기 위함이라.
대선인들은 이 도를 따랐고
그분들은 부처님 가르침에 따라 도를 닦았다.
[그러므로] 스승의 교법을 행하는 자들은
괴로움을 끝낼 것이다."

속임 경(A4:26)[102]

Kuha-sutta

1. "비구들이여, 속이고 완고하고 수다스럽고 교활하고 거들먹거리고 고요하지 못한 비구들은 나의 제자들[103]이 아니다. 비구들이여, 그러한 비구들은 이 법과 율에서 멀어져버렸다. 그들은 이 법과 율에서 향상하지 못하고 증장하지 못하고 충만하게 되지 못한다.

비구들이여, 속이지 않고 수다스럽지 않고 현명하고 완고하지 않고 아주 고요한 비구들은 참으로 나의 제자들이다. 비구들이여, 그러한 비구들은 이 법과 율에서 멀어지지 않았다. 그들은 이 법과 율에서 향상하고 증장하고 충만하게 된다."

2. "속이고 완고하고 수다스럽고 교활하고
거들먹거리고 고요하지 못한 자들은

다.(AAṬ.ii.25)

102) 『여시어경』(It.112)과 같음.

103) '나의 제자들'로 옮긴 원어는 me māmakā인데 주석서는 "나에게 속하는 자들(mama santakā)"(AA.iii.43)로 설명하고 있어서 이렇게 의역을 하였다.

정등각이 설한 법에서 향상하지 못하노라.
속이지 않고 수다스럽지 않고 현명하고
완고하지 않고 아주 고요한 자들은
참으로 정등각이 설한 법에서 향상하노라."

지족 경(A4:27)[104)]
Santuṭṭhi-sutta

1. "비구들이여, 네 가지 값나가지 않고 쉽게 얻을 수 있고 허물이 없는 것이 있다. 무엇이 넷인가?

비구들이여, 옷 중에서는 분소의가 값나가지 않고 쉽게 얻을 수 있고 허물이 없는 것이다. 음식 중에서 탁발로 얻은 한 덩이의 음식이 값나가지 않고 쉽게 얻을 수 있고 허물이 없는 것이다. 거처 중에서는 나무 아래의 거처가 값나가지 않고 쉽게 얻을 수 있고 허물이 없는 것이다. 약 중에서는 썩은 오줌으로 만든 약이 값나가지 않고 쉽게 얻을 수 있고 허물이 없는 것이다. 비구들이여, 이것이 네 가지 값나가지 않고 쉽게 얻을 수 있고 허물이 없는 것이다.

비구들이여, 비구가 값나가지 않고 쉽게 얻을 수 있는 것으로 지족할 때 이것이야말로 출가생활(사문됨)의 구성요소 가운데 하나라고 나는 말한다."

2. "허물이 없고 값나가지 않고
쉽게 얻을 수 있는 것으로 지족하는 자
거처와 의복과 음식에 대해

104) 『여시어경』(It.102)과 같음.

마음이 편안하고
[가야 할] 방향에 구애받지 않노라.105)
그의 법은 출가생활에 적합하다 일컬어지나니
값나가지 않은 것으로 지족하는 자
공부지음을 성취하리."

계보 경(A4:28)

Vaṁsa-sutta

1. "비구들이여, 네 가지 성자들의 계보가 있다. 그것은 최초의 것으로 인정되었고,106) 오랜 세월 동안 유지되어 왔고,107) [부처님 등 성자들의] 계보라고 알려졌고, 오래된 것이다. 그것은 거부하면 안 되는 것이고 과거의 [부처님에 의해서도] 거부되지 않았고108) 현재에도 거부되지 않으며 미래에도 거부되지 않을 것이고 지혜로운 사문들과 바라문들에 의해서 비난받지 않는 것이다. 무엇이 넷인가?

---

105) "'어떤 특정 지역에 가면 의복 등을 얻을 것이다.'라는 생각이 일어나면 그가 가야 할 방향에 대해 구애받는다. 그러나 그에게는 그러한 생각이 없기 때문에 구애받지 않는다."(AA.iii.44)

106) 원어는 aggañña인데 『디가 니까야 주석서』에서는 "세상의 발생과 전개에 관한 역사(lokuppatticariya-vaṁsa)"(DA.iii.829; 862) 등으로 설명되고 있어서 『디가 니까야』에서는 '세상의 기원'이라고 옮겼다. 여기서는 "가장 오래된 것이라고 알아져야 하는 것(aggāti jānitabbā)"(AA.iii.45)이라고 설명하고 있다.

107) 원어는 rattañña인데 주석서는 "오랜 세월 동안 있어온 것이라고 알아야 하는 것(dīgharattaṁ pavattāti jānitabba)"(*Ibid*)이라고 설명하고 있다.

108) "과거의 부처님들도 일찍이 내던지지 않으셨고, '뭐 이런 것이 있지?'하면서 일찍이 거부하지 않으셨다.(na apaniita-pubbā)"(*Ibid*)

비구들이여,[109] 여기 비구는 어떤 옷으로도 만족하고, 어떤 옷으로도 만족하는 것을 칭찬한다. 그는 옷을 원인으로 하여 삿된 방법과 부적당함에 의존하지 않는다. 옷을 얻지 못하더라도 안달복달하지 않고 옷을 얻더라도 묶이지 않고 홀리지 않고 집착하지 않으며 위험을 보고 벗어남을 통찰하면서 사용한다. 그리고 어떤 옷으로도 만족한다 해서 결코 자신을 칭송하지 않고 [다른 사람들이 그렇지 않다 해서] 업신여기지 않는다. 비구들이여, 숙달되고 게으르지 않고 알아차리고 마음챙기는 이런 자를 두고 말하기를 '이 비구는 오래되었고 최초의 것으로 인정된 성자들의 계보에 서있다.'고 한다.

다시 비구들이여, 여기 비구는 어떤 탁발 음식으로도 만족하고, 어떤 탁발 음식으로도 만족하는 것을 칭찬한다. 그는 탁발 음식을 원인으로 하여 삿된 방법과 부적당함에 의존하지 않는다. 탁발 음식을 얻지 못하더라도 안달복달하지 않고 탁발 음식을 얻더라도 묶이지 않고 홀리지 않고 집착하지 않으며 위험을 보고 벗어남을 통찰하면서 사용한다. 그리고 어떤 탁발 음식으로도 만족한다 해서 결코 자신을 칭송하지 않고 남을 업신여기지 않는다. 비구들이여, 숙달되고 게으르지 않고 알아차리고 마음챙기는 이런 자를 두고 말하기를 '이 비구는 오래되었고 최초의 것으로 인정된 성자들의 계보에 서있다.'고 한다.

다시 비구들이여, 여기 비구는 어떤 거처로도 만족하고, 어떤 거처로도 만족하는 것을 칭찬한다. 그는 거처를 원인으로 하여 삿된 방법과 부적당함에 의존하지 않는다. 거처를 얻지 못하더라도 안달복달하지 않고 거처를 얻더라도 묶이지 않고 홀리지 않고 집착하지 않으며 위험을 보고 벗어남을 통찰하면서 사용한다. 그리고 어떤 거처로

109) 『디가 니까야』 제3권 「합송경」(D33) §1.11(9)와 같은 내용임.

도 만족한다 해서 결코 자신을 칭송하지 않고 남을 업신여기지 않는다. 비구들이여, 숙달되고 게으르지 않고 알아차리고 마음챙기는 이런 자를 두고 말하기를 '이 비구는 오래되었고 최초의 것으로 인정된 성자들의 계보에 서있다.'고 한다.

다시 비구들이여, 여기 비구는 버림을 기뻐하고 버림에 몰두한다. 수행을 기뻐하고 수행에 몰두한다. 그가 버림을 기뻐하고 버림에 몰두하며 수행을 기뻐하고 수행에 몰두한다고 해서 결코 자신을 칭송하지 않고 남을 업신여기지 않는다. 비구들이여, 숙달되고 게으르지 않고 알아차리고 마음챙기는 이런 자를 두고 말하기를 '이 비구는 오래되었고 최초의 것으로 인정된 성자들의 계보에 서있다.'고 한다.

비구들이여, 이것이 네 가지 성자들의 계보이니, 이것은 최초의 것으로 인정되었고, 오랜 세월 동안 유지되어 왔고, [부처님 등 성자들의] 계보라고 알려졌고, 오래된 것이다. 그것은 거부하면 안 되는 것이고 과거의 [부처님에 의해서도] 거부되지 않았고 현재에도 거부되지 않으며 미래에도 거부되지 않을 것이며 지혜로운 사문들과 바라문들에 의해서 비난받지 않는 것이다."

2. "비구들이여, 그런데 이러한 네 가지 성자들의 계보를 구족한 비구가 만일 동쪽 방향에 … 서쪽 방향에 … 북쪽 방향에 … 남쪽 방향에 머무르면 그는 싫어함[110]을 극복하고서 머문다. 싫어함을 극복하지 못한 채 머물지 않는다. 그것은 무슨 이유 때문인가? 비구들이여, 정진하는[111] 비구는 싫어함과 좋아함을 극복하기 때문이다."

---

110) '싫어함'으로 옮긴 arati를 주석서는 anabhirati(기뻐하지 않음)와 ukkaṇṭhita(초조함, 만족하지 못함)와 동의어로 간주하고 있다.(AA.iii. 60) 그리고 좋아함은 rati를, 현명함은 dīra를 옮긴 것이다.

3. “싫어함은 정진하는 자를 제압하지 못하기 때문에
싫어함은 정진하는 자를 제압하지 못한다.
정진하는 자는 싫어함을 극복하나니
정진하는 자는 싫어함을 극복하기 때문이다.
모든 업을 바르게 끊어버리고[112]
[오염원을] 흩어버린 자를 누가 제지할 것인가?
잠부 강에서 산출된 황금 장신구와 같은 그를
뉘라서 비난할 수 있으리?
신들조차도 그를 칭송하고
범천도 그를 칭송하누나.”

법의 부분 경(A4:29)[113]

Dhammapada-sutta

1. “비구들이여, 네 가지 법의 부분이 있나니 이것은 최초의 것

111) 원어는 dhīra(현명한 자, 지혜로운 자)인데 여기서는 정진하는 자(vīriya-vanta)라는 뜻이라고 주석서는 설명한다.(AA.iii.60)

112) ‘모든 업을 끊어버림’으로 옮긴 원어는 PTS본에 kamma-viyākataṁ으로 나타난다. 그러나 viyākata는 ‘숭고한, 장엄한’을 뜻하기 때문에 이 문맥에서는 맞지 않다. 육차결집본과 주석서 등에는 sabbakamma-vihāyī-naṁ(모든 업을 버린)으로 나타나는데 본 문맥과 어울린다. 그리고 주석서는 “삼계에 속하는 모든 업을 버린 뒤, 자르고 묶어버린 뒤 머묾”으로 해석하고 있다.(*Ibid*)

113) ‘법의 부분’으로 옮긴 원어는 dhamma-pada인데 법의 구절(法句)로 옮길 수 있다. 그러나 주석서에서는 이것을 법의 부분(dhamma-koṭṭhāsa)으로 설명하고 있고 문맥상으로도 적당하기 때문에 법의 부분으로 옮겼다.(D33. §1.11(23) 참조.)

으로 인정되었고, 오랜 세월 동안 유지되어 왔고, [부처님 등 성자들의] 계보라고 알려졌고, 오래된 것이다. 그것은 거부하면 안 되는 것이고 과거의 [부처님에 의해서도] 거부되지 않았고 현재에도 거부되지 않으며 미래에도 거부되지 않을 것이며 지혜로운 사문들과 바라문들에 의해서 비난받지 않는 것이다. 무엇이 넷인가?

비구들이여, 욕심 없음[114]이 법의 부분이다. 악의 없음[115]이 법의 부분이다. 바른 마음챙김[116]이 법의 부분이다. 바른 삼매[117]가 법의 부분이다. 이것은 최초의 것으로 인정되었고, 오랜 세월 동안 유지되어 왔고, [부처님 등 성자들의] 계보라고 알려졌고, 오래된 것이다. 그것은 거부하면 안 되는 것이고 과거의 [부처님에 의해서도] 거부되지 않았고 현재에도 거부되지 않으며 미래에도 거부되지 않을 것이며 지혜로운 사문들과 바라문들에 의해서 비난받지 않는 것이다.

비구들이여, 이것이 네 가지 법의 부분이니 … 지혜로운 사문들과 바라문들에 의해서 비난받지 않는 것이다."

2. "욕심 없이 머무르고
악의 없는 마음으로 머물러야 하며

---

114) "네 가지 법의 부분 가운데서 욕심 없음(anabhijjhā)은 탐욕없음(a-lobha)을 뜻한다. 혹은 탐욕 없음을 선두로 하여 얻은 禪, 위빳사나, 도, 과, 열반을 뜻한다."(AAṬ.ii.29)

115) "악의 없음(abyāpāda)은 자애(mettā)를 뜻한다. 혹은 자애를 선두로 하여 얻은 선정 등을 뜻한다."(*Ibid*)

116) "바른 마음챙김(sammā-sati)은 굳건하게 확립된 마음챙김(sūpaṭṭhita-ssati)을 뜻한다. 혹은 마음챙김을 선두로 하여 얻은 禪 등을 뜻한다."(*Ibid*)

117) "바른 삼매(sammā-samādhi)란 여덟 가지 증득(aṭṭha-samāpatti)을 뜻한다. 혹은 여덟 가지 증득을 선두로 하여 얻은 禪 등을 뜻한다."(*Ibid*)

마음챙기고 마음이 한 끝으로 오롯이 되어
안으로 잘 집주(集注)되어야 한다."

유행승 경(A4:30)
Paribbājaka-sutta

1. 한때 세존께서는 라자가하에서 독수리봉 산에 머무셨다. 그 무렵에 잘 알려진 유행승들이 삽삐니 강[118]의 언덕에 있는 유행승들의 원림(園林)에 거주하고 있었는데 안나바라, 와라다라, 사꿀루다이,[119] 그리고 다른 아주 잘 알려진 유행승들이었다.

세존께서는 해거름에 [낮 동안의] 홀로 앉으심을 풀고 자리에서 일어나셔서는 삽삐니 강의 언덕에 있는 유행승들의 원림으로 가시어 마련해드린 자리에 앉으셨다. 자리에 앉으신 세존께서는 그 유행승들에게 이렇게 말씀하셨다.

2. "유행승들이여, 네 가지 법의 부분이 있나니 이것은 최초의 것으로 인정되었고, 오랜 세월 동안 유지되어 왔고, [부처님 등 성자들의] 계보라고 알려졌고, 오래된 것이다. 그것은 거부하면 안 되는 것이고 과거의 [부처님에 의해서도] 거부되지 않았고 현재에도 거부되지 않으며 미래에도 거부되지 않을 것이며 지혜로운 사문들과 바

---

118) 삽삐니(Sappini) 강은 라자가하에 있는 강 이름이다. 문자적으로는 암 뱀이란 뜻이다.

119) 이 세 사람의 이름은 본서 「바라문의 진리 경」(A4:185)에도 언급이 되고 있고 『맛지마 니까야』 「긴 사꿀루다이 경」(M77, 이 경에서는 왕사성의 공작 보호구역에 있는 유행승들의 원림에 머물고 있는 것으로 나타남)에도 언급이 되고 있다. 주석서에는 설명이 나타나지 않는다.

라문들에 의해서 비난받지 않는 것이다. 무엇이 넷인가?

유행승들이여, 욕심 없음이 법의 부분이다. 악의 없음이 법의 부분이다. 바른 마음챙김이 법의 부분이다. 바른 삼매가 법의 부분이다. 이것은 최초의 것으로 인정되었고, 오랜 세월 동안 유지되어 왔고, [부처님 등 성자들의] 계보라고 알려졌고, 오래된 것이다. 그것은 거부하면 안 되는 것이고 과거의 [부처님에 의해서도] 거부되지 않았고 현재에도 거부되지 않으며 미래에도 거부되지 않을 것이며 지혜로운 사문들과 바라문들에 의해서 비난받지 않는 것이다.

유행승들이여, 이것이 네 가지 법의 부분이니 … 지혜로운 사문들과 바라문들에 의해서 비난받지 않는 것이다."

3. "유행승들이여, 어떤 자가 말하기를 '이러한 욕심 없음의 법의 부분을 내팽개쳐버리고[120)]욕심이 많고 감각적 욕망들에 깊이 탐닉하는 자를 사문 혹은 바라문이라고 나는 규정지을 것이다.'라고 하면 나는 그에게 말할 것이다. '와서 말해보시오. 설명해보시오. 그러면 나는 그대의 위력을 한 번 볼 것이오.'라고. 유행승들이여, '이러한 욕심 없음의 법의 부분을 내팽개치고 욕심이 많고 감각적 욕망들에 깊이 탐닉하는 자를 사문 혹은 바라문이라고 나는 규정지을 것이다.'라는 것은 불가능하다.

유행승들이여, 어떤 자가 말하기를 '이러한 악의 없음의 법의 부분을 내팽개쳐버리고 악의에 찬 마음을 가졌고 타락한 생각을 품은 자

120) '내팽개쳐버리고'는 paccakkhāya를 옮긴 것이다. 주석서는 거부한 뒤(paṭikkhipitva)로 옮기고 있다.(AA.iii.61) 우드워드는 paccakkhāya를 '개별적인 경험으로'라고 주장하는데 여기서 paccakkhāya는 paccakkhāti(pra+√khyā, to refuse)의 동명사이지 paccakkha(눈앞에 분명한, prati+akkhi)와는 상관이 없다. PED를 보아도 분명하다.

를 사문 혹은 바라문이라고 나는 규정지을 것이다.'라고 하면 나는 그에게 말할 것이다. '와서 말해보시오. 설명해보시오. 그러면 나는 그대의 위력을 한 번 볼 것이오.'라고. 유행승들이여, '이러한 악의 없음의 법의 부분을 내팽개치고 악의에 찬 마음을 가졌고 타락한 생각을 품은 자를 사문 혹은 바라문이라고 나는 규정지을 것이다.'라는 것은 불가능하다.

유행승들이여, 어떤 자가 말하기를 '이러한 바른 마음챙김의 법의 부분을 내팽개쳐버리고 마음챙김을 놓아버리고 알아차리지 못하는 자를 사문 혹은 바라문이라고 나는 규정지을 것이다.'라고 하면 나는 그에게 말할 것이다. '와서 말해보시오. 설명해보시오. 그러면 나는 그대의 위력을 한 번 볼 것이오.'라고. 유행승들이여, '이러한 바른 마음챙김의 법의 부분을 내팽개치고 마음챙김을 놓아버리고 알아차리지 못하는 자를 사문 혹은 바라문이라고 나는 규정지을 것이다.'라는 것은 불가능하다.

유행승들이여, 어떤 자가 말하기를 '이러한 바른 삼매의 법의 부분을 내팽개쳐버리고 고요하지 않고 마음이 산란한 자를 사문 혹은 바라문이라고 나는 규정지을 것이다.'라고 하면 나는 그에게 말할 것이다. '와서 말해보시오. 설명해보시오. 그러면 나는 그대의 위력을 한 번 볼 것이오.'라고. 유행승들이여, '이러한 바른 삼매의 법의 부분을 내팽개쳐버리고 안정되지 않고 마음이 산란한 자를 사문 혹은 바라문이라고 나는 규정지을 것이다.'라는 것은 불가능하다.[121]

---

121) 물론 요즘은 이러한 엉터리 수행자나 종교인들이 너무 많다. 그러나 그가 진정한 수행자요 진정한 종교인이라면 부처님이 여기서 설하시는 욕심 없음, 악의 없음, 마음챙김, 삼매(마음의 고요와 평화)를 추구하는 것이 바른 종교인의 길임을 절감할 것이다.

4. “유행승들이여, 이러한 네 가지 법의 부분이 비난을 받아야 하고 공박을 받아야 한다고 생각하는 자는 바로 지금여기에서 네 가지 법답지 못한 견해에 빠짐과 비난의 조건을 만나게 된다. 무엇이 넷인가?

‘만일 존자가 욕심 없음의 법의 부분을 비난하고 공박한다면 존자는 참으로 욕심 많고 감각적 욕망들에 깊이 탐닉하는 사문이나 바라문들을 예배하고 그들을 칭송하는 것이 된다. 만일 존자가 악의 없음의 법의 부분을 비난하고 공박한다면 존자는 참으로 악의에 찬 마음을 가졌고 타락한 생각을 품은 사문이나 바라문들을 예배하고 그들을 칭송하는 것이 된다. 만일 존자가 바른 마음챙김의 법의 부분을 비난하고 공박한다면 존자는 참으로 마음챙김을 놓아버리고 알아차리지 못하는 사문이나 바라문들을 예배하고 그들을 칭송하는 것이 된다. 만일 존자가 바른 삼매의 법의 부분을 비난하고 공박한다면 존자는 참으로 고요하지 않고 마음이 산란한 사문이나 바라문들을 예배하고 그들을 칭송하는 것이 된다.’”

5. “유행승들이여, 이러한 네 가지 법의 부분이 비난받아야 하고 공박받아야 한다고 생각하는 자는 바로 지금여기에서 네 가지 법답지 못한 견해에 빠짐과 비난의 조건을 만나게 된다. 유행승들이여, 욱깔라 지역 사람들[122]과 왓사와 반냐 사람들[123]은 원인 없음을 말하는 자(무인론자)들이요 [업]지음 없음을 말하는 자(도덕부정론자)들이

---

122) 욱깔라(Ukkalā)는 지금의 오릿사(Orissa) 주이다.(DPPN)

123) 원문은 vassaṁ bhaññā인데 주석서는 “왓사(Vassa)와 반냐(Bhañña)라는 두 지역 사람들(janā)”(AA.iii.62)이라고만 할 뿐 자세한 설명이 없다.

요 아무 것도 없음을 말하는 자(허무론자)들이다. 그들조차도 이러한 네 가지 법의 부분은 비난받지 않아야 하고 공박받지 않아야 한다고 생각하였다. 그것은 무슨 이유에서인가? 그들은 비방과 공격과 비난을 두려워하였기 때문이다."

6. "악의 없고 항상 마음챙기고
안으로 잘 집주(集注)되어 있으며
욕심 버림124)을 공부짓는 자
그를 방일하지 않는 자라 일컫노라."

제3장 우루웰라 품이 끝났다.

세 번째 품에 포함된 경들의 목록은 다음과 같다.

두 가지 ①~② 우루웰라 ③ 세상
④ 깔라까, 다섯 번째로 ⑤ 청정범행
⑥ 속임 ⑦ 지족 ⑧ 계보
⑨ 법의 부분 ⑩ 유행승 — 이러한 열 가지이다.

---

124) 아라한과를 뜻한다.(AA.iii.63)

제4장 바퀴 품

Cakka-vagga

바퀴 경(A4:31)

Cakka-sutta

1. "비구들이여, 네 가지 [번영의] 바퀴[125]가 있어서 이것을 구족한 신과 인간들은 이 네 가지 바퀴를 굴리게 되고 이것을 구족한 신과 인간들은 오래지 않아 재물이 많게 되고 가득하게 된다. 무엇이 넷인가?

적당한 지역에 사는 것, 참된 사람을 의지하는 것, 자신을 바르게 하는 것[126], 전생에 지은 공덕이다. 비구들이여, 이러한 네 가지 [번영의] 바퀴가 있어서 이것을 구족한 신과 인간들은 이 네 가지 바퀴를 굴리게 되고 이것을 구족한 신과 인간들은 오래지 않아 재물이 많게 되고 가득하게 된다."

2. "적당한 지역에 살고 성자와 친하게 지내고
자신을 바른 흐름에 두고 전생에 공덕을 지은 사람,
그에게 곡식과 재물과 명예와 명성과 행복이 굴러온다."

---

125) 『디가 니까야』 제3권 「십상경」(D34) §1.5(1)에도 나타나고 있다. "'바퀴(cakka)'에는 나무로 된(dāru) 바퀴와 보배(ratana)의 바퀴와 법(dhamma)의 바퀴와 자세(iriyāpatha)의 바퀴와 번영(sampatti)의 바퀴의 다섯 가지가 있다. 여기서는 번영의 바퀴를 말한다."(DA.iii.1058)

126) "만일 전에 불신(不信, asaddhā) 등을 가졌다면 그런 것들을 버린 뒤 믿음 등에 확고하게 서는 것을 말한다."(*Ibid*) 즉 자신의 마음의 흐름을 지혜롭게 두는 것이라고 복주서는 부연해서 설명하고 있다,

섭수 경(A4:32)

Saṅgaha-sutta

1. "비구들이여, 네 가지 섭수하는 행위[四攝事][127)]가 있다. 무엇이 넷인가? 보시, 사랑스런 말[愛語], 이로운 행위[利行], 함께 함[同事]이다. 비구들이여, 이것이 네 가지 섭수하는 행위이다.

2. "보시, 사랑스런 말, 이로운 행위,
모든 곳에서 적절하게 제법(諸法)과 함께하는 것 —
이 세상에서 이러한 [네 가지] 섭수는
움직이는 바퀴의 비녀장과도 같다.
이러한 섭수들이 없다면 아들을 낳은 어머니와
아들을 양육한 아버지도 자부심과 공경 얻지 못하리.
현자들은 이러한 섭수들을 바르게 검증했기 때문에
위대함 얻게 되고 칭송 받게 되리."

사자 경(A4:33)[128)]

Sīha-sutta

1. 이와 같이 나는 들었다. 한때 세존께서는 사왓티에서 제따 숲의 급고독원에 머무셨다. 그곳에서 세존께서는 "비구들이여."라고

---

127) '섭수하는 행위'로 옮긴 원어는 saṅgaha-vatthu이다. vatthu는 주로 토대, 일 등의 뜻으로 사용되지만 이 문맥에서 주석서는 "섭수하는 행위(saṅgahana-kāraṇa)"(AA.iii.64)로 설명하고 있어서 이렇게 옮겼다. 『디가 니까야』 제1권 「합송경」(D33) §1.11(40)과 「삼십이상경」(D30) §1.16 등에도 나타나고 있다.

128) 『상윳따 니까야』(S22:78/iii.84*f*)와 같다.

비구들을 부르셨다. “세존이시여.”라고 비구들은 세존께 응답했다. 세존께서는 이렇게 말씀하셨다.

“비구들이여, 동물의 왕 사자가 해거름에 굴에서 나왔다. 굴에서 나와서는 기지개를 켰으며, 기지개를 켠 뒤 사방을 두루 굽어봤다. 사방을 두루 굽어본 뒤 세 번 사자후를 토했다. 세 번 사자후를 토한 뒤 초원으로 들어갔다.

비구들이여, 짐승들은 동물의 왕인 사자의 포효하는 소리를 듣고는 대부분 두려워하고 공포를 느끼고 전율에 빠진다. 동굴에 사는 것은 동굴에 들어가고 물에 사는 것은 물에 들어가고 숲에 사는 것은 숲으로 들어가고 새들은 허공으로 날아올랐다. 비구들이여, 마을이나 성읍이나 수도에서 견고한 밧줄에 묶인 왕의 코끼리라도 역시 두려움에 떨면서 그 포승을 자르거나 찢어발기고 대소변을 배설하면서 이리저리 날뛴다.

비구들이여, 동물의 왕인 사자는 짐승들 가운데서 이처럼 크나큰 능력이 있고 이처럼 크나큰 힘이 있고 이처럼 크나큰 위력이 있다.”

2. “비구들이여, 그와 같이 여기 여래가 이 세상에 출현한다. 그는 아라한[應供]이며, 완전히 깨달은 분[正等覺]이며, 영지와 실천이 구족한 분[明行足]이며, 피안으로 잘 가신 분[善逝]이며, 세상을 잘 알고 계신 분[世間解]이며, 가장 높은 분[無上士]이며, 사람을 잘 길들이는 분[調御丈夫]이며, 하늘과 인간의 스승[天人師]이며, 깨달은 분[佛]이며, 세존(世尊)이다. 그는 법을 설한다. ‘이런 것이 자기 존재[有身, 五蘊][129]이다. 이런 것이 자기 존재의 일어남이다. 이런 것이 자기 존재

129) ‘자기 존재[有身]’는 sakkāya를 옮긴 것이다. 이 술어는 sat(있음)+kāya(몸)의 합성어이며 그래서 중국에서는 유신(有身)으로 옮겼다. 여기

의 소멸이다. 이런 것이 자기 존재의 소멸로 인도하는 도닦음이다.' 라고.

비구들이여, 비록 신들이 장수하고 용모가 수려하고 아주 행복하고, 높은 천상의 궁전에서 오랜 시간을 머문다 하더라도 여래의 설법을 듣고서 두려워하고 공포를 느끼고 전율에 빠진다. '존자들이여, 우리는 우리 자신들이 항상하다고 생각했는데 참으로 우리는 무상한 것이로군요. 존자들이여, 우리 자신들이 견고하다고 생각했는데 참으로 우리는 견고하지 못한 것이로군요. 존자들이여, 우리 자신들이 영원하다고 생각했는데 참으로 우리는 영원하지 않은 것이로군요. 존자들이여, 우리는 참으로 무상하고 견고하지도 않고 영원하지도 않고 자기 존재, 즉 오온에 포함되어 있었군요.'라고 하면서.

비구들이여, 여래는 신을 포함한 세상에서 이처럼 크나큰 능력이 있고 이처럼 크나큰 힘이 있고 이처럼 크나큰 위력이 있다."

3. "신들을 포함한 세상에서
견줄 이 없는 스승이신 부처님께서
최상의 지혜로 알아 법 바퀴 굴리고

서 유신이란 나라는 존재 즉 오온(중생에게는 오취온)을 뜻한다. 그래서 자기 존재로 옮겼다. 주석서는 "고유성질과 역할과 한계와 정의와 테두리를 통해서 모두 다섯 가지 취착하는 무더기[五取蘊]를 보여주신 것이다."(AA.iii.72)라고 설명하고 있다.
유신(有身)은 우리에게 유신견(有身見, sakkāya-diṭṭhi) 즉 나라는 고정 불변하는 실체가 있다는 잘못된 견해를 통해서 잘 알려져 있다. 부처님께서는 20가지로 유신견을 설명하시는데 오온이 자아다, 오온을 가진 것이 자아다, 오온이 자아 안에 있다, 오온 안에 자아가 있다고 주장하는 삿된 견해라고 하셨다.(본서 「애정 경」(A4:200) §9; M44/i.300; M109/iii.17 등)

자기 존재[有身]와 자기 존재의 일어남과 소멸과
괴로움의 소멸로 인도하는 성스러운 팔정도를 설하셨네.
긴 수명을 가졌고 아름답고 명성을 가진 신들조차도
아라한 해탈하신 분 여여하신 분의 말씀을 들은 뒤
사자 앞의 다른 동물들처럼 두려움과 전율에 빠졌네.
'오, 참으로 우리는 존재의 무더기를 넘어서지 못했고
무상하구나.'라고 하면서."

청정한 믿음 경(A4:34)

Pasāda-sutta

1. "비구들이여, 네 가지 으뜸가는 청정한 믿음이 있다. 무엇이 넷인가?

비구들이여, 발이 없거나 두 발을 가졌거나 네 발을 가졌거나 여러 발을 가졌거나 물질을 가졌거나 물질이 없거나 인식을 가졌거나 인식이 없거나 인식이 있는 것도 아니고 없는 것도 아닌 중생들에 관한 한, 여래 · 아라한 · 정등각이 그들 가운데서 으뜸이라고 불린다. 비구들이여, 부처님께 청정한 믿음을 가진 자들은 으뜸가는 청정한 믿음을 가진 자요, 으뜸가는 청정한 믿음을 가진 자들의 과보도 또한 으뜸이다.

비구들이여, 형성된 법들[有爲法]130)에 관한 한 성스러운 여덟 가

---

130) '형성된 법들[有爲法]'은 dhammā saṅkhatā를 옮긴 것이다. 『맛지마 니까야 주석서』는 "조건(paccaya)들이 모여서(samāgama) 만들어진 것(kata)이 형성된 것들[有爲]이며 이것은 오온과 동의어이다. 형성되지 않은 것[無爲]은 열반과 동의어이다."(MA.iv.106)라고 설명하고 있다.

지 구성요소를 가진 도[八支聖道, 팔정도]가 그들 가운데 으뜸이라고 불린다. 비구들이여, 성스러운 여덟 가지 구성요소를 가진 도에 청정한 믿음을 가진 자들은 으뜸가는 청정한 믿음을 가진 자요, 으뜸가는 청정한 믿음을 가진 자들의 과보도 또한 으뜸이다.

2. "비구들이여, 형성된 법들[有爲法]이나 형성되지 않은 법[無爲法]에 관한 한 탐욕의 빛바램[離慾]이 그 법들 가운데 으뜸이라고 불리나니, 그것은 바로 교만의 분쇄요, 갈증의 제거요, 집착의 근절이요, 윤회의 멸절이요, 갈애의 파괴요, 탐욕의 빛바램이요, 소멸이요, 열반이다. 비구들이여, 법에 청정한 믿음을 가진 자들은 으뜸가는 청정한 믿음을 가진 자요, 으뜸가는 청정한 믿음을 가진 자들의 과보도 또한 으뜸이다.

비구들이여, 승가나 무리에 관한 한 여래의 제자들의 승가가 그들 가운데 으뜸이라고 불리나니, 그것은 바로 네 쌍의 인간들이요[四雙] 여덟 단계에 있는 사람들[八輩]이시다.[131] 이러한 세존의 제자들의 승가는 공양받아 마땅하고, 선사받아 마땅하고, 보시받아 마땅하고, 합장받아 마땅하며, 세상의 위없는 복밭[福田]이시다. 비구들이여, 승가에 청정한 믿음을 가진 자들은 으뜸가는 청정한 믿음을 가진 자요, 으뜸가는 청정한 믿음을 가진 자들의 과보도 또한 으뜸이다.

비구들이여, 이것이 네 가지 으뜸가는 청정한 믿음이다."

3. "으뜸의 법 알아 최상의 청정한 믿음 가진 자들에게,
위없는 보시를 받아 마땅한 으뜸인 부처님

131) 여기서 사쌍(四雙)은 예류자, 일래자, 불환자, 아라한을 말하고 팔배(八輩)는 이들을 각각 도와 과로 나누어서 예류도, 예류과부터 아라한도, 아라한과까지의 여덟 단계의 성자를 말한다.

그분께 청정한 믿음을 가진 자들에게,
탐욕이 빛바래어 고요하고 행복한 으뜸인 법
그 법에 청정한 믿음을 가진 자들에게
위없는 복밭인 으뜸인 승가
그 승가에 청정한 믿음을 가진 자들에게
으뜸가는 보시를 베푼 자들에게 —
으뜸가는 공덕이 증장하나니
[그것이 바로] 으뜸가는 수명과 용모와
명예와 명성과 행복과 힘이다.
으뜸가는 보시를 한 슬기로운 자
으뜸가는 법에 집주(集注)되어
신이 되거나 인간이 되면
으뜸이 되어 즐거워하리."

왓사까라 경(A4:35)

Vassakāra-sutta

1. 한때 세존께서는 라자가하에서 대나무 숲[132)]의 다람쥐 보호구역에 머무셨다. 그때 마가다의 대신인 왓사까라 바라문[133)]은 세

132) 대나무 숲(Veḷuvana)은 라자가하(왕사성)의 빔비사라왕이 부처님을 위해서 불교 최초의 사원인 죽림정사를 지은 바로 그 대나무 숲이다.

133) 왓사까라 바라문(Vassakāra brāhmaṇa)은 마가다 왕인 아자따삿뚜의 대신이었다.(D16 §1.2) 율장의 문맥(Vin.iii.42)을 통해서 유추해 보면 그는 선왕 빔비사라 때도 대신이었던 것 같다. 본경처럼 『앙굿따라 니까야』에서도 세존과 나눈 대화가 나타나며, 『맛지마 니까야』 「소치는 목갈라나 경」(Gopaka-Moggallāna Sutta, M108)을 통해서 세존이 입멸하

존께 다가왔다. 세존께 와서는 세존과 함께 환담을 나누었다. 유쾌하고 기억할 만한 이야기로 서로 담소를 나누고 한 곁에 앉았다. 한 곁에 앉은 왓사까라 바라문은 세존께 이렇게 말씀드렸다.

"고따마 존자여, 네 가지 법을 구족한 자를 일러 우리는 위대한 통찰지를 가진 자라고 하고 위대한 사람[大人]이라고 천명합니다. 무엇이 넷인가요?"

2. "고따마 존자시여, 여기 그는 많이 배운 자여서 듣는 족족 그 말한 것의 뜻을 압니다. '이것이 이 말의 뜻이고 저것은 저 말의 뜻이다.'라고. 그는 마음챙김을 가진 자입니다. 그는 최상의 마음챙김과 슬기로움을 구족하여 오래전에 행하고 오래전에 말한 것일지라도 모두 기억하고 챙깁니다. 그는 재가의 삶을 위해서 반드시 해야 할 여러 가지 소임들을 열심히 하는 자입니다. 그는 거기에 숙련되고 게으르지 않으며 그러한 검증을 구족하여 충분히 실행하고 충분히 준비하는 자입니다.

고따마 존자시여, 이러한 네 가지 법을 구족한 자를 일러 우리는 위대한 통찰지를 가진 자라고, 위대한 사람[大人]이라고 천명합니다. 고따마 존자시여, 만일 저의 [말이] 기뻐할 만한 것이라면 고따마 존자께서는 기뻐하십시오. 만일 저의 [말이] 공박되어야 하는 것이라면 고따마 존자께서는 공박하십시오."

신 후에 불제자들은 누구를 의지하고 무엇을 의지해야 하는지에 대해서 아난다 존자와 나눈 대화가 잘 알려져 있다. 『디가 니까야』 「대반열반경」(D16) §1.26 이하에는 같은 마가다의 대신인 수니다(Sunidha)와 함께 왓지를 공격하기 위해서 빠딸리 마을에 도시를 건설하는 감독관으로 나타나고 있다.

3. "바라문이여, 나는 그대의 [말에] 기뻐하지도 않고 공박하지도 않는다. 바라문이여, [그 대신] 나는 네 가지 법을 구족한 자를 일러 위대한 통찰지를 가진 자라고, 위대한 사람[大人]이라고 천명한다. 무엇이 넷인가?

바라문이여, 여기 그는 많은 사람들의 이익을 위하고 많은 사람들의 행복을 위해서 수행을 한다. 그에 의해서 많은 사람들은 성스러운 방법[134] 즉 선함과 유익함에 확고하게 된다.

그는 자신이 일으키기를 원하는 생각[135]은 무엇이건 그러한 생각을 일으킨다. 그는 자신이 일으키기를 원하지 않는 생각은 무엇이건 그러한 생각을 일으키지 않는다. 그는 자신이 일으키기를 원하는 사유[136]는 무엇이건 그러한 사유를 일으킨다. 그는 자신이 일으키기를 원하지 않는 사유는 무엇이건 그러한 사유를 일으키지 않는다. 이처

---

134) "'성스러운 방법(ariya ñāya)'이란 위빳사나와 함께하는 도이다. 선한 법(kalyāṇa-dhammatā)과 유익한 법(kusala-dhammatā)은 바로 이것의 이름이다."(AA.iii.75)

135) "'일으키기를 원하는 생각(vitakka)'은 출리에 대한 사유, 악의 없음에 대한 사유, 해코지 않음에 대한 사유 가운데 하나이다. 일으키기를 원하지 않는 생각은 감각적 욕망에 대한 사유, 악의에 대한 사유, 해코지에 대한 사유 가운데 하나이다."(*Ibid*)

136) 생각(vitakka)과 사유(saṅkappa)는 그 내용이 같다. 바른 사유[正思惟]나 삿된 사유의 내용도 바로 위의 주해에서 정의하고 있는 내용과 같기 때문이다. 그리고 아비담마에서 이 두 술어는 동의어로 취급한다.(『아비담마 길라잡이』 7장 §33의 해설 참조) 경에서 생각(vitakka)은 일반적인 모든 생각을 나타내는 단어로 쓰이고 특히 vicāra(伺, 지속적 고찰)와 함께 쓰이면 일으킨 생각[尋]이라는 전문술어가 된다. 사유(saṅkappa)는 주로 8정도의 두 번째인 정사유(sammā-saṅkappa)의 문맥에서 나타난다. 본경에 해당하는 주석서는 이 둘의 차이에 대한 아무런 언급이 없다.

럼 그는 생각 일으킴[137]에 대해서 마음의 자유자재를 얻는다.

그는 높은 마음에 속하며 바로 지금여기에서 행복하게 머무는 네 가지 선[四種禪]을 원하는 대로 얻고, 힘들이지 않고 얻고, 어렵지 않게 얻는다.

그는 모든 번뇌가 다하여 아무 번뇌가 없는 마음의 해탈[心解脫]과 통찰지를 통한 해탈[慧解脫]을 바로 지금여기에서 스스로 최상의 지혜로 알고 실현하고 구족하여 머문다.

바라문이여, 나는 그대의 [말에] 기뻐하지도 않고 공박하지도 않는다. 바라문이여, [그 대신] 나는 이러한 네 가지 법을 구족한 자를 일러 위대한 통찰지를 가진 자이고 위대한 사람[大人]이라고 천명한다."

4. "고따마 존자께서 이러한 금언을 말씀하시니 경이롭습니다, 고따마 존자시여. 놀랍습니다, 고따마 존자시여. 저는 고따마 존자께서 이러한 네 가지 법을 구족하고 계시다고 호지하겠습니다.

참으로 고따마 존자께서는 많은 사람들의 이익을 위하고 많은 사람들의 행복을 위해서 수행을 하십니다. 존자에 의해서 많은 사람들은 성스러운 방법 즉 좋은 법과 유익한 법에 확고하게 됩니다.

참으로 고따마 존자께서는 자신이 일으키기를 원하는 생각은 무엇이건 그러한 생각을 일으키십니다. 그분은 자신이 일으키기를 원하지 않는 생각은 무엇이건 그러한 생각을 일으키지 않습니다. 그분은 자신이 일으키기를 원하는 사유는 무엇이건 그러한 사유를 일으키십니다. 그분은 자신이 일으키기를 원하지 않는 사유는 무엇이건 그러한 사유를 일으키지 않습니다. 이처럼 그분은 생각 일으킴에 대해서

---

137) '생각 일으킴'은 vitakka-patha를 옮긴 것이다. 주석서는 생각(vitakka)이 바로 생각 일으킴이라고 설명하고 있다.(AA.iii.75)

마음의 자유자재를 얻습니다.

참으로 고따마 존자께서는 높은 마음에 속하며 바로 지금여기에서 행복하게 머무는 네 가지 선[四種禪]을 원하는 대로 얻고, 힘들이지 않고 얻고, 어렵지 않게 얻는 분이십니다.

참으로 고따마 존자께서는 모든 번뇌가 다하여 아무 번뇌가 없는 마음의 해탈[心解脫]과 통찰지를 통한 해탈[慧解脫]을 바로 지금여기에서 스스로 최상의 지혜로 알고 실현하고 구족하여 머무십니다."

5. "바라문이여, 그대는 비웃는 말투로 나에게 모욕을 주지만 그래도 나는 그대에게 다시 말하겠노라.

참으로 나는 많은 사람들의 이익을 위하고 많은 사람들의 행복을 위해서 수행을 한다. 나에 의해서 많은 사람들은 성스러운 방법 즉 좋은 법과 유익한 법에 확고하게 된다.

참으로 나는 자신이 일으키기를 원하는 생각은 무엇이건 그러한 생각을 일으킨다. 나는 자신이 일으키기를 원하지 않는 생각은 무엇이건 그러한 생각을 일으키지 않는다. 나는 자신이 일으키기를 원하는 사유는 무엇이건 그러한 사유를 일으킨다. 나는 자신이 일으키기를 원하지 않는 사유는 무엇이건 그러한 사유를 일으키지 않는다. 이처럼 나는 생각 일으킴에 대해서 마음의 자유자재를 얻는다.

참으로 나는 높은 마음에 속하며 바로 지금여기에서 행복하게 머무는 네 가지 선[四種禪]을 원하는 대로 얻고, 힘들이지 않고 얻고, 어렵지 않게 얻는 자이다.

참으로 나는 모든 번뇌가 다하여 아무 번뇌가 없는 마음의 해탈[心解脫]과 통찰지를 통한 해탈[慧解脫]을 바로 지금여기에서 스스로 최상의 지혜로 알고 실현하고 구족하여 머문다."

6. "모든 중생들이 죽음의 올가미로부터
벗어나는 [도를] 그 분은 아셨고
신과 인간들의 이익을 위해서
올바른 법을[138] 설하셨다.
그분을 친견하고 [말씀을] 들은 뒤
많은 사람들은 청정한 믿음을 가진다.
도와 도 아님에 능숙하고
할 일을 다 해 마쳤고 번뇌가 없으신 분
마지막 몸을 가지신 부처님이야말로
위대한 통찰지를 가진 위대한 사람이라 불린다."

세상 경(A4:36)[139]

Loka-sutta

1. 한때 세존께서는 욱깟타와 세따뱌 사이에 난 대로를 따라가고 계셨다. 그때 도나 바라문[140]도 욱깟타와 세따뱌 사이에 난 대로를 따라가고 있었다. 도나 바라문은 세존의 발자국에 바퀴[輪]들이

---

138) "올바른 법이란 위빳사나와 함께한 도를 뜻한다."(AA.iii.75)

139) 육차결집본의 경 이름은 도나(Doṇa-sutta)이다.

140) 도나(Doṇa) 바라문은 아주 잘 알려진 바라문 학자였다고 하며 부처님의 설법을 듣고 불환과를 얻었다고 한다. 그리고 두 바나와라 분량(500게송 정도)의 '도나의 환호(Doṇagajjita)'라는 세존을 칭송하는 시를 지었다고 한다.(AA.iii.77) 도나는 부처님 입멸 후에 부처님의 사리 배분을 담당한 바로 그 바라문이다. 그는 부처님의 사리 배분을 놓고 여러 나라 사이에서 전쟁이 일어날 것 같은 일촉즉발의 위기를 이 시를 읊어서 가라앉혔다고 한다.(DA.ii.608; AA.iii.77) 부처님 사리 배분에 대해서는 『디가 니까야』 제2권 「대반열반경」(D16) §6.24 이하를 참조할 것.

[나타나] 있고 그들 바퀴에는 천 개의 바퀴살과 테와 중심부가 있어 일체를 두루 갖추고 있는 것을 보자[141] 이런 생각이 들었다. '참으로 경이롭구나. 참으로 놀랍구나. 참으로 이것은 인간의 발자국이 아닐 것이다.'

2. 그때 세존께서는 길에서 벗어나서 어떤 나무 아래에 [가셔서] 가부좌를 틀고 몸을 곧추세우고 전면에 마음챙김을 확립하여 앉으셨다. 그러자 도나 바라문은 세존의 발자국을 따라가다가 세존께서 어떤 나무 아래 앉으셔서 편안하고 믿음을 주고 감각기능[根]들이 고요하고 마음도 고요하고 최상의 제어를 통한 [최상의] 사마타[142]에 드신 것을 보았다. 마치 제어되었고 보호되었고 감각기능들이 고요한 용과 같았다. 보고는 그는 세존께 다가갔다. 가서는 세존께 이렇게 말씀드렸다.

"존자께서는 신[143]이 되실 것입니까?"[144]

---

141) 이것은 전륜성왕이나 부처님이 갖추었다는 32가지 대인상(大人相, mahā-purisa-lakkhaṇa) 가운데 하나로 중국에서는 족하천폭륜문상(足下千輻輪文相)으로 옮기기도 하였다. 32가지 대인상은 『디가 니까야』 제3권 「삼십이상경」(D30)에서 상세하게 설명되어 있다.

142) '최상의 제어를 통한 [최상의] 사마타'는 uttama-damatha-samatha를 옮긴 것이다. 주석서는 이렇게 설명하고 있다.
"여기서 최상의 제어(uttama-damatha)란 아라한도이다. 최상의 사마타(uttama-samatha)란 아라한도와 함께하는 삼매이다. 이 둘을 증득하신 것을 말한다."(AA.iii.78)

143) '신(deva)'은 √div/dīv(*to play*)에서 파생된 명사이다. 인도학자들은 deva를 빛나는 존재로 해석한다.(ApteD) 그래서 주석서들에서도 "신들은 유희한다(kīḷanti), 빛난다(jotenti)는 뜻이다."(MA.i.33)로 해석을 한다. 초기경에서 아주 많이 등장하는 단어이다. 중요한 것은 신은 거의 대부분의 문맥에서 복수(*Plural*)로 나타난다는 것이다. 그러므로 유일신이

"바라문이여, 나는 신이 되지 않을 것이다."

"존자께서는 간답바[145]가 되실 것입니까?"

라는 개념은 deva라는 단어에서 결코 존재하지 않는다. 주석서는 다음과 같이 세 가지로 초기경에 나타나는 deva의 뜻을 밝히고 있다.

한편 『맛지마 니까야 주석서』는 "신들은 세 종류가 있다. 인습적인 신들(sammuti-devā), 태생적인 신들(upapatti-devā), 청정한 신들(visuddhi-devā)이다. 인습적인 신들이란 왕들과 왕비들과 왕자들을 말한다.(초기경들을 비롯한 인도 제문헌에서 왕을 호칭할 때는 deva로 부르고 있다) 태생적인 신들이란 사대왕천의 신들을 포함하여 그보다 높은 신들이다. 청정한 신들이란 번뇌 다한 아라한들이다."(*Ibid*)라고 설명하고 있다.

이 가운데서 태생적인 신들을 일반적으로 신들이라 한다. 즉 여섯 가지 욕계 천상과 16가지 색계 천상과 4가지 무색계 천상에 거주하는 신들을 신이라고 부른다.

욕계 천상, 색계 천상, 무색계 천상에 대해서는 『아비담마 길라잡이』 5장 §5 이하의 해설과 본서 제1권 포살의 구성요소[八關齋戒](A3:70) §8의 주해들과 본서 「다른 점 경」1(A4:123)의 해설들을 참조할 것.

144) "바라문은 '큰 위력을 가지신 분께서는 미래에(anāgate) 어떤 신의 왕이 될 것입니까?'라고 미래의 일을 질문하면서 이렇게 말한 것이다."(AA.iii.78)

145) '간답바(gandhabba, Sk. gandharva)'는 중국에서 건달바(乾達婆)로 옮겨졌다. 초기경에서 크게 두 문맥에서 나타난다 할 수 있다. 첫 번째는 사대왕천(Cātummahārājika)에 있는 신들이다. 『디가 니까야』 제2권 「자나와사바 경」(D18) §20에서 그들은 가장 낮은 영역의 신들이라고 불리고 있다. 일반적으로 간답바는 천상의 음악가로 불리는데(J.ii.249 등) 『디가 니까야』 제2권 「제석문경」(D21) §1.2 이하에서도 빤짜식카 간답바가 벨루와빤두 루트를 켜면서 연주하고 노래하는 장면이 나타난다. 『디가 니까야』 제3권 「아따나띠야 경」(D32) §4에 의하면 간답바들은 사대왕천의 동쪽에 거주하며 다따랏타가 그들의 왕이라고 한다.

두 번째는 향기(gandha)나는 곳에 사는 신들을 뜻한다. 『상윳따 니까야』에서 부처님께서는 간답바의 신들(Gandhabbakāyika devā)은 나무의 뿌리나 껍질이나 수액이나 꽃의 향기(gandha)에 거주하기 때문에 붙여진 이름이라고 설하고 계신다.(S.iii.250.) 그래서 『디가 니까야 주석

"바라문이여, 나는 간답바가 되지 않을 것이다."

"존자께서는 약카[146]가 되실 것입니까?"

"바라문이여, 나는 약카가 되지 않을 것이다."

"존자께서는 인간이 되실 것입니까?"

"바라문이여, 나는 인간이 되지 않을 것이다."

"제가 '존자께서는 신이 되실 것입니까?'라고 여쭈면 '바라문이여,

서』에서 "간답바는 뿌리의 무더기 등에 사는 신들"(DA.ii.498)이라고 설명하기도 한다.

146) '약카(yakkha, Sk. yakṣa)'는 중국에서 야차(夜叉)로 한역되었다. 이 단어는 √yakṣ(*to move quickly*)에서 파생된 명사인데 문자적으로는 '재빨리 움직이는 존재'를 뜻한다. 그러나 주석서에서는 √yaj(*to sacrifice*)에서 파생된 명사로 간주하여 "그에게 제사 지낸다. 그에게 제사음식을 가져간다고 해서 약카라 한다."(VvA.224) 혹은 "예배를 받을만한 자라고 해서 약카라 한다."(VvA.333)고 풀이하고 있다.

『디가 니까야』 제2권 「빠야시 경」(D23) §23에서 보듯이 약카는 일반적으로 비인간(amanussa)으로 묘사되고 있다. 주석서에 의하면 그들은 아귀(peta)들보다 높은 존재로 묘사되고 있으며 선한 아귀들을 약카로 부르는 경우도 있다.(PvA.45; 55) 그들은 많은 계통이 있는데 후대 문헌으로 올수록 우리말의 정령, 귀신, 요정, 유령, 도깨비 등 나쁜 비인간인 존재들을 모두 일컫는 말로 정착이 되고 있다. 이런 의미에서 힌두 문헌의 삐샤짜(Piśāca, 도깨비, 악귀)와 거의 같은 존재를 나타낸다 할 수 있다.

일반적으로 약카는 힘이 아주 센 비인간을 뜻한다. 그래서 『디가 니까야』 제1권 「암밧타 경」(D3)에는 금강수 약카(Vajirapāṇī)가 금강저(벼락)를 손에 들고 부처님 곁에 있는 것으로 묘사되기도 한다. 그래서 신들의 왕인 삭까(Sakka, Indra)도 약카로 표현되기도 하며(M.i.252; J.iv.4) 게송에서는 부처님도 약카로 묘사하고 있기도 하다.(M.i.386) 자이나교에서도 약카는 신성한 존재로 숭배되고 있는데 이러한 영향이 아닌가 한다. 한편 『디가 니까야』 제3권 「아따나띠야 경」(D32) §7에 의하면 약카는 사대왕천의 북쪽에 거주하며 꾸웨라가 그들의 왕이라고 한다. 『마하바라따』(Mahābhārata) 등의 힌두 문헌에도 약카(Sk. Yakṣa)는 꾸웨라의 부하들로 묘사되고 있다.

나는 신이 되지 않을 것이다.'라고 대답하시고 … '존자께서는 인간이 되실 것입니까?'라고 여쭈면 '바라문이여, 나는 인간이 되지 않을 것이다.'라고 대답하십니다. 그러면 도대체 존자께서는 무엇이 되실 것입니까?"

3. "바라문이여, 내가 저 번뇌들을 모두 버리지 못했다면 나는 신이 될 것이다. 그러나 나의 번뇌들은 모두 제거되었고 그 뿌리가 잘렸고 줄기만 남은 야자수처럼 되었고[147] 멸절되었고 미래에 다시는 일어나지 않게끔 되었다. 바라문이여, 내가 저 번뇌들을 모두 버리지 못했다면 나는 간답바가 … 약카가 … 인간이 될 것이다. 그러나 나의 번뇌들은 모두 제거되었고 그 뿌리가 잘렸고 줄기만 남은 야자수처럼 되었고 멸절되었고 미래에 다시는 일어나지 않게끔 되었다.

바라문이여, 예를 들면 청련이나 홍련이나 백련이 물에서 생겨서 물에서 자라지만 물을 벗어나서 물에 젖지 않고 피어있는 것과 같다. 그와 같이 나는 세상에서 태어나서 세상에서 자랐지만 세상을 지배한 뒤 세상에 젖지 않고 머문다. 바라문이여, 그런 나를 부처(Buddha)라고 호지하라."

4. "[번뇌가 남아 있는 한] 신으로 태어나거나
하늘을 나는 간답바가 되거나
약카로 가거나 인간으로 태어날 것이다.

---

147) "'줄기만 남은 야자수처럼 되었다(tālā-vatthu-kata)'는 것은 윗부분이 잘려나간 야자수처럼 되었다는 것이다. 혹은 야자수를 뿌리째 뽑아서 야자수 줄기만 남게 만든 것이다. 그러면 이 줄기만으로는 야자수라고 부르지 못하는 것처럼, 알려지지 않는 상태(apaññatti-bhāva)로 되었다는 뜻이다."(MA.ii.115)

그러나 나는 모든 번뇌가 다하였고
파괴되었고 줄기가 말라버렸다.
마치 아름다운 백련이 물에 젖지 않는 것처럼
나는 세상에 젖지 않나니
바라문이여, 그러므로 나는 부처이니라."

빗나가지 않음 경(A4:37)

Aparihāniya-sutta

1. "비구들이여, 네 가지 법을 구족한 비구는 일탈할 가능성이 없다. 그는 오직 열반의 곁에 있다. 무엇이 넷인가? 비구들이여, 여기 비구는 계를 구족하고, 감각기능들의 문을 잘 보호하고, 음식에서 적당함을 알고, 깨어있음에 전념한다."

2. "비구들이여, 그러면 어떻게 비구는 계를 구족하는가?

비구들이여, 여기 비구는 계를 잘 지킨다. 그는 빠띠목카의 단속으로 단속하면서 머문다. 바른 행실과 행동의 영역을 갖추고, 작은 허물에 대해서도 두려움을 보며, 학습계목을 받아 지녀 공부짓는다.

비구들이여, 이와 같이 비구는 계를 구족한다."

3. "비구들이여, 그러면 어떻게 비구는 감각기능들의 문을 잘 보호하는가?

비구들이여, 여기 비구는 눈으로 형상을 봄에 그 표상[全體相]을 취하지 않으며, 또 그 세세한 부분상[細相]을 취하지도 않는다. 만약 그의 눈의 기능[眼根]이 제어되어 있지 않으면 욕심과 싫어하는 마음이라는 나쁘고 해로운 법[不善法]들이 그에게 [물밀듯이] 흘러들어 올 것이다. 따라서 그는 눈의 감각기능을 잘 단속하기 위해 수행하며, 눈의 감각기능을 잘 방호하고, 눈의 감각기능을 잘 단속한다.

귀로 소리를 들음에 … 코로 냄새를 맡음에 … 혀로 맛을 봄에 … 몸으로 감촉을 느낌에 … 마노[意]로 법을 지각함에 그 표상을 취하지 않으며, 그 세세한 부분상을 취하지도 않는다. 만약 그의 마노의 기능[意根]이 제어되어 있지 않으면 욕심과 싫어하는 마음이라는 나쁘고 해로운 법[不善法]들이 그에게 [물밀듯이] 흘러들어 올 것이다. 따라서 그는 마노의 감각기능을 잘 단속하기 위해 수행하며, 마노의 감각기능을 잘 방호하고, 마노의 감각기능을 잘 단속한다.

비구들이여, 이와 같이 비구는 감각기능들의 문을 잘 보호한다."

4. "비구들이여, 그러면 어떻게 비구는 음식에서 적당함을 아는가?

비구들이여, 여기 비구는 지혜롭게 숙고하면서 음식을 수용하나니, 오락을 위해서가 아니고 취하기 위해서도 아니며 장식을 위해서도 아니고 꾸미기 위해서도 아니며, 오직 이 몸을 지탱하고 유지하고 해악을 쉬고 청정범행을 잘 지키기 위해서이다. '그래서 나는 오래된 느낌을 물리치고 새로운 느낌을 일어나게 하지 않을 것이다. 나는 건강할 것이고 비난받지 않고 편안하게 머물 것이다'라고.

비구들이여, 이와 같이 비구는 음식에서 적당함을 안다."

5. "비구들이여, 그러면 어떻게 비구는 깨어있음에 전념하는가?

비구들이여, 비구는 낮 동안에는 경행하거나 앉아서 장애가 되는 법들[148]로부터 마음을 청정하게 한다. 밤의 초경에 경행하거나 앉아서 장애가 되는 법들로부터 마음을 청정하게 한다. 한밤중에는 발로써 발을 포개고 마음챙기고 알아차리면서[正念正知] 일어날 시간을 인식하여 마음에 잡도리하여 오른쪽 옆구리로 사자처럼 눕는다. 밤의 삼경에는 일어나서 경행하거나 앉아서 장애가 되는 법들로부터 마음을 청정하게 한다.

비구들이여, 이와 같이 비구는 깨어있음에 전념한다.

비구들이여, 이러한 네 가지 법을 구족한 비구는 일탈할 가능성이 없다. 그는 오직 열반의 곁에 있다."

6. "비구는 계에 굳게 서고 감각기능들을 잘 단속하고
음식에서 적당함을 알고 깨어있음에 전념한다.
이렇게 머물면서 낮이나 밤을 게으르지 않고
유익한 법을 수행하나니 유가안은을 얻기 위함이다.
불방일을 즐기며 방일에서 두려움을 보는 비구
그는 일탈할 가능성이 없다. 오직 열반의 곁에 있다."

초연함 경(A4:38)

Patilīna-sutta

1. "비구들이여, 비구가 독단적인 진리149)를 버리고, 추구를

148) "'장애가 되는 법들(āvaraṇīyā dhammā)'이란 다섯 가지 장애[五蓋]의 법들이다. 다섯 가지 장애는 마음을 덮어버리기 때문에 장애가 되는 법들이라 불린다."(AA.ii.185)

149) '독단적인 진리'는 pacceka-sacca의 역어인데 개별적인 진리로 직역할 수 있다. 주석서에서 "'이런 사상[見, dassana]만이 진리이다, 이런 사상만이 진리이다.'라고 개별적(pāṭiyekka)으로 거머쥐고 있는 많은 진리들

완전히 포기하고, 몸의 의도적 행위[身行]가 고요하면 그를 일러 '초연하다'고 한다.

비구들이여, 그러면 어떻게 비구는 독단적인 진리를 버리는가?

비구들이여, 여기 비구는 이런저런 범속한 사문·바라문들의 독단적인 진리를 모두 내던지고 버리고 없애고 토하고 몰아내고 풀어내고 제거하고 포기한다. 즉, '세상은 영원하다.'라거나, '세상은 영원하지 않다.'라거나, '세상은 유한하다.'라거나, '세상은 무한하다.'라거나, '생명과 몸은 같은 것이다.'라거나, '생명과 몸은 다른 것이다.'라거나, '여래는 죽고 난 후에도 존재한다.'라거나, '여래는 죽고 난 후에 존재하지 않는다.'라거나 '여래는 죽고 난 후에 존재하기도 하고 존재하지 않기도 한다.'라거나, '여래는 죽고 난 후에 존재하는 것도 아니요 존재하지 않는 것도 아니다.'라는 [이러한 독단적인 진리를 모두 내던지고 버리고 없애고 토하고 몰아내고 풀어내고 제거하고 포기한다.]

비구들이여, 이와 같이 비구는 독단적인 진리를 버린다."

2. "비구들이여, 그러면 어떻게 비구는 추구를 완전히 포기하는가? 여기 비구는 감각적 욕망을 추구하는 것을 제거한다. 존재를 추구하는 것을 제거한다. 청정범행을 추구하는 것이 고요해진다.150)

이라는 뜻이다."(DA.iii.1051)라고 설명하고 있어서 독단적인 진리라 옮겼다. 본경에서는 우리에게 십사무기(十事無記)로 알려진 10가지 견해를 들고 있다.

150) '고요해진다'로 옮긴 원어는 paṭippassaddhā이다. 이 단어의 추상명사 paṭippassaddhi는 '고요, 적멸, 放棄' 등으로 옮겨지는데 특히 『의석』(義釋, Niddessa)에서는 버림(pahāna), 고요(vūpasama), 놓아버림(paṭinissagga), 불사(不死, amata), 열반(nibbāna)과 함께 쓰이고 있다.(Nd2.429 등) 그러므로 '청정범행을 추구하는 것이 고요해진다.'란 바로 열반의 실현을 뜻한다.

비구들이여, 이와 같이 비구는 추구를 완전히 포기한다.

3. "비구들이여, 그러면 어떻게 비구는 몸의 의도적 행위[身行]가 고요한가? 비구들이여, 여기 비구는 행복도 버리고 괴로움도 버리고, 아울러 그 이전에 이미 기쁨과 슬픔을 소멸하였으므로 괴롭지도 즐겁지도 않으며, 평온으로 인해 마음챙김이 청정한 제4선(四禪)에 들어 머문다. 비구들이여, 이와 같이[151] 비구는 몸의 의도적 행위가 고요하다.

4. "비구들이여, 그러면 어떻게 비구는 초연한가? 비구들이여, 여기 비구는 '내다'라는 자만심을 제거하고 뿌리를 자르고 줄기만 남은 야자수처럼 만들고 멸절시켜 미래에 다시는 일어나지 않게끔 한다. 비구들이여, 이와 같이 비구는 초연하다.

비구들이여, 비구가 독단적인 진리를 버리고, 추구를 완전히 포기하고, 몸의 의도적 행위가 고요하면 그를 일러 '초연하다'고 한다.

5. "모든 욕망이 빛바래고
갈애가 소진하여 해탈한 그는
감각적 욕망을 추구함과 존재를 추구함과

본경에 해당하는 주석서도 "'청정범행을 찾으리라, 청정범행을 구하리라'라면서 일어난 의향(pavattajjhāsaya)이라 불리는 청정범행의 추구도 아라한도에 의해 편안해지고 고요해진다. 그러나 견해로써 청정범행을 추구하는 것은 예류도에 의해 편안해지고 고요해진다고 알아야 한다."(AA.iii.81)고 설명하고 있다. 아무리 고결한 의향일지라도 모두 편안해지고 고요해져야 아라한인 것이다. 한편 『청정도론』에서는 수행자가 구족해야 할 여섯 가지 의향을 밝히고 있다.(Vis.III.128 참조)

151) "제 4선에 들어 들숨날숨이 가라앉은 상태를 뜻한다."(AA.iii.81)

청정범행을 추구함과 함께
이것만이 진리라는 고집과 삿된 견해를 버리고서
추구함을 놓아버렸고 삿된 견해를 뿌리 뽑아버렸다.
그 비구 마음챙기고 평화로우며
경안하여 정복되지 않고
자만을 관통했고 [사성제를] 깨달았네.
그를 일러 초연하다 하노라."

웃자야 경(A4:39)

Ujjaya-sutta

1. 그때 웃자야[152] 바라문이 세존께 다가갔다. 세존께 가서는 세존과 함께 환담을 나누었다. 유쾌하고 기억할 만한 이야기로 서로 담소를 나누고 한 곁에 앉았다. 한 곁에 앉은 웃자야 바라문은 세존께 이렇게 말씀드렸다.

"고따마 존자께서도 제사[153]를 칭송하십니까?"

---

152) 주석서와 복주서는 웃자야(Ujjaya) 바라문에 대한 별다른 설명이 없다. 본서 제4권에도 같은 사람에게 설하시는 세존의 말씀이 나타나고 있다. (A.iv.285~289)

153) '제사(yañña)'는 고대 인도인들의 삶에 있어서 아주 중요한 의미를 가진다. 베다를 성전으로 하는 바라문교의 핵심은 제사이며 이런 제사에 관한 모든 것을 집대성한 것이 바로 방대한 제의서(祭儀書, Brāhmaṇa) 문헌들이다. 제사가 부처님 시대 인도사람들 특히 바라문들의 중요한 관심사이었으므로 초기경의 여러 곳에 제사에 관한 대화가 남아있다.
인도의 제사는 크게 공공제사(śrauta-yajñā)와 가정제사(gṛhya-yajña)로 나누어지며 각각은 다시 일곱 가지씩의 기본제사(saṁsthā)로 나누어진다. 제사는 공공제사가 가정제사보다 훨씬 중요하게 취급이 된다. 공공제사는 소마(Soma)즙을 헌공하는 소마제사(soma-yajña)와 그 외 우유,

2. "바라문이여, 나는 모든 제사를 칭송하지는 않는다. 바라문이여, 그러나 나는 모든 제사를 칭송하지 않는 것도 아니다. 바라문이여, 그 제사를 통해서 소들을 죽이고 염소와 양들을 죽이고 닭과 돼지들을 죽이고 여러 생명들을 살해하는 이와 같은 살생을 포함하는 제사를 나는 칭송하지 않는다. 그것은 무슨 이유에서인가? 바라문이여, 이와 같은 살생을 포함하는 제사에 아라한들과 아라한도를 증득한 자들은 다가가지 않기 때문이다.

바라문이여, 그러나 그 제사를 통해서 소들을 죽이지 않고 염소와 양들을 죽이지 않고 닭과 돼지들을 죽이지 않고 여러 생명들을 살해

버터, 곡물 등을 헌공하는 하위르 제사(havir-yajña)로 이루어져 있다. 이러한 제사는 동물희생과 함께 거행되며 최소 8일간 거행한다.

인도의 제사는 얀뜨라(yantra, 기계)와 만뜨라(mantra, 주문)라는 두 단어로 압축된다. 제사는 거대한 공장의 복잡 미묘한 큰 기계(yantra)와 같다. 큰 기계가 돌아가기 위해서는 복잡한 공정이 필요하다. 수많은 톱니바퀴들로 구성된 요즘의 큰 공장의 크고 복잡한 기계를 상상해 보면 된다. 이 복잡한 부품이나 공정 가운데 한 부분이라도 빠지거나 고장 나거나 하면 기계는 돌아가지 않아서 아무런 제품도 생산해내지 못한다. 그와 마찬가지로 제사도 다양한 기계와 다양한 공정을 가진 절차이다. 그 가운데 한 부분이라도 잘못 거행하면 제사는 성취되지 않는다고 한다. 그래서 천상에 태어나는 과보나 현생의 이익이라는 제품을 생산해내지 못한다.

이런 복잡한 공정과 기계들을 돌아가게 하는 윤활유나 프로그램이 바로 만뜨라(mantra, 주문)이다. 다시 말하면 얀뜨라는 하드웨어고 만뜨라는 소프트웨어이다. 아무리 하드웨어가 좋아도 소프트웨어가 없으면 무용지물이다. 그러므로 소프트웨어인 베다 만뜨라는 중요하고, 그래서 『리그베다』를 인도에서는 가장 신성시 여기는 것이다. 각각의 제사기계와 각각의 제사공정에는 그에 해당하는 만뜨라가 반드시 있다. 그들은 이처럼 정확하게 얀뜨라(기계, 제사공정)와 만뜨라(주문)를 운전해서 우주의 질서까지도 지배할 수 있다고 믿었다.

제사에 대해서는 『디가 니까야』 제1권 「꾸따단따 경」(D5), 특히 §1과 §18과 §22의 주해 등을 참조할 것.

하지 않는 이와 같은 살생을 포함하지 않는 제사, 즉 항상 보시를 베풀고 대를 이어가는 제사[154]를 나는 칭송한다. 그것은 무슨 이유에서인가? 바라문이여, 이와 같은 살생을 포함하지 않는 제사에 아라한들과 아라한도를 증득한 자들은 다가가기 때문이다."[155]

3. "말을 희생하는 제사 사람을 희생하는 제사[156]

154) "대를 이어가는 제사(anukula-yañña)란 우리의 아버지와 할아버지 등이 실행한 것이라고 여기고 가문 대대로(kula-anukula) 제사를 지내고 보시를 하는 것을 말한다."(AA.iii.82)

155) 세존께서는 『디가 니까야』 제1권 「꾸따단따 경」(D5)에서 동물 희생을 기본으로 하는 인도의 제사를 강하게 비판하신 뒤에 이러한 동물을 죽이는 제사 대신에 §22 이하에서 16가지 덕을 갖추어 널리 보시하는 제사를 설하신다. 그리고 그것보다 더 수승한 것으로 ① 계를 갖춘 출가자들을 위해서 보시하는 것 ② 사방승가를 위해서 승원을 짓는 것 ③ 깨끗한 믿음을 가진 마음으로 부처님께 귀의하고 법에 귀의하고 승가에 귀의하는 것 ④ 깨끗한 믿음을 가진 마음으로 오계를 받아 지니는 것 ⑤ 그리고 본 품에서 23가지로 정리하고 있는 계・정・혜 삼학을 갖추는 것을 설하신다. 이처럼 꾸따단따 경에서 세존께서는 이상적인 제사를 궁극적으로는 계・정・혜 삼학의 실천으로 설하셨다.
인도학자들은 많은 살생을 하고 복잡하고 어렵고 비용이 많이 드는 바라문교의 제사 대신에 불교가 보시를 하고 계를 지키며 팔정도를 실천하는 쉬운 수행법을 제시하였기 때문에 삽시간에 인도 중원에 퍼질 수 있었다고 말한다.

156) '사람을 희생하는 제사(purisa-medha)'는 제의서들에서도 언급되고 있다. 그러나 제의서들이 정착될 때 즉 부처님 시대나 그 전후에는 이미 인간희생은 없어진 것으로 보인다. 인간희생이 동물희생으로 대체된 극적인 이야기가 『아이따레야 브라흐마나』(Aitareya Brāhmaṇa)에 개꼬리(Śunaḥ-puccha) 삼형제 이야기로 전해오는데 지금도 바라문들 사이에서는 널리 읽히고 있다.
한편 후대로 오면서 공공제사의 핵심이 되는 동물희생에서 동물을 죽이는 의식은 없어졌다고 한다. 왜냐하면 불교와 자이나교 등의 거센 비판을 받았으며, 후대로 올수록 바라문들도 철저한 채식주의자가 되었기 때문이다.

말뚝을 던지는 [제사],[157] 소마 즙을 바치는 제사[158]
[대문을 열고] 크게 공개적으로[無遮] 지내는 제사[159] —
[이런 제사는] 많은 살생이 있지만 큰 결실은 없다.
바른 길을 가는 위대한 선인들은
여러 가지 염소와 양과 소를 죽이는
그러한 제사에는 동참하지 않노라.
바른 길을 가는 위대한 선인들은
여러 가지 염소와 양과 소를 죽이지 않는
그러한 제사에는 동참하노라.
슬기로운 자 이런 제사를 지내나니
이런 제사는 큰 결실을 가져온다.
이런 제사지내는 제사의 주인에게는
훌륭함이 있고 악함이 없나니
[살생하지 않는] 제사는 위대한 것
신들도 역시 기뻐한다네."[160]

요즘에 인도의 몇몇 군데에서 제의서에 나오는 대로 동물희생을 올리면서 제사를 거행하려고 시도를 하였지만 어떤 바라문 사제도 동물을 죽이며 제사를 지내려 하지 않아서 못한다고 한다.

157) "말뚝(samma)을 던진다고 해서 말뚝을 던지는 [제사](sammāpāsa)라 한다. 매일 말뚝을 던져서 그것이 떨어지는 곳에 제단(vedi, 불을 지펴서 공물을 헌공하는 곳)을 만들어 … 제사지내는 것이다."(AA.iii.82)

158) 공공제사는 소마즙과 동물을 희생하는 것이 기본이다.

159) niraggala(막지 않음, 無遮)를 풀어서 옮긴 것이다. 『여시어경 주석서』(ItA.94)에서 설명하고 있는 대로 옮겼다.

160) 이 게송은 『상윳따 니까야』(S3:9)에서 세존이 읊으신 게송과 같음.

우다이 경(A4:40)

Udāyi-sutta

1. 그때 우다이 바라문[161]이 세존께 다가갔다. 세존께 가서는 세존과 함께 환담을 나누었다. 유쾌하고 기억할 만한 이야기로 서로 담소를 나누고 한 곁에 앉았다. 한 곁에 앉은 우다이 바라문은 세존께 이렇게 말씀드렸다.

"고따마 존자께서도 제사를 칭송하십니까?"

2. "바라문이여, 나는 모든 제사를 칭송하지는 않는다. 바라문이여, 그러나 나는 모든 제사를 칭송하지 않는 것도 아니다. … <앞의 「웃자야 경」(A4:39 §2와 같이 대답하심.> … 바라문이여, 그러나 그 제사를 통해서 소들을 죽이지 않고 염소와 양들을 죽이지 않고 닭과 돼지들을 죽이지 않고 여러 생명들을 살해하지 않는 이와 같은 살생을 포함하지 않는 제사, 즉 항상 보시를 베풀고 대를 이어가는 제사를 나는 칭송한다. 그것은 무슨 이유에서인가? 바라문이여, 이와 같은 살생을 포함하지 않는 제사에 아라한들과 아라한도에 든 자들은 다가가기 때문이다."

3. "세상의 장막을 벗겨버리며
세상에서 시간과 태어날 곳을 넘어섰고
잘 제어된 청정범행을 닦는 자들은
살생을 포함하지 않는 적절한 제사를
적당한 때에 거행하는 그런 [제사에] 참여한다.

---

161) 주석서와 복주서는 우다이(Udāyi) 바라문에 대한 아무런 설명이 없다.

공덕에 관해서 현명하신 부처님들은
이러한 제사를 칭송하노라.
어떤 이는 깨끗한 믿음을 가진 마음으로
제사와 슈랏다[162]에 어울리는 공양물을 올리고
제사지낸다.
좋은 들판인 청정범행을 닦는 자들과
보시를 올려 마땅한 그들에게 올린 공양은
잘 준 것이고 잘 제사 지낸 것이고 잘 얻은 것이다.
그 제사는 좋은 결실을 가져오고
신들도 역시 기뻐한다.
[삼보에] 신심 있고 슬기롭고 현명한 자는
아낌없는 마음으로[163] 이와 같이 제사 지낸 뒤
악의가 없는 행복한 세상을 얻으리."

제4장 바퀴 품이 끝났다.

네 번째 품에 포함된 경들의 목록은 다음과 같다.

① 바퀴 ② 섭수 ③ 사자
④ 청정한 믿음, 다섯 번째로 ⑤ 왓사까라
⑥ 세상 ⑦ 빗나가지 않음 ⑧ 초연함
⑨ 웃자야 ⑩ 우다이 — 이러한 열 가지이다.

---

162) "여기서 제사(yañña)는 일반적인 제사를 뜻하고, 슈랏다(śraddha, saddha)는 바라문들이 죽은 자에게 올리는 제사를 뜻한다."(AA.iii.84)

163) "'아낌없는 마음으로(muttena cetasā)'란 베푸는 마음으로(vissaṭṭhena cittena)라는 말이다. 이것은 아낌없는 보시(mutta-cāga)를 드러낸 것이다."(AA.iii.84)

제5장 로히땃사 품

Rohitassa-vagga

삼매 경(A4:41)[164)]

Samādhi-sutta

1. "비구들이여, 네 가지 삼매 수행이 있다. 무엇이 넷인가?

비구들이여, 삼매 수행을 닦고 많이 [공부]지으면 지금여기에서 행복하게 머물게 된다. 비구들이여, 삼매 수행을 닦고 많이 [공부]지으면 지(知)와 견(見)을 획득하게 된다. 삼매 수행을 닦고 많이 [공부]지으면 마음챙기고 알아차리게 된다. 삼매 수행을 닦고 많이 [공부]지으면 번뇌를 소멸하게 된다."

2. "비구들이여, 그러면 어떤 삼매 수행을 닦고 많이 [공부]지으면 지금여기에서 행복하게 머물게 되는가? 비구들이여, 여기 비구는 감각적 욕망들을 완전히 떨쳐버리고 해로운 법[不善法]들을 떨쳐버린 뒤, 일으킨 생각[尋]과 지속적인 고찰[伺]이 있고, 떨쳐버렸음에서 생겼고, 희열[喜]과 행복[樂]이 있는 초선(初禪)을 구족하여 머문다. … 제2선(二禪)을 구족하여 머문다. … 제3선(三禪)을 구족하여 머문다. … 제4선(四禪)을 구족하여 머문다. 비구들이여, 이런 삼매 수행을 닦고 많이 [공부]지으면 지금여기에서 행복하게 머물게 된다."

---

164) 본경 §6의 게송 부분을 제외하면 『디가 니까야』 제3권 「합송경」(D33) §1.11(5)와 같다.

3. "비구들이여, 그러면 어떤 삼매 수행을 닦고 많이 [공부]지으면 지와 견을 획득하게 되는가? 비구들이여, 여기 비구는 광명상(光明想)을 마음에 잡도리한다. '낮이다'라는 인식에 집중한다. 낮에 [광명을 본 것]처럼 밤에도 [광명을 보고], 밤에 [광명을 본 것]처럼 낮에도 [광명을 보는] 인식에 집중한다.165) 이처럼 열려있고 덮이지 않은 마음으로 빛을 가진 마음을 닦는다. 비구들이여, 이런 삼매 수행을 닦고 많이 [공부]지으면 지와 견을 획득하게 된다."

4. "비구들이여, 그러면 어떤 삼매 수행을 닦고 많이 [공부]지으면 마음챙기고 알아차리게 되는가? 비구들이여, 여기 비구에게는 분명하게 지각할 수 있는166) 느낌들이 일어나고 머물고 꺼진다.167)

---

165) "'광명상(光明想, āloka-saññā)을 마음에 잡도리한다.'는 것은 낮이나 밤에 태양이나 달이나 등불이나 보석 등의 광명을 광명이라고 마음에 잡도리하는 것이다. '낮이라는 인식에 집중한다.'는 것은 이와 같이 마음에 잡도리한 뒤 낮이라는 인식을 확실하게 하는 것이다. '낮에처럼 밤에도'라는 것은 낮에 광명을 보았던 것과 같이 밤에도 그것을 마음에 잡도리하는 것이다. '밤에처럼 낮에도'라는 것은 마치 밤에 광명을 보았던 것과 같이 낮에도 마음에 잡도리하는 것이다."(DA.iii.1007)

166) '분명하게 지각할 수 있는'으로 옮긴 원어는 viditā인데 주석서는 분명하게 되어서(pākaṭā hutvā)라고 설명하고 있어서 이렇게 옮겼다.(AA.iii.85)

167) "그러면 어떻게 분명하게 지각할 수 있는 느낌들이 일어나고 머물고 꺼지는가? 여기 비구는 토대(vatthu, 알음알이가 일어나는 토대)를 철저하게 파악하고(pariggaṇhāti) 대상(ārammaṇa)을 철저하게 파악한다. 그가 이처럼 토대와 대상을 철저하게 파악하면 '이와 같이 일어나서 이와 같이 머물다가 이와 같이 멸한다.'라고 분명하게 지각할 수 있는 느낌들이 일어나고, 분명하게 지각할 수 있는 느낌들이 머물며, 분명하게 지각할 수 있는 느낌들이 꺼진다. 이것은 인식 등에도 그대로 적용이 된다."(*Ibid*)

분명하게 지각할 수 있는 인식들이 일어나고 머물고 꺼진다. 분명하게 지각할 수 있는 생각들이 일어나고 머물고 꺼진다. 비구들이여, 이런 삼매 수행을 닦고 많이 [공부]지으면 마음챙기고 알아차리게 된다.”

5. “비구들이여, 그러면 어떤 삼매 수행을 닦고 많이 [공부]지으면 번뇌를 소멸하게 되는가? 비구들이여, 여기 비구는 [나 등으로] 취착하는 다섯 가지 무더기[五取蘊]들의 일어나고 사라짐을 관찰하며[隨觀] 머문다. ‘이것이 물질이다. 이것이 물질의 일어남이다. 이것이 물질의 사라짐이다. 이것이 느낌이다. 이것이 느낌의 일어남이다. 이것이 느낌의 사라짐이다. 이것이 인식이다. 이것이 인식의 일어남이다. 이것이 인식의 사라짐이다. 이것이 심리현상[行]들이다. 이것이 심리현상들의 일어남이다. 이것이 심리현상들의 사라짐이다. 이것이 알음알이다. 이것이 알음알이의 일어남이다. 이것이 알음알이의 사라짐이다.’라고 [관찰하며 머문다.] 비구들이여, 이런 삼매 수행을 닦고 많이 [공부]지으면 번뇌를 소멸하게 된다.

비구들이여, 이러한 네 가지 삼매 수행이 있다. 비구들이여, 나는 이점에 대해서 이미 『숫따니빠따』 「도피안 품」의 「뿐나까의 질문」에서 설하였다.”

6. “세상에서 높고 낮은 것을 지혜롭게 알아
세상의 그 어떤 것에도 흔들리지 않으며
고요하고[168] [분노의] 연기(煙氣) 없고

168) 본경의 이 게송에는 sato(마음챙기고)로 나타난다. 그러나 본서 제1권 「아난다 경」(A3:32) §1에 같이 나타나는 게송에는 santo(고요하고)로 되어 있다. 여기에 대해서는 「아난다 경」(A3:32)의 해당 주해를 참조할 것.

괴로움 없고 갈애 없는 자
그는 태어남과 늙음을 건넜다고
나는 말하노라."[169]

질문 경(A4:42)

Pañha-sutta

1. "비구들이여, 네 가지 질문에 대한 설명이 있다.[170] 무엇이 넷인가?

비구들이여, 단언적으로 설명해야 하는 질문이 있다. 비구들이여, 되물어서 설명해야 하는 질문이 있다. 비구들이여, 분석해서 설명해야 하는 질문이 있다. 비구들이여, 제쳐두어야 하는 질문이 있다.[171]

---

169) 본서 제1권 「아난다 경」(A3:32) §1에도 본 게송이 나타난다.

170) 『디가 니까야』 제3권 「합송경」(D33) §1.11(28)과 같다.

171) "'단언적으로 설명해야 하는 질문(ekaṁsa-vyākaraṇīya)' 등에 대해서 [그 뜻은 다음과 같다.] '눈은 무상합니까?'라고 질문을 받으면 '물론입니다. 무상합니다.'라고 단언적으로 설명해야 한다. 이것이 단언적으로(ekaṁsena) 설명해야 하는 질문이다.
'무상하다는 것은 눈을 말합니까?'라고 질문을 받으면 '눈만 그런 것이 아닙니다. 귀도 무상하고 코도 무상합니다.'라고 분석한 뒤에 설명해야 한다. 이것이 분석해서 설명해야 하는 질문(vibhajja-vyākaraṇīya)이다.
'눈처럼 귀도 그러하고 귀처럼 눈도 그러하지요?'라고 물으면 '무슨 뜻으로 물은 것입니까?'라고 되물은 뒤에 '본다는 의미로 물은 것입니다.'라고 대답하면 '그렇지 않습니다.'라고 설명해야 한다. '무상하다는 뜻으로 물은 것입니다.'라고 대답하면 '그렇습니다.'라고 설명해야 한다. 이것이 되물어서 설명해야 하는 질문(paṭipucchā-vyākaraṇīya)이다.
'생명이 바로 몸입니까, 아니면 생명과 몸은 다릅니까?'라는 등의 질문에 대해서는 '세존께서는 설명하지 않으셨습니다.'라고 제쳐두어야 한다. 이것이 제쳐두어야 하는(ṭhapanīya) 질문이다."(AA.ii.308~309)

비구들이여, 이것이 네 가지 질문에 대한 설명이다."

2. "어떤 것은 단언적으로 말해야 하고
다음 것은 분석해서 말해야 하고
세 번째는 되물어야 하고
네 번째는 제쳐두어야 하나니
이런 [질문들 가운데] 각각의 경우를 대하여
설명할 줄 아는 자
그 비구를 '네 가지 질문에 능숙한 자'라고 부르노라.
그는 다른 이가 공격하기 어렵고 정복하기 어렵고
그윽하고 굴복시키기 어렵고
번영과 몰락의 둘 다에 대해서 현명하다.
현자는 몰락을 피하고 번영을 취한다.
슬기로운 자는 번영과 함께하기 때문에 현자라 한다."

분노 경1(A4:43)
Kodha-sutta

1. "비구들이여, 세상에는 네 부류의 사람이 있다. 무엇이 넷인가? 분노를 중시하지만 정법을 중시하지 않고, 위선을 중시하지만 정법을 중시하지 않고, 이득을 중시하지만 정법을 중시하지 않고, 존경을 중시하지만 정법을 중시하지 않는다.

비구들이여, 세상에는 이러한 네 부류의 사람이 있다."

2. "비구들이여, 세상에는 네 부류의 사람이 있다. 무엇이 넷인가?

정법을 중시하지만 분노를 중시하지 않고, 정법을 중시하지만 위선을 중시하지 않고, 정법을 중시하지만 이득을 중시하지 않고, 정법을 중시하지만 존경을 중시하지 않는다.

비구들이여, 세상에는 이러한 네 부류의 사람이 있다."

3. "분노와 위선을 중시하고
이득과 존경을 중시하는 비구들
정등각이 설한 법에서 향상하지 못하리.
[과거에] 정법을 존중하면서 머물렀고
[현재에도 정법을 존중하면서] 머무르는 자들
정등각이 설한 법에서 참으로 향상하리."

분노 경2(A4:44)

1. "비구들이여, 네 가지 바르지 못한 법이 있다. 무엇이 넷인가?

분노를 중시하지만 정법을 중시하지 않고, 위선을 중시하지만 정법을 중시하지 않고, 이득을 중시하지만 정법을 중시하지 않고, 존경을 중시하지만 정법을 중시하지 않는다.

비구들이여, 이것이 네 가지 바르지 못한 법이다."

2. "비구들이여, 네 가지 정법이 있다. 무엇이 넷인가?

정법을 중시하지만 분노를 중시하지 않고, 정법을 중시하지만 위선을 중시하지 않고, 정법을 중시하지만 이득을 중시하지 않고, 정법을 중시하지만 존경을 중시하지 않는다.

비구들이여, 이것이 네 가지 정법이다."

3. “분노와 위선을 중시하고
이득과 존경을 중시하는 비구는
바른 법들에서 향상하지 못하리
마치 썩은 씨앗은 좋은 들판에서도 싹을 틔우지 못하듯이.
[과거에] 정법을 존중하면서 머물렀고
[현재에도 정법을 존중하면서] 머무르는 자들
그들은 법에서 향상하나니
약초가 [좋은 들판에서] 잘 자라듯이.”

로히땃사 경1(A4:45)[172)]

Rohitassa-sutta

1. 한때 세존께서는 사왓티에서 제따 숲의 급고독원에 머무셨다. 그때 신의 아들 로히땃사가 밤이 아주 깊었을 때 아주 멋진 모습을 하고 온 제따 숲을 환하게 밝히고서 세존께 다가왔다. 다가와서는 세존께 절을 올린 뒤 한 곁에 섰다. 한 곁에 서서 신의 아들 로히땃사는 세존께 이와 같이 말씀드렸다.

“세존이시여, 참으로 태어남도 없고 늙음도 없고 죽음도 없고 떨어짐도 없고 생겨남도 없는 그런 세상의 끝[173)]을 발로 걸어가서 알

172) 『상윳따 니까야』(S2/i.61)와 같다.

173) “여기서 ‘세상(loka)’이란 형성된 세상(saṅkhāra-loka), 즉 오취온을 말씀하신 것이다.”(AA.iii.87)
“형성된 세상의 끝에 대해서 말씀하신 것은 그다음의 진리들(즉 집성제, 멸성제, 도성제)을 밝히기 위해서이다. 형성된 세상의 끝이 참으로 열반이기 때문이다.”(AAṬ.ii.275)

고 보고 도달할 수가 있습니까?"

"도반이여, 참으로 태어남도 없고 늙음도 없고 죽음도 없고 떨어짐도 없고 생겨남도 없는 그런 세상의 끝을 발로 걸어가서 알고 보고 도달할 수 있다고 나는 말하지 않는다."

2. "세존께서는 '도반이여, 참으로 태어남도 없고 늙음도 없고 죽음도 없고 떨어짐도 없고 생겨남도 없는 그런 세상의 끝을 발로 걸어가서 알고 보고 도달할 수 있다고 나는 말하지 않는다.'라고 이러한 금언을 말씀하시니 경이롭습니다, 세존이시여. 놀랍습니다, 세존이시여.

세존이시여, 저는 옛날 로히땃사라고 불리는 선인(仙人)이었습니다. 저는 보자라는 사람의 아들이었는데, 신통을 가져서 하늘을 날아다녔습니다. 세존이시여, 저는 빨라서 마치 능숙한 궁수가 훈련을 통해서 능숙하고 숙련되어 가벼운 화살로 힘들이지 않고 야자나무의 그늘을 가로질러 신속하게 쏘는 것과 같았으며, 저는 걸음걸이가 커서

한편 주석서들은 "[눈에] 보이는 세상(okāsa-loka), 중생 세상(satta-loka), 형성된 세상의 세 가지 세상이 있다."(DA.i.173)고 설명한다. 보이는 세상은 보통 우리가 말하는 세상으로 눈에 보이는 이 물질적인 세상 즉 중국에서 기세간(器世間)으로 이해한 것을 말한다. 『상윳따 니까야』에서 "비구들이여, 나는 세상과 다투지 않는다. 세상이 나와 다툴 뿐이다."(S22/iii.138)라고 하신 세상은 바로 중생으로서의 세상을 뜻한다. 중국에서는 중생세간(衆生世間)으로 정착이 되었다. 모든 형성된 것을 형성된 세상이라 한다. 물론 형성된 세상은 모든 유위법(saṅkhata-dhammā)을 뜻하며 오취온으로 정리된다. 그리고 오취온은 고성제의 내용이기도 하다.

본경에서 로히땃사는 기세간으로서의 세상의 끝에 도달하는 것을 말하고 있고, 위에서 인용한 복주서의 설명처럼 세존께서는 이것을 형성된 세상으로 승화시키셔서(고성제) 이를 바탕으로 집성제와 멸성제와 도성제를 드러내시고, 그래서 형성된 세상의 끝인 열반을 드러내고 계신다.

동쪽의 바다에서 서쪽의 바다를 한 걸음으로 걷는 것과 같았습니다. 세존이시여, 이러한 속력을 갖추었고 이러한 큰 걸음걸이를 가졌기에 제게는 '나는 걸어서 세상의 끝에 도달하리라.'라는 생각이 들었습니다.

세존이시여, 그 때 제겐 아직 백년의 수명이 남아있어 먹고 마시고 씹고 맛보는 것을 제외하고 대소변보는 것을 제외하고 수면과 피로를 제거하는 것을 제외하고 백년을 살면서 [계속해서] 걸었지만 세상의 끝에는 이르지 못하고 도중에 죽고 말았습니다.

[이러한 제게] 세존께서는 '도반이여, 참으로 태어남도 없고 늙음도 없고 죽음도 없고 떨어짐도 없고 생겨남도 없는 그런 세상의 끝을 발로 걸어가서 알고 보고 도달할 수 있다고 나는 말하지 않는다.'라고 이러한 금언을 말씀하시니 경이롭습니다, 세존이시여. 놀랍습니다, 세존이시여."

3. "도반이여, 참으로 태어남도 없고 늙음도 없고 죽음도 없고 떨어짐도 없고 생겨남도 없는 그런 세상의 끝을 발로 걸어가서 알고 보고 도달할 수 있다고 나는 말하지 않는다. 도반이여, 그러나 나는 세상의 끝에 도달하지 않고서는 괴로움을 끝낸다고 말하지도 않는다.[174] 도반이여, 나는 인식과 마음을 더불은 이 한 길 몸뚱이 안에서 세상과 세상의 일어남과 세상의 소멸과 세상의 소멸로 인도하는 도닦음을 천명하노라."[175]

---

174) 세상의 끝, 즉 형성된 세상의 끝, 오취온의 끝에 이르지 않고서는 결코 윤회의 괴로움의 끝이란 없다는 말씀이시다.

175) "'세상'이란 괴로움의 진리[苦諦, dukkhasacca]이다. '세상의 일어남'이란 일어남의 진리[集諦, samudayasacca]이다. '세상의 소멸'이란 소멸

4. "걸어서는 결코 세상의 끝에 도달하지 못하지만
세상의 끝에 도달하지 않고서는
괴로움에서 벗어남도 없다네.
그러므로 세상을 알고 슬기롭고
세상의 끝에 도달했고 청정범행을 완성했고
모든 악을 가라앉힌 자는 이 세상의 끝을 알아
이 세상도 저 세상도 바라지 않네."

로히땃사 경2(A4:46)

1. 그러자 세존께서는 그 밤이 지나자 비구들을 불러서 말씀하셨다.

"비구들이여, 지난밤에 신의 아들 로히땃사가 밤이 아주 깊었을 때 아주 멋진 모습을 하고 온 제따 숲을 환하게 밝히고서 나에게 다가왔다. 다가와서는 나에게 절을 올린 뒤 한 곁에 섰다. 한 곁에 서서 신의 아들 로히땃사는 나에게 이와 같이 말하였다.

의 진리[滅諦, nirodhasacca]이다. '세상의 소멸로 인도하는 도닦음'이란 도의 진리[道諦, maggasacca]이다. 세존께서는 '도반이여, 나는 이러한 네 가지 진리[四諦]를 풀이나 나무등걸 등에서 천명하지 않는다. 네 가지 근본물질[四大]로 이루어진 바로 이 몸에서 천명한다.'라고 말씀하시는 것이다."(AA.iii.88~89)
로히땃사 경은 남방불교에서 잘 알려진 경이다. 특히 이 마지막 구절은 남방의 스님들이 즐겨 인용하는 가르침이다. 부처님은 내 오온에서 세상[苦]과 그 집・멸・도를 설하셨다. 나고 죽는 인생의 근본문제를 내 안에서 그것도 바로 지금여기에서 해결하게 하려는 것이 불교의 가장 큰 관심사이기 때문이다. 그리고 이것은 중국 선불교의 관심사이기도 하다.

'세존이시여, 참으로 태어남도 없고 늙음도 없고 죽음도 없고 떨어짐도 없고 생겨남도 없는 그런 세상의 끝을 발로 걸어가서 알고 보고 도달할 수가 있습니까?'"

2. "비구들이여, 이렇게 말하자 나는 신의 아들 로히땃사에게 이렇게 말하였다.

'도반이여, 참으로 태어남도 없고 늙음도 없고 죽음도 없고 떨어짐도 없고 생겨남도 없는 그런 세상의 끝을 발로 걸어가서 알고 보고 도달할 수 있다고 나는 말하지 않는다.'

비구들이여, 이렇게 말하자 신의 아들 로히땃사는 나에게 이와 같이 말하였다.

'세존께서는 '도반이여, 참으로 태어남도 없고 늙음도 없고 죽음도 없고 떨어짐도 없고 생겨남도 없는 그런 세상의 끝을 발로 걸어가서 알고 보고 도달할 수 있다고 나는 말하지 않는다.'라고 이러한 금언을 말씀하시니 경이롭습니다, 세존이시여. 놀랍습니다, 세존이시여.

세존이시여, 저는 옛날 로히땃사라고 불리는 선인(仙人)이었습니다. 저는 보자라는 사람의 아들이었는데, 신통을 가져서 하늘을 날아다녔습니다. 세존이시여, 저는 빨라서 마치 능숙한 궁수가 훈련을 통해서 능숙하고 숙련되어 가벼운 화살로 힘들이지 않고 야자나무의 그늘을 가로질러 신속하게 쏘는 것과 같았으며, 저는 걸음걸이가 커서 동쪽의 바다에서 서쪽의 바다를 한 걸음으로 걷는 것과 같았습니다. 세존이시여, 이러한 속력을 갖추었고 이러한 큰 걸음걸이를 가졌기에 제게는 '나는 걸어서 세상의 끝에 도달하리라.'라는 생각이 들었습니다.

세존이시여, 그 때 제게 아직 백년의 수명이 남아있어 먹고 마시고 씹고 맛보는 것을 제외하고 대소변보는 것을 제외하고 수면과 피로를 제거하는 것을 제외하고 백년을 살면서 [계속해서] 걸었지만 세상의 끝에는 이르지 못하고 도중에 죽고 말았습니다.

[이러한 제게] 세존께서는 '도반이여, 참으로 태어남도 없고 늙음도 없고 죽음도 없고 떨어짐도 없고 생겨남도 없는 그런 세상의 끝을 발로 걸어가서 알고 보고 도달할 수 있다고 나는 말하지 않는다.'라고 이러한 금언을 말씀하시니 경이롭습니다, 세존이시여. 놀랍습니다, 세존이시여.'"

3. "비구들이여, 이렇게 말하자 나는 신의 아들 로히땃사에게 이렇게 말하였다.

'도반이여, 참으로 태어남도 없고 늙음도 없고 죽음도 없고 떨어짐도 없고 생겨남도 없는 그런 세상의 끝을 발로 걸어가서 알고 보고 도달할 수 있다고 나는 말하지 않는다. 도반이여, 그러나 나는 세상의 끝에 도달하지 않고서는 괴로움을 끝낸다고 말하지도 않는다. 도반이여, 나는 인식과 마음을 더불은 이 한 길 몸뚱이 안에서 세상과 세상의 일어남과 세상의 소멸과 세상의 소멸로 인도하는 도닦음을 천명하노라.'"

4. "걸어서는 결코 세상의 끝에 도달하지 못하지만
세상의 끝에 도달하지 않고서는
괴로움에서 벗어남도 없다네.
그러므로 세상을 알고 슬기롭고
세상의 끝에 도달했고 청정범행을 완성했고
모든 악을 가라앉힌 자는 이 세상의 끝을 알아
이 세상도 저 세상도 바라지 않네."

원거리 경(A4:47)

Suvidūra-sutta

1. "비구들이여, 네 가지 원거리가 있다. 무엇이 넷인가?

비구들이여, 하늘과 땅이 첫 번째 서로 먼 것이다. 비구들이여, 바다의 이쪽 기슭과 저쪽 기슭이 두 번째 서로 먼 것이다. 비구들이여, 빛나는 태양이 떠오르는 곳과 지는 곳이 세 번째 서로 먼 것이다. 비구들이여, 바른 법과 바르지 않은 법176)이 네 번째 서로 먼 것이다.

비구들이여, 이것이 네 가지 원거리이다."

2. "하늘과 땅은 서로 멀고
바다의 저쪽 언덕도 이쪽과 멀고
빛나는 태양이 떠오르는 곳도 지는 곳과 멀다고들 하네.
그러나 바른 법과 바르지 않은 법의 사이는
이보다도 더 멀다고들 하네.
현명한 자들과 함께하는 것은 일시적이지 않아서
머무는 동안 내내 그 본성을 버리지 않지만
우매한 자들과 함께하는 것은 즉시에 이지러져버리네.
그러므로 바른 법은 바르지 않은 법과 아주 멀다네."

---

176) "'바른 법(sataṁ dhamma)'이란 네 가지 마음챙김의 확립 등으로 구성된 37가지 깨달음의 편에 있는 법[菩提分法, 助道品法]을 말한다. 바르지 않은 법(asataṁ dhamma)이란 62가지 견해로 구성된 바르지 못한 법을 말한다."(AA.iii.89) 여기서 '바른'으로 옮긴 sataṁ은 √as(*to be*)의 현재분사 sant의 소유격 복수이다. 37보리분법은 본서 제1권 「하나의 모음」(A1:20:10~46)에 나타나고 있다. 62가지 견해는 『디가 니까야』 제1권 「범망경」(D1)을 참조할 것.

위사카 경(A4:48)

Visākha-sutta

1. 한때 세존께서는 사왓티에서 제따 숲의 급고독원에 머무셨다. 그때 빤짤리의 아들 위사카 존자[177]가 집회소에서 예의바르고 명확하고 흠이 없고 뜻을 바르게 전달하며 [해탈에] 관계되고[178] [갈애와 삿된 견해에] 의지하지 않는[179] 법다운 이야기로 비구들을 가르치고 격려하고 분발하게 하고 기쁘게 하였다.

그러자 세존께서는 해거름에 홀로 앉음을 풀고 일어나셔서 집회소로 가셨다. 가서는 마련된 자리에 앉으셨다. 자리에 앉아서 세존께서는 비구들을 불러서 말씀하셨다.

"비구들이여, 누가 예의바르고 명확하고 흠이 없고 뜻을 바르게

---

177) 빤짤리의 아들 위사카 존자(āyasmā Visākha Pañcāliputta)는 마가다의 지역 왕(maṇḍalika-rājā)의 아들이었다. 그의 어머니가 빤짤라 왕의 딸이었으므로 그는 빤짤리의 아들(Pañcāli-putta)이라고 불리었다.(본경에 해당하는 주석서에는 빤짤라에 사는 바라문녀의 아들(pañcāla-brāhmaṇiyā putto)이라고 표현하고 있다.) 아버지가 죽자 그는 아버지의 뒤를 이어 지역 왕이 되었는데 세존께서 그곳에 오시어 설법하는 것을 듣고 출가하였으며 세존을 따라 사왓티로 가서 거기서 아라한이 되었다고 한다.(ThgA.ii.75)

178) "'관계된(pariyāpanna)'이란 윤회를 벗어남(vivaṭṭa)과 관계된 것이다." (AA.iii.90)

179) 주석서는 "'의지하지 않고(anissita)'란 윤회(vaṭṭa)를 의지하지 않는다, 윤회를 벗어남(vivaṭṭa)을 의지하여 설한다는 뜻이다."(*Ibid*)로 설명하고 있다.
그런데 다른 문맥에서는 "갈애와 사견에 의지하는 것(taṇhā-diṭṭhi-nissaya)을 의지하지 않고"(SA.iii.29 등)로 해석하는 곳이 몇 군데 있어서 '[갈애와 사견에] 의지하지 않고'로 옮겼다.

전달하는 언변을 구족하여 [갈애와 삿된 견해에] 의지하지 않고 집회소에서 법에 관한 이야기로 비구들을 가르치고 격려하고 분발하게 하고 기쁘게 하였는가?"

"세존이시여, 빤짤리의 아들 위사카 존자가 … 비구들을 가르치고 격려하고 분발하게 하고 기쁘게 하였습니다."

그러자 세존께서는 빤짤리의 아들 위사카 존자에게 이렇게 말씀하셨다.

"위사카여, 장하고도 장하구나. 위사카여, 그대가 … 비구들을 가르치고 격려하고 분발하게 하고 기쁘게 하였다니 참으로 장하구나."

2. "현자가 어리석은 자들 가운데 섞여있을 때
말을 하지 않으면 사람들은 그를 알지 못한다.
말을 하더라도 불사(不死)의 길을 설할 때
사람들은 그를 알게 된다.
법을 설하고 밝혀라.
선인들의 깃발[180]을 드날려라.
선인들은 잘 설하신 [법을] 깃발로 삼나니
법이야말로 선인들의 깃발이기 때문이니라."

---

180) "선인들이란 부처님 등 성자들을 뜻하고, 선인들의 깃발은 아홉 가지 출세간법들을 뜻한다."(AA.iii.90) 아홉 가지 출세간법은 예류도와 예류과부터 아라한도와 아라한과까지의 8가지와 열반을 말한다.

전도(顚倒) 경(A4:49)

Vipallāsa-sutta

1. "비구들이여, 네 가지 인식의 전도, 마음의 전도, 견해의 전도가 있다. 무엇이 넷인가?

비구들이여, 무상에 대해서 항상하다는 인식의 전도, 마음의 전도, 견해의 전도가 있다. 비구들이여, 괴로움에 대해서 행복이라는181) 인식의 전도, 마음의 전도, 견해의 전도가 있다. 비구들이여, 무아에 대해서 자아라는 인식의 전도, 마음의 전도, 견해의 전도가 있다. 비구들이여, 부정한 것에 대해서 깨끗하다는 인식의 전도, 마음의 전도, 견해의 전도가 있다.

비구들이여, 이러한 네 가지 인식의 전도, 마음의 전도, 견해의 전도가 있다."

2. "비구들이여, 네 가지 바른 인식, 바른 마음, 바른 견해가 있다. 무엇이 넷인가?

비구들이여, 무상에 대해서 무상이라는 바른 인식, 바른 마음, 바른 견해가 있다. 비구들이여, 괴로움에 대해서 괴로움이라는 바른 인

---

181) PTS본에는 adukkhe bhikkhave dukkhan ti(비구들이여, 괴로움이 아닌 것에 대해서 괴로움이라고)로 나타나지만 뜻이 통하지 않는다. 육차결집본에는 dukkhe bhikkhave sukhan ti로 나타나고 있는데 이를 따라서 옮겼다. 그리고 아래 §3의 게송에서도 '괴로움에 대해서 행복이라는 인식'이라고 나타나고 있다.

『청정도론』에서도 버려야 할 법들 18가지 가운데 여섯 번째로 전도(顚倒)를 들고 있는데 "무상하고, 괴로움이고, 무아고, 부정한 대상에 대해서 영원하고, 행복하고, 자아고, 깨끗하다고 여기면서 일어나기 때문에 전도라 한다. 인식의 전도, 마음의 전도, 견해의 전도의 세 가지가 있다."(Vis.XXII.53)라고 설명하고 있다.

식, 바른 마음, 바른 견해가 있다. 비구들이여, 무아에 대해서 무아라는 바른 인식, 바른 마음, 바른 견해가 있다. 비구들이여, 부정한 것에 대해서 부정하다는 바른 인식, 바른 마음, 바른 견해가 있다.

비구들이여, 이러한 네 가지 바른 인식, 바른 마음, 바른 견해가 있다."

3. "삿된 견해에 빠지고 마음이 혼란하고
인식이 전도된 중생들은
무상에 대해 항상하다고
괴로움에 대해 행복이라고
무아에 대해 자아라고
부정한 것에 대해 깨끗하다고 인식한다.
그들은 마라의 밧줄에 걸려서
속박으로부터 벗어나지 못하며
태어남과 죽음으로 치달리면서 윤회를 거듭한다.
광명이신 부처님들 세상에 출현하면
그들에게 괴로움을 가라앉히도록 하는 이 법을 밝히시니
통찰지를 가진 자들은 그분들의 [가르침을] 듣고
자신의 마음을 회복한다.
무상을 무상이라고 괴로움을 괴로움이라고
무아를 무아라고 부정한 것을 부정하다고 보나니
바른 견해로 [공부]지어 모든 괴로움 제거하도다."

오염원 경(A4:50)

Upakkilesa-sutta

1. "비구들이여, 네 가지 달과 태양의 오염원이 있나니 이들 오염원에 의해서 오염된 달과 태양은 찬란하지도 않고 빛나지도 않고 광휘롭지도 않다. 무엇이 넷인가?

비구들이여, 구름은 … 안개는 … 연기와 먼지는 … 라후(일식과 월식)는 달과 태양의 오염원이니 이러한 오염원에 의해서 오염된 달과 태양은 찬란하지도 않고 빛나지도 않고 광휘롭지도 않다.

비구들이여, 이것이 네 가지 달과 태양의 오염원이니 이들 오염원에 의해서 오염되면 달과 태양은 찬란하지도 않고 빛나지도 않고 광휘롭지도 않다."

2. "비구들이여, 그와 같이 네 가지 사문·바라문들의 오염원이 있나니 이들 오염원에 의해서 오염되면 사문·바라문들은 뜨겁지도 않고 찬란하지도 않고 광휘롭지도 않다. 무엇이 넷인가?

비구들이여, 어떤 사문·바라문들은 곡주를 마시고 과일주를 마셔서 술 마시는 것을 멀리 여의지 않는다. 비구들이여, 이것이 첫 번째 사문·바라문들의 오염원이니 이러한 오염원에 의해서 오염된 사문·바라문들은 찬란하지도 않고 빛나지도 않고 광휘롭지도 않다.

비구들이여, 어떤 사문·바라문들은 성행위를 하여 성행위를 멀리 여의지 않는다. 비구들이여, 이것이 두 번째 사문·바라문들의 오염원이니 … 광휘롭지도 않다.

비구들이여, 어떤 사문·바라문들은 금과 은을 받아서 금과 은을 받는 것을 멀리 여의지 않는다. 비구들이여, 이것이 세 번째 사문·

바라문들의 오염원이니 … 광휘롭지도 않다.

비구들이여, 어떤 사문・바라문들은 삿된 생계수단으로 생계를 유지하여 삿된 생계수단을 멀리 여의지 않는다. 비구들이여, 이것이 네 번째 사문・바라문들의 오염원이니 이러한 오염원에 의해서 오염된 사문・바라문들은 찬란하지도 않고 빛나지도 않고 광휘롭지도 않다.

비구들이여, 이것이 네 가지 사문・바라문들의 오염원이니 이들 오염원에 의해서 오염되면 사문・바라문들은 찬란하지도 않고 빛나지도 않고 광휘롭지도 않다."

3. "어떤 사문・바라문들은 탐욕과 성냄에 오염되고
무명에 가려 아름다운 모습을 즐기고
곡주와 과일주를 마시고 성행위를 즐긴다.
어떤 사문・바라문들은 어리석어
금과 은을 섭수하기도 하며
삿된 생계수단으로 생계를 유지한다.
태양의 후예인 깨달은 자
이런 것들을 오염원이라고 말하나니
이런 것들에 오염된 사문・바라문들은
찬란하지 않고 빛나지 않고
청정하지 않고 티끌이 있고 어리석으며[182)]
어두움에 뒤덮였고 갈애의 노예이고 갈애에 묶여있다.[183)]

---

182) PTS본에는 pabhā(빛, 광명)로 나타나는데 문맥과 전혀 일치하지 않는다. 그래서 육차결집본의 magā(짐승 = 어리석은 자)를 택했다. 그리고 본 게송은 율장 쭐라왁가(Vin.ii.296)에도 꼭 같이 나타나는데 거기서도 magā로 나타나고 있다.

그들은 거친 몸만 키워서 다시 태어남으로 치닫는다."

제5장 로히땃사 품이 끝났다.

다섯 번째 품에 포함된 경들의 목록은 다음과 같다.

① 삼매 ② 질문, 두 가지 ③~④ 분노
두 가지 ⑤~⑥ 로히땃사
⑦ 원거리 ⑧ 위사카
⑨ 전도 ⑩ 오염원 — 이러한 열 가지이다.

첫 번째 50개 경들의 묶음이 끝났다.

---

183) '갈애에 묶여있다.'로 옮긴 원어는 sanettikā인데 주석서는 "갈애의 밧줄(taṇhā-yotta)에 걸려있다."(AA.iii.92)로 해석하고 있다.

II. 두 번째 50개 경들의 묶음

Dutiya-paññāsaka

제6장 공덕이 넘쳐흐름 품

Puññābhisanda-vagga

공덕이 넘쳐흐름 경1(A4:51)

Puññābhisanda-sutta

1. 사왓티에서 설하셨다.

"비구들이여, 네 가지 공덕이 넘쳐흐르고 유익함이 넘쳐흐르고 행복을 가져오고 신성한 결말을 가져오고 행복을 익게 하고 천상에 태어나게 하는 것이 있다. 그것은 원하고 좋아하고 마음에 들고 이익을 주고 행복한 것이다. 무엇이 넷인가?

비구들이여, 비구가 어떤 사람이 보시한 의복을 수용하면서 헤아릴 수 없는 마음의 삼매[184]를 구족하여 머물면 그 보시자에게 헤아릴 수 없는 공덕이 넘쳐흐르고 유익함이 넘쳐흐르고 행복을 가져오고 신성한 결말을 가져오고 행복을 익게 하고 천상에 태어나게 한다. 그것은 원하고 좋아하고 마음에 들고 이익을 주고 행복한 것이다.

비구들이여, 비구가 어떤 사람이 보시한 탁발음식을 수용하면서

184) "아라한과의 삼매를 뜻한다."(AA.iii.93)

헤아릴 수 없는 마음의 삼매를 구족하여 머물면 그 보시자에게 헤아릴 수 없는 공덕이 넘쳐흐르고 유익함이 넘쳐흐르고 … 행복한 것이다.

비구들이여, 비구가 어떤 사람이 보시한 거처를 수용하면서 헤아릴 수 없는 마음의 삼매를 구족하여 머물면 그 보시자에게 헤아릴 수 없는 공덕이 넘쳐흐르고 유익함이 넘쳐흐르고 … 행복한 것이다.

비구들이여, 비구가 어떤 사람이 보시한 병구완을 위한 약품을 수용하면서 헤아릴 수 없는 마음의 삼매를 구족하여 머물면 그 보시자에게 헤아릴 수 없는 공덕이 넘쳐흐르고 유익함이 넘쳐흐르고 … 행복한 것이다.

비구들이여, 이것이 네 가지 공덕이 넘쳐흐르고 유익함이 넘쳐흐르고 행복을 가져오고 신성한 결말을 가져오고 행복을 익게 하고 천상에 태어나게 하는 것이다. 그것은 원하고 좋아하고 마음에 들고 이익을 주고 행복한 것이다."

2. "비구들이여, 이러한 네 가지 공덕이 넘쳐흐르고 유익함이 넘쳐흐름을 구족한 성스러운 제자의 공덕에 대해서 '[그에게는] 이만큼의 공덕이 넘쳐흐르고 유익함이 넘쳐흐르고 행복을 가져오고 신성한 결말을 가져오고 행복을 익게 하고 천상에 태어나게 한다. 그것은 원하고 좋아하고 마음에 들고 이익을 주고 행복한 것이다.'라고 그 양을 재는 것은 쉽지가 않다. 그러나 단지 헤아릴 수 없고 잴 수 없는 크나큰 공덕의 무더기라는 명칭이 있을 뿐이다."

3. "비구들이여, 예를 들면 큰 바다에 대해서 '몇 리터[185] 정도

185) '리터(liter)'로 옮긴 원어는 āḷhaka인데 물이나 곡식의 양을 재는 단위이다. 4 pattha가 1 āḷhaka이고 4 āḷhaka가 1 doṇa라고 한다. BDD는 1도나가 8분의 1부셸(bushel, 1부셸은 약 36리터)이라고 밝히고 있다. 그러

의 물이라거나 수백 리터 정도의 물이라거나 수천 리터 정도의 물이라거나 수십만 리터 정도의 물이다.'라고 그 물의 양을 재는 것은 쉽지가 않다. 그러나 단지 헤아릴 수 없고 잴 수 없는 크나큰 물의 무더기라는 명칭이 있을 뿐이다.

비구들이여, 그와 같이 이러한 네 가지 공덕이 넘쳐흐르고 유익함이 넘쳐흐름을 구족한 성스러운 제자의 공덕에 대해서 '[그에게는] 이만큼의 공덕이 넘쳐흐르고 유익함이 넘쳐흐르고 … 행복한 것이다.'라고 그 양을 재는 것은 쉽지가 않다. 그러나 단지 헤아릴 수 없고 잴 수 없는 크나큰 공덕의 무더기라는 명칭이 있을 뿐이다."

4. "한량없이 크나큰 바다와 크나큰 호수는
많은 두려움이 있고 여러 가지 보배가 숨겨져 있다.
마치 많은 무리의 사람들에게 도움 주는 강들이
여러 갈래로 흘러서 바다에 도달하듯
음식과 마실 것과 의복을 주고
침구와 좌구와 덮을 것을 주는 훌륭한 사람에게
공덕의 흐름은 흘러가나니
강들이 물을 품고 바다로 가는 것과 같다."

공덕이 넘쳐흐름 경2(A4:52)

1. "비구들이여, 네 가지 공덕이 넘쳐흐르고 유익함이 넘쳐흐르고 행복을 가져오고 신성한 결말을 가져오고 행복을 익게 하고 천

므로 1도나는 약 4.5리터이고 이렇게 계산하면 1알하까는 약 1리터 정도의 양이 된다. 그래서 리터로 옮겼다.

상에 태어나게 하는 것이 있다. 그것은 원하고 좋아하고 마음에 들고 이익을 주고 행복한 것이다. 무엇이 넷인가?

비구들이여, 여기 성스러운 제자는 '이런 [이유로] 그분 세존께서는 아라한[應供]이시며, 완전히 깨달은 분[正等覺]이시며, 영지와 실천이 구족한 분[明行足]이시며, 피안으로 잘 가신 분[善逝]이시며, 세간을 잘 알고 계신 분[世間解]이시며, 가장 높은 분[無上士]이시며, 사람을 잘 길들이는 분[調御丈夫]이시며, 하늘과 인간의 스승[天人師]이시며, 깨달은 분[佛]이시며, 세존(世尊)이시다.'라고 부처님께 흔들림 없는 청정한 믿음을 지닌다. 비구들이여, 이것이 첫 번째 공덕이 넘쳐흐르고 유익함이 넘쳐흐르고 … 행복한 것이다.

다시 비구들이여, 성스러운 제자는 '법은 세존에 의해서 잘 설해졌고, 스스로 보아 알 수 있고, 시간이 걸리지 않고, 와서 보라는 것이고, 향상으로 인도하고, 지자들이 각자 알아야 하는 것이다.'라고 법에 흔들림 없는 청정한 믿음을 지닌다. 비구들이여, 이것이 두 번째 공덕이 넘쳐흐르고 유익함이 넘쳐흐르고 … 행복한 것이다.

다시 비구들이여, 성스러운 제자는 '세존의 제자들의 승가는 잘 도를 닦고, 세존의 제자들의 승가는 바르게 도를 닦고, 세존의 제자들의 승가는 참되게 도를 닦고, 세존의 제자들의 승가는 합당하게 도를 닦으니, 곧 네 쌍의 인간들이요[四雙] 여덟 단계에 있는 사람들[八輩]이시다. 이러한 세존의 제자들의 승가는 공양받아 마땅하고, 선사받아 마땅하고, 보시받아 마땅하고, 합장받아 마땅하며, 세상의 위없는 복밭[福田]이시다.'라고 승가에 흔들림 없는 청정한 믿음을 지닌다. 비구들이여, 이것이 세 번째 공덕이 넘쳐흐르고 유익함이 넘쳐흐르고 … 행복한 것이다.

다시 비구들이여, 성스러운 제자는 성자들이 좋아하며 훼손되지 않았고 뚫어지지 않았고 오점이 없고 얼룩이 없고 벗어나게 하고 지자들이 찬탄하고 [성취한 것에] 들러붙지 않고 삼매에 도움이 되는 계를 구족한다. 비구들이여, 이것이 네 번째 공덕이 넘쳐흐르고 유익함이 넘쳐흐르고 … 행복한 것이다.

비구들이여, 이것이 네 가지 공덕이 넘쳐흐르고 유익함이 넘쳐흐르고 행복을 가져오고 신성한 결말을 가져오고 행복을 익게 하고 천상에 태어나게 하는 것이다. 그것은 원하고 좋아하고 마음에 들고 이익이 되고 행복한 것이다."[186]

2. "여래께 움직이지 않고 잘 확립된 믿음을 가지고
선하고 성자들이 좋아하고 칭송하는 계를 지니고
승가에 청정한 믿음이 있고 올곧은 자[187]를 보는 자
그는 가난하지 않다 일컬어지나니
그의 삶은 헛되지 않도다.
그러므로 슬기로운 자는 부처님들의 교법을 억념하면서
믿음과 계와 청정한 믿음과 법을 봄[188]에 몰두할지라."

---

186) 한편 『상윳따 니까야』 「사리뿟따 경」(S55:4/v.347) 등에서는 이 네 가지를 '네 가지 예류자의 구성요소(cattari sotāpattiyaṅgāni)'라고 부른다. 성자의 제일 첫 번째 단계인 예류자가 되기 위해서는 이러한 네 가지 흔들림 없는 청정한 믿음(aveccappasāda)이 있어야 한다는 말이다.

187) "번뇌 다한 아라한을 뜻한다."(AA.iii.94)

188) "각각 예류자의 믿음, 예류자의 계행, 삼보에 대한 청정한 믿음, 사성제의 법을 봄을 뜻한다."(*Ibid*)

함께 삶 경1(A4:53)

Saṁvāsa-sutta

1. 한때 세존께서는 마두라와 웨란자[189] 사이에 난 대로를 따라 걷고 계셨다. 그때 많은 장자들과 장자들의 부인들도 마두라와 웨란자 사이에 난 대로를 따라 걷고 있었다.

그때 세존께서는 길을 벗어나서 어떤 나무 아래에 [가셔서] 가부좌를 틀고 몸을 곧추세우고 전면에 마음챙김을 확립하여 앉으셨다. 장자들과 장자들의 부인들은 세존께서 어떤 나무 아래 앉으신 것을 보고 세존께 다가갔다. 가서는 세존께 절을 올린 뒤 한 곁에 앉았다. 한 곁에 앉은 장자들과 장자들의 부인들에게 세존께서는 이렇게 말씀하셨다.

2. "장자들이여, 네 가지 함께 삶이 있다. 무엇이 넷인가? 저열한 자가 저열한 여자와 함께 삶, 저열한 자가 여신과 함께 삶, 신이 저열한 여자와 함께 삶, 신이 여신과 함께 삶이다."

3. "장자들이여, 어떤 것이 저열한 자가 저열한 여자와 함께 사는 것인가?

장자들이여, 여기 남편은 생명을 죽이고, 주지 않은 것을 가지고, 삿된 음행을 하고, 거짓말을 하고, 술과 중독성 물질을 섭취하고, 계

---

189) PTS본에는 웨란지(Verañji)로 나타나고 육차결집본에는 웨란자(Verañjā)로 나타나고 DPPN도 웨란자로 적고 있다. 그리고 같은 PTS본 가운데서도 율장과 본서 제5권 「웨란자 경」(A.iv.172) 등 본경을 제외한 다른 곳에는 모두 웨란자로 나타난다. 그래서 웨란자로 표기한다. 주석서에 의하면 부처님께서는 12번째 안거를 이곳 웨란자에서 보내셨다고 한다.(AA.ii.124)

행이 나쁘고, 악한 성품을 가졌고, 인색함의 때에 사로잡힌 마음으로 재가에 머물고, 사문・바라문들에게 욕설을 하고 비방을 한다. 그의 아내도 역시 생명을 죽이고, 주지 않은 것을 가지고, 삿된 음행을 하고, 거짓말을 하고, 방일하는 근본이 되는 술과 중독성 물질을 섭취하고, 계행이 나쁘고, 악한 성품을 가졌고, 인색함의 때에 사로잡힌 마음으로 재가에 머물고, 사문・바라문들에게 욕설을 하고 비방을 한다. 장자들이여, 이것이 저열한 자가 저열한 여자와 함께 사는 것이다."

4. "장자들이여, 그러면 어떤 것이 저열한 자가 여신과 함께 사는 것인가?

장자들이여, 여기 남편은 생명을 죽이고 … 사문・바라문들에게 욕설을 하고 비방을 한다. 그러나 그의 아내는 생명을 죽이는 것을 멀리 여의었고, 주지 않은 것을 가지는 것을 멀리 여의었고, 삿된 음행을 멀리 여의었고, 거짓말하는 것을 멀리 여의었고, 방일하는 근본이 되는 술과 중독성 물질을 멀리 여의었고, 계행을 구족했고, 선한 성품을 가졌고, 인색함의 때를 여읜 마음으로 재가에 머물고, 사문・바라문들에게 욕설을 하지 않고 비방을 하지 않는다. 장자들이여, 이것이 저열한 자가 여신과 함께 사는 것이다."

5. "장자들이여, 그러면 어떤 것이 신이 저열한 여자와 함께 사는 것인가?

장자들이여, 여기 남편은 생명을 죽이는 것을 멀리 여의었고, 주지 않은 것을 가지는 것을 멀리 여의었고, 삿된 음행을 멀리 여의었고, 거짓말하는 것을 멀리 여의었고, 방일하는 근본이 되는 술과 중독성 물질을 멀리 여의었고, 계행을 구족했고, 선한 성품을 가졌고, 인색함의 때를 여읜 마음으로 재가에 머물고, 사문 · 바라문들에게 욕설을 하지 않고 비방을 하지 않는다. 그러나 그의 아내는 생명을 죽이고 … 사문 · 바라문들에게 욕설을 하고 비방을 한다. 장자들이여, 이것이 신이 저열한 여자와 함께 사는 것이다."

6. "장자들이여, 그러면 어떤 것이 신이 여신과 함께 사는 것인가?

장자들이여, 여기 남편은 생명을 죽이는 것을 멀리 여의었고 … 사문 · 바라문들에게 욕설을 하지 않고 비방을 하지 않는다. 그리고 그의 아내도 역시 생명을 죽이는 것을 멀리 여의었고 … 사문 · 바라문들에게 욕설을 하지 않고 비방을 하지 않는다. 장자들이여, 이것이 신이 여신과 함께 사는 것이다.

장자들이여, 이것이 네 가지 함께 삶이다."

7. "둘 다 계행이 나쁘고 인색하고 비방을 일삼는
그러한 남편과 아내는 함께 사는 저열한 쌍이다.
남편은 계행이 나쁘고 인색하고 비방을 하지만
아내는 계행 구족하고 구하는 자의 말뜻을 알고[190]
인색함을 건넜다.
이것은 여신이 저열한 남편과 함께 사는 것이다.
남편은 계행 구족하고 구하는 자의 말뜻을 알고
인색함 건넜지만

---

190) 원어는 vadaññū인데 보시물을 구하는 자들이 하는 말의 뜻을 안다는 뜻이라고 주석서는 설명한다.(AA.iii.95)

아내가 계행이 나쁘고 인색하고 비방을 하면
저열한 여인이 신인 남편과 함께 사는 것이다.
둘 다 믿음 있고 구하는 자의 말뜻을 알고
제어하고 법다운 삶을 사는
그러한 남편과 아내는 서로서로 사랑스런 말 나누니
그들에게 여러 가지 이익이 있고 편안함이[191] 생겨난다.
적들은 상심하게 되나니
둘 다 동등한 계행을 갖추었기 때문이다.
여기 [이 세상에서] 둘 다 법을 행하고
동등한 계행과 동등한 서계를 가지면
[다음 생에는] 신의 세상에서
감각적 욕망을 즐기면서 기쁨 누리리라."

함께 삶 경2(A4:54)[192]

1. "비구들이여, 네 가지 함께 삶이 있다. 무엇이 넷인가? 저열한 자가 저열한 여자와 함께 삶, 저열한 자가 여신과 함께 삶, 신이 저열한 여자와 함께 삶, 신이 여신과 함께 삶이다."

---

191) PTS본에는 vāsatthaṁ으로 나타나는데 문맥과 어울리지 않는다. 육차결집본과 싱할리본과 주석서에는 phāsukaṁ으로 나타나고 주석서는 이것을 "편안하게 머묾(phāsu-vihāra)"(AA.iii.95)이라고 설명하고 있어서 이를 따랐다.

192) 게송을 포함한 본경의 내용은 앞의 「함께 삶 경」1(A4:53)과 같다. 단지 앞 경은 장자들과 그들의 부인들에게 설했고 본경은 비구들에게 설한 것만이 다르다.

2. "비구들이여, 어떤 것이 저열한 자가 저열한 여자와 함께 사는 것인가?

비구들이여, 여기 남편은 생명을 죽이고, 주지 않은 것을 가지고, 삿된 음행을 하고, 거짓말을 하고, 이간질을 하고, 욕설을 하고, 잡담을 하고, 간탐하고, 악의에 찬 마음을 가졌고, 삿된 견해를 가졌다. 계행이 나쁘고, 악한 성품을 가졌고, 인색함의 때에 얽매인 마음으로 재가에 머물고, 사문 · 바라문들에게 욕설을 하고 비방을 한다. 그의 아내도 역시 생명을 죽이고, 주지 않은 것을 가지고, 삿된 음행을 하고, 거짓말을 하고, 이간질을 하고, 욕설을 하고, 잡담을 하고, 간탐하고, 악의에 찬 마음을 가졌고, 삿된 견해를 가졌다. 그는 계행이 나쁘고, 악한 성품을 가졌고, 인색함의 때에 사로잡힌 마음으로 재가에 머물고, 사문 · 바라문들에게 욕설을 하고 비방을 한다. 비구들이여, 이것이 저열한 자가 저열한 여자와 함께 사는 것이다."

3. "비구들이여, 그러면 어떤 것이 저열한 자가 여신과 함께 사는 것인가?

비구들이여, 여기 남편은 생명을 죽이고 … 사문 · 바라문들에게 욕설을 하고 비방을 한다. 그러나 그의 아내는 생명을 죽이는 것을 멀리 여의었고, 주지 않은 것을 가지는 것을 멀리 여의었고, 삿된 음행을 멀리 여의었고, 거짓말을 멀리 여의었고, 이간질을 멀리 여의었고, 욕설을 멀리 여의었고, 잡담을 멀리 여의었고, 간탐하지 않고, 악의 없는 마음을 가졌고, 바른 견해를 가졌다. 그는 계행을 구족했고, 선한 성품을 가졌고, 인색함의 때를 여읜 마음으로 재가에 머물고, 사문 · 바라문들에게 욕설을 하지 않고 비방을 하지 않는다. 비구들이여, 이것이 저열한 자가 여신과 함께 사는 것이다."

4. "비구들이여, 그러면 어떤 것이 신이 저열한 여자와 함께 사는 것인가?

비구들이여, 여기 남편은 생명을 죽이는 것을 멀리 여의었고 … 사문 · 바라문들에게 욕설을 하지 않고 비방을 하지 않는다. 그러나 그의 아내는 생명을 죽이고 … 사문 · 바라문들에게 욕설을 하고 비방을 한다. 비구들이여, 이것이 신이 저열한 여자와 함께 사는 것이다."

5. "비구들이여, 그러면 어떤 것이 신이 여신과 함께 사는 것인가?

비구들이여, 여기 남편은 생명을 죽이는 것을 멀리 여의었고 … 사문 · 바라문들에게 욕설을 하지 않고 비방을 하지 않는다. 그리고 그의 아내도 역시 생명을 죽이는 것을 멀리 여의었고 … 사문 · 바라문들에게 욕설을 하지 않고 비방을 하지 않는다. 비구들이여, 이것이 신이 여신과 함께 사는 것이다.

비구들이여, 이것이 네 가지 함께 삶이다."

6. "둘 다 계행이 나쁘고 인색하고 비방을 일삼는
그러한 남편과 아내는 함께 사는 저열한 쌍이다.
남편은 계행이 나쁘고 인색하고 비방을 하지만
아내는 계행 구족하고 구걸자의 말뜻을 알고
인색함 건넜다.
이것은 여신이 저열한 남편과 함께 사는 것이다.
남편은 계행 구족하고 구하는 자의 말뜻을 알고

인색함 건넜지만
아내가 계행이 나쁘고 인색하고 비방을 하면
저열한 여인이 신인 남편과 함께 사는 것이다.
둘 다 믿음 있고 구하는 자의 말뜻을 알고
제어하고 법다운 삶을 사는
그러한 남편과 아내는 서로서로 사랑스런 말 나누니
그들에게 여러 가지 이익이 있고 편안함이 생겨난다.
적들은 상심하게 되나니
둘 다 동등한 계행을 갖추었기 때문이다.
여기 [이 세상에서] 둘 다 법을 행하고
동등한 계행과 동등한 서계를 가지면
[다음 생에는] 신의 세상에서
감각적 욕망을 즐기면서 기쁨 누리리라."

어울리는 삶 경1(A4:55)

Samajīvī-sutta

1. 이와 같이 나는 들었다. 한때 세존께서는 박가193)에서 숨수마라기리의 베사깔라 숲에 있는 녹야원에 머무셨다. 그때 세존께서는 오전에 옷매무새를 가다듬고 발우와 가사를 수하시고 나꿀라삐따

193) 박가(Bhagga)는 종족 이름이면서 나라 이름이기도 하다. 이 나라는 꼬삼비에 예속되어 있었던 듯하며 왓지(Vajji) 공화국의 일원이었을 것이라는 설도 있다.(DPPN) 그래서 인도 중원의 16국에는 포함되지 않는다. 박가는 웨살리와 사왓티 사이에 놓여있었고 수도는 숨수마라기리(Suṁsumāra-giri, 악어산)였으며 그곳에 있는 숲이 베사깔라 숲(Bhesakalā-vana)이다. 세존께서는 이곳에서 8번째 안거를 보내셨다고 한다.

장자의 집으로 가셨다. 가셔서는 지정된 자리에 앉으셨다. 그러자 나꿀라삐따 장자와 장자의 아내 나꿀라마따[194]는 세존께 다가갔다. 가서는 세존께 절을 올린 뒤 한 곁에 앉았다. 한 곁에 앉은 나꿀라삐따 장자는 세존께 이렇게 말씀드렸다.

2. "세존이시여, 제가 어렸을 적에 어린 아내 나꿀라마따는 제게 시집을 왔습니다. 저는 그때부터 제 아내 나꿀라마따를 마음으로라도 거역한 것을 기억하지 못합니다. 그런데 어떻게 몸으로 나쁜 행실을 하였겠습니까? 세존이시여, 저희는 지금여기에서도 서로서로 보기를 원할 뿐만 아니라 내세에서도 서로서로 보기를 원합니다."

그러자 장자의 아내 나꿀라마따도 세존께 이렇게 말씀드렸다. "세존이시여, 저는 어렸을 적에 어린 나꿀라삐따 장자에게 시집을 왔습니다. 저는 그때부터 제 남편 나꿀라삐따를 마음으로라도 거역했던 것을 기억하지 못합니다. 그런데 어떻게 몸으로 나쁜 행실을 하였겠습니까? 세존이시여, 저희는 지금여기에서도 서로서로 보기를 원할

194) 나꿀라삐따(nakulapitā, 나꿀라의 아버지)와 나꿀라마따(Nakulamātā, 나꿀라의 어머니)는 박가(Bhagga)의 숨수마라기리(Suṁsumāragiri)에 살고 있었으며 세존께서 베사깔라 숲(Bhesakaḷāvana)에 오셔서 머무실 때 처음으로 세존을 찾아가 뵙고 발에 엎드려 '아들이여, 왜 이렇게 늦게 오셨습니까?'라고 하면서 좋아하였다고 한다. 그들은 500생을 부처님의 부모였고 500생은 부처님의 큰아버지와 큰어머니였고 500생은 부처님의 작은 아버지와 작은 어머니였다고 주석서는 적고 있다.(AA.iii.95)
본서 「하나의 모음」(A1:14:6-10과 7-9)에서 세존께서는 나꿀라삐따와 나꿀라마따를 두고 친근한 자(vissāsaka)들 가운데서 으뜸이라고 하시는데 이런 이유 때문이다. 세존께서는 그들에게 법을 설하셨고 그들은 예류과를 얻었다고 한다. 나꿀라삐따와 나꿀라마따에게 설하신 경들이 몇 개가 있는데 그만큼 부처님과 인연이 많았던 부부였고 본서에서 보듯이 금슬이 좋은 부부였다.

뿐만 아니라 내세에서도 서로서로 보기를 원합니다."

[그러자 세존께서는 이렇게 말씀하셨다.]

"장자들이여, 만일 그대들 둘이 지금여기에서도 서로서로 보기를 원할 뿐만 아니라 내세에서도 서로서로 보기를 원한다면 그대들은 둘 모두 동등한 믿음과 동등한 계행과 동등한 베풂과 동등한 통찰지를 가져야 한다. 그러면 그대들은 지금여기에서도 서로서로 보게 될 것이고 내세에서도 서로서로 보게 될 것이다."

3. "둘 다 믿음 있고 구하는 자의 말뜻을 알고
제어하고 법다운 삶을 사는
그러한 남편과 아내는 서로서로 사랑스런 말 나누니
그들에게 여러 가지 이익이 있고 편안함이 생겨나리라.
적들은 상심하게 되나니
둘 다 동등한 계행을 갖추었기 때문이다.
여기 [이 세상에서] 둘 다 법을 행하고
동등한 계행과 동등한 서계를 가지면
[다음 생에는] 신의 세상에서
감각적 욕망을 즐기면서 기쁨 누리리라."

어울리는 삶 경2(A4:56)

1. "비구들이여, 남편과 아내가 둘 다 지금여기에서도 서로서로 보기를 원할 뿐만 아니라 내세에서도 서로서로 보기를 원한다면 그들 둘은 동등한 믿음과 동등한 계행과 동등한 베풂과 동등한 통찰지를 가져야 한다. 그러면 그들은 지금여기에서도 서로서로 보게

될 것이고 내세에서도 서로서로 보게 될 것이다."

2. "둘 다 믿음 있고 구하는 자의 말뜻을 알고
제어하고 법다운 삶을 사는
그러한 남편과 아내는 서로서로 사랑스런 말 나누니
그들에게 여러 가지 이익이 있고 편안함이 생겨나리라.
적들은 상심하게 되나니
둘 다 동등한 계행을 갖추었기 때문이로다.
여기 [이 세상에서] 둘 다 법을 행하고
동등한 계행과 동등한 서계를 가지면
[다음 생에는] 신의 세상에서
감각적 욕망을 즐기면서 기쁨 누리리라."

숩빠와사 경(A4:57)

Suppavāsā-sutta

1. 한때 세존께서는 꼴리야[195]에서 삿자넬라라는 꼴리야들의 성읍에 머무셨다. 그때 세존께서는 오전에 옷매무새를 가다듬고 발우와 가사를 수하시고 꼴리야의 딸 숩빠와사[196]의 집으로 가셨다.

195) 꼴리야(Koḷiya/Koliya)는 로히니(Rohiṇi) 강을 사이에 두고 사꺄(Sākya, 석가족)와 인접한 공화국 체제를 유지한 나라였다. 꼴리야의 선조가 사꺄의 여인과 결혼해서 꼴리야 나라를 만들었다고 할 정도로 사꺄와는 형제국이나 다름없는 사이였다고 한다.(DPPN) 라마가마(Rāma-gāma)와 데와다하(Devadaha)가 주요 도시였으며 그 외에도 여러 곳이 초기경에 언급될 정도로 부처님과 제자들과도 인연이 많은 나라였다.

196) 숩빠와사(Suppavāsā)는 초기경에 자주 언급되는 릿차위 마할리(Liccha-vi Mahāli)의 아내였다고도 하며(Ap.494. *vs.* 28) 사꺄 청년의 아내였

가셔서는 지정된 자리에 앉으셨다. 그러자 꼴리야의 딸 숩빠와사는 세존께 맛있는 여러 음식을 손수 대접하여 드시게 했다. 세존께서 공양을 마치시고 그릇에서 손을 떼시자 꼴리야의 딸 숩빠와사는 어떤 낮은 자리를 잡아서 한 곁에 앉았다. 한 곁에 앉은 꼴리야의 딸 숩빠와사에게 세존께서는 이렇게 말씀하셨다.

2. "숩빠와사여, 음식을 보시하는 성스러운 여제자는 받는 자들에게 네 가지를 보시한다. 무엇이 넷인가?

수명을 보시하고 아름다움을 보시하고 행복을 보시하고 힘을 보시한다.

수명을 보시한 뒤 그는 천상이나 인간의 수명을 나누어 가지게[197] 된다. 아름다움을 보시한 뒤 그는 천상이나 인간의 아름다움을 나누어 가지게 된다. 행복을 보시한 뒤 그는 천상이나 인간의 행복을 나누어 가지게 된다. 힘을 보시한 뒤 그는 천상이나 인간의 힘을 나누어 가지게 된다. 숩빠와사여, 음식을 보시하는 성스러운 여제자는 받는 자들에게 이러한 네 가지를 보시한다."

3. "잘 요리되었고 깨끗하고 훌륭하고 맛있는
음식을 보시하는 여인은

다고도 한다.(AA.i.453) 꼴리야 사람인 그녀는 부처님의 가르침을 처음 듣고 바로 수다원과를 얻었다고 한다.(*Ibid*) 세존께서 본경을 숩빠와사에게 설하실 정도로 그녀는 훌륭한 보시자였다. 그래서 본서 제1권 「하나의 모음」(A1:14:7-6)에서는 뛰어난 보시를 하는(paṇīta-dāyika) 여자 신도들 가운데서 그녀가 으뜸이라고 언급되고 있다. 그녀는 시왈리 존자(A1:14:2-10 주해 참조)의 어머니이기도 하다.

197) '나누어 가짐'으로 옮긴 원어 bhāgini는 누나나 여동생의 뜻도 된다. 동음이의(同音異義)로 쓰이고 있다.

올곧음에 이르렀고 행실이 반듯하고
위대한 [아라한]들에게 공양을 올리누나.
공덕으로 공덕을 쌓고 큰 결실을 가져온다고
세상을 아는 자는 칭송하노라.
이와 같은 보시[198] 베푼 것 기억하며
만족해하는[199] 자들은
이 세상에서 편안히 편력하네.
비난받지 않는 그들은
인색함의 더러움을 뿌리까지 없애버리나니
[다음 생에는] 천상의 처소에 태어나리라."

수닷따[200] **경**(A4:58)

Sudatta-sutta

1. 그때 급고독 장자[201]가 세존께 다가갔다. 가서는 세존께 절

---

198) '보시'로 옮긴 원어는 yañña(제사)인데 주석서는 보시(dāna)라고 설명하고 있어서(AA.iii.97) 보시로 옮겼다.

199) '만족해하는'은 vedajātā인데 주석서는 '만족이 생긴(tuṭṭhi-jātā)'으로 해석하고 있어서(*Ibid*) 이렇게 옮겼다.

200) 수닷따는 급고독 장자의 원래 이름이었다.(sudatto ti'ssa nāmaṁ akaṁsu — AA.ii.384) 본서 제1권 「하나의 모음」(A1:14:6-2)에도 수닷따로 나타난다.

201) 급고독 장자(Anāthapiṇḍika gahapati)는 부처님 당시 제일의 재가신도로 우리에게 잘 알려져 있다. 본서 제1권 「하나의 모음」(A1:14:6-2)에서 보시자(dāyaka)들 가운데서 제일이라고 언급되고 있다. 그는 사왓티의 상인이었으며 무의탁자(anātha)들에게 많은 자선을 베풀었기 때문에 급고독(給孤獨, Anāthapindika, 무의탁자들에게 음식을 베푸는 자)이라는

을 올린 뒤 한 곁에 앉았다. 한 곁에 앉은 급고독 장자에게 세존께서는 이렇게 말씀하셨다.

2. "장자여, 음식을 보시하는 성스러운 제자는 받는 자들에게 네 가지를 보시한다. 무엇이 넷인가?

수명을 보시하고 아름다움을 보시하고 행복을 보시하고 힘을 보시한다. 수명을 보시한 뒤 그는 천상이나 인간의 수명을 나누어 가지게 된다. 아름다움을 보시한 뒤 그는 천상이나 인간의 아름다움을 나누어 가지게 된다. 행복을 보시한 뒤 그는 천상이나 인간의 행복을 나누어 가지게 된다. 힘을 보시한 뒤 그는 천상이나 인간의 힘을 나누어 가지게 된다.

장자여, 음식을 보시하는 성스러운 제자는 받는 자들에게 이러한 네 가지를 보시한다."

3. "잘 제어된 분들에게 음식을 보시하고
적당한 때에 손수[202] 음식을 보시하는 자
[받는 자에게] 네 가지를 주게 되나니

이름을 가지게 되었다 한다.(AA.i.208; MA.i.50)
급고독 장자가 세존을 처음 뵌 것은 세존께서 성도하신 다음 해에 그가 사업상 라자가하를 방문했을 때라고 한다.(Vin.ii.154.; SA.i.240. 등) 그래서 그는 일찍부터 세존의 신도가 되었다. 이 급고독 장자가 제따 왕자와 함께 승단에 기증한 사원의 이름이 바로 사왓티에 있는 제따 숲(祇園)의 급고독원이다. 이것은 세존 성도 후 21년째 되는 해의 일이다.

202) '손수'는 sakkacca(공경한 뒤)를 옮긴 것인데 주석서는 "공경을 표하면서 자기 손으로(sahatthā) 직접"(AA.iii.97)으로 설명하고 있어서 이렇게 옮겼다. 초기경의 여러 곳에서 부처님과 비구들을 초청해서 주인이 자기 손으로 직접 음식을 대접하는 것이 언급되고 있으며 이것은 지금도 인도에서 자기 집으로 식사 초대를 한 주인이 손님을 접대하는 기본 예절이다.

수명과 아름다움과 행복과 힘이 그것이라.
수명을 주고 힘을 베풀고 행복과 아름다움 베푸는 사람
태어나는 곳마다 긴 수명과 명성을 가지게 되리."

음식 경(A4:59)[203)]

Bhojana-sutta

1. "비구들이여, 음식을 보시하는 성스러운 제자는 받는 자들에게 네 가지를 보시한다. 무엇이 넷인가?

수명을 보시하고 아름다움을 보시하고 행복을 보시하고 힘을 보시한다. 수명을 보시한 뒤 그는 천상이나 인간의 수명을 나누어 가지게 된다. 아름다움을 보시한 뒤 그는 천상이나 인간의 아름다움을 나누어 가지게 된다. 행복을 보시한 뒤 그는 천상이나 인간의 행복을 나누어 가지게 된다. 힘을 보시한 뒤 그는 천상이나 인간의 힘을 나누어 가지게 된다. 비구들이여, 음식을 보시하는 성스러운 제자는 받는 자들에게 이러한 네 가지를 보시한다."

2. "잘 제어된 분들에게 음식을 보시하고
적당한 때에 손수 음식을 보시하는 자
[받는 자에게] 네 가지를 주게 되나니
수명과 아름다움과 행복과 힘이 그것이라.
수명을 주고 힘을 베풀고 행복과 아름다움 베푸는 사람
태어나는 곳마다 긴 수명과 명성을 가지게 되리."

---

203) 게송을 포함한 본경의 내용은 바로 앞의 경과 일치한다.

재가자에 합당함 경(A4:60)

Gihīsāmīci-sutta

1. 그때 급고독 장자가 세존께 다가갔다. 가서는 세존께 절을 올린 뒤 한 곁에 앉았다. 한 곁에 앉은 급고독 장자에게 세존께서는 이렇게 말씀하셨다.

"장자여, 네 가지 법을 구족한 성스러운 재가의 제자는 명성을 얻고 천상에 태어나는 것에 합당한 도를 닦는다. 무엇이 넷인가?

장자여, 여기 성스러운 제자는 비구승가를 잘 섬긴다. 의복으로 … 탁발음식으로 … 거처로 … 병구완을 위한 약품으로 비구승가를 잘 섬긴다. 장자여, 이러한 네 가지 법을 구족한 성스러운 재가의 제자는 명성을 얻고 천상에 태어나는 것에 합당한 도를 닦는다."

2. "현명한 재가자들은 합당한 도를 닦나니
바른 길을 가는 계행을 갖춘 자에게 의복으로 섬기고
탁발음식과 거처와 병구완을 위한 약품으로 [섬기나니]
이런 [재가자]들의 공덕 낮에도 밤에도 늘 증장하나니
경사스러운 업 지은 뒤 천상의 처소로 가누나."

제6장 공덕이 넘쳐흐름 품이 끝났다.

여섯 번째 품에 포함된 경들의 목록은 다음과 같다.

두 가지 ①~② 공덕이 넘쳐흐름, 두 가지 ③~④ 함께 삶
두 가지 ⑤~⑥ 어울리는 삶
⑦ 숩빠와사 ⑧ 수닷따 ⑨ 음식
⑩ 재가자에 합당함 — 이러한 열 가지이다.

제7장 합리적인 행위 품

Pattakamma-vagga

합리적인 행위 경(A4:61)

Pattakamma-sutta

1. 그때 급고독 장자가 세존께 다가갔다. 가서는 세존께 절을 올린 뒤 한 곁에 앉았다. 한 곁에 앉은 급고독 장자에게 세존께서는 이렇게 말씀하셨다.

2. "장자여, 네 가지 법들이 있으니 그것은 원하고 좋아하고 마음에 들지만 세상에서 얻기 어려운 것이다. 무엇이 넷인가?

'나에게 법답게 재물이 생기기를!' 이것이 첫 번째로 원하고 좋아하고 마음에 들지만 세상에서 얻기 어려운 것이다.

'법답게 재물을 얻은 뒤, 친척들과 스승들과 더불어 명성이 나에게 오기를!' 이것이 두 번째로 원하고 … 얻기 어려운 것이다.

'법답게 재물을 얻고, 친척들과 스승들과 더불어 명성을 얻은 뒤, 나는 오래 살고 긴 수명을 가지게 되기를!' 이것이 세 번째로 원하고 … 얻기 어려운 것이다.

'법답게 재물을 얻고, 친척들과 스승들과 더불어 명성을 얻고, 오래 살고 긴 수명을 가진 뒤, 죽어서 몸이 무너진 다음에는 좋은 곳[善處], 천상 세계에 태어나기를!' 이것이 네 번째로 원하고 … 얻기 어려운 것이다.

장자여, 이러한 네 가지 법들이 있으니 이것은 원하고 좋아하고 마음에 들지만 세상에서 얻기 어려운 것이다."

3. "장자여, 이처럼 원하고 좋아하고 마음에 들지만 세상에서 얻기 어려운 네 가지 법들을 얻기 위해서는 네 가지 조건이 있다. 무엇이 넷인가? 믿음을 구족하고 계를 구족하고 보시에 대해 관대함을 구족하고 통찰지를 구족하는 것이다."

4. "장자여, 그러면 어떤 것이 믿음을 구족함인가? 장자여, 여기 성스러운 제자는 여래의 깨달음에 믿음을 가진다. '이런 [이유로] 그분 세존께서는 아라한[應供]이시며, 완전히 깨달은 분[正等覺]이시며, 영지와 실천이 구족한 분[明行足]이시며, 피안으로 잘 가신 분[善逝]이시며, 세간을 잘 알고 계신 분[世間解]이시며, 가장 높은 분[無上士]이시며, 사람을 잘 길들이는 분[調御丈夫]이시며, 하늘과 인간의 스승[天人師]이시며, 깨달은 분[佛]이시며, 세존(世尊)이시다.'라고. 장자여, 이를 일러 믿음을 구족함이라 한다."

5. "장자여, 그러면 어떤 것이 계를 구족함인가? 장자여, 여기 성스러운 제자는 생명을 죽이는 것을 멀리 여의고, 주지 않은 것을 가지는 것을 멀리 여의고, 삿된 음행을 멀리 여의고, 거짓말하는 것을 멀리 여의고, 방일하는 근본이 되는 술과 중독성 물질을 멀리 여읜다. 장자여, 이를 일러 계를 구족함이라 한다."

6. "장자여, 그러면 어떤 것이 보시에 대해 관대함을 구족함인가? 장자여, 여기 성스러운 제자는 인색함의 때가 없는 마음으로 재가에 살고, 아낌없이 보시하고, 손은 깨끗하고,[204] 주는 것을 좋아하

204) 본서 제1권 「경우 경」(A3:42)의 주해를 참조할 것.

고, 다른 사람의 요구에 반드시 부응하고, 보시하고 나누어 가지는 것을 좋아한다. 장자여, 이를 일러 보시에 대해 관대함을 구족함이라 한다."

7. "장자여, 그러면 어떤 것이 통찰지를 구족함인가? 장자여, 여기 어떤 이는 욕심스러움이라는 강력한 탐욕205)에 지배된 마음으로 머물면서 하지 않아야 할 일을 하고 해야 할 일을 하지 않는 잘못을 범하게 된다. 장자여, 하지 않아야 할 일을 하고 해야 할 일을 하지 않는 잘못을 범하면 그의 명성과 행복이 흩어지게 된다. 장자여, 악의에 지배된 마음으로 … 해태와 혼침에 지배된 마음으로 … 들뜸과 후회에 지배된 마음으로 … 의심에 지배된 마음으로 머물면서 하지 않아야 할 일을 하고 해야 할 일을 하지 않는 잘못을 범하게 된다. 장자여, 하지 않아야 할 일을 하고 해야 할 일을 하지 않는 잘못을 범하면 그의 명성과 행복이 흩어진다."

8. "장자여, 이러한 성스러운 제자는 '욕심스러움이라는 강력한 탐욕이 마음의 오염원이다.'라고 알고서 탐욕인 마음의 오염원을 제거한다. '악의가 마음의 오염원이다.'라고 알고서 악의인 마음의 오염원을 제거한다. '해태와 혼침이 마음의 오염원이다.'라고 알고서 해태와 혼침인 마음의 오염원을 제거한다. '들뜸과 후회가 마음의 오염원이다.'라고 알고서 들뜸과 후회인 마음의 오염원을 제거한다. '의심

---

205) '욕심스러움이라는 강력한 탐욕'으로 옮긴 원어는 abhijjhā-visama-lobha인데 주석서에서 "욕심스러움이라 불리는(abhijjhā-saṅkhāta) 강력한 탐욕(visama-lobha)"(AA.iii.98)으로 풀이하고 있으며, 복주서에서는 visama-lobha를 강력한 탐욕(balava-lobha)으로 설명하고 있어서 이렇게 옮겼다.

이 마음의 오염원이다.'라고 알고서 의심인 마음의 오염원을 제거한다. 장자여, 성스러운 제자가 '욕심스러움이라는 강력한 탐욕이 마음의 오염원이다.'라고 알고서 탐욕인 마음의 오염원을 제거했고, '악의가 … 해태와 혼침이 … 들뜸과 후회가 … 의심이 마음의 오염원이다.'라고 알고서 악의인 마음의 오염원을 제거했고, 해태와 혼침인 마음의 오염원을 제거했고, 들뜸과 후회인 마음의 오염원을 제거했고, 의심이라는 마음의 오염원을 제거했기 때문에 이러한 성스러운 제자는 큰 통찰지를 가졌다, 광활한 통찰지를 가졌다, 분명한 시계(視界)를 가졌다, 통찰지를 구족했다고 하나니, 이를 일러 통찰지를 구족함이라 한다.

장자여, 원하고 좋아하고 마음에 들지만 세상에서 얻기 어려운 네 가지 법들을 얻기 위해서는 이러한 네 가지 조건이 있다."

9. "장자여, 이러한 성스러운 제자는 열정적인 노력으로 얻었고 팔의 힘으로 모았고 땀으로 획득했으며 법답고 법에 따라서 얻은 재물로 네 가지 일을 한다. 무엇이 넷인가?"

10. "장자여, 여기 성스러운 제자는 열정적인 노력으로 얻었고 팔의 힘으로 모았고 땀으로 획득했으며 법답고 법에 따라서 얻은 재물로 자신을 행복하게 하고 만족하게 하고 바르게 행복을 지키도록 한다. 부모를 행복하게 하고 만족하게 하고 바르게 행복을 지키도록 한다. 아들과 아내와 하인과 일꾼들을 행복하게 하고 만족하게 하고 바르게 행복을 지키도록 한다. 친구와 친척들을 행복하게 하고 만족하게 하고 바르게 행복을 지키도록 한다. 장자여, 이것이 [네 가지 가운데서] 첫 번째이니, 그가 합리적이고 알맞게 재물로써 행한 것이다."206)

11. "다시 장자여, 여기 성스러운 제자는 열정적인 노력으로 얻었고 팔의 힘으로 모았고 땀으로 획득했으며 법답고 법에 따라서 얻은 재물로 모든 재난, 즉 불과 물과 왕과 도둑과 적과 [나쁜 마음을 가진] 상속인 등의 여러 가지 재난으로부터 자신을 보호한다. 그는 자신을 안전하게 지킨다. 장자여, 이것이 두 번째이니, 그가 합리적이고 알맞게 재물로써 행한 것이다."

12. "다시 장자여, 여기 성스러운 제자는 열정적인 노력으로 얻었고 팔의 힘으로 모았고 땀으로 획득했으며 법답고 법에 따라서 얻은 재물로 다섯 가지 헌공을 하나니, 그것은 친지에게 하는 헌공, 손님에게 하는 헌공, 조상신들에게 하는 헌공,207) 왕에게 하는 헌공(세금), 신에게 하는 헌공이다. 장자여, 이것이 세 번째이니, 그가 합리적이고 알맞게 재물로써 행한 것이다."

13. "장자여, 여기 성스러운 제자는 열정적인 노력으로 얻었고 팔의 힘으로 모았고 땀으로 획득했으며 법답고 법에 따라서 얻은 재물로 사문·바라문들에게 정성을 다한 보시를 한다. 그러한 사문·바라문들은 교만과 방일함을 금하고 인욕과 온화함에 헌신하여 살면

---

206) '재물로서 행한 것'으로 옮긴 원어는 ṭhāna-gataṁ인데 어떤 경우나 상황에 도달함(봉착함)의 뜻으로 주로 사용되나, 여기서는 재물로써(bhogehi) 해야 할 일(kattabba-kammaṁ)을 하게 하는 그런 재물을 뜻한다고 주석서는 설명하고 있다.(AA.iii.99)

207) '조상신들에게 하는 헌공'은 pubba-peta-bali를 옮긴 것이다. 주석서는 "저 세상으로 간 친척들에게 하는 헌공"(AA.iii.100)이라고 설명하고 있다. 여기 나타나는 peta는 조상신들을 뜻하며 이것은 아울러 불교의 삼악도 가운데 하나인 아귀(peta 혹은 petāvisaya)를 뜻하기도 한다.

서 각자 자신을 길들이고 각자 자신을 제어하고 각자 자신을 완전한 열반에 들게 한다. 이러한 사문・바라문들에게 하는 보시는 고귀한 결말을 가져다주고 신성한 결말을 가져다주며 행복을 익게 하고 천상에 태어나게 한다. 장자여, 이것이 네 번째이니, 그가 합리적이고 알맞게 재물로써 행한 것이다."

14. "장자여, 이러한 성스러운 제자는 열정적인 노력으로 얻었고 팔의 힘으로 모았고 땀으로 획득했으며 법답고 법에 따라서 얻은 재물로 이러한 네 가지 일을 한다. 장자여, 누구든지 이러한 네 가지 일 이외에 다른 일로 재물을 쓰는 자를 두고 합리적이지 않고 알맞지 않게 재물을 사용했다고 한다. 장자여, 누구든지 이러한 네 가지 합리적인 행위에 의해서 재물을 쓰는 자를 두고 그가 합리적이고 알맞게 재물을 사용했다고 한다."

15. "'나는 재물을 수용하였고
나를 의지하는 자들을 부양하였고 재난을 건넜다.
높은 존재에 태어나는데 도움이 되는 보시를 하였고
다섯 가지 공물을 베풀었다.
계를 구족하고 제어되고
청정범행을 닦는 자들을 섬겼다.
현명한 재가자는 어떤 목적을 위해 재물을 원하나니
나는 그 목적을 이루었고 후회하지 않는 행을 하였네.'
인간은 이런 것을 기억하면서
성스러운 법에 굳게 서나니
여기 [이 세상에서는] 칭송을 받고
죽은 뒤에는 천상에서 기쁨 누리리.

빚 없음 경(A4:62)

Anaṇaka-sutta

1. 그때 급고독 장자가 세존께 다가갔다. 가서는 세존께 절을 올린 뒤 한 곁에 앉았다. 한 곁에 앉은 급고독 장자에게 세존께서는 이렇게 말씀하셨다.

2. "장자여, 재가자는 가끔씩 혹은 기회가 주어지면 감각적 욕망을 즐기는 바, 그 재가자가 얻어야 할 네 가지 행복이 있다. 무엇이 넷인가? 소유하는 행복, 재물을 누리는 행복, 빚 없는 행복, 비난받을 일이 없는 행복이다."

3. "장자여, 그러면 어떤 것이 소유하는 행복인가? 장자여, 여기 선남자에게 열정적인 노력으로 얻었고 팔의 힘으로 모았고 땀으로 획득했으며 법답고 법에 따라서 얻은 재물이 있다. 그는 '내게는 열정적인 노력으로 얻었고 팔의 힘으로 모았고 땀으로 획득했으며 법답고 법에 따라서 얻은 재물이 있다.'라고 행복을 얻고 기쁨을 얻는다. 장자여, 이를 일러 소유하는 행복이라 한다."

4. "장자여, 그러면 어떤 것이 재물을 누리는 행복인가? 장자여, 여기 선남자는 열정적인 노력으로 얻었고 팔의 힘으로 모았고 땀으로 획득했으며 법답고 법에 따라서 얻은 재물로 재물을 누리고 공덕을 짓는다. 그는 '나는 열정적인 노력으로 얻었고 팔의 힘으로 모았고 땀으로 획득했으며 법답고 법에 따라서 얻은 재물로 재물을 누리고 공덕을 짓는다.'라고 행복을 얻고 기쁨을 얻는다. 장자여, 이를 일러 재물을 누리는 행복이라 한다."

5. “장자여, 그러면 어떤 것이 빚 없는 행복인가? 장자여, 여기 선남자는 적건 많건 어떠한 [빚도] 가지고 있지 않다. 그는 ‘나는 적건 많건 어떠한 [빚도] 가지고 있지 않다.’라고 행복을 얻고 기쁨을 얻는다. 장자여, 이를 일러 빚 없는 행복이라 한다.”

6. “장자여, 그러면 어떤 것이 비난받을 일이 없는 행복인가? 장자여, 여기 선남자는 비난받을 일이 없는 몸의 업을 구족하고 비난받을 일이 없는 말의 업을 구족하고 비난받을 일이 없는 마음의 업을 구족하였다. 그는 ‘나는 비난받을 일이 없는 몸의 업을 구족하고 비난받을 일이 없는 말의 업을 구족하고 비난받을 일이 없는 마음의 업을 구족하였다.’라고 행복을 얻고 기쁨을 얻는다. 장자여, 이를 일러 비난받을 일이 없는 행복이라 한다.

장자여, 이것이 가끔씩 혹은 기회가 주어지면 감각적 욕망을 즐기는 재가자가 얻어야 할 네 가지 행복이다.”

7. “빚 없는 즐거움을 얻고 난 뒤에
소유하는 행복을 기억할지라.
인간은 재물의 행복을 누리면서
통찰지로써 직관한다.
슬기로운 자는 직관하면서
두 가지 부분[208]을 모두 안다.
그러나 [앞의 셋은] 비난받을 일이 없는 행복의

---

208) “‘두 가지 부분(ubho bhāge)’이란 처음의 셋이 하나의 부분(koṭṭhāsa)이고 비난받을 일이 없는 행복(anavajja-sukha)이 하나의 부분이다. 이렇게 통찰지로써 꿰뚫어 보는 자는 두 가지 부분을 아는 것이라는 뜻이다.” (AA.iii.101)

16분의 1에도 미치지 못한다."

범천 경(A4:63)

Brahma-sutta

1. "비구들이여, 아들들이 집에서 부모를 공경하는 그런 가문은 범천과 함께하는 가문이다. 아들들이 집에서 부모를 공경하는 그런 가문은 최초의 스승과 함께 사는 가문이다. 아들들이 집에서 부모를 공경하는 그런 가문은 고대의 신과 함께 사는 가문이다. 아들들이 집에서 부모를 공경하는 그런 가문은 공양받아 마땅한 자와 함께 사는 가문이다."

2. "비구들이여, 여기서 범천이라는 것은 부모를 두고 한 말이다. 비구들이여, 여기서 최초의 스승들이라는 것은 부모를 두고 한 말이다. 비구들이여, 여기서 고대의 신들이라는 것은 부모를 두고 한 말이다. 비구들이여, 여기서 공양받아 마땅하다는 것은 부모를 두고 한 말이다. 그것은 무슨 이유에서인가? 비구들이여, 부모는 참으로 자식들에게 많은 것을 하나니, 자식들을 키워주고 먹여주고 이 세상을 가르쳐주기 때문이다."

3. "부모는 범천이요 최초의 스승들이라 말해야 한다.
그분들은 공양물을 받을 만한 자이니
자식들에게 연민을 가지기 때문이다.
그러므로 현자들은 음식, 마실 것, 의복, 침상을 구비하고
문질러드리고 목욕시켜드리고 발 씻어드려
그분들께 귀의하고 존경해야 하리.

이렇게 부모를 잘 봉양하는 사람들
이생에서 현자들의 찬탄을 받고
다음 생에는 천상에서 기쁨을 누리리."[209]

지옥 경(A4:64)
Niraya-sutta

1. "비구들이여, 네 가지 법을 갖춘 자는 마치 누가 그를 데려가서 놓는 것처럼 [반드시] 지옥에 떨어진다.[210] 무엇이 넷인가? 생명을 죽이고, 주지 않은 것을 가지고, 삿된 음행을 하고, 거짓말을 하는 것이다. 비구들이여, 이러한 네 가지 법을 갖춘 자는 마치 누가 그를 데려가서 놓는 것처럼 [반드시] 지옥에 떨어진다."

2. "생명을 죽이고, 주지 않은 것을 가지고, 거짓말을 하고
남의 아내를 범하는 것을 현자들은 칭송하지 않노라."

외모 경(A4:65)
Rūpa-sutta

1. "비구들이여, 세상에는 네 부류의 사람이 있다. 무엇이 넷인가? 외모[211]를 재어보고 외모에 청정한 믿음을 가진다. 소리[212]를

209) 본서 제1권「범천과 함께 경」(A3:31) §2의 게송과 같음.

210) 본서 제1권「하나의 모음」(A1:5:3)의 주해를 참조할 것.

211) '외모'는 rūpa를 옮긴 것이다. 여기서는 눈의 대상인 형상이 본래 뜻이지만 문맥에 따라 외모로 옮겼다.

212) 소리란 사람들이 그를 칭찬하는 소리 즉 명성을 뜻한다고 복주서는 설명

재어보고 소리에 청정한 믿음을 가진다. 난행고행을 재어보고 난행고행에 청정한 믿음을 가진다. 법[213]을 재어보고 법에 청정한 믿음을 가진다. 비구들이여, 세상에는 이러한 네 부류의 사람이 있다."

2. "어떤 이는 외모로 [덕을] 재고
어떤 이는 명성에 따라가나니
욕심과 탐욕에 가려 상대를 알지 못하며.
안도 알지 못하고 밖도 보지 못하네.[214]
온통 덮개에 싸인 어리석은 자 명성에 따라 좌우되리니
안은 알지 못하고 밖만 보누나.
밖의 결실만을 보는 자도 또한 명성을 따르네.
덮개(장애)를 걷고 보는 자만이
안도 알고 밖도 보아서
명성에 따라 좌우되지 않으리."

탐하는 자 경(A4:66)

Sarāga-sutta

1. "비구들이여, 세상에는 네 부류의 사람이 있다. 무엇이 넷인가? 탐하는 자, 성내는 자, 어리석은 자, 자만하는 자이다. 비구들이여, 세상에는 이러한 네 부류의 사람이 있다."

한다.(AAṬ.ii.281)

213) 여기서 법은 계 등의 덕을 뜻한다.(*Ibid*)

214) "'안도 알지 못한다.'는 것은 그 사람의 내면에 있는 덕을 알지 못한다는 뜻이고 '밖도 보지 못한다.'는 것은 밖으로 그 사람이 수행하는 것을 보지 못한다는 뜻이다".(AA.iii.102)

2. "매혹적인 것들에 빠지고 아름다운 대상을 즐기며
어리석음에 덮인[215] 중생들 속박된 채 속박을 더하누나.
현명한 사람조차도 탐욕과 성냄과 어리석음에서 생겼고
속상함과 [미래에] 괴로움을 가져오는 해로운 업을 짓네.
무명에 에워싸이고 눈멀고 혜안이 없는 사람들은
가진 성질대로 된다는 그러한 것은 생각조차 않는구나."[216]

뱀 왕 경(A4:67)

Ahinda-sutta

1. 한때 세존께서는 사왓티에서 제따 숲의 급고독원에 머무셨다. 그 무렵에 사왓티에서 어떤 비구가 뱀에 물려 죽었다. 그러자 많은 비구들이 세존께 다가갔다. 가서는 세존께 절을 올리고 한 곁에 앉았다. 한 곁에 앉아서 비구들은 세존께 말씀드렸다.

2. "세존이시여, 여기 사왓티에서 어떤 비구가 뱀에 물려 죽었습니다."

"비구들이여, 참으로 그 비구는 네 가지 뱀 왕의 가문에 대해서 자애의 마음을 널리 펴지 않았구나. 비구들이여, 만일 그 비구가 네 가

215) PTS본에는 adhama라는 단어가 나타나지만 문맥상 뜻이 통하지 않는다. 그래서 육차결집본의 āvutā를 '덮인'으로 옮겼다.

216) "'가진 성질대로 된다(yathā dhammā tathā santā)'는 것은 욕망 등의 성질들이 머무는 대로 그런 고유성질(sabhāva)이 된다는 뜻이다. '그러한 것을 생각조차 않는구나(na tassevanti maññare)'라는 것은 '나는 이러한 상태이고 이러한 성질을 가졌구나.'라고 생각해보지 않는다는 말이다. 본경과 본 게송은 윤회(vaṭṭa)를 설하고 있다."(AA.iii.103)

지 뱀 왕의 가문에 대해서 자애의 마음을 널리 폈다면 그 비구는 뱀에 물려서 죽지 않았을 것이다. 무엇이 네 가지 뱀 왕의 가문인가?

위루빡카 뱀 왕의 가문과 에라빠타 뱀 왕의 가문과 차뱌뿟따 뱀 왕의 가문과 깐하고따마까 뱀 왕의 가문이다.217) 비구들이여, 참으로 그 비구는 이러한 네 가지 뱀 왕의 가문에 대해서 자애의 마음을 널리 펴지 않았구나. 비구들이여, 만일 그 비구가 이러한 네 가지 뱀 왕의 가문에 대해서 자애의 마음을 널리 폈다면 그 비구는 뱀에 물려서 죽지 않았을 것이다.

비구들이여, 자신을 지키고 자신을 보호하고 자신을 수호하기 위해서 이러한 네 가지 뱀 왕의 가문에 대해서 자애의 마음을 널리 펴는 것을 허락하노라."218)

---

217) 위루빡카(Virūpakkha)와 에라빠타(Erāpatha)와 차비뿟따(Chabyāputta)와 깐하고따마까(Kaṇhāgotamaka)는 본경과 율장 소품(Vin.ii.109*f*)에서는 뱀 왕의 가문(ahi-rāja-kula)으로 언급이 되고 있지만 『본생담』에서는 용왕의 가문(nāga-rāja-kula)으로 언급이 되고 있다.(Jā.ii.145) 아마 그 당시에 알려진 네 가지 대표적인 뱀의 종류였던 듯하다.

218) 호주(護呪, paritta)를 허락하신다는 뜻이다.(*Ibid*) 호주(護呪)로 옮긴 빠릿따(paritta)는 pari(주위에)+√trā(*to rescue, to protect*)에서 파생된 명사로 '보호'라는 뜻을 가졌으며 일반적으로 질병이나 악령의 해코지나 다른 여러 위험 등으로부터 보호하는 주문을 뜻한다. 그래서 호주(護呪)라 옮겨지는 술어이다.
빠릿따는 후대에 새로 만들어진 것이 아니다. 이들은 이미 5부 니까야에 나타나는 경들인데 보호의 목적으로 독송되고 있기 때문에 빠릿따라 불리는 것이다. 『밀린다왕문경』(밀린다빤하)에는 「보경」(寶經, Ratana Su-tta, Sn.222~238) 「온호주」(蘊護呪, Khandha-paritta), 「공작호주」(孔雀護呪, Mora-paritta, J.ii.33에 포함되어 있음), 「다작가 호주」(Dhajagga-paritta, S.i.218), 「아따나띠야 호주」(Āṭanāṭiya-pari-tta, D32), 「앙굴리말라 호주」(Aṅgulimāla-paritta, 앙굴리말라 경, M.ii.97을 뜻하는 듯)를 들고 있다.

3\. "위루빡카들에게 나의 자애가 있기를!
에라빠타들에게 나의 자애가 있기를!
차바뿟따들에게 나의 자애가 있기를!
깐하고따마까들에게 나의 자애가 있기를!
발 없는 자들에게 나의 자애가 있기를!
두 발가진 자들에게 나의 자애가 있기를!
네 발가진 자들에게 나의 자애가 있기를!
많은 발을 가진 자들에게 나의 자애가 있기를!
발 없는 자들이 나를 해코지하지 않기를!

그리고 상좌부에서는 우리에게 잘 알려진『숫따니빠따』「길상경」(Maṅgala Sutta, Sn.258~269)과「자애경」(Metta Sutta, Sn.143~152)도 여기에 넣고 있다.「길상경」「자애경」「앙굴리말라 경」등은 오히려 최고층(最古層)에 속하는 경들이라 할 수 있다.
빠릿따라는 술어가 처음 나타나는 곳은 율장『쭐라왁가』(Cūḷavagga)라고 하는데 여기서 세존께서는「온호주」(蘊護呪, Kandha-paritta)를 비구 개인과 비구 승가의 보호를 위해서 읊을 것을 허락하셨다고 한다.(Vin. ii.110)
지금도 남방에서는 여러 보호주들이 많이 독송되고 있는데「길상경」과「자애경」은 매일 독송되고 있으며 그 외에도 경우에 따라 여러 보호주들이 독송되고 있다. 초기경에 나타나는 이런 보호주들은 대승에서도 발전해 왔는데 우리나라에서 널리 독송되는「천수대비주」와「능엄주」는 모두 이런 보호주에 속한다 할 수 있다.
특히 본경은 탁발과 유행을 근본으로 하는 출가 비구들에게 뱀이나 파충류(물론 짐승들도 포함해서)는 조심해야 되는 대상일 뿐만 아니라 그들에 대해서 항상 자애와 연민의 마음을 가져야 한다는 것을 설하고 있다. 그래서 야생동물이 많은 곳을 유행할 때는 이러한 보호주를 항상 외우면서 자애의 마음을 방사하는 수행을 했을 것이라 여겨진다.
우리나라에서도 노스님들은 특히 뱀을 보면 '발보리심하라.'고 간절히 염원해주어야 한다고 가르치신다.

두 발가진 자들이 나를 해코지하지 않기를!
네 발가진 자들이 나를 해코지하지 않기를!
많은 발을 가진 자들이 나를 해코지하지 않기를!
모든 중생들과 모든 생명들과 모든 존재들
모두 오직 경사스러움만 보기를!
결코 악함 만나지 않기를!"

4. "부처님과 법과 승가는 무한하고
기어 다니는 뱀과 전갈과 지네와
거미와 도마뱀과 생쥐는 유한하다네.
나에게는 보호주[219]가 있고 나에게는 호주가 있으니
모든 [해로운] 존재들은 이제 [나로부터] 떠나기를!
이제 나는 세존께 귀의합니다.
일곱 분의 정등각들께 귀의합니다."

데와닷따 경(A4:68)

Devadatta-sutta

1. 한때 세존께서는 라자가하에서 독수리봉 산에 머무셨다. 그것은 데와닷따[220]가 [승가를] 떠난 지 얼마 되지 않았을 때였다. 그

219) '보호주(保護呪)'로 옮긴 원어는 rakkha이다. rakkha는 √rakṣ(*to protect*)에서 파생된 명사로 '보호'를 뜻한다. 그래서 보호주로 옮겼다. 보호주는 호주(護呪, paritta)와 동의어이다. 그래서 주석서에선 rakkha라는 술어 대신에 빠릿따(護呪, paritta)라는 술어를 사용하고 있다. 본경 §2의 주해를 참조할 것.

220) 데와닷따(Devadatta)의 일화는 율장 『쭐라왁가』(소품, Vin.ii.180~

203) 이하와 『법구경 주석서』DhpA.i.133~149에 상세하게 언급되어 있다. 이 둘을 참조하여 요약하면 다음과 같다.
데와닷따는 부처님의 외삼촌이었던 숩빠붓다의 아들이다. 데와닷따는 부처님께서 성도후에 까삘라왓투를 방문하셨을 때 밧디야(Bhaddiya), 아누룻다(Anuruddha), 아난다(Ānanda), 바구(Bhagu), 낌빌라(Kimbila)와 이발사였던 우빨리(Upāli) 등과 함께 출가하였다. 이들은 아누삐야(Anupiyā, 까삘라왓투 동쪽에 있던 성읍)에서 출가하였다고 한다.(Vin.ii.180; AA.i.108; DhpA.i.133; iv.127) 데와닷따는 출가한 다음 해에 신통을 얻었다고 하며 부처님께서 언급하신 12명의 뛰어난 장로들 가운데 그가 포함된 곳도 나타날 정도로 출중했던 것이 분명하다.(Ud.i.5. DhA.i.64*f.*) 율장(Vin.ii.189)은 사리뿟따 존자가 데와닷따를 칭송하면서 라자가하를 다녔다는 언급도 있다.
그러나 뛰어난 그도 야심에 사로잡히자 삿된 길로 들어서게 된다. 율장에 의하면 그는 부처님이 연로해지시자 부처님께 가서 교단의 지도자의 위치를 그에게 물려줄 것을 요청하고 부처님께서는 그를 꾸짖으신다.(Vin.ii.188; M.i.393) 화가 난 데와닷따는 보복하겠다고 맹세한다. 그때쯤 그는 아자따삿뚜를 선동하여 그의 아버지 빔비사라 왕을 시해하게 하고 그는 부처님을 시해할 계획을 세우게 된다. 그는 독수리봉 산의 비탈길에서 바위를 떨어뜨려 부처님 발에 피를 흘리게 하였으며 술 취한 코끼리를 내몰아 부처님을 시해하려했으나 코끼리가 부처님의 자애의 힘 때문에 유순해져서 실패로 돌아가고 만다.
이러한 소식을 들은 신도들은 그를 배척하였으며 그의 악명은 아주 높아졌다. 그러자 그는 꼬깔리까(Kokālika) 등 그를 추종하는 비구들과 함께 승가를 분열하고자 다섯 가지를 승가에 제안한다. 그것은 "① 모든 비구는 살아있는 동안 숲 속에 거주해야 한다. ② [공양청에 응하면 안 되고] 반드시 탁발로 생계를 유지해야 한다. ③ 분소의만 입어야 하고 [신도들이 주는 옷은 받으면 안 된다.] ④ 나무 아래에만 거주해야 하고 [지붕 아래에 머물면 안 된다.] ⑤ 모든 육류와 생선을 먹으면 안 된다.(yāvajīvaṁ āraññakā assu, piṇḍapātikā, paṁsukūlikā, rukkhamūlikā, maccha-maṁsaṁ na khādeyyuṁ)"는 것이다.
부처님께서는 우기철에 나무 아래서 자는 것만 제외하고 이렇게 살고자 하는 비구는 그렇게 살아도 된다고 하셨지만 이것을 승가의 규칙으로 삼는 것은 승낙하지 않으셨다. 간교한 데와닷따는 이것을 빌미로 그를 추종하는 비구들과 왓지족 출신(Vajjiputtaka) 신참 비구 500명을 데리고 승때 세존께서는 비구들을 불러서 데와닷따에 관하여 말씀하셨다.

"비구들이여, 자멸하려고 데와닷따에게 이득과 존경과 명성이 생겨났다. 비구들이여, 파멸221)하려고 데와닷따에게 이득과 존경과 명성이 생겨났다. 비구들이여, 예를 들면 파초가 열매를 맺고는 자멸하고 파초가 열매를 맺고는 파멸하는 것과 같다. 비구들이여, 그와 같이 자멸하려고 데와닷따에게 이득과 존경과 명성이 생겨났고 파멸하려고 데와닷따에게 이득과 존경과 명성이 생겨났다.

비구들이여, 예를 들면 대나무가 열매를 맺고는 자멸하고 대나무가 열매를 맺고는 파멸하는 것과 같다. 비구들이여, 그와 같이 자멸하려고 데와닷따에게 이득과 존경과 명성이 생겨났고 파멸하려고 데와닷따에게 이득과 존경과 명성이 생겨났다.

비구들이여, 예를 들면 갈대가 열매를 맺고는 자멸하고 갈대가 열매를 맺고는 파멸하는 것과 같다. 비구들이여, 그와 같이 자멸하려고 데와닷따에게 이득과 존경과 명성이 생겨났고 파멸하려고 데와닷따에게 이득과 존경과 명성이 생겨났다.

비구들이여, 예를 들면 암 노새가 수태를 하고는 자멸하고 암 노새

단을 떠나서 가야시사(Gayāsīsa)로 가버렸다.

부처님께서는 사리뿟따와 목갈라나 존자를 보내서 비구들을 다시 승가에 들어오게 하셨으며 그 소식을 들은 데와닷따는 입에서 피를 토했으며 9개월 동안 심한 병에 걸렸다고 한다. 죽음이 가까워진 것을 안 그는 세존을 만나기 위해서 들것에 실려서 사왓티의 제따와나로 떠났다. 제따와나에 도착하여 연못에서 몸을 씻으려 하는 순간에 땅이 두 쪽으로 갈라져서 그를 무간지옥(Āvīcī)으로 빨아들이고 말았다. 그는 십만 겁을 무간지옥에서 고통을 받은 뒤에 인간으로 태어나서 앗팃사라(Aṭṭhissara)라는 벽지불이 될 것이라고 한다.(DhpA.i.148)

221) '파멸'로 옮긴 원어는 parābhava(파괴, 패배)인데 주석서에서 avaḍḍhi(증장하지 못함), vināsa(파멸)로 설명하고 있다.(AA.iii.104)

가 수태를 하고는 파멸하는 것과 같다. 비구들이여, 그와 같이 자멸하려고 데와닷따에게 이득과 존경과 명성이 생겨났고 파멸하려고 데와닷따에게 이득과 존경과 명성이 생겨났다."

2. "마치 그 열매가 파초를 죽게 하고
그 열매가 대나무와 갈대도 죽게 하고
태아가 암 노새를 죽이는 것처럼
존경은 어리석은 사람을 죽게 하노라."

노력 경(A4:69)
Padhāna-sutta

1. "비구들이여, 네 가지 노력이 있다. 무엇이 넷인가? 단속의 노력, 버림의 노력, 수행의 노력, 보호의 노력이다."

2. "비구들이여, 그러면 어떤 것이 단속의 노력인가? 비구들이여, 여기 비구는 아직 일어나지 않은 나쁘고 해로운 법들은 일어나지 못하도록 하기 위해서 의욕을 일으키고 정진하고 마음을 다잡고 애를 쓴다. 비구들이여, 이를 일러 단속의 노력이라 한다."

3. "비구들이여, 그러면 어떤 것이 버림의 노력인가? 비구들이여, 여기 비구는 이미 일어난 나쁘고 해로운 법들은 제거하기 위하여 의욕을 일으키고 정진하고 마음을 다잡고 애를 쓴다. 비구들이여, 이를 일러 버림의 노력이라 한다."

4. "비구들이여, 그러면 어떤 것이 수행의 노력인가? 비구들이

여, 여기 비구는 아직 일어나지 않은 유익한 법들은 일어나도록 하기 위해서 의욕을 일으키고 정진하고 마음을 다잡고 애를 쓴다. 비구들이여, 이를 일러 수행의 노력이라 한다."

5. "비구들이여, 그러면 어떤 것이 보호의 노력인가? 비구들이여, 여기 비구는 이미 일어난 유익한 법들은 지속하게 하고 사라지지 않게 하고 증장하게 하고 충만하게 하고 닦기 위해서 의욕을 일으키고 정진하고 마음을 다잡고 애를 쓴다. 비구들이여, 이를 일러 보호의 노력이라 한다.

비구들이여, 이것이 네 가지 노력이다."[222)]

6. "단속과 버림과 수행과 보호 —
이 네 가지 노력을 태양의 후예께서 가르치셨다.
이것으로 여기 근면한 비구는 괴로움이 다함을 얻는다."

법답지 못함 경(A4:70)

Adhammika-sutta

1. "비구들이여, 왕들이 법답지 못할 때에 왕자들도 법답지 못하다. 왕자들이 법답지 못하면 바라문들과 장자들도 법답지 못하다. 바라문들과 장자들이 법답지 못하면 성읍과 지방민들도 법답지 못하다. 성읍과 지방민들이 법답지 못하면 달과 태양이 바르게 돌지 않는

---

222) 네 가지 바른 노력[四正勤, sammappadhāni] 혹은 바른 정진[正精進, sammā-vāyāma]의 내용을 각각 단속(saṁvara), 버림(pahāna), 수행(bhāvanā), 보호(anurakkhana)에 배대(配對)해서 설하신 경이다. 바른 정진을 제대로 이해하는 것은 수행의 가장 중요한 출발점이다.

다. 달과 태양이 바르게 돌지 않으면 별자리들도 바르게 돌지 않는다. 별자리들이 바르게 돌지 않으면 밤과 낮이 바르게 돌지 않는다. 밤과 낮이 바르게 돌지 않으면 한 달과 반달이 바르게 돌지 않는다. 한 달과 반달이 바르게 돌지 않으면 계절과 한해가 바르게 돌지 않는다. 계절과 한해가 바르게 돌지 않으면 바람이 비정상적으로 불고 다른 방향으로 분다. 바람이 비정상적으로 불고 다른 방향으로 불면 신들이 화를 낸다. 신들이 화를 내면 비가 순조롭게 내리지 않는다. 비가 순조롭게 내리지 않으면 곡식들이 고르게 익지 않는다. 비구들이여, 인간들은 고르게 익지 않은 곡식들을 먹게 되어 수명이 짧고 용모가 나쁘고 힘이 쇠락하고 병약하게 된다."

2. "비구들이여, 왕들이 법다울 때에 왕자들도 법답다. 왕자들이 법다우면 바라문들과 장자들도 법답다. 바라문들과 장자들이 법다우면 성읍과 지방민들도 법답다. 성읍과 지방민들이 법다우면 달과 태양이 바르게 돈다. 달과 태양이 바르게 돌면 별자리들도 바르게 돈다. 별자리들이 바르게 돌면 밤과 낮이 바르게 돈다. 밤과 낮이 바르게 돌면 한 달과 반달이 바르게 돈다. 한 달과 반달이 바르게 돌면 계절과 한해가 바르게 돈다. 계절과 한해가 바르게 돌면 바람이 정상적으로 불고 바른 방향으로 분다. 바람이 정상적으로 불고 바른 방향으로 불면 신들이 화를 내지 않는다. 신들이 화를 내지 않으면 비가 순조롭게 내린다. 비가 순조롭게 내리면 곡식들이 고르게 익는다. 비구들이여, 인간들은 고르게 익은 곡식들을 먹게 되어 수명이 길고 용모가 아름답고 힘이 있고 병이 적다."

3. "만약 우두머리 소가 잘못된 길을 가고

인도자가 잘못된 길을 갈 때
그를 따라 [강을] 건너는 소들도 모두 잘못 가게 된다.
그와 같이 인간들에 있어서도 최상이라고 알려진 자가
비법을 행한다면 나머지 백성들이야 말해서 무엇 하리.
만일 왕이 법답지 못하면 왕국 전체가 괴로워하리.[223]
만약 우두머리 소가 바른 길을 가고
인도자가 바른 길을 갈 때
그를 따라 [강을] 건너는 소들도 모두 바르게 간다.
그와 같이 인간들에 있어서도 최상이라고 알려진 자가
법을 행한다면 나머지 백성들이야 말해 무엇 하리.
만일 왕이 법다우면 왕국 전체가 행복하리."

제7장 합리적인 행위 품이 끝났다.

일곱 번째 품에 포함된 경들의 목록은 다음과 같다.

① 합리적인 행위 ② 빚 없음 ③ 범천
④ 지옥, 다섯 번째로 ⑤ 외모
⑥ 탐하는 자 ⑦ 뱀 왕 ⑧ 데와닷따
⑨ 노력 ⑩ 법답지 못함 — 이러한 열 가지이다.

---

223) 직역하면 괴로움에 잠든다(dukkhaṁ seti)이지만 주석서는 괴로워하다(dukkhitaṁ hoti)의 뜻으로 설명하고 있어(AA.iii.106) 이렇게 옮겼다.

제8장 티 없음 품

Apaṇṇaka-vagga

노력 경(A4:71)

Padhāna-sutta

"비구들이여, 네 가지 법을 구족한 비구는 티 없는 도를 닦는 자이니, 그는 번뇌들을 소멸하기 위한 원인을 충족하였다.224) 무엇이 넷인가?

비구들이여, 여기 비구는 계를 잘 지니고, 많이 배웠고 정진을 시작했고 통찰지를 가졌다.

비구들이여, 이런 네 가지 법을 구족한 비구는 티 없는 도를 닦는 자이니, 그는 번뇌들을 소멸하기 위한 원인을 충족하였다."

견해 경(A4:72)

Diṭṭhi-sutta

"비구들이여, 네 가지 법을 구족한 비구는 티 없는 도를 닦는 자이니, 그는 번뇌들을 소멸하기 위한 원인을 충족하였다. 무엇이 넷인가?

출리에 대한 사유, 악의 없음에 대한 사유, 해코지 않음에 대한 사유, 바른 견해이다.225)

---

224) '원문은 yoni cassa āraddhā hoti이다. yoni는 모태, 자궁, 근원의 뜻으로 대부분 사용되고 있으나 이 문맥에서는 원인, 이유를 나타내는 kāraṇa의 뜻으로 사용되었다고 주석서는 설명하고 있다.(AA.iii.105)

225) 바른 사유(정사유)의 정형구에 나타나는 세 가지에 바른 견해를 더하여

비구들이여, 이런 네 가지 법을 구족한 비구는 티 없는 도를 닦는 자이니, 그는 번뇌들을 소멸하기 위한 원인을 충족하였다."

참된 사람 경(A4:73)

Sappurisa-sutta

1. "비구들이여, 네 가지 법을 구족한 자는 참되지 못한 사람이라고 알아야 한다. 무엇이 넷인가?

비구들이여, 여기 참되지 못한 사람은 묻지 않았는데도 불구하고 남의 비난거리를 드러낸다. 하물며 물었을 경우는 말해 무엇 하겠는가? 그가 질문을 받기 위해 데려와져서 질문을 받을 땐 주저하지 않고 머뭇거리지 않고 빠짐없이 상세하게 남의 비난거리를 말한다. 비구들이여, 이런 존자야말로 참되지 못한 사람이라고 알아야 한다."

2. "다시 비구들이여, 참되지 못한 사람은 물었는데도 불구하고 남의 칭찬거리를 드러내지 않는다. 하물며 묻지 않았을 경우는 말해 무엇 하겠는가? 그가 질문을 받으면 주저하고 머뭇거리면서 빠트리고 상세하지 않게 [대충] 남의 칭찬거리를 말한다. 비구들이여, 이런 존자야말로 참되지 못한 사람이라고 알아야 한다."

3. "다시 비구들이여, 참되지 못한 사람은 물었는데도 불구하고 자신의 비난거리를 드러내지 않는다. 하물며 묻지 않았을 경우는 말해 무엇 하겠는가? 그가 질문을 받으면 주저하고 머뭇거리면서 빠트리고 상세하지 않게 [대충] 자신의 비난거리를 말한다. 비구들이

넷이 되었다.

여, 이런 존자야말로 참되지 못한 사람이라고 알아야 한다."

4. "다시 비구들이여, 참되지 못한 사람은 묻지 않았는데도 불구하고 자신의 칭찬거리를 드러낸다. 하물며 물었을 경우는 말해 무엇 하겠는가? 그가 질문을 받으면 주저하지 않고 머뭇거리지 않고 빠짐없이 상세하게 자신의 칭찬거리를 말한다. 비구들이여, 이런 존자야말로 참되지 못한 사람이라고 알아야 한다.

비구들이여, 이러한 네 가지 법을 구족한 자는 참되지 못한 사람이라고 알아야 한다."

5. "비구들이여, 네 가지 법을 구족한 자는 참된 사람이라고 알아야 한다. 무엇이 넷인가?

비구들이여, 여기 참된 사람은 물었는데도 불구하고 남의 비난거리를 드러내지 않는다. 하물며 묻지 않았을 경우는 말해 무엇 하겠는가? 그가 질문을 받으면 주저하고 머뭇거리면서 빠트리고 상세하지 않게 남의 비난거리를 말한다. 비구들이여, 이런 존자야말로 참된 사람이라고 알아야 한다."

6. "다시 비구들이여, 참된 사람은 묻지 않았는데도 불구하고 남의 칭찬거리를 드러낸다. 하물며 물었을 경우는 말해 무엇 하겠는가? 그가 질문을 받으면 주저하지 않고 머뭇거리지 않으면서 철저하고 상세하게 남의 칭찬거리를 말한다. 비구들이여, 이런 존자야말로 참된 사람이라고 알아야 한다."

7. "다시 비구들이여, 참된 사람은 묻지 않았는데도 불구하고 자신의 비난거리를 드러낸다. 하물며 물었을 경우는 말해 무엇 하겠

는가? 그가 질문을 받으면 주저하지 않고 머뭇거리지 않으면서 빠짐없이 상세하게 자신의 비난거리를 말한다. 비구들이여, 이런 존자야말로 참된 사람이라고 알아야 한다."

8. "다시 비구들이여, 참된 사람은 물었는데도 불구하고 자신의 칭찬거리를 드러내지 않는다. 하물며 묻지 않았을 경우는 말해 무엇 하겠는가? 그가 질문을 받으면 주저하고 머뭇거리면서 빠트리고 상세하지 않게 자신의 칭찬거리를 말한다. 비구들이여, 이런 존자야말로 참된 사람이라고 알아야 한다.

비구들이여, 이러한 네 가지 법을 구족한 자는 참된 사람이라고 알아야 한다."

며느리 경(A4:74)226)

Vadhukā-sutta

1. "비구들이여, 예를 들면 며느리가 시집을 온 바로 그날 밤이나 그날 낮 동안에는 시어머니와 시아버지와 남편과 심지어 하인이나 일꾼들에게까지 아주 강한 양심과 수치심이 생겨난다. 그러나 함께 살고 친숙한 덕분에 나중에는 시어머니와 시아버지와 남편에게 '저리 가세요. 당신들이 무엇을 알아요?'라고 말하게 된다."

2. "비구들이여, 그와 같이 여기 어떤 비구는 집을 나와 출가한 바로 그날 밤이나 그날 낮 동안에는 비구들이나 비구니들이나 청

---

226) 육차결집본과 주석서와 싱할리본과 주석서에서 본경은 앞 경에 속하는 것으로 편집되어 있다. 그러나 PTS본 품의 목록(uddāna) 등에는 분리되어 있다.

신사들이나 청신녀들이나 승원에서 일을 돕는 사미들에게까지 강한 양심과 수치심이 생겨난다. 그러나 함께 살고 친숙한 덕분에 나중에는 스승이나 은사에게까지 '저리 가세요. 당신들이 무엇을 알아요?'라고 말하게 된다.

3. "비구들이여, 그러므로 여기서 '나는 처음 시집온 며느리와 같은 마음으로 머무를 것이다.'라고 이렇게 공부지어야 한다. 비구들이여, 참으로 그대들은 이렇게 공부지어야 한다."

완성 경(A4:75)[227)]

Agga-sutta

1. "비구들이여, 네 가지 완성이 있다. 무엇이 넷인가?

계의 완성,[228)] 삼매의 완성, 통찰지의 완성, 해탈의 완성이다. 비구들이여, 이것이 네 가지 완성이다."

2. "비구들이여, 네 가지 완성이 있다. 무엇이 넷인가?

물질을 통한 완성,[229)] 느낌을 통한 완성, 인식을 통한 완성, 존재

---

227) 앞의 주해에서 언급한 판본들과 주석서들은 본경의 §1과 §2를 분리해서 각각 하나의 경으로 취급하고 있다.

228) '계의 완성'은 sīlagga를 옮긴 것이다. 주석서는 "으뜸이 되는(agga-ppatta) 최고의 계(uttamasīla)라는 뜻이다. 이러한 [설명]방법은 삼매의 완성 등에도 적용된다."(AA.iii.107)라고 설명하고 있어서 이렇게 옮겼다.

229) '물질을 통한 완성'은 rūpagga(rūpa+agga)를 옮긴 것이다. 주석서는 "물질을 명상한 뒤(sammasitvā) 아라한과를 얻는 것을 물질을 통한 완성(rūpagga)이라 한다. 이러한 [설명]방법은 느낌을 통한 완성 등에도 적용된다."(*Ibid*)

를 통한 완성[230]이다. 비구들이여, 이것이 네 가지 완성이다."

꾸시나라 경(A4:76)

Kusinārā-sutta

1. 한때 세존께서는 꾸시나라 근교에 있는 말라들의 살라 숲에 있는 한 쌍의 살라 나무[娑羅雙樹] 사이에서 머무셨는데 바로 반열반 하시기 직전이었다. 그곳에서 세존께서는 "비구들이여."라고 비구들을 부르셨다. "세존이시여."라고 비구들은 세존께 응답했다. 세존께서는 이렇게 말씀하셨다.

2. "비구들이여,[231] 어느 한 비구라도 부처나 법이나 승가나 도나 도닦음[232]에 대해서 의심이 있거나 혼란이 있으면 지금 물어

---

230) "그러나 존재를 통한 완성(bhavagga)은 자기 자신(attabhāva)에 서서 (ṭhita) 아라한됨을 얻는 것을 말한다."(*Ibid*)

231) 이하 본경의 마지막까지는 『디가 니까야』 제2권 「대반열반경」(D16) §§6.5~6.6과 같음.

232) '도'로 옮긴 원어는 magga이고 '도닦음'으로 옮긴 원어는 paṭipadā이다. paṭipadā는 prati(~에 대하여)+√pad(*to go*)에서 파생된 여성명사로서 '그것을 밟고 지나가는 것'이란 의미에서 '길, 도, 도닦음' 등을 뜻한다. paṭipadā는 일반적으로 道로 옮기는 magga와 동의어로 취급하지만 magga는 주로 출세간의 도(예류도부터 아라한도까지)와 8정도의 표제어로 쓰이는 술어이고, paṭipadā 혹은 paṭipatti(같은 어원에서 파생된 같은 뜻의 여성명사임)는 일반적인 수행의 길을 모두 다 의미하는 넓은 의미로 쓰인다.
그래서 예를 들면 사성제에서 표제어로 말할 때는 고(dukkha)·집(samudaya)·멸(nirodha)·도(magga)라 하여 도(magga)로 표현하지만 실제 내용으로 들어가면 도성제는 괴로움의 소멸로 인도하는 도닦음(dukkhanirodhagāminī paṭipadā)이 된다. 특히 중도(中道)는 majjhi-

라. 비구들이여, 그대들은 '우리의 스승은 면전에 계셨다. 그러나 우리는 세존의 면전에서 제대로 여쭈어 보지 못했다.'라고 나중에 자책하는 자가 되지 말라." 이렇게 말씀하셨지만 비구들은 침묵하고 있었다.

3. 두 번째로 … 세 번째로 세존께서는 비구들을 불러서 말씀하셨다. "비구들이여, 어느 한 비구라도 부처나 법이나 승가나 도나 도닦음에 대해서 의심이 있거나 혼란이 있으면 지금 물어라. 비구들이여, 그대들은 '우리의 스승은 면전에 계셨다. 그러나 우리는 세존의 면전에서 제대로 여쭈어 보지 못했다.'라고 나중에 자책하는 자가 되지 말라." 이렇게 말씀하셨지만 비구들은 [여전히] 침묵하고 있었다.

4. 그러자 세존께서는 다시 비구들을 불러서 말씀하셨다. "비구들이여, 만일 그대들이 스승에 대한 존경심 때문에 묻지 않는다면 도반들끼리 서로 물어보도록 하라." 이렇게 말씀하셨지만 비구들은 [여전히] 침묵하고 있었다.

5. 그러자 아난다 존자가 세존께 이렇게 말씀드렸다. "세존이시여, 참으로 경이롭습니다. 세존이시여, 참으로 놀랍습니다. 세존이시여, 이 비구 승가에는 부처님이나 법이나 승가나 도나 도닦음에 대해서 의심이 있거나 혼란이 있는 비구는 단 한명도 없다고 제게는 청

---

mā(중간) paṭipadā(도닦음)의 역어로 바로 도닦음을 뜻하며 그래서 실천적 의미가 아주 강하다. 그리고 상좌부에서 수행의 세 가지 과정으로 언급하는 교학(빠리얏띠, pariyatti, 배움) – 도닦음(빠띠빳띠, paṭipatti, 수행) – 통찰(빠띠웨다, paṭivedha, 꿰뚫음)의 두 번째도 도닦음이다. 이처럼 빠띠빠다는 실제 길을 밟고 지나간다는 실참수행의 의미가 강하므로 초기불전연구원에서는 항상 '도닦음'으로 옮기고 있다.

정한 믿음이 있습니다."

6. "아난다여, 그대는 청정한 믿음으로 말을 하는구나. 아난다여, 참으로 여기에 대해서 여래에게는 '이 비구 승가에는 부처님이나 법이나 승가나 도나 도닦음에 대해서 의심이 있거나 혼란이 있는 비구는 단 한명도 없다.'는 지혜가 있느니라. 아난다여, 이들 500명의 비구들 가운데 최하인 비구가 예류자이니[233] 그는 [악취에] 떨어지지 않는 법을 가지고 [해탈이] 확실하며 정등각으로 나아가는 자이다."

생각할 수 없음 경(A4:77)

Acintita-sutta

"비구들이여, 네 가지 생각할 수 없는 것이 있으니 그것을 생각해서는 안 된다. 그것을 생각하면 미치거나 곤혹스럽게 된다. 무엇이 넷인가?

비구들이여, 부처님들의 부처의 경지는 생각할 수 없는 것이니 그것을 생각해서는 안 된다. 생각하면 미치거나 곤혹스럽게 된다. 비구들이여, 禪을 닦는 자의 禪의 경지는 생각할 수 없는 것이니 그것을 생각해서는 안 된다. 생각하면 미치거나 곤혹스럽게 된다. 업의 과보는 생각할 수 없는 것이니 그것을 생각해서는 안 된다. 생각하면 미치거나 곤혹스럽게 된다. 세상에 대한 사색[234]은 생각할 수 없

---

233) "'최하인 자(pacchimaka)'란 덕(guṇa)이 가장 낮은 자이다. 아난다 존자를 두고 한 말이다."(DA.ii.593) 아난다 존자는 그때까지 아직 예류자의 위치에 머물고 있었기 때문이다.

234) "'세상에 대한 사색(loka-cintā)'이란 '누가 달과 태양을 만들었는가? 누가 대지와 대양을 만들었으며, 누가 중생들을 생기게 하였으며, 누가 산들

는 것이니 그것을 생각해서는 안 된다. 생각하면 미치거나 곤혹스럽게 된다.

비구들이여, 이러한 네 가지 생각할 수 없는 것이 있으니 그것을 생각해서는 안 된다. 그것을 생각하면 미치거나 곤혹스럽게 된다."

보시 경(A4:78)

Dakkhiṇā-sutta

1. "비구들이여, 네 가지 보시의 청정이 있다. 무엇이 넷인가?

비구들이여, 베푸는 자는 청정하지만 받는 자가 청정하지 않은 보시가 있다. 비구들이여, 베푸는 자는 청정하지 않지만 받는 자는 청정한 보시가 있다. 비구들이여, 베푸는 자도 청정하지 않고 받는 자도 청정하지 않은 보시가 있다. 비구들이여, 베푸는 자도 청정하고 받는 자도 청정한 보시가 있다."235)

2. "비구들이여, 그러면 어떤 것이 베푸는 자는 청정하지만 받는 자는 청정하지 않은 보시인가? 비구들이여, 여기 베푸는 자는 계행을 구족하고 선한 성품을 가졌지만 받는 자는 계행이 나쁘고 사악한 성품을 가졌다. 비구들이여, 이것이 베푸는 자는 청정하지만 받는 자는 청정하지 않은 보시이다."

3. "비구들이여, 그러면 어떤 것이 베푸는 자는 청정하지 않지만 받는 자는 청정한 보시인가? 비구들이여, 여기 베푸는 자는 계행

을 만들었으며, 누가 망고와 참깨와 야자 등을 만들었는가?'라는 이러한 세상에 대한 사색을 말한다."(AA.iii.109)

235) 본경 §1은 『디가 니까야』 제3권 「합송경」(D33) §1.11(39)와 같다.

이 나쁘고 사악한 성품을 가졌지만 받는 자는 계행을 구족하고 선한 성품을 가졌다. 비구들이여, 이것이 베푸는 자는 청정하지 않지만 받는 자는 청정한 보시이다."

4. "비구들이여, 그러면 어떤 것이 베푸는 자도 청정하지 않고 받는 자도 청정하지 않은 보시인가? 비구들이여, 여기 베푸는 자도 계행이 나쁘고 사악한 성품을 가졌고 받는 자도 계행이 나쁘고 사악한 성품을 가졌다. 비구들이여, 이것이 베푸는 자도 청정하지 않고 받는 자도 청정하지 않은 보시이다."

5. "비구들이여, 그러면 어떤 것이 베푸는 자도 청정하고 받는 자도 청정한 보시인가? 비구들이여, 여기 베푸는 자도 계행을 구족하고 선한 성품을 가졌고 받는 자도 계행을 구족하고 선한 성품을 가졌다. 비구들이여, 이것이 베푸는 자도 청정하고 받는 자도 청정한 보시이다.

비구들이여, 이것이 네 가지 보시의 청정이다."

장사 경(A4:79)

Vaṇijjā-sutta

1. 그때 사리뿟따 존자가 세존께 다가갔다. 가서는 세존께 절을 올리고 한 곁에 앉았다. 한 곁에 앉아서 사리뿟따 존자는 세존께 이렇게 말씀드렸다.

"세존이시여, 무슨 원인과 무슨 조건 때문에 여기 어떤 사람은 장사를 함에 [다른 사람이 노력하는] 그만큼 열심히 노력을 하지만 실패로 돌아갑니까? 무슨 원인과 무슨 조건 때문에 여기 어떤 사람은 장사를 함에 [다른 사람이 노력하는] 그만큼 열심히 노력을 하지만 의도한 만큼[236] 잘 되지 않습니까? 무슨 원인과 무슨 조건 때문에 여기 어떤 사람은 장사를 함에 [다른 사람이 노력하는] 그만큼 열심히 노력하면 의도한 만큼 잘 됩니까? 무슨 원인과 무슨 조건 때문에 여기 어떤 사람은 장사를 함에 [다른 사람이 노력하는] 그만큼 열심히 노력하면 의도한 것 이상으로 잘 됩니까?"

2. "사리뿟따여, 여기 어떤 사람이 사문이나 바라문에게 다가가서 '존자시여, 원하는 필수품을 말씀하십시오.'라고 공양의 약속을 한다. 그러나 그는 그 필수품을 보시하지 않는다. 만일 그가 그곳에서 죽어서 다시 이곳에 온다면 비록 그가 무슨 장사든 열심히 한다 하더라도 그것은 실패로 돌아가고 만다."

3. "사리뿟따여, 여기 어떤 사람이 사문이나 바라문에게 다가가서 '존자시여, 원하는 필수품을 말씀하십시오.'라고 공양의 약속을 한다. 그러나 그는 그 필수품을 의도한 만큼 보시하지 않는다. 만일 그가 그곳에서 죽어서 다시 이곳에 온다면 비록 그가 무슨 장사든 열심히 한다 하더라도 그것은 의도한 만큼 잘 되지 않는다."

4. "사리뿟따여, 여기 어떤 사람이 사문이나 바라문에게 다가가서 '존자시여, 원하는 필수품을 말씀하십시오.'라고 공양의 약속을 한다. 그리고 그는 그 필수품을 의도한 만큼 보시한다. 만일 그가 그곳에서 죽어서 다시 이곳에 온다면 그는 무슨 장사든 열심히 하면 의

---

236) '의도한 만큼'은 yathādhippāyā(바라는 만큼)를 옮긴 것이며 주석서는 "의향에 따라(yathājjhāsayā)"(AA.iii.110)로 설명하고 있다.

도한 만큼 잘 된다."

5. "사리뿟따여, 여기 어떤 사람이 사문이나 바라문에게 다가가서 '존자시여, 원하는 필수품을 말씀하십시오.'라고 공양의 약속을 한다. 그리고 그는 그 필수품을 의도한 것 이상으로 보시한다. 만일 그가 그곳에서 죽어서 다시 이곳에 온다면 그는 무슨 장사든 열심히 하면 의도한 것 이상으로 잘 된다.

사리뿟따여, 이러한 원인과 이러한 조건 때문에 여기 어떤 사람은 장사를 함에 [다른 사람이 노력하는] 그만큼 열심히 노력을 하지만 실패로 돌아간다. 사리뿟따여, 이러한 원인과 이러한 조건 때문에 여기 어떤 사람은 장사를 함에 [다른 사람이 노력하는] 그만큼 열심히 노력을 하지만 의도한 만큼 잘 되지 않는다. 사리뿟따여, 이러한 원인과 이러한 조건 때문에 여기 어떤 사람은 장사를 함에 [다른 사람이 노력하는] 그만큼 열심히 노력하면 의도한 만큼 잘 된다. 사리뿟따여, 이러한 원인과 이러한 조건 때문에 여기 어떤 사람은 장사를 함에 [다른 사람이 노력하는] 그만큼 열심히 노력하면 의도한 것 이상으로 잘 된다."

깜보자 경(A4:80)[237]

Kamboja-sutta

1. 한때 세존께서는 꼬삼비[238]에서 고시따 원림에 머무셨다.

237) PTS본에는 kammoja로 나타난다. 아래 §1의 두 번째 주해를 참조할 것.

238) 꼬삼비(Kosambī)는 인도 중원의 16국 가운데 하나인 왐사(Vaṁsa, Sk. Vatsa)의 수도였다.(J.iv.28; vi.236) 부처님 재세 시에는 빠란따빠(Parantapa)가 왕이었으며 그의 아들 우데나(Udena)가 대를 이었다고

그때 아난다 존자가 세존께 다가갔다. 가서는 세존께 절을 올리고 한 곁에 앉았다. 한 곁에 앉은 아난다 존자는 세존께 이렇게 말씀드렸다.

"세존이시여, 무슨 원인과 무슨 조건 때문에 여인들은 회합에 참여하지 않고 직업에 종사하지도 않고 깜보자[239]로 [재물을 모으러] 가지도 않습니까?"

"아난다여, 여인들이란 역정을 잘 낸다. 아난다여, 여인들이란 질투를 잘 낸다. 아난다여, 여인들이란 인색하다. 아난다여, 여인들이란

한다.(MA.ii.740; DhA.i.164) 주석서에 의하면 꾸숨바(Kusumba, Kusumbha) 선인이 머물던 아쉬람의 근처에 도시를 만들었다고 해서 꼬삼비(Kosambī)라고 한다.(UdA.248; SnA.300; MA.i.535) 또 다른 설명에 의하면 큰 꼬삼바 나무(Kosamba-rukkha, 님 나무)들이 도시의 주위에 많이 있다고 해서 꼬삼비라고 한다.(MA.i. 539; PsA.413)
주석서에 의하면 꼬삼비에는 세 개의 원림이 있었는데 본경에 나타나는 고시따 원림(Gositārāma)은 고시따 상인(seṭṭhi)이 만든 것이고 꾹꾸따 상인이 만든 꾹꾸따 원림(Kukkuṭārāma)과 빠와리까 상인이 기증한 빠와리까 망고 숲(Pāvārikambavana)이 있었다고 한다.(DA.i.319) 그 외에도 꼬삼비의 우데나 공원과 심사빠 숲(Siṁsapāvana)이 다른 경에 나타난다. 꼬삼비 비구들 사이에 큰 분열이 생겨서 세존께서 꼬삼비를 떠나시는 것으로 대처하신 것도 초기경에서는 잘 알려진 사건이다.(M48; Vin.i.337~357; Jā.iii.486) 꼬삼비는 야무나 강변에 위치하며 현재 인도 웃따라쁘라데쉬 주의 알라하바드(Allahabad)에서 150Km 정도 떨어진 Kosam이라는 두 마을이라고 학자들은 말한다.(DPPN)

239) PTS본에는 kammoja(kamma+oja)로 나타나는데 싱할리 본이나 육차결집본 등과 주석서에는 kamboja로 나타난다. 이 문맥에서 kamma+oja(업의 정수, 행위의 정수)는 타당하지 않아 보이고 오직 본경에서만 등장하는 단어이다. 그래서 깜보자로 옮겼다. 주석서에는 "재물(bhoga)을 벌기 위해서 깜보자 나라(Kamboja-raṭṭha)로 가지 않는다는 말이다."(AA.iii.110)라고 설명하고 있다. 아마 당시에 인도 중원에 있던 사람들은 돈을 벌기 위해 깜보자(서북인도)로 많이 갔던 듯하다. 그렇더라도 당시의 풍습으로 여인들이 돈을 벌기 위해 다른 나라로 가지 않는 것은 당연하였을 것이다. 그래서 아난다 존자는 세존께 이런 질문을 드린 것일 것이다.

통찰지가 모자란다. 아난다여, 이런 원인과 이런 조건 때문에 여인들은 회합에 참여하지 않고 직업에 종사하지도 않고 깜보자로 [재물을 모으러] 가지도 않는다."

제8장 티 없음 품이 끝났다.

여덟 번째 품에 포함된 경들의 목록은 다음과 같다.

① 노력 ② 견해 ③ 참된 사람
④ 며느리, 다섯 번째로 ⑤ 완성
⑥ 꾸시나라 ⑦ 생각할 수 없음 ⑧ 보시
⑨ 장사 ⑩ 깜보자 — 이러한 열 가지이다.

제9장 동요하지 않음 품

Macala-vagga

불살생 경(A4:81)

Pāṇātipāta-sutta

1. "비구들이여, 네 가지 법을 갖춘 자는 마치 누가 그를 데려가서 놓는 것처럼 [반드시] 지옥에 떨어진다. 무엇이 넷인가?

생명을 죽이고, 주지 않은 것을 가지고, 삿된 음행을 하고, 거짓말을 하는 것이다. 비구들이여, 이러한 네 가지 법을 갖춘 자는 마치 누가 그를 데려가서 놓는 것처럼 [반드시] 지옥에 떨어진다."240)

2. "비구들이여, 네 가지 법을 갖춘 자는 마치 누가 그를 데려가서 놓는 것처럼 [반드시] 천상에 태어난다. 무엇이 넷인가?

죽이는 것을 멀리 여의고, 주지 않은 것을 가지는 것을 멀리 여의고, 삿된 음행을 멀리 여의고, 거짓말을 멀리 여의는 것이다. 비구들이여, 이러한 네 가지 법을 갖춘 자는 마치 누가 그를 데려가서 놓는 것처럼 [반드시] 천상에 태어난다."

거짓말 경(A4:82)

Musāvāda-sutta

1. "비구들이여, 네 가지 법을 갖춘 자는 마치 누가 그를 데려

240) 본서 「지옥 경」(A4:64) §1과 같음.

가서 놓는 것처럼 [반드시] 지옥에 떨어진다. 무엇이 넷인가?

거짓말을 하고 이간질을 하고 욕설을 하고 잡담을 하는 것이다. 비구들이여, 이러한 네 가지 법을 갖춘 자는 마치 누가 그를 데려가서 놓는 것처럼 [반드시] 지옥에 떨어진다."

2. "비구들이여, 네 가지 법을 갖춘 자는 마치 누가 그를 데려가서 놓는 것처럼 [반드시] 천상에 태어난다. 무엇이 넷인가?

거짓말을 멀리 여의고, 이간질을 멀리 여의고, 욕설을 멀리 여의고, 잡담을 멀리 여의는 것이다. 비구들이여, 이러한 네 가지 법을 갖춘 자는 마치 누가 그를 데려가서 놓는 것처럼 [반드시] 천상에 태어난다."

비난 경(A4:83)

Avaṇṇa-sutta

1. "비구들이여, 네 가지 법을 갖춘 자는 마치 누가 그를 데려가서 놓는 것처럼 [반드시] 지옥에 떨어진다. 무엇이 넷인가?

잘 알지도 못하고 충분히 검증하지도 않고서 비난받을만한 자를 칭송한다. 잘 알지도 못하고 충분히 검증하지도 않고서 칭송할만한 자를 비난한다. 잘 알지도 못하고 충분히 검증하지도 않고서 청정한 믿음을 내지 않아야 할 경우에 청정한 믿음을 드러낸다. 잘 알지도 못하고 충분히 검증하지도 않고서 청정한 믿음을 내어야 할 경우에 청정한 믿음을 드러내지 않는다.

비구들이여, 이러한 네 가지 법을 갖춘 자는 마치 누가 그를 데려가서 놓는 것처럼 [반드시] 지옥에 떨어진다."

2. "비구들이여, 네 가지 법을 갖춘 자는 마치 누가 그를 데려가서 놓는 것처럼 [반드시] 천상에 태어난다. 무엇이 넷인가?

잘 알고 충분히 검증한 뒤 비난받을만한 자를 비난한다. 잘 알고 충분히 검증한 뒤 칭송할만한 자를 칭송한다. 잘 알고 충분히 검증한 뒤 청정한 믿음을 내지 않아야 할 경우에 청정한 믿음을 드러내지 않는다. 잘 알고 충분히 검증한 뒤 청정한 믿음을 내어야 할 경우에 청정한 믿음을 드러낸다.

비구들이여, 이러한 네 가지 법을 갖춘 자는 마치 누가 그를 데려가서 놓는 것처럼 [반드시] 천상에 태어난다."

분노 경(A4:84)

kodha-sutta

1. "비구들이여, 네 가지 법을 갖춘 자는 마치 누가 그를 데려가서 놓는 것처럼 [반드시] 지옥에 떨어진다. 무엇이 넷인가?

정법은 중시하지 않고 분노를 중시하는 것, 정법은 중시하지 않고 경멸을 중시하는 것, 정법은 중시하지 않고 이득을 중시하는 것, 정법은 중시하지 않고 존경을 중시하는 것이다.

비구들이여, 이러한 네 가지 법을 갖춘 자는 마치 누가 그를 데려가서 놓는 것처럼 [반드시] 지옥에 떨어진다."

2. "비구들이여, 네 가지 법을 갖춘 자는 마치 누가 그를 데려가서 놓는 것처럼 [반드시] 천상에 태어난다. 무엇이 넷인가?

정법은 중시하지만 분노를 중시하지 않는 것, 정법은 중시하지만 경멸을 중시하지 않는 것, 정법은 중시하지만 이득을 중시하지 않는 것, 정법은 중시하지만 존경을 중시하지 않는 것이다.

비구들이여, 이러한 네 가지 법을 갖춘 자는 마치 누가 그를 데려가서 놓는 것처럼 [반드시] 천상에 태어난다."

암흑 경(A4:85)[241)]

Tamo-sutta

1. "비구들이여, 세상에는 네 부류의 사람이 있다. 무엇이 넷인가?

어두운 곳에서 어두운 곳으로 가는 자,[242)] 어두운 곳에서 밝은 곳으로 가는 자, 밝은 곳에서 어두운 곳으로 가는 자, 밝은 곳에서 밝은 곳으로 가는 자이다."[243)]

2. "비구들이여, 그러면 어떻게 해서 [어떤] 사람은 어두운 곳에서 어두운 곳으로 가는가?

비구들이여, 여기 어떤 사람은 비천한 가문에 태어나나니, 천민의 가문이나 사냥꾼의 가문이나 죽세공의 가문이나 마차공의 가문이나 넝마주이 가문에 태어난다.

---

241) 『상윳따 니까야』(S3:21/i.93*f*)와 같은 내용임.

242) "'어둠에서 어둠으로 가는 자(tamo tamaparāyaṇa)'란 몸으로 짓는 나쁜 행위 등으로 어두운 자가 다시 지옥의 어둠으로 향하기(niraya-tam-ūpagamana) 때문에 어둠으로 가는 자라 한다."(AA.iii.111)
『디가 니까야 주석서』는 '어둠으로 가는 자(tamaparāyaṇa)'를 "어둠(tamo)을 저 세상의 태어날 곳으로 가진 자(tamam eva paraṁ ayanaṁ gati assāti)"(DA.iii.1025)로 해석하고 있다.

243) 본문은 『디가 니까야』 제3권 「합송경」(D33) §1.11(49)에도 나타나고 있다.

그는 가난하고 먹고 마실 것이 부족하고 생계가 곤란하다. 거친 음식이나 겨우 몸을 가리는 천조차도 아주 어렵게 얻는다. 그는 못생기고 보기 흉하고 기형이고 병약하고 눈멀고 손이 불구이고 절름발이이고 반신불수이다. 그는 음식과 마실 것과 의복과 탈것과 화환과 향과 바르는 것과 침상과 숙소와 불을 얻지 못한다.

그는 몸으로 나쁜 행위를 저지르고 말로 나쁜 행위를 저지르고 마음으로 나쁜 행위를 저지른다. 그는 몸으로 나쁜 행위를 저지르고 말로 나쁜 행위를 저지르고 마음으로 나쁜 행위를 저질러 죽어서 몸이 무너진 다음에는 처참한 곳, 불행한 곳, 파멸처, 지옥에 태어난다.

비구들이여, 이렇게 해서 이 사람은 어두운 곳에서 어두운 곳으로 간다."

3. "비구들이여, 그러면 어떻게 해서 [어떤] 사람은 어두운 곳에서 밝은 곳으로 가는가?

비구들이여, 여기 어떤 사람은 비천한 가문에 태어나나니, … 숙소와 불을 얻지 못한다.

[그러나] 그는 몸으로 좋은 행위를 하고 말로 좋은 행위를 하고 마음으로 좋은 행위를 한다. 그는 몸으로 좋은 행위를 하고 말로 좋은 행위를 하고 마음으로 좋은 행위를 하여 죽어서 몸이 무너진 다음에는 좋은 곳[善處], 천상 세계에 태어난다.

비구들이여, 이렇게 해서 이 사람은 어두운 곳에서 밝은 곳으로 간다."

4. "비구들이여, 그러면 어떻게 해서 [어떤] 사람은 밝은 곳에서 어두운 곳으로 가는가?

비구들이여, 여기 어떤 사람은 높은 가문에 태어나나니, 부유하고 많은 재물과 많은 재산과 많은 금은과 많은 재화와 수입과 많은 가산과 곡식을 가진 부유한 끄샤뜨리야 가문이나 부유한 바라문 가문이나 부유한 장자의 가문에 태어난다. 그는 멋있고 수려하고 우아하며 준수한 용모를 갖춘다. 그는 음식과 마실 것과 의복과 탈것과 화환과 향과 바르는 것과 침상과 숙소와 불을 얻는다.

[그러나] 그는 몸으로 나쁜 행위를 저지르고 말로 나쁜 행위를 저지르고 마음으로 나쁜 행위를 저지른다. 그는 몸으로 나쁜 행위를 저지르고 말로 나쁜 행위를 저지르고 마음으로 나쁜 행위를 저질러 죽어서 몸이 무너진 다음에는 처참한 곳[苦界], 불행한 곳[惡處], 파멸처, 지옥에 태어난다.

비구들이여, 이렇게 해서 이 사람은 밝은 곳에서 어두운 곳으로 간다."

5. "비구들이여, 그러면 어떻게 해서 [어떤] 사람은 밝은 곳에서 밝은 곳으로 가는가?

비구들이여, 여기 어떤 사람은 높은 가문에 태어나나니, … 숙소와 불을 얻는다.

그는 몸으로 좋은 행위를 하고 말로 좋은 행위를 하고 마음으로 좋은 행위를 한다. 그는 몸으로 좋은 행위를 하고 말로 좋은 행위를 하고 마음으로 좋은 행위를 하여 죽어서 몸이 무너진 다음에는 좋은 곳, 천상 세계에 태어난다.

비구들이여, 이렇게 해서 이 사람은 밝은 곳에서 밝은 곳으로 간다.

비구들이여, 세상에는 이러한 네 부류의 사람이 있다."

낮음 경(A4:86)

Oṇata-sutta

"비구들이여, 세상에는 네 부류의 사람이 있다. 무엇이 넷인가?

[지금도] 낮고 [미래에도] 낮은 자,244) [지금은] 낮으나 [미래에는] 높은 자, [지금은] 높으나 [미래에는] 낮은 자, [지금도] 높고 [미래에도] 높은 자이다.

비구들이여, 세상에는 이러한 네 부류의 사람이 있다."

음식 경(A4:87)245)

Anna-sutta

1. "비구들이여, 세상에는 네 부류의 사람이 있다. 무엇이 넷인가? 동요하지 않는 사문, 백련(白蓮)과 같은 사문, 홍련(紅蓮)과 같은 사문, 사문들 가운데서 가장 세련된 사문이다.246)

---

244) '[지금도] 낮고 [미래에도] 낮은 자'는 oṇatoṇata를 옮긴 것이다. 주석서는 "지금도(idāni) 낮은 자가(nīcaka) 미래에도(āyati) 역시 낮은 자가 되는 것이다."(AA.iii.112)라고 설명하고 있다. 나머지 셋도 모두 이런 방법으로 설명하고 있다. 여기서 '높은 자'로 옮긴 원어는 uṇṇata인데 주석서는 ucca(높은)로 해석하고 있다.

245) 육차결집본에는 아들 경(Putta-sutta)으로 나타난다. 그러나 음식 경이건 아들 경이건 본경의 제목으로는 썩 어울리지 않는 감이 있다. 그래서인지 우드워드는 '사문의 부류'로 옮기고 있다.

246) 『디가 니까야』 제3권 「합송경」(D33) §1.11(50)에 해당하는 주석서는 이 넷을 다음과 같이 설명하고 있다.
"'동요하지 않는 사문(samaṇamacalo)'은 samaṇa-m-acalo로 [분해된다.] 여기서 -m-은 단지 연음을 위해서 넣은 것이다. 동요하지 않는 사문은 예류자(sotāpanna)라고 알아야 한다. 예류자는 성문 앞의 기둥(inda-khīa)이 네 방향에서 불어오는 거센 바람에 흔들리지 않는 것처럼

2. "비구들이여, 그러면 어떤 사람이 동요하지 않는 사문인가? 비구들이여, 여기 비구는 도를 닦는 유학이어서 위없는 유가안은을 원하면서 머문다. 비구들이여, 예를 들면 관정(灌頂)의 대관식을 거행한[247] 끄샤뜨리야 왕의 첫째 아들은 아직 관정의식을 하지는 않았지만 동요하지 않음을 얻은 것과 같다. 비구들이여, 이와 같은 사람은 동요하지 않는 사문이다."

3. "비구들이여, 그러면 어떤 사람이 백련(白蓮)과 같은 사문인가? 비구들이여, 여기 비구는 모든 번뇌가 다하여 아무 번뇌가 없는 마음의 해탈[心解脫]과 통찰지를 통한 해탈[慧解脫]을 바로 지금여기에서 스스로 최상의 지혜로 알고 실현하고 구족하여 머문다. 그러나 여덟 가지 해탈[八解脫][248]은 몸으로 체득하여 머물지는 못한다. 비구

남들의 비난에 동요하지 않기 때문이다. 동요하지 않는 믿음을 구족했다고 해서 동요하지 않는 사문이라고 한다.
탐욕과 성냄이 엷어졌기 때문에 일래자를 '백련(白蓮)과 같은 사문(samaṇa-paduma)'이라 한다.
탐욕과 성냄이 더 이상 존재하지 않기 때문에 즉시에 꽃이 필 것이라고 해서 [불환자를] '홍련(紅蓮)과 같은 사문(samaṇa-puṇḍarīka)'이라 한다.
"아라한은 매듭(gantha)을 만드는 모든 오염원들이 존재하지 않기 때문에 사문들 가운데서 '가장 세련된 사문(samaṇa-sukhumāla)'이라고 한다."(DA.iii.1025～1026)

247) '관정의 대관식을 거행한'으로 옮긴 원어는 muddhāvasitta인데 muddhā(머리)-avasitta(ava+√sic, to anoint에서 파생된 과거분사)로 분석 된다. 문자 그대로 머리에 물을 뿌리는 관정의식을 마친 자를 뜻한다. 그래서 주석서는 "머리(muddha)에 물을 뿌린 자(avasitta), 관정의식(abhiseka)을 마친 자라는 뜻이다."(AA.iii.113)라고 설명하고 있다.

248) 경에 나타나는 '여덟 가지 해탈[八解脫, vimokkha]'의 정형구는 다음과 같다.

들이여, 이와 같은 사람은 백련과 같은 사문이다."

4. "비구들이여, 그러면 어떤 사람이 홍련(紅蓮)과 같은 사문인가? 비구들이여, 여기 비구는 모든 번뇌가 다하여 아무 번뇌가 없는 마음의 해탈[心解脫]과 통찰지를 통한 해탈[慧解脫]을 바로 지금여기에서 스스로 최상의 지혜로 알고 실현하고 구족하여 머문다. 그리고 여덟 가지 해탈을 몸으로 체득하여 머문다. 비구들이여, 이와 같은 사람은 홍련과 같은 사문이다."

5. "비구들이여, 그러면 어떤 사람이 사문들 가운데서 가장 세

"① 여기 비구는 [안으로] 색계에 속하는 [禪에 들어] [밖으로] 물질들을 본다. 이것이 첫 번째 해탈이다.
② 안으로 물질에 대한 인식이 없이 밖으로 물질들을 본다. 이것이 두 번째 해탈이다.
③ 깨끗하다고[淨] 확신한다. 이것이 세 번째 해탈이다.
④ 물질에 대한 인식(산냐)을 완전히 초월하고, 부딪힘(paṭigha)의 인식을 소멸하고, 갖가지 인식을 마음에 잡도리하지 않기 때문에 '무한한 허공'이라고 하면서 공무변처(空無邊處)를 구족하여 머문다. 이것이 네 번째 해탈이다.
⑤ 공무변처를 완전히 초월하여 '무한한 알음알이[識]'라고 하면서 식무변처(識無邊處)를 구족하여 머문다. 이것이 다섯 번째 해탈이다.
⑥ 식무변처를 완전히 초월하여 '아무 것도 없다.'라고 하면서 무소유처(無所有處)를 구족하여 머문다. 이것이 여섯 번째 해탈이다.
⑦ 무소유처를 완전히 초월하여 비상비비상처(非想非非想處)를 구족하여 머문다. 이것이 일곱 번째 해탈이다.
⑧ 일체 비상비비상처를 완전히 초월하여 상수멸(想受滅, 인식과 느낌의 그침)을 구족하여 머문다. 이것이 여덟 번째 해탈이다."(D15.35 등)
팔해탈의 각각에 대한 설명은 『디가 니까야』 제2권 「대인연경」(D15) §35의 주해에 상세하게 되어 있으므로 참조할 것. 특히 이 가운데 공무변처부터 비상비비상처까지는 『청정도론』 X장(무색의 경지) 전체를 참조하고, 상수멸은 『청정도론』 XXIII.16~52의 멸진정의 증득 편을 참조할 것.

련된 사문인가? 비구들이여, 여기 비구는 대부분의 경우 공양을 받아서 의복을 수용하고 드물게 공양을 받지 않아도 수용한다. 대부분의 경우 공양을 받아서 탁발음식을 … 거처를 … 병구완을 위한 약품을 수용하고 드물게 공양을 받지 않아도 수용한다.

그리고 그가 청정범행을 닦는 동료 수행자와 함께 머물 때 그들은 대부분의 경우 마음에 드는 몸의 행위로 그를 대하고 드물게 마음에 들지 않는 몸의 행위로 그를 대한다. 마음에 드는 말의 행위로 … 마음에 드는 마음의 행위로 그를 대한다. 드물게 마음에 들지 않는 마음의 행위로 그를 대한다.

그리고 그에게는 담즙(膽汁) 때문에 생기거나 점액(粘液) 때문에 생기거나 바람[風] 때문에 생기거나 [이 세 가지가] 겹쳐서 생기거나 계절의 변화에 의해서 생기거나 부자연스럽게 몸을 유지함에249) 의해서 생기거나 [다른 이로부터 받은] 상해(傷害)에 의해서 생기거나 업의 과보(익음)에 의해서 생기는 고통스런 느낌이 많지 않고 병이 적다.

그는 보다 높은 마음이요, 바로 지금여기에서 행복하게 머물게 하는 네 가지 선[四禪]을 원하는 대로 얻고 힘들이지 않고 얻고 어렵지 않게 얻는다.

그는 모든 번뇌가 다하여 아무 번뇌가 없는 마음의 해탈[心解脫]과 통찰지를 통한 해탈[慧解脫]을 바로 지금여기에서 스스로 최상의 지혜로 알고 실현하고 구족하여 머문다.

비구들이여, 이와 같은 사람은 사문들 가운데서 가장 세련된 사문

---

249) 너무 오래 앉아있거나 너무 오래 서있는 등, 부자연스럽게 몸을 유지한다는 뜻이라고 주석서는 설명한다.(AA.iii.114) 복주서는 자신의 평소의 행동과는 다르게 몸을 유지하는 것, 즉 너무 오래 앉아있는 것, 너무 오래 서있는 것 등이라고 부연 설명한다.(AAṬ.ii.90)

이다."

6. "비구들이여, 참으로 바르게 말하는 자들이 말하기를 사문들 가운데서 가장 세련된 사문이라고 하는 것은 바로 나를 두고 하는 말이다.

비구들이여, 나는 대부분의 경우 공양을 받아서 의복을 수용하고 드물게 공양을 받지 않아도 수용한다. 대부분의 경우 공양을 받아서 탁발음식을 … 거처를 … 병구완을 위한 약품을 수용하고 드물게 공양을 받지 않아도 수용한다.

그리고 내가 청정범행을 닦는 동료 수행자들과 함께 머물 때 그들은 대부분의 경우 마음에 드는 몸의 행위로 나를 대하고 드물게 마음에 들지 않는 몸의 행위로 나를 대한다. 마음에 드는 말의 행위로 … 마음에 드는 마음의 행위로 나를 대한다. 드물게 마음에 들지 않는 마음의 행위로 나를 대한다.

그리고 나에게는 담즙(膽汁) 때문에 생기거나 점액(粘液) 때문에 생기거나 바람[風] 때문에 생기거나 [이 세 가지가] 겹쳐서 생기거나 계절의 변화에 의해서 생기거나 부자연스럽게 몸을 유지함에 의해서 생기거나 [다른 이로부터 받은] 상해(傷害)에 의해서 생기거나 업의 과보(익음)에 의해서 생기는 고통스런 느낌이 많지 않고 병이 적다.

나는 보다 높은 마음이요, 바로 지금여기에서 행복하게 머물게 하는 네 가지 선[四禪]을 원하는 대로 얻고 힘들이지 않고 얻고 어렵지 않게 얻는다.

나는 모든 번뇌가 다하여 아무 번뇌가 없는 마음의 해탈[心解脫]과 통찰지를 통한 해탈[慧解脫]을 바로 지금여기에서 스스로 최상의 지혜로 알고 실현하고 구족하여 머문다.

비구들이여, 참으로 바르게 말하는 자들이 말하기를 사문들 가운데서 가장 세련된 사문이라고 하는 것은 바로 나를 두고 하는 말이다.

비구들이여, 세상에는 이러한 네 부류의 사람이 있다."

족쇄 경(A4:88)

Saṁyojana-sutta

1. "비구들이여, 세상에는 네 부류의 사람이 있다. 무엇이 넷인가?

동요하지 않는 사문, 백련(白蓮)과 같은 사문, 홍련(紅蓮)과 같은 사문, 사문들 가운데서 가장 세련된 사문이다.

2. "비구들이여, 그러면 어떤 사람이 동요하지 않는 사문인가? 비구들이여, 여기 비구는 세 가지 족쇄250)를 완전히 없애고 흐름에 든 자[預流者]가 되어, [악취에] 떨어지지 않는 법을 얻었고 [해탈이] 확실하며 바른 깨달음으로 나아가는 자이다. 비구들이여, 이와 같은 사람은 동요하지 않는 사문이다."

3. "비구들이여, 그러면 어떤 사람이 백련(白蓮)과 같은 사문인가? 비구들이여, 여기 비구는 세 가지 족쇄를 완전히 없애고 탐욕과 성냄과 미혹이 엷어져서 한 번만 더 돌아올 자[一來者]가 되어, 한 번만 이 세상에 와서 괴로움의 끝을 만들 것이다. 비구들이여, 이와 같은 사람은 백련과 같은 사문이다."

4. "비구들이여, 그러면 어떤 사람이 홍련(紅蓮)과 같은 사문인

---

250) 10가지 족쇄(saṁyojana)와 본경에 나타나는 세 가지 족쇄와 다섯 가지 족쇄 등에 대해서는 본서 「족쇄 경」(A4:131) §1의 주해들을 참조할 것.

가? 비구들이여, 여기 비구는 다섯 가지 낮은 단계의 족쇄를 완전히 없애고 [정거천에] 화생하여 그곳에서 완전히 열반에 들어 그 세계로부터 다시 돌아오지 않는 법을 얻었다.[不還者] 비구들이여, 이와 같은 사람은 홍련과 같은 사문이다."

5. "비구들이여, 그러면 어떤 사람이 사문들 가운데서 가장 세련된 사문인가? 비구들이여, 여기 비구는 모든 번뇌가 다하여 아무 번뇌가 없는 마음의 해탈[心解脫]과 통찰지를 통한 해탈[慧解脫]을 바로 지금여기에서 스스로 최상의 지혜로 알고 실현하고 구족하여 머문다. 비구들이여, 이와 같은 사람은 사문들 가운데서 가장 세련된 사문이다."

비구들이여, 세상에는 이러한 네 부류의 사람이 있다."

견해 경(A4:89)
Diṭṭhi-sutta

1. "비구들이여, 세상에는 네 부류의 사람이 있다. 무엇이 넷인가?

동요하지 않는 사문, 백련(白蓮)과 같은 사문, 홍련(紅蓮)과 같은 사문, 사문들 가운데서 가장 세련된 사문이다."

2. "비구들이여, 그러면 어떤 사람이 동요하지 않는 사문인가? 비구들이여, 여기 비구는 바른 견해[正見]를 가졌고, 바른 사유[正思惟]를 하고, 바른 말[正語]을 하고, 바른 행위[正業]를 하고, 바른 생계[正命]를 가졌고, 바른 정진[正精進]을 하고, 바른 마음챙김[正念]을 가졌고, 바른 삼매[正定]를 가졌다. 비구들이여, 이와 같은 사람은 동요하

지 않는 사문이다."

3. "비구들이여, 그러면 어떤 사람이 백련(白蓮)과 같은 사문인가? 비구들이여, 여기 비구는 바른 견해를 가졌고, … 바른 삼매를 가졌으며, 바른 지혜를 가졌고 바른 해탈을 가졌지만[251] 여덟 가지 해탈[八解脫]은 몸으로 체득하여 머물지 못한다. 비구들이여, 이와 같은 사람은 백련과 같은 사문이다."

4. "비구들이여, 그러면 어떤 사람이 홍련(紅蓮)과 같은 사문인가? 비구들이여, 여기 비구는 바른 견해를 가졌고, … 바른 삼매를 가졌으며, 바른 지혜를 가졌고 바른 해탈을 하였으며, 여덟 가지 해탈을 몸으로 체득하여 머문다. 비구들이여, 이와 같은 사람은 홍련과 같은 사문이다."

5. "비구들이여, 그러면 어떤 사람이 사문들 가운데서 가장 세련된 사문인가? 비구들이여, 여기 비구는 대부분의 경우 공양을 받

---

251) 위의 팔정도에다 바른 지혜와 바른 해탈을 더한 것이다. 『상윳따 니까야 주석서』는 "바른 지혜를 가진 자란 바른 반조(paccavekkhaṇa)의 [지혜를 가진] 자이고 바른 해탈을 가진 자란 벗어남(출구, niyyānika)인 과를 통한 해탈을 구족한 자이다."(SA.ii.152)라고 설명하고 있다. 반조의 지혜(paccavekkhaṇa-ñāṇa)는 『청정도론』 XXII. §19 이하와 『아비담마 길라잡이』 9장 §34의 해설을 참조할 것.

『맛지마 니까야』를 암송하는 자들은 이 열 가지는 도의 경지(magga)를 나타낸다고 주장하고 나머지 세 니까야를 암송하는 자들은 이 열 가지는 과의 경지(phala)를 나타낸다고 주장한다고 『맛지마 니까야 주석서』는 소개하고 있다.(MA.iv.135) 아무튼 이 열 가지 바른 도는 팔정도를 통해서 성자(예류부터 아라한까지)의 도나 과를 체득한 경지이다. 그래서 두 번째인 백련과 같은 사문의 경지로 이 열 가지 바른 도를 들고 있는 것이다.

아서 의복을 수용하고 드물게 공양을 받지 않아도 수용한다. … [A4:87. §6] … 그는 모든 번뇌가 다하여 아무 번뇌가 없는 마음의 해탈[心解脫]과 통찰지를 통한 해탈[慧解脫]을 바로 지금여기에서 스스로 최상의 지혜로 알고 실현하고 구족하여 머문다.

비구들이여, 참으로 바르게 말하는 자들이 말하기를 사문들 가운데서 가장 세련된 사문이라고 하는 것은 바로 나를 두고 하는 말이다.

비구들이여, 세상에는 이러한 네 부류의 사람이 있다."

무더기 경(A4:90)

Khandha-sutta

1. "비구들이여, 세상에는 네 부류의 사람이 있다. 무엇이 넷인가? 동요하지 않는 사문, 백련(白蓮)과 같은 사문, 홍련(紅蓮)과 같은 사문, 사문들 가운데서 가장 세련된 사문이다."

2. "비구들이여, 그러면 어떤 사람이 동요하지 않는 사문인가? 비구들이여, 여기 비구는 도를 닦는 유학이어서 위없는 유가안은을 원하면서 머문다. 비구들이여, 이와 같은 사람은 동요하지 않는 사문이다."

3. "비구들이여, 그러면 어떤 사람이 백련(白蓮)과 같은 사문인가? 비구들이여, 여기 비구는 [나 등으로] 취착하는 다섯 가지 무더기[五取蘊]들의 일어나고 사라짐을 관찰하며 머문다. 그는 '이것이 물질이다. 이것이 물질의 일어남이다. 이것이 물질의 사라짐이다. 이것이 느낌이다. … 이것이 인식이다. … 이것이 심리현상[行]들이다. …

이것이 알음알이다. 이것이 알음알이의 일어남이다. 이것이 알음알이의 사라짐이다.'라고 [관찰하며 머문다]. 그러나 여덟 가지 해탈[八解脫]은 몸으로 체득하여 머물지 못한다. 비구들이여, 이와 같은 사람은 백련과 같은 사문이다."

4. "비구들이여, 그러면 어떤 사람이 홍련(紅蓮)과 같은 사문인가? 비구들이여, 여기 비구는 [나 등으로] 취착하는 다섯 가지 무더기[五取蘊]들의 일어나고 사라짐을 관찰하며 머문다. 그는 '이것이 물질이다. 이것이 물질의 일어남이다. 이것이 물질의 사라짐이다. 이것이 느낌이다. … 이것이 인식이다. … 이것이 심리현상[行]들이다. … 이것이 알음알이다. 이것이 알음알이의 일어남이다. 이것이 알음알이의 사라짐이다.'라고 [관찰하며 머문다]. 그리고 여덟 가지 해탈을 몸으로 체득하여 머문다. 비구들이여, 이와 같은 사람은 홍련과 같은 사문이다."

5. "비구들이여, 그러면 어떤 사람이 사문들 가운데서 가장 세련된 사문인가? 비구들이여, 여기 비구는 대부분의 경우 공양을 받아서 의복을 수용하고 드물게 공양을 받지 않아도 수용한다. … [A4:87 §6] … 그는 모든 번뇌가 다하여 아무 번뇌가 없는 마음의 해탈[心解脫]과 통찰지를 통한 해탈[慧解脫]을 바로 지금여기에서 스스로 최상의 지혜로 알고 실현하고 구족하여 머문다.

비구들이여, 참으로 바르게 말하는 자들이 말하기를 사문들 가운데서 가장 세련된 사문이라고 하는 것은 바로 나를 두고 하는 말이다.

비구들이여, 세상에는 이러한 네 부류의 사람이 있다."

제9장 동요하지 않음 품이 끝났다.

아홉 번째 품에 포함된 경들의 목록은 다음과 같다.

① 불살생 ② 거짓말 ③ 비난
④ 분노, 다섯 번째로 ⑤ 암흑
⑥ 낮음 ⑦ 음식 ⑧ 족쇄
⑨ 견해 ⑩ 무더기 — 이러한 열 가지이다.

제10장 아수라 품

Asura-vagga

아수라 경(A4:91)

Asura-sutta

1. "비구들이여, 세상에는 네 부류의 사람이 있다. 무엇이 넷인가? 아수라[252]에 에워싸인 아수라, 신[253]에 에워싸인 아수라, 아수라에 에워싸인 신, 신에 에워싸인 신이다."

2. "비구들이여, 그러면 어떤 사람이 아수라에 에워싸인 아수라인가? 비구들이여, 여기 어떤 사람은 계행이 나쁘고 사악한 성품을 가졌으며 그의 회중도 계행이 나쁘고 사악한 성품을 가졌다. 비구들이여, 이와 같은 사람은 아수라에 에워싸인 아수라이다."

3. "비구들이여, 그러면 어떤 사람이 신에 에워싸인 아수라인가? 비구들이여, 여기 어떤 사람은 계행이 나쁘고 사악한 성품을 가졌지만 그의 회중은 계행을 구족하고 선한 성품을 가졌다. 비구들이여, 이와 같은 사람은 신에 에워싸인 아수라이다."

4. "비구들이여, 그러면 어떤 사람이 아수라에 에워싸인 신인가? 비구들이여, 여기 어떤 사람은 계행을 구족하고 선한 성품을 가

252) "아수라처럼 무시무시한 사람을 뜻한다."(AA.iii.116)

253) "신과 같은 공덕 때문에 모습이 출중하여 호감이 가는 자를 뜻한다." (*Ibid*)

졌지만 그의 회중은 계행이 나쁘고 사악한 성품을 가졌다. 비구들이여, 이와 같은 사람은 아수라에 에워싸인 신이다."

5. "비구들이여, 그러면 어떤 사람이 신에 에워싸인 신인가? 비구들이여, 여기 어떤 사람은 계행을 구족하고 선한 성품을 가졌고 그의 회중도 계행을 구족하고 선한 성품을 가졌다. 비구들이여, 이와 같은 사람은 신에 에워싸인 신이다.

비구들이여, 세상에는 이러한 네 부류의 사람이 있다."

삼매 경1(A4:92)

Samādhi-sutta

"비구들이여, 세상에는 네 부류의 사람이 있다. 무엇이 넷인가?

비구들이여, 여기 어떤 사람은 안으로 마음의 사마타[止]는 얻었지만254) 위빳사나[觀]의 높은 통찰지255)는 얻지 못했다. 비구들이여, 그러나 여기 어떤 사람은 위빳사나의 높은 통찰지는 얻었지만 안으로 마음의 사마타는 얻지 못했다. 비구들이여, 그러나 여기 어떤 사람은 안으로 마음의 사마타도 얻지 못했고 위빳사나의 높은 통찰지도 얻지 못했다. 비구들이여, 그러나 여기 어떤 사람은 안으로 마음

254) "'안으로 마음의 사마타를(ajjhattaṁ cetosamatha) 얻은 자'란 자기 안에서 본삼매인 마음의 삼매(appanā-citta-samādhi)를 [얻은 자를] 말한다."(AA.iii.116)

255) "원문은 adhipaññā-dhamma-vipassanā이다. 즉 형성된 것[行]들을 파악하는 위빳사나의 지혜(saṅkhāra-pariggāhaka-vipassanā-ñāṇa)를 뜻한다. 왜냐하면 이것은 높은 통찰지[增上慧]라고도 불리고, 또한 오온이라 불리는 법들에 대한 위빳사나이기 때문에 위빳사나의 높은 통찰지라 한다."(*Ibid*)

의 사마타도 얻었고 위빳사나의 높은 통찰지도 얻었다.[256)]

비구들이여, 세상에는 이러한 네 부류의 사람이 있다."

삼매 경2(A4:93)

1. "비구들이여, 세상에는 네 부류의 사람이 있다. 무엇이 넷인가?

비구들이여, 여기 어떤 사람은 안으로 마음의 사마타[止]는 얻었지만 위빳사나[觀]의 높은 통찰지는 얻지 못했다. 비구들이여, 그러나 여기 어떤 사람은 위빳사나의 높은 통찰지는 얻었지만 안으로 마음의 사마타는 얻지 못했다. 비구들이여, 그러나 여기 어떤 사람은 안으로 마음의 사마타도 얻지 못했고 위빳사나의 높은 통찰지도 얻지 못했다. 비구들이여, 그러나 여기 어떤 사람은 안으로 마음의 사마타도 얻었고 위빳사나의 높은 통찰지도 얻었다."

2. "비구들이여, 이 가운데 안으로 마음의 사마타는 얻었지만 위빳사나의 높은 통찰지를 얻지 못한 사람은 안으로 자기 마음의 사마타에 굳게 서서 위빳사나의 높은 통찰지를 얻기 위해서 수행(yoga)을 해야 한다. 그러면 그는 나중에 안으로 마음의 사마타도 얻고 위빳사나의 높은 통찰지도 얻을 것이다."

---

256) 본경과 다음의 두 개의 경은 사마타와 위빳사나에 대한 훌륭한 답변을 제공하고 있다. 이 세 경에서 보듯이 사마타는 삼매와 동의어이고 위빳사나는 통찰지와 동의어이다. 그리고 사마타 즉 삼매를 먼저 얻은 사람도 있고 위빳사나 즉 통찰지를 먼저 얻은 사람도 있으며 이 둘을 다 얻은 사람도 있다. 그러므로 사마타를 먼저 닦느냐 위빳사나를 먼저 닦느냐 하는 것은 개인의 기질의 문제이지 반드시 사마타를 먼저 닦고 위빳사나를 닦아야만 하는 것은 아니다. 그러나 사마타와 위빳사나 둘 다를 구족할 것을 본경은 강조하고 있다.

3. "비구들이여, 이 가운데 위빳사나의 높은 통찰지는 얻었지만 안으로 마음의 사마타는 얻지 못한 사람은 위빳사나의 높은 통찰지에 굳게 서서 안으로 마음의 사마타를 얻기 위해서 수행을 해야 한다. 그러면 그는 나중에 위빳사나의 높은 통찰지도 얻고 안으로 마음의 사마타도 얻을 것이다."

4. "비구들이여, 이 가운데 안으로 마음의 사마타도 얻지 못했고 위빳사나의 높은 통찰지도 얻지 못한 사람은 [번뇌의 소멸로 인도하는] 이러한 유익한 법들을 얻기 위해서 아주 강한 의욕과 노력과 관심과 분발과 불퇴전과 마음챙김과 알아차림을 행해야 한다.

비구들이여, 예를 들면 옷이 불타고 머리가 불타는 자는 옷이나 머리의 불을 끄기 위해서 아주 강한 의욕과 노력과 관심과 분발과 불퇴전과 마음챙김과 알아차림을 행해야 하는 것과 같다. 이와 같은 사람은 유익한 법들을 얻기 위해서 아주 강한 의욕과 노력과 관심과 분발과 불퇴전과 마음챙김과 알아차림을 행해야 한다. 그러면 그는 나중에 안으로 마음의 사마타도 얻고 위빳사나의 높은 통찰지도 얻을 것이다."

5. "비구들이여, 이 가운데 안으로 마음의 사마타도 얻었고 위빳사나의 높은 통찰지도 얻은 사람은 이러한 유익한 법들에 굳게 서서 번뇌들을 소멸하기 위해서 수행해야 한다.

비구들이여, 세상에는 이러한 네 부류의 사람이 있다."

삼매 경3(A4:94)

1. "비구들이여, 세상에는 네 부류의 사람이 있다. 무엇이 넷인가? 비구들이여, 여기 어떤 사람은 안으로 마음의 사마타는 얻었지만 위빳사나의 높은 통찰지는 얻지 못했다. 비구들이여, 그러나 여기 어떤 사람은 위빳사나의 높은 통찰지는 얻었지만 안으로 마음의 사마타는 얻지 못했다. 비구들이여, 그러나 여기 어떤 사람은 안으로 마음의 사마타도 얻지 못했고 위빳사나의 높은 통찰지도 얻지 못했다. 비구들이여, 그러나 여기 어떤 사람은 안으로 마음의 사마타도 얻었고 위빳사나의 높은 통찰지도 얻었다."

2. "비구들이여, 이 가운데 안으로 마음의 사마타는 얻었지만 위빳사나의 높은 통찰지는 얻지 못한 사람은 위빳사나의 높은 통찰지를 얻은 사람을 찾아 그에게 다가가서 이렇게 물어야 한다. '도반이여, 형성된 것[行, saṅkhāra]들을 어떻게 보아야 합니까? 형성된 것들을 어떻게 명상해야 합니까? 형성된 것들을 어떻게 깊이 관찰해야 합니까?'라고.

그러면 그분은 그가 본대로 그가 체득한대로 '도반이여, 참으로 형성된 것들을 이렇게 보아야 합니다.[257] 형성된 것들을 이렇게 명상해야 합니다. 형성된 것들을 이렇게 깊이 관찰해야 합니다.'라고 그에게 설명해줄 것이다. 그러면 그는 나중에 안으로 마음의 사마타도 얻고 위빳사나의 높은 통찰지도 얻을 것이다."

---

257) "형성된 것들은 참으로 무상(anicca)하다고 보아야 하고 무상하다고 명상해야 하고 무상하다고 깊이 관찰해야 한다. 그와 같이 괴로움(dukkha)이라고 무아(anatta)라고 보아야 한다는 뜻이다."(*Ibid*)

3\. "비구들이여, 이 가운데 위빳사나의 높은 통찰지는 얻었지만 안으로 마음의 사마타는 얻지 못한 사람은 안으로 마음의 사마타를 얻은 사람을 찾아 그에게 다가가서 이렇게 물어야 한다. '도반이여, 어떻게 마음을 하나에 고정시켜야 합니까? 어떻게 마음을 안정시켜야 합니까? 어떻게 마음을 하나가 되게 해야 합니까? 어떻게 마음이 삼매에 들게 해야 합니까?'라고.

그러면 그분은 그가 본 대로 그가 체득한 대로 '도반이여, 참으로 이렇게 마음을 고정시켜야 합니다.258) 이렇게 마음을 안정시켜야 합니다. 이렇게 마음을 하나가 되게 해야 합니다. 이렇게 마음이 삼매에 들게 해야 합니다.'라고 그에게 설명해줄 것이다. 그러면 그는 나중에 위빳사나의 높은 통찰지도 얻고 안으로 마음의 사마타도 얻을 것이다."

4\. "비구들이여, 이 가운데 안으로 마음의 사마타도 얻지 못했고 위빳사나의 높은 통찰지도 얻지 못한 사람은 안으로 마음의 사마타도 얻고 위빳사나의 높은 통찰지도 얻은 사람을 찾아 그에게 다가가서 이렇게 물어야 한다.

'도반이여, 어떻게 마음을 고정시켜야 합니까? 어떻게 마음을 안정시켜야 합니까? 어떻게 마음을 하나가 되게 해야 합니까? 어떻게 마음이 삼매에 들게 해야 합니까? 형성된 것들을 어떻게 보아야 합니까? 형성된 것들을 어떻게 명상해야 합니까? 형성된 것들을 어떻게 깊이 관찰해야 합니까?'라고.

---

258) "초선(paṭhamajjhāna)을 통해서 마음을 고정시켜야 하고 마음을 안정시켜야 하고 마음을 하나가 되게 해야 한다. 그와 같이 2선과 3선과 4선을 통해서 마음을 고정시켜야 한다는 뜻이다."(*Ibid*)

그러면 그분은 그가 본 대로 그가 체득한 대로 '도반이여, 참으로 이렇게 마음을 고정시켜야 합니다. 이렇게 마음을 안정시켜야 합니다. 이렇게 마음을 하나가 되게 해야 합니다. 이렇게 마음이 삼매에 들게 해야 합니다. 참으로 형성된 것들을 이렇게 보아야 합니다. 형성된 것들을 이렇게 명상해야 합니다. 형성된 것들을 이렇게 깊이 관찰해야 합니다.'라고 그에게 설명해줄 것이다. 그러면 그는 나중에 안으로 마음의 사마타도 얻고 위빳사나의 높은 통찰지도 얻을 것이다."

5. "비구들이여, 이 가운데 안으로 마음의 사마타도 얻었고 위빳사나의 높은 통찰지도 얻은 사람은 이러한 유익한 법들에 굳게 서서 번뇌들을 소멸하기 위해서 수행을 해야 한다.

비구들이여, 세상에는 이러한 네 부류의 사람이 있다."

화장터 나무토막 경(A4:95)

Chavālāta-sutta

1. "비구들이여, 세상에는 네 부류의 사람이 있다. 무엇이 넷인가?

자신의 이익을 위해서도 남의 이익을 위해서도 도를 닦지 않는 사람, 남의 이익을 위해서 도를 닦지만 자신의 이익을 위해서는 도를 닦지 않는 사람, 자신의 이익을 위해서 도를 닦지만 남의 이익을 위해서는 도를 닦지 않는 사람, 자신의 이익과 남의 이익 둘 다를 위해서 도를 닦는 사람이다."[259]

2. "비구들이여, 예를 들어 화장터에서 사용된 나무토막이 있

259) 『디가 니까야』 제3권 「합송경」(D33) §1.11(48)에도 나타나고 있다.

어 양끝은 불타고 중간은 악취가 난다면 마을에서도 그것을 장작으로 사용하지 않을 것이고 숲에서도 장작으로 사용하지 않을 것이다. 비구들이여, 자신의 이익을 위해서도 남의 이익을 위해서도 도를 닦지 않는 사람은 그와 같다고 나는 말한다."

3. "비구들이여, 이 가운데 남의 이익을 위해서 도를 닦지만 자신의 이익을 위해서는 도를 닦지 않는 사람은 앞의 사람보다 뛰어나고 수승하다. 비구들이여, 이 가운데 자신의 이익을 위해서 도를 닦지만 남의 이익을 위해서는 도를 닦지 않는 사람은 앞의 두 사람보다 뛰어나고 수승하다. 비구들이여, 이 가운데 자신의 이익과 남의 이익 둘 다를 위해서 도를 닦는 사람은 네 사람 가운데 으뜸이고 가장 뛰어나고 가장 훌륭하고 가장 높고 가장 탁월하다."

4. "비구들이여, 예를 들면 소로부터 우유가 있고 우유로부터 응유가 되고 응유로부터 생 버터가 되고 생 버터로부터 정제된 버터가 되고 정제된 버터로부터 최상의 버터(제호, 醍醐)가 만들어지나니, 그것을 으뜸이라 부르는 것과 같다. 비구들이여, 그와 같이 자신의 이익과 남의 이익을 위해서 도를 닦는 사람은 네 사람 가운데 으뜸이고 가장 뛰어나고 가장 훌륭하고 가장 높고 가장 탁월하다.

비구들이여, 세상에는 이러한 네 부류의 사람이 있다."

탐욕을 버림 경(A4:96)

Rāgavinaya-sutta[260)]

---

260) PTS본의 품의 목록(uddāna)에는 본경과 다음 경에 해당하는 제목이 불분명하고 다만 santi라고 나타난다. DPPN은 이것을 본경의 제목으로 간

1. "비구들이여, 세상에는 네 부류의 사람이 있다. 무엇이 넷인가?

자신의 이익을 위해서 도를 닦지만 남의 이익을 위해서는 도를 닦지 않는 사람, 남의 이익을 위해서 도를 닦지만 자신의 이익을 위해서는 도를 닦지 않는 사람, 자신의 이익을 위해서도 남의 이익을 위해서도 도를 닦지 않는 사람, 자신의 이익과 남의 이익을 위해서 도를 닦는 사람이다."

2. "비구들이여, 어떻게 [어떤] 사람은 자신의 이익을 위해서 도를 닦지만 남의 이익을 위해서는 도를 닦지 않는가?

비구들이여, 여기 어떤 사람은 자신의 탐욕을 버리기 위해서 도를 닦지만 남으로 하여금 탐욕을 버리도록 하지 않는다. 자신의 성냄을 버리기 위해서 도를 닦지만 남으로 하여금 성냄을 버리도록 하지 않는다. 자신의 어리석음을 버리기 위해서 도를 닦지만 남으로 하여금 어리석음을 버리도록 하지 않는다. 비구들이여, 이처럼 [어떤] 사람은 자신의 이익을 위해서 도를 닦지만 남의 이익을 위해서는 도를 닦지 않는다."

3. "비구들이여, 어떻게 [어떤] 사람은 남의 이익을 위해서 도를 닦지만 자신의 이익을 위해서는 도를 닦지 않는가?

비구들이여, 여기 어떤 사람은 자신의 탐욕을 버리기 위해서 도를 닦지 않지만 남으로 하여금 탐욕을 버리도록 한다. 자신의 성냄을 버리기 위해서 도를 닦지 않지만 남으로 하여금 성냄을 버리도록 한다.

주하고 있다. 그러나 문맥과 관계가 없고 특히 다음 97번 경에 해당하는 품의 목록이 없어서 본경과 다음 경은 육차결집본의 경의 이름을 따랐다. 아래 주해를 참조할 것.

자신의 어리석음을 버리기 위해서 도를 닦지 않지만 남으로 하여금 어리석음을 버리도록 한다. 비구들이여, 이처럼 [어떤] 사람은 남의 이익을 위해서 도를 닦지만 자신의 이익을 위해서는 도를 닦지 않는다."

4. "비구들이여, 어떻게 [어떤] 사람은 자신의 이익을 위해서도 남의 이익을 위해서도 도를 닦지 않는가?

비구들이여, 여기 어떤 사람은 자신의 탐욕을 버리기 위해서 도를 닦지도 않고 남으로 하여금 탐욕을 버리도록 하지도 않는다. 자신의 성냄을 버리기 위해서 도를 닦지도 않고 남으로 하여금 성냄을 버리도록 하지도 않는다. 자신의 어리석음을 버리기 위해서 도를 닦지도 않고 남으로 하여금 어리석음을 버리도록 하지도 않는다. 비구들이여, 이처럼 [어떤] 사람은 자신의 이익을 위해서도 남의 이익을 위해서도 도를 닦지 않는다."

5. "비구들이여, 어떻게 [어떤] 사람은 자신의 이익과 남의 이익 둘 다를 위해서 도를 닦는가?

비구들이여, 여기 어떤 사람은 자신의 탐욕을 버리기 위해서 도를 닦고 남으로 하여금 탐욕을 버리도록 한다. 자신의 성냄을 버리기 위해서 도를 닦고 남으로 하여금 성냄을 버리도록 한다. 자신의 어리석음을 버리기 위해서 도를 닦고 남으로 하여금 어리석음을 버리도록 한다. 비구들이여, 이처럼 [어떤] 사람은 자신의 이익과 남의 이익 둘 다를 위해서 도를 닦는다.

비구들이여, 세상에는 이러한 네 부류의 사람이 있다."

재빠르게 앎 경(A4:97)[261]

Khippanisanti-sutta

1. "비구들이여, 세상에는 네 부류의 사람이 있다. 무엇이 넷인가? 자신의 이익을 위해서 도를 닦지만 남의 이익을 위해서는 도를 닦지 않는 사람, 남의 이익을 위해서 도를 닦지만 자신의 이익을 위해서는 도를 닦지 않는 사람, 자신의 이익을 위해서도 남의 이익을 위해서도 도를 닦지 않는 사람, 자신의 이익과 남의 이익 둘 다를 위해서 도를 닦는 사람이다."

2. "비구들이여, 어떻게 [어떤] 사람은 자신의 이익을 위해서 도를 닦지만 남의 이익을 위해서는 도를 닦지 않는가?

비구들이여, 여기 어떤 사람은 유익한 법들을 재빠르게 안다.[262]

---

261) PTS본의 품의 목록(uddāna)에 santi로 나타나는 것은 본경을 통해서 보면 nisanti인 듯하다. PTS본 uddāna의 각주는 rāganisanti로 읽고 있는 판본을 두 개를 밝히고 있는 데서도 이를 알 수 있다. 그리고 rāga-nisanti라는 이 판본들을 따르면 앞 경의 명칭은 rāga이고 본경은 nisanti가 된다. 이렇게 되면 앞 경을 Rāgavinaya라 이름하고 본경을 Khippanisanti로 이름하는 육차결집본과 의미가 일치한다. 그래서 역자는 육차결집본에 따라 이 두 경의 이름을 정하였다.

262) "'재빠르게 앎(khippa-nisanti)'이란 빨리 알 수 있는 능력(sīghaṁ jānituṁ samattho)이다."(AA.iii.117) 복주서는 "재빠른 통찰지(khippa-paññā)"(AAṬ.ii.292)라고 설명하고 있다.
한편 『청정도론』의 복주서(Pm.367)는 "khippa-nisanti의 nisanti는 '본다(nisāmana)'는 뜻인데 禪의 눈으로 땅의 까시나 등 禪의 대상을 본다는 뜻이다."(Pm.367, Vis.XII.8의 주석)라고 설명하고 있다. 그것은 『청정도론』의 삼매와 관련된 문맥에서 이 단어가 사용되었기 때문이다. 그래서 『청정도론』에서는 본 단어를 '재빨리 禪에 드는 것'으로 옮겼다. (『청정도론』 XII.8 등 참조)

그는 들은 법들을 바르게 호지하고, 호지한 법들의 뜻을 면밀히 조사한다. 뜻을 완전하게 알고 법을 완전하게 안 뒤에[263] [출세간]법에 이르게 하는 법을 닦는다.

그러나 그는 선한 말을 하거나 선한 말씨를 가졌거나 예의바르고 명확하고 흠이 없고 뜻을 바르게 전달하는 언변을 구족하지는 못했다. 그뿐만 아니라 그는 청정범행을 닦는 동료 수행자들로 하여금 보게 하고 격려하고 분발하게 하고 기쁘게 하지 않는다.

비구들이여, 이처럼 [어떤] 사람은 자신의 이익을 위해서 도를 닦지만 남의 이익을 위해서는 도를 닦지 않는다."

3. "비구들이여, 어떻게 [어떤] 사람은 남의 이익을 위해서 도를 닦지만 자신의 이익을 위해서는 도를 닦지 않는가?

비구들이여, 여기 어떤 사람은 유익한 법들을 재빠르게 알지 못한다. 그는 들은 법들을 바르게 호지하지 않고, 호지한 법들의 뜻을 면밀히 조사하지 않는다. 뜻을 완전하게 알고 법을 완전하게 안 뒤에 [출세간]법에 이르게 하는 법을 닦지도 않는다.

그러나 그는 선한 말을 하고 선한 말씨를 가졌고 예의바르고 명확하고 흠이 없고 뜻을 바르게 전달하는 언변을 구족하였다. 그뿐만 아니라 그는 청정범행을 닦는 동료 수행자들로 하여금 보게 하고 격려하고 분발하게 하고 기쁘게 한다.

---

263) 주석서는 여기서도 '뜻(attha)과 법(dhamma)을 아는 것'을 각각 주석서(aṭṭhakatha)와 삼장(pāḷi)을 아는 것으로 해석하고 있다.(AA.iii.117) 한편 뜻(attha)에 대한 무애해(義無碍解)를 결과(phala)에 대한 지혜로 설명하고, 법(dhamma)에 대한 무애해(法無碍解)를 원인(hetu)에 대한 지혜로 설명하는 『청정도론』의 설명도 함께 고려해볼 일이다. (『청정도론』 XIV.22;23을 참조할 것)

비구들이여, 이처럼 [어떤] 사람은 남의 이익을 위해서 도를 닦지만 자신의 이익을 위해서는 도를 닦지 않는다."

4. "비구들이여, 어떻게 [어떤] 사람은 자신의 이익을 위해서도 남의 이익을 위해서도 도를 닦지 않는가?

비구들이여, 여기 어떤 사람은 유익한 법들을 재빠르게 알지 못한다. 그는 들은 법들을 바르게 호지하지 않고, 호지한 법들의 뜻을 면밀히 조사하지 않는다. 뜻을 완전하게 알고 법을 완전하게 안 뒤에 [출세간]법에 이르게 하는 법을 닦지도 않는다.

그리고 그는 선한 말을 하거나 선한 말씨를 가졌거나 예의바르고 명확하고 흠이 없고 뜻을 바르게 전달하는 언변을 구족하지도 못했다. 그뿐만 아니라 그는 청정범행을 닦는 동료 수행자들로 하여금 보게 하고 격려하고 분발하게 하고 기쁘게 하지 않는다.

비구들이여, 이처럼 [어떤] 사람은 자신의 이익을 위해서도 남의 이익을 위해서도 도를 닦지 않는다."

5. "비구들이여, 어떻게 [어떤] 사람은 자신의 이익과 남의 이익 둘 다를 위해서 도를 닦는가?

비구들이여, 여기 어떤 사람은 유익한 법들을 재빠르게 안다. 그는 들은 법들을 바르게 호지하고, 호지한 법들의 뜻을 면밀히 조사한다. 뜻을 완전하게 알고 법(원인)을 완전하게 안 뒤에 [출세간]법에 이르게 하는 법을 닦는다.

그리고 그는 선한 말을 하고 선한 말씨를 가졌고 예의바르고 명확하고 흠이 없고 뜻을 바르게 전달하는 언변을 구족하였다. 그뿐만 아니라 그는 청정범행을 닦는 동료 수행자들로 하여금 보게 하고 격려하고 분발하게 하고 기쁘게 한다.

비구들이여, 이처럼 [어떤] 사람은 자신의 이익과 남의 이익을 위해서 도를 닦는다.

비구들이여, 세상에는 이러한 네 부류의 사람이 있다."

자신의 이익 경(A4:98)
Attahita-sutta

"비구들이여, 세상에는 네 부류의 사람이 있다. 무엇이 넷인가?

자신의 이익을 위해서 도를 닦지만 남의 이익을 위해서는 도를 닦지 않는 사람, 남의 이익을 위해서 도를 닦지만 자신의 이익을 위해서는 도를 닦지 않는 사람, 자신의 이익과 남의 이익 둘 다를 위해서 도를 닦는 사람, 자신의 이익을 위해서도 남의 이익을 위해서도 도를 닦지 않는 사람이다.264)

비구들이여, 세상에는 이러한 네 부류의 사람이 있다."

공부지음 경(A4:99)
Sikkhā-sutta

1. "비구들이여, 세상에는 네 부류의 사람이 있다. 무엇이 넷인가?

자신의 이익을 위해서 도를 닦지만 남의 이익을 위해서는 도를 닦지 않는 사람, 남의 이익을 위해서 도를 닦지만 자신의 이익을 위해서는 도를 닦지 않는 사람, 자신의 이익을 위해서도 남의 이익을 위해서도 도를 닦지 않는 사람, 자신의 이익과 남의 이익 둘 다를 위해

---

264) 앞 경들의 세 번째와 네 번째가 바뀌어서 나타난다.

서 도를 닦는 사람이다."

2. "비구들이여, 어떻게 [어떤] 사람은 자신의 이익을 위해서 도를 닦지만 남의 이익을 위해서는 도를 닦지 않는가?

비구들이여, 여기 어떤 사람은 자신은 산목숨을 죽이는 것을 멀리 여의지만 남으로 하여금 산목숨을 죽이는 것을 금하도록 하지 않는다. 자신은 주지 않은 것을 가지는 것을 멀리 여의지만 남으로 하여금 주지 않은 것을 가지는 것을 금하도록 하지 않는다. 자신은 삿된 음행을 멀리 여의지만 남으로 하여금 삿된 음행을 금하도록 하지 않는다. 자신은 방일하는 근본이 되는 술과 중독성 물질을 멀리 여의지만 남으로 하여금 방일하는 근본이 되는 술과 중독성 물질을 금하도록 하지 않는다. 비구들이여, 이처럼 [어떤] 사람은 자신의 이익을 위해서 도를 닦지만 남의 이익을 위해서는 도를 닦지 않는다."

3. "비구들이여, 어떻게 [어떤] 사람은 남의 이익을 위해서 도를 닦지만 자신의 이익을 위해서는 도를 닦지 않는가?

비구들이여, 여기 어떤 사람은 자신은 산목숨을 죽이는 것을 멀리 여의지 않지만 남으로 하여금 산목숨을 죽이는 것을 금하도록 한다. … 자신은 방일하는 근본이 되는 술과 중독성 물질을 멀리 여의지 않지만 남으로 하여금 방일하는 근본이 되는 술과 중독성 물질을 금하도록 한다. 비구들이여, 이처럼 [어떤] 사람은 남의 이익을 위해서 도를 닦지만 자신의 이익을 위해서는 도를 닦지 않는다."

4. "비구들이여, 어떻게 [어떤] 사람은 자신의 이익을 위해서도 남의 이익을 위해서도 도를 닦지 않는가?

비구들이여, 여기 어떤 사람은 자신도 산목숨을 죽이는 것을 멀리 여의지 않지만 남으로 하여금 산목숨을 죽이는 것을 금하도록 격려하지도 않는다. … 자신도 방일하는 근본이 되는 술과 중독성 물질을 멀리 여의지 않지만 남으로 하여금 방일하는 근본이 되는 술과 중독성 물질을 금하도록 격려하지도 않는다. 비구들이여, 이처럼 [어떤] 사람은 자신의 이익을 위해서도 남의 이익을 위해서도 도를 닦지 않는다."

5. "비구들이여, 어떻게 [어떤] 사람은 자신의 이익과 남의 이익 둘 다를 위해서 도를 닦는가?

비구들이여, 여기 어떤 사람은 자신도 산목숨을 죽이는 것을 멀리 여의고 남에게도 산목숨을 죽이는 것을 금하도록 한다. … 자신도 방일하는 근본이 되는 술과 중독성 물질을 멀리 여의고 남에게도 방일하는 근본이 되는 술과 중독성 물질을 금하도록 한다. 비구들이여, 이처럼 [어떤] 사람은 자신의 이익과 남의 이익 둘 다를 위해서 도를 닦는다.

비구들이여, 세상에는 이러한 네 부류의 사람이 있다."

뽀딸리야 경(A4:100)

Potaliya-sutta

1. 그때 유행승 뽀딸리야[265]가 세존께 다가갔다. 세존께 가서

---

265) 주석서는 뽀딸리야(Potaliya)에 대한 설명이 없다. 『맛지마 니까야』에도 「뽀딸리야 경」(M54)이 나타나는데 그곳의 뽀딸리야는 모든 재산을 아들에게 상속해버린 장자이고 여기의 뽀딸리야는 유행승이다. 양쪽 주석서 모두 별다른 설명이 없다.

는 세존과 함께 환담을 나누었다. 유쾌하고 기억할 만한 이야기로 서로 담소를 나누고 한 곁에 앉았다. 한 곁에 앉은 유행승 뽀딸리야에게 세존께서는 이렇게 말씀하셨다.

2. "뽀딸리야여, 세상에는 네 부류의 사람이 있다. 무엇이 넷인가?

뽀딸리야여, 여기 어떤 사람은 사실과 진실을 말해야 할 때에[266] 비난받을 사람을 비난하지만 사실과 진실을 얘기해야 할 때에 칭송해야 할 사람을 칭송하지 않는다. 뽀딸리야여, 그러나 여기 어떤 사람은 사실과 진실을 말해야 할 때에 칭송해야 할 사람을 칭송하지만 사실과 진실을 말해야 할 때에 비난받을 사람을 비난하지 않는다. 뽀딸리야여, 그러나 여기 어떤 사람은 사실과 진실을 말해야 할 때에 비난받을 사람을 비난하지도 않고 사실과 진실을 말해야 할 때에 칭송해야 할 사람을 칭송하지도 않는다. 뽀딸리야여, 그러나 여기 어떤 사람은 사실과 진실을 말해야 할 때에 비난받을 사람을 비난하고 사실과 진실을 말해야 할 때에 칭송해야 할 사람을 칭송한다. 뽀딸리야여, 세상에는 이러한 네 부류의 사람이 있다.

뽀딸리야여, 이러한 네 부류의 사람들 가운데서 그대는 어떤 사람이 더 경이롭고 더 수승한 사람이라고 말하겠는가?"

3. "고따마 존자시여, 세상에는 네 부류의 사람이 있습니다. 무엇이 넷인가요?

고따마 존자시여, 여기 어떤 사람은 사실과 진실을 얘기해야 할 때에 비난받을 사람을 비난하지만 사실과 진실을 얘기해야 할 때에 칭

---

266) '말해야 할 때'로 옮긴 원문은 kālena이다. 주석서는 "[사실을 말하기에] 적당함을 얻은 때에"라고 설명하고 있어서(AA.iii.118) 이렇게 옮겼다.

송해야 할 사람을 칭송하지 않습니다. 고따마 존자시여, 그러나 여기 어떤 사람은 사실과 진실을 얘기해야 할 때에 칭송해야 할 사람을 칭송하지만 사실과 진실을 얘기해야 할 때에 비난받을 사람을 비난하지 않습니다. 고따마 존자시여, 그러나 여기 어떤 사람은 사실과 진실을 얘기해야 할 때에 비난받을 사람을 비난하지도 않고 사실과 진실을 얘기해야 할 때에 칭송해야 할 사람을 칭송하지도 않습니다. 고따마 존자시여, 그러나 여기 어떤 사람은 사실과 진실을 얘기해야 할 때에 비난받을 사람을 비난하고 사실과 진실을 얘기해야 할 때에 칭송해야 할 사람을 칭송하여 말합니다. 고따마 존자시여, 세상에는 이러한 네 부류의 사람이 있습니다.

고따마 존자시여, 이러한 네 부류의 사람들 가운데서 저는, 사실과 진실을 얘기해야 할 때에 비난받을 사람을 비난하지도 않고 사실과 진실을 얘기해야 할 때에 칭송해야 할 사람을 칭송하지도 않는 사람이 더 경이롭고 더 수승한 사람이라고 말하겠습니다. 그것은 무슨 이유인가요? 고따마 존자시여, 무관심(upekhā)[267]이야말로 경이로운 것이기 때문입니다."

4. "뽀딸리야여, 세상에는 네 부류의 사람이 있다. 무엇이 넷인가? 뽀딸리야여, 여기 어떤 사람은 사실과 진실을 얘기해야 할 때에

---

267) 여기서 '무관심'으로 옮긴 단어는 upekhā/upekkhā이다. 이것은 평온에 기인한 마음챙김의 확립[捨念淸淨, upekkhā-sati-pārisuddhi]으로 정의되는 제4선의 평온과 네 가지 거룩한 마음가짐[四梵住, 四無量, brahma-vihāra, 자애, 연민, 더불어 기뻐함, 평온]의 네 번째인 평온과 같은 단어이기도 하다. 이와 같은 고귀한 심리현상으로서의 우뻬카는 평온으로 옮기고, 본문에서와 같은 우뻬카는 무관심으로 옮긴다. 영어로도 전자는 *equanimity*로 후자는 *indifference*로 구분해서 옮긴다.

비난받을 사람을 비난하지만 … 사실과 진실을 얘기해야 할 때에 칭송해야 할 사람을 칭송한다. 뽀딸리야여, 세상에는 이러한 네 부류의 사람이 있다.

뽀딸리야여, 이러한 네 부류의 사람들 가운데서 나는, 사실과 진실을 얘기해야 할 때에 비난받을 사람을 비난하고 사실과 진실을 얘기해야 할 때에 칭송해야 할 사람을 칭송하는 사람이 더 경이롭고 더 수승한 사람이라고 말한다. 그것은 무슨 이유인가? 뽀딸리야여, 모든 곳에서 [진실을 얘기할] 적당한 때를 아는 것이야말로 경이로운 것이기 때문이다."[268)]

5. "고따마 존자시여, 세상에는 네 부류의 사람이 있습니다. 무엇이 넷인가요? 고따마 존자시여, 여기 어떤 사람은 사실과 진실을 얘기해야 할 때에 비난받을 사람을 비난하지만 … 사실과 진실을 얘기해야 할 때에 칭송해야 할 사람을 칭송하여 말합니다. 고따마 존자시여, 세상에는 이러한 네 부류의 사람이 있습니다.

고따마 존자시여, 이러한 네 부류의 사람들 가운데서 사실과 진실을 말해야 할 때에 비난받을 사람을 비난하고 사실과 진실을 말해야

---

268) 한편 『맛지마 니까야』 「아바야 왕자 경」(M58. §8)에서 세존께서는 이렇게 말씀하신다.
"여래가 사실이고 옳고 [듣는 사람에게] 이익을 줄 수 있다고 아는 말이 남들에게 사랑스럽고 마음에 들면 거기서 여래는 그 말을 해줄 적당한 때를 안다(kālaññū). 그것은 무슨 이유 때문인가? 왕자여, 여래는 중생들에게 연민이 있기 때문이다."
세존께서는 세상에 무관심한 분이 아니다. 무엇이 중생에게 이익이 되는지를 정확히 아시고 그것을 적당한 때에 말씀하시는 분이다. 참으로 세존께서는 중생을 연민(anukampā)하시는 분이시다. 이런 세존의 태도에 깊이 감격한 뽀딸리야가 부처님의 신도가 되는 것은 너무도 당연한 일일 것이다.

할 때에 칭송해야 할 사람을 칭송하는 더 경이롭고 더 수승한 사람이 저는 좋습니다. 그것은 무슨 이유인가요? 고따마 존자시여, 모든 곳에서 [진실을 얘기할] 적당한 때를 아는 것이야말로 경이로운 것이기 때문입니다.[269)]

경이롭습니다, 고따마 존자시여. 경이롭습니다, 고따마 존자시여. 마치 넘어진 자를 일으켜 세우시듯, 덮여있는 것을 걷어내 보이시듯, [방향을] 잃어버린 자에게 길을 가리켜주시듯, 눈 있는 자 형상을 보라고 어둠 속에서 등불을 비춰주시듯, 고따마 존자께서는 여러 가지 방편으로 법을 설해주셨습니다. 저는 이제 고따마 존자께 귀의하옵고 법과 비구승가에 귀의합니다. 고따마 존자께서는 저를 재가신자로 받아주소서. 오늘부터 목숨이 붙어 있는 그날까지 귀의하옵니다."

제10장 아수라 품이 끝났다.

열 번째 품에 포함된 경들의 목록은 다음과 같다.

① 아수라, 세 가지 ②~④ 삼매
다섯 번째로 ⑤ 화장터 나무토막
⑥ 탐욕을 버림 ⑦ 재빠르게 앎 ⑧ 자신의 이익
⑨ 공부지음 ⑩ 뽀딸리야 — 이러한 열 가지이다.

두 번째 50개 경들의 묶음이 끝났다.

---

269) 지루한 반복처럼 생각이 될 수도 있지만 이렇게 상대의 이야기를 다시 읊어서 정확하게 받아들이는 것은 중요하고도 아름다운 모습이다. 뽀딸리야도 세존의 말씀을 정확하게 반복해서 읊어서 받아들인 뒤에 세존을 찬탄하고 세존에게 귀의하고 있다. 그런 의미에서 뽀딸리야의 이런 태도는 우리에게 바른 믿음과 바른 수행의 모습을 보여준다고 하겠다.

III. 세 번째 50개 경들의 묶음

Tatiya-paññāsaka

제11장 비구름 품

Valāhaka-vagga

비구름 경1(A4:101)

Valāhaka-sutta

1. 이와 같이 나는 들었다. 한때 세존께서는 사왓티에서 제따 숲의 급고독원에 머무셨다. 그곳에서 세존께서는 "비구들이여."라고 비구들을 부르셨다. "세존이시여."라고 비구들은 세존께 응답했다. 세존께서는 이렇게 말씀하셨다.

2. "비구들이여, 네 가지 비구름이 있다. 무엇이 넷인가?

천둥만 치고 비는 내리지 않는 비구름, 비는 내리지만 천둥은 치지 않는 비구름, 천둥도 치지 않고 비도 내리지 않는 비구름, 천둥도 치고 비도 내리는 비구름이다. 비구들이여, 이것이 네 가지 비구름이다."

3. "비구들이여, 이와 같이 세상에는 비구름의 비유와 같은 네 부류의 사람이 있다. 무엇이 넷인가?

천둥만 치고 비는 내리지 않는 자, 비는 내리지만 천둥은 치지 않는 자, 천둥도 치지 않고 비도 내리지 않는 자, 천둥도 치고 비도 내리는 자이다."

4. "비구들이여, 그러면 어떤 사람이 천둥만 치고 비를 내리지 않는 자인가?

비구들이여, 여기 어떤 사람은 말만 하고 행하지는 않는다. 비구들이여, 이와 같은 사람은 천둥만 치고 비를 내리지 않는다. 비구들이여, 예를 들면 천둥만 치고 비를 내리지 않는 비구름과 같다. 비구들이여, 나는 이 사람을 이런 비구름과 같다고 말한다."

5. "비구들이여, 그러면 어떤 사람이 비는 내리지만 천둥은 치지 않는 자인가?

비구들이여, 여기 어떤 사람은 행하기만 하고 말은 하지 않는다. 비구들이여, 이와 같은 사람은 비는 내리지만 천둥은 치지 않는다. 비구들이여, 예를 들면 비는 내리지만 천둥은 치지 않는 비구름과 같다. 비구들이여, 나는 이 사람을 이런 비구름과 같다고 말한다."

6. "비구들이여, 그러면 어떤 사람이 천둥도 치지 않고 비도 내리지 않는 자인가?

비구들이여, 여기 어떤 사람은 말도 하지 않고 행도 하지 않는다. 비구들이여, 이와 같은 사람은 천둥도 치지 않고 비도 오지 않는다. 비구들이여, 예를 들면 천둥도 치지 않고 비도 오지 않는 비구름과 같다. 비구들이여, 나는 이 사람을 이런 비구름 비유와 같다고 말한다."

7. "비구들이여, 그러면 어떤 사람이 천둥도 치고 비도 내리는 자인가?

비구들이여, 여기 어떤 사람은 말도 하고 행도 한다. 비구들이여, 이와 같은 사람은 천둥도 치고 비도 내린다. 비구들이여, 예를 들면 천둥도 치고 비도 내리는 비구름과 같다. 비구들이여, 나는 이 사람을 이런 비구름과 같다고 말한다.

비구들이여, 이처럼 세상에는 비구름의 비유와 같은 네 부류의 사람이 있다."

비구름 경2(A4:102)

1. "비구들이여, 네 가지 비구름이 있다. 무엇이 넷인가?

천둥만 치고 비는 내리지 않는 비구름, 비는 내리지만 천둥은 치지 않는 비구름, 천둥도 치지 않고 비도 내리지 않는 비구름, 천둥도 치고 비도 내리는 비구름이다. 비구들이여, 이것이 네 가지 비구름이다."

2. "비구들이여, 이와 같이 세상에는 비구름의 비유와 같은 네 부류의 사람이 있다. 무엇이 넷인가?

천둥만 치고 비는 내리지 않는 자, 비는 내리지만 천둥은 치지 않는 자, 천둥도 치지 않고 비도 내리지 않는 자, 천둥도 치고 비도 내리는 자이다."

3. "비구들이여, 그러면 어떤 사람이 천둥만 치고 비는 내리지 않는 자인가?

비구들이여, 여기 어떤 사람은 경(經), 응송(應頌), 상세한 설명[記別, 授記], 게송(偈頌), 감흥어(感興語), 여시어(如是語), 본생담(本生譚), 미증유법(未曾有法), 문답[方等]이라는 [아홉 가지] 법을 잘 알고 있다.

그러나 그는 '이것이 괴로움이다.'라고 있는 그대로 꿰뚫어 알지 못한다. '이것이 괴로움의 일어남이다.'라고 있는 그대로 꿰뚫어 알지 못한다. '이것이 괴로움의 소멸이다.'라고 있는 그대로 꿰뚫어 알지 못한다. '이것이 괴로움의 소멸로 인도하는 도닦음이다.'라고 있는 그대로 꿰뚫어 알지 못한다.

비구들이여, 이와 같은 사람은 천둥만 치고 비는 내리지 않는다. 비구들이여, 예를 들면 천둥만 치고 비는 내리지 않는 비구름과 같다. 비구들이여, 나는 이 사람을 이런 비구름과 같다고 말한다."

4. "비구들이여, 그러면 어떤 사람이 비는 내리지만 천둥은 치지 않는 자인가?

비구들이여, 여기 어떤 사람은 경, 응송, … 문답이라는 법을 잘 알지 못한다.

그러나 그는 '이것이 괴로움이다.'라고 … '이것이 괴로움의 소멸로 인도하는 도닦음이다.'라고 있는 그대로 꿰뚫어 안다.

비구들이여, 이와 같은 사람은 비는 내리지만 천둥은 치지 않는다. 비구들이여, 예를 들면 비는 내리지만 천둥은 치지 않는 비구름과 같다. 비구들이여, 나는 이 사람을 이런 비구름과 같다고 말한다."

5. "비구들이여, 그러면 어떤 사람이 천둥도 치지 않고 비도 내리지 않는 자인가?

비구들이여, 여기 어떤 사람은 경, 응송, … 문답이라는 법을 잘 알지 못한다.

그리고 그는 '이것이 괴로움이다.'라고 … '이것이 괴로움의 소멸로 인도하는 도닦음이다.'라고 있는 그대로 꿰뚫어 알지 못한다.

비구들이여, 이와 같은 사람은 천둥도 치지 않고 비도 내리지 않는다. 비구들이여, 예를 들면 천둥도 치지 않고 비도 내리지 않는 비구름과 같다. 비구들이여, 나는 이 사람을 이런 비구름과 같다고 말한다."

6. "비구들이여, 그러면 어떤 사람이 천둥도 치고 비도 내리는 자인가?

비구들이여, 여기 어떤 사람은 경, 응송, … 문답이라는 법을 잘 안다.

그리고 그는 '이것이 괴로움이다.'라고 … '이것이 괴로움의 소멸로 인도하는 도닦음이다.'라고 있는 그대로 꿰뚫어 안다.

비구들이여, 이와 같은 사람은 천둥도 치고 비도 내린다. 비구들이여, 예를 들면 천둥도 치고 비도 내리는 비구름과 같다. 비구들이여, 나는 이 사람을 이런 비구름과 같다고 말한다.

비구들이여, 이처럼 세상에는 비구름의 비유와 같은 네 부류의 사람이 있다."

항아리 경(A4:103)

Kumbha-sutta

1. "비구들이여, 네 가지 항아리가 있다. 무엇이 넷인가? 텅 비었지만 잘 닫힌 것, 가득 찼지만 열린 것, 텅 비고 열린 것, 가득 차고 잘 닫힌 것이다. 비구들이여, 이것이 네 가지 항아리이다."

2. "비구들이여, 이와 같이 세상에는 항아리의 비유와 같은 네 부류의 사람이 있다. 무엇이 넷인가? 텅 비었지만 잘 닫힌 자, 가득

찼지만 열린 자, 텅 비고 열린 자, 가득 차고 잘 닫힌 자이다."

3. "비구들이여, 그러면 어떤 사람이 텅 비었지만 잘 닫힌 자인가?

비구들이여, 여기 어떤 사람은 앞을 볼 때도 돌아볼 때도 구부릴 때도 펼 때도 가사・발우・의복을 지닐 때도 청정한 믿음을 내게 한다.

그러나 그는 '이것이 괴로움이다.'라고 있는 그대로 꿰뚫어 알지 못한다. '이것이 괴로움의 일어남이다.'라고 있는 그대로 꿰뚫어 알지 못한다. '이것이 괴로움의 소멸이다.'라고 있는 그대로 꿰뚫어 알지 못한다. '이것이 괴로움의 소멸로 인도하는 도닦음이다.'라고 있는 그대로 꿰뚫어 알지 못한다.

비구들이여, 이와 같은 사람은 텅 비었지만 잘 닫힌 자이다. 비구들이여, 예를 들면 텅 비었지만 잘 닫힌 항아리와 같다. 비구들이여, 나는 이 사람을 이런 항아리와 같다고 말한다."

4. "비구들이여, 그러면 어떤 사람이 가득 찼지만 열린 자인가?

비구들이여, 여기 어떤 사람은 앞을 볼 때도 돌아볼 때도 구부릴 때도 펼 때도 가사・발우・의복을 지닐 때도 청정한 믿음을 내게 하지 않는다.

그러나 그는 '이것이 괴로움이다.'라고 … '이것이 괴로움의 소멸로 인도하는 도닦음이다.'라고 있는 그대로 꿰뚫어 안다.

비구들이여, 이와 같은 사람은 가득 찼지만 열린 자이다.[270] 비구

270) "여기서 안으로 고결한 것(guṇa-sāra)이라고는 하나도 없는 자를 '텅 빈 자(tuccha)'라고 한다. 밖으로 멋지게 보이는(sobhanatā) 자를 '잘 닫힌 자(pihita)'라 한다."(AAṬ.ii.294)
즉 안으로 사성제를 통찰하지 못하는 자를 텅 빈 자라 하고 밖으로 위의를

들이여, 예를 들면 가득 찼지만 열린 항아리와 같다. 비구들이여, 나는 이 사람을 이런 항아리와 같다고 말한다."

5. "비구들이여, 그러면 어떤 사람이 텅 비고 열린 자인가?

비구들이여, 여기 어떤 사람은 앞을 볼 때도 돌아볼 때도 구부릴 때도 펼 때도 가사・발우・의복을 지닐 때도 청정한 믿음을 내게 하지 않는다.

그리고 그는 '이것이 괴로움이다.'라고 … '이것이 괴로움의 소멸로 인도하는 도닦음이다.'라고 있는 그대로 꿰뚫어 알지 못한다.

비구들이여, 이와 같은 사람은 텅 비고 열린 자이다. 비구들이여, 예를 들면 텅 비고 열린 항아리와 같다. 비구들이여, 나는 이 사람을 이런 항아리와 같다고 말한다."

6. "비구들이여, 그러면 어떤 사람이 가득 차고 잘 닫힌 자인가?

비구들이여, 여기 어떤 사람은 앞을 볼 때도 돌아볼 때도 구부릴 때도 펼 때도 가사・발우・의복을 지닐 때도 청정한 믿음을 내게 한다.

그리고 그는 '이것이 괴로움이다.'라고 … '이것이 괴로움의 소멸로 인도하는 도닦음이다.'라고 있는 그대로 꿰뚫어 안다.

비구들이여, 이와 같은 사람은 가득 차고 잘 닫힌 자이다. 비구들이여, 예를 들면 가득 차고 잘 닫힌 항아리와 같다. 비구들이여, 나는 이 사람을 이런 항아리와 같다고 말한다."

잘 갖춘 자를 닫힌 자라 한다. 가득 찬 자와 열린 자는 각각 이와 반대의 경우를 말한다.

호수 경1(A4:104)

Udakarahada-sutta

"비구들이여, 네 가지 호수가 있다. 무엇이 넷인가?

얕지만 깊어 보이는 것, 깊지만 얕아 보이는 것, 얕고 얕아 보이는 것, 깊고 깊어 보이는 것이다. 비구들이여, 이러한 네 가지 호수가 있다."

호수 경2(A4:105)

1. "비구들이여, 네 가지 호수가 있다. 무엇이 넷인가?

얕지만 깊어 보이는 것, 깊지만 얕아 보이는 것, [실제로도] 얕고 또한 얕아 보이는 것, [실제로도] 깊고 또한 깊어 보이는 것이다. 비구들이여, 이러한 네 가지 호수가 있다."

2. "비구들이여, 이와 같이 세상에는 호수의 비유와 같은 네 부류의 사람이 있다. 무엇이 넷인가?

얕지만 깊어 보이는 자, 깊지만 얕아 보이는 자, [실제로도] 얕고 또한 얕아 보이는 자, [실제로도] 깊고 또한 깊어 보이는 자이다."

3. "비구들이여, 그러면 어떤 사람이 얕지만 깊어 보이는 자인가?

비구들이여, 여기 어떤 사람은 앞을 볼 때도 돌아볼 때도 구부릴 때도 펼 때도 가사・발우・의복을 지닐 때도 청정한 믿음을 내게 한다.

그러나 그는 '이것이 괴로움이다.'라고 있는 그대로 꿰뚫어 알지 못한다. '이것이 괴로움의 일어남이다.'라고 있는 그대로 꿰뚫어 알지 못한다. '이것이 괴로움의 소멸이다.'라고 있는 그대로 꿰뚫어 알지 못한다. '이것이 괴로움의 소멸로 인도하는 도닦음이다.'라고 있는 그대로 꿰뚫어 알지 못한다.

비구들이여, 이와 같은 사람은 얕지만 깊어 보이는 자이다. 비구들이여, 예를 들면 얕지만 깊어 보이는 호수와 같다. 비구들이여, 나는 이 사람을 이런 호수와 같다고 말한다."

4. "비구들이여, 그러면 어떤 사람이 깊지만 얕아 보이는 자인가?

비구들이여, 여기 어떤 사람은 앞을 볼 때도 돌아볼 때도 구부릴 때도 펼 때도 가사 · 발우 · 의복을 지닐 때도 청정한 믿음을 내게 하지 않는다.

그러나 그는 '이것이 괴로움이다.'라고 … '이것이 괴로움의 소멸로 인도하는 도닦음이다.'라고 있는 그대로 꿰뚫어 안다.

비구들이여, 이와 같은 사람은 깊지만 얕아 보이는 자이다. 비구들이여, 예를 들면 깊지만 얕아 보이는 호수와 같다. 비구들이여, 나는 이 사람을 이런 호수와 같다고 말한다."

5. "비구들이여, 그러면 어떤 사람이 [실제로도] 얕고 또한 얕아 보이는 자인가?

비구들이여, 여기 어떤 사람은 앞을 볼 때도 돌아볼 때도 구부릴 때도 펼 때도 가사 · 발우 · 의복을 지닐 때도 청정한 믿음을 내게 하지 않는다.

그리고 그는 '이것이 괴로움이다.'라고 … '이것이 괴로움의 소멸로 인도하는 도닦음이다.'라고 있는 그대로 꿰뚫어 알지 못한다.

비구들이여, 이와 같은 사람은 [실제로도] 얕고 또한 얕아 보이는 자이다. 비구들이여, 예를 들면 호수가 [실제로도] 얕고 얕아 보이는 것과 같다. 비구들이여, 나는 이 사람을 이런 호수와 같다고 말한다."

6. "비구들이여, 그러면 어떤 사람이 [실제로도] 깊고 또한 깊어 보이는 자인가?

비구들이여, 여기 어떤 사람은 앞을 볼 때도 돌아볼 때도 구부릴 때도 펼 때도 가사 · 발우 · 의복을 지닐 때도 청정한 믿음을 내게 한다.

그리고 그는 '이것이 괴로움이다.'라고 … '이것이 괴로움의 소멸로 인도하는 도닦음이다.'라고 있는 그대로 꿰뚫어 안다.

비구들이여, 이와 같이 이 사람은 [실제로도] 깊고 또한 깊어 보이는 자이다. 비구들이여, 예를 들면 호수가 [실제로도] 깊고 또한 깊어 보이는 것과 같다. 비구들이여, 나는 이 사람을 이런 호수와 같다고 말한다.

비구들이여, 이처럼 세상에는 호수의 비유와 같은 네 부류의 사람이 있다."

망고 경(A4:106)

Amba-sutta

1. "비구들이여, 네 가지 망고가 있다. 무엇이 넷인가?

풋것이지만 익어 보이는 것, 익었지만 풋것으로 보이는 것, 풋것이면서 풋것으로 보이는 것, 익었으면서 익어 보이는 것이다. 비구들이여, 이것이 네 가지 망고이다."

2. "비구들이여, 이와 같이 세상에는 망고의 비유와 같은 네 부류의 사람이 있다. 무엇이 넷인가?

풋것이지만 익어 보이는 자, 익었지만 풋것으로 보이는 자, 풋것이면서 풋것으로 보이는 자, 익었으면서 익어 보이는 자이다."

3. "비구들이여, 그러면 어떤 사람이 풋것이지만 익어 보이는 자인가?

비구들이여, 여기 어떤 사람은 앞을 볼 때도 돌아볼 때도 구부릴 때도 펼 때도 가사·발우·의복을 지닐 때도 청정한 믿음을 내게 한다.

그러나 그는 '이것이 괴로움이다.'라고 있는 그대로 꿰뚫어 알지 못한다. '이것이 괴로움의 일어남이다.'라고 있는 그대로 꿰뚫어 알지 못한다. '이것이 괴로움의 소멸이다.'라고 있는 그대로 꿰뚫어 알지 못한다. '이것이 괴로움의 소멸로 인도하는 도닦음이다.'라고 있는 그대로 꿰뚫어 알지 못한다.

비구들이여, 이와 같은 사람은 풋것이지만 익어 보이는 자이다. 비구들이여, 예를 들면 풋것이지만 익어 보이는 망고와 같다. 비구들이여, 나는 이 사람을 이런 망고와 같다고 말한다."

4. "비구들이여, 그러면 어떤 사람이 익었지만 풋것으로 보이는 자인가?

비구들이여, 여기 어떤 사람은 앞을 볼 때도 돌아볼 때도 구부릴 때도 펼 때도 가사·발우·의복을 지닐 때도 청정한 믿음을 내게 하지 않는다.

그러나 그는 '이것이 괴로움이다.'라고 … '이것이 괴로움의 소멸로 인도하는 도닦음이다.'라고 있는 그대로 꿰뚫어 안다.

비구들이여, 이와 같은 사람은 익었지만 풋것으로 보이는 자이다. 비구들이여, 예를 들면 익었지만 풋것으로 보이는 망고와 같다. 비구들이여, 나는 이 사람을 이런 망고와 같다고 말한다."

5. "비구들이여, 그러면 어떤 사람이 풋것이면서 풋것으로 보이는 자인가?

비구들이여, 여기 어떤 사람은 앞을 볼 때도 돌아볼 때도 구부릴 때도 펼 때도 가사 · 발우 · 의복을 지닐 때도 청정한 믿음을 내게 하지 않는다.

그리고 그는 '이것이 괴로움이다.'라고 … '이것이 괴로움의 소멸로 인도하는 도닦음이다.'라고 있는 그대로 꿰뚫어 알지 못한다.

비구들이여, 이와 같은 사람은 풋것이면서 풋것으로 보이는 자이다. 비구들이여, 예를 들면 풋것이면서 풋것으로 보이는 망고와 같다. 비구들이여, 나는 이 사람을 이런 망고와 같다고 말한다."

6. "비구들이여, 그러면 어떤 사람이 익었으면서 익어 보이는 자인가?

비구들이여, 여기 어떤 사람은 앞을 볼 때도 돌아볼 때도 구부릴 때도 펼 때도 가사 · 발우 · 의복을 지닐 때도 청정한 믿음을 내게 한다.

그리고 그는 '이것이 괴로움이다.'라고 … '이것이 괴로움의 소멸로 인도하는 도닦음이다.'라고 있는 그대로 꿰뚫어 안다.

비구들이여, 이와 같은 사람은 익었으면서 익어 보이는 자이다. 비구들이여, 예를 들면 익었으면서 익어 보이는 망고와 같다. 비구들이여, 나는 이 사람을 이런 망고와 같다고 말한다.

비구들이여, 이처럼 세상에는 망고의 비유와 같은 네 부류의 사람이 있다."

쥐 경(A4:107)

Mūsika-sutta

1. "비구들이여, 네 가지 쥐가 있다. 무엇이 넷인가?

구멍을 파지만 [그 안에] 살지 않는 것, [구멍 안에] 살지만 구멍을 파지 않는 것, 구멍을 파지도 않고 [그 안에] 살지도 않는 것, 구멍도 파고 [그 안에] 살기도 하는 것이다. 비구들이여, 이것이 네 가지 쥐이다."

2. "비구들이여, 이와 같이 세상에는 쥐의 비유와 같은 네 부류의 사람이 있다. 무엇이 넷인가?

구멍을 파지만 [그 안에] 살지 않는 자, [구멍 안에] 살지만 구멍을 파지 않는 자, 구멍을 파지도 않고 [그 안에] 살지도 않는 자, 구멍도 파고 [그 안에] 살기도 하는 자이다."

3. "비구들이여, 그러면 어떤 사람이 구멍을 파지만 [그 안에] 살지 않는 자인가?

비구들이여, 여기 어떤 사람은 경(經), 응송(應頌), 상세한 설명[記別, 授記], 게송(偈頌), 감흥어(感興語), 여시어(如是語), 본생담(本生譚), 미증유법(未曾有法), 문답[方等]이라는 법을 잘 알고 있다.

그러나 그는 '이것이 괴로움이다.'라고 있는 그대로 꿰뚫어 알지 못한다. '이것이 괴로움의 일어남이다.'라고 있는 그대로 꿰뚫어 알지 못한다. '이것이 괴로움의 소멸이다.'라고 있는 그대로 꿰뚫어 알지 못한다. '이것이 괴로움의 소멸로 인도하는 도닦음이다.'라고 있는 그대로 꿰뚫어 알지 못한다.

비구들이여, 이와 같은 사람은 구멍을 파지만 [그 안에] 살지 않는 자이다. 비구들이여, 예를 들면 구멍을 파지만 [그 안에] 살지 않는 쥐와 같다. 비구들이여, 나는 이 사람을 이런 쥐와 같다고 말한다."

4. "비구들이여, 그러면 어떤 사람이 [구멍 안에] 살지만 구멍을 파지 않는 자인가?

비구들이여, 여기 어떤 사람은 경, 응송, … 문답이라는 법을 잘 알지 못한다.

그러나 그는 '이것이 괴로움이다.'라고 … '이것이 괴로움의 소멸로 인도하는 도닦음이다.'라고 있는 그대로 꿰뚫어 안다.

비구들이여, 이와 같은 사람은 [구멍 안에] 살지만 구멍을 파지 않는 자이다. 비구들이여, 예를 들면 [구멍 안에] 살지만 구멍을 파지 않는 쥐와 같다. 비구들이여, 나는 이 사람을 이런 쥐와 같다고 말한다."

5. "비구들이여, 그러면 어떤 사람이 구멍을 파지도 않고 [그 안에] 살지도 않는 자인가?

비구들이여, 여기 어떤 사람은 경, 응송, … 문답이라는 법을 잘 알지 못한다.

그리고 그는 '이것이 괴로움이다.'라고 … '이것이 괴로움의 소멸로 인도하는 도닦음이다.'라고 있는 그대로 꿰뚫어 알지 못한다.

비구들이여, 이와 같은 사람은 구멍을 파지도 않고 [그 안에] 살지도 않는 자이다. 비구들이여, 예를 들면 구멍을 파지도 않고 [그 안에] 살지도 않는 쥐와 같다. 비구들이여, 나는 이 사람을 이런 쥐와 같다고 말한다."

6. "비구들이여, 그러면 어떤 사람이 구멍도 파고 [그 안에] 살기도 하는 자인가?

비구들이여, 여기 어떤 사람은 경, 응송, … 문답이라는 법을 잘 안다.

그리고 그는 '이것이 괴로움이다.'라고 … '이것이 괴로움의 소멸로 인도하는 도닦음이다.'라고 있는 그대로 꿰뚫어 안다.

비구들이여, 이와 같은 사람은 구멍도 파고 [그 안에] 살기도 하는 자이다. 비구들이여, 예를 들면 구멍도 파고 [그 안에] 살기도 하는 쥐와 같다. 비구들이여, 나는 이 사람을 이런 쥐와 같다고 말한다.

비구들이여, 이처럼 세상에는 쥐의 비유와 같은 네 부류의 사람이 있다."

황소 경(A4:108)

Balībadda-sutta

1. "비구들이여, 네 가지 황소가 있다. 무엇이 넷인가?

자기의 소떼에게는 사납지만 다른 소떼에게는 사납지 않은 것, 다른 소떼에게는 사납지만 자기 소떼에게는 사납지 않은 것, 자기 소떼에게도 사납고 다른 소떼에게도 사나운 것, 자기 소떼에게도 사납지 않고 다른 소떼에게도 사납지 않은 것이다. 비구들이여, 이것이 네 가지 황소이다."

2. "비구들이여, 이와 같이 세상에는 황소의 비유와 같은 네 부류의 사람이 있다. 무엇이 넷인가?

자기 소떼에게는 사납지만 다른 소떼에게는 사납지 않은 자, 다른 소떼에게는 사납지만 자기 소떼에게는 사납지 않은 자, 자기 소떼에게도 사납고 다른 소떼에게도 사나운 자, 자기 소떼에게도 사납지 않고 다른 소떼에게도 사납지 않은 자이다."

3. "비구들이여, 그러면 어떤 사람이 자기 소떼에게는 사납지만 다른 소떼에게는 사납지 않은 자인가?

비구들이여, 여기 어떤 사람은 자기 회중에게는 두렵게 하지만 다른 회중에게는 그렇지 않다. 비구들이여, 이와 같은 사람은 자기 소떼에게는 사납지만 다른 소떼에게는 사납지 않은 자이다.

비구들이여, 예를 들면 자기 소떼에게는 사납지만 다른 소떼에게는 사납지 않은 황소와 같다. 비구들이여, 나는 이 사람을 이런 소와 같다고 말한다."

4. "비구들이여, 그러면 어떤 사람이 다른 소떼에게는 사납지만 자기 소떼에게는 사납지 않은 자인가?

비구들이여, 여기 어떤 사람은 남의 회중에게는 두렵게 하지만 자기 회중에게는 그렇지 않다. 비구들이여, 이와 같은 사람은 다른 소떼에게는 사납지만 자기 소떼에게는 사납지 않은 자이다.

비구들이여, 예를 들면 다른 소떼에게는 사납지만 자기 소떼에게는 사납지 않은 황소와 같다. 비구들이여, 나는 이 사람을 이런 소와 같다고 말한다."

5. "비구들이여, 그러면 어떤 사람이 자기 소떼에게도 사납고 다른 소떼에게도 사나운 자인가?

비구들이여, 여기 어떤 사람은 자기 회중에게도 두렵게 하고 남의 회중에게도 두렵게 한다. 비구들이여, 이와 같은 사람은 자기 소떼에게도 사납고 다른 소떼에게도 사나운 자이다.

비구들이여, 예를 들면 자기 소떼에게도 사납고 다른 소떼에게도 사나운 황소와 같다. 비구들이여, 나는 이 사람을 이런 소와 같다고 말한다."

6. "비구들이여, 그러면 어떤 사람이 자기 소떼에게도 사납지 않고 다른 소떼에게도 사납지 않은 자인가?

비구들이여, 여기 어떤 사람은 자기 회중에게도 두렵게 하지 않고 남의 회중에게도 두렵게 하지 않는다. 비구들이여, 이와 같은 사람은 자기 소떼에게도 사납지 않고 다른 소떼에게도 사납지 않은 자이다.

비구들이여, 예를 들면 자기 소떼에게도 사납지 않고 다른 소떼에게도 사납지 않은 황소와 같다. 비구들이여, 나는 이 사람을 이런 소와 같다고 말한다.

비구들이여, 이처럼 세상에는 황소의 비유와 같은 네 부류의 사람이 있다."

나무 경(A4:109)

Rukkha-sutta

1. "비구들이여, 네 가지 나무가 있다. 무엇이 넷인가?

비구들이여, 백목질(白木質)의 나무에 에워싸인 백목질의 나무, 심재(心材)의 나무에 에워싸인 백목질의 나무, 백목질의 나무에 에워싸인 심재의 나무, 심재의 나무에 에워싸인 심재의 나무이다. 비구들이여, 이것이 네 가지 나무이다."

2. “비구들이여, 이와 같이 세상에는 나무의 비유와 같은 네 부류의 사람이 있다. 무엇이 넷인가?

백목질의 나무에 에워싸인 백목질 나무의 사람, 심재의 나무에 에워싸인 백목질 나무의 사람, 백목질의 나무에 에워싸인 심재 나무의 사람, 심재의 나무에 에워싸인 심재 나무의 사람이다.”

3. “비구들이여, 그러면 어떤 자가 백목질의 나무에 에워싸인 백목질의 나무와 같은 사람인가?

비구들이여, 여기 어떤 사람은 계행이 나쁘고 사악한 성품을 가졌으며 그의 회중도 계행이 나쁘고 사악한 성품을 가졌다. 비구들이여, 이와 같은 사람은 백목질의 나무에 에워싸인 백목질의 나무와 같은 사람이다.

비구들이여, 예를 들면 백목질의 나무가 백목질의 나무에 에워싸여 있는 것과 같다. 비구들이여, 나는 이 사람을 이런 나무와 같다고 말한다.”

4. “비구들이여, 그러면 어떤 자가 심재의 나무에 에워싸인 백목질의 나무와 같은 사람인가?

비구들이여, 여기 어떤 사람은 계행이 나쁘고 사악한 성품을 가졌지만 그의 회중은 계행을 구족하고 선한 성품을 가졌다. 비구들이여, 이와 같은 사람은 심재의 나무에 에워싸인 백목질의 나무와 같은 사람이다.

비구들이여, 예를 들면 백목질의 나무가 심재의 나무에 에워싸여 있는 것과 같다. 비구들이여, 나는 이 사람을 이런 나무와 같다고 말한다.”

5. “비구들이여, 그러면 어떤 자가 백목질의 나무에 에워싸인 심재의 나무와 같은 사람인가?

비구들이여, 여기 어떤 사람은 계행을 구족하고 선한 성품을 가졌지만 그의 회중은 계행이 나쁘고 사악한 성품을 가졌다. 비구들이여, 이와 같은 사람은 백목질의 나무에 에워싸인 심재 나무의 사람이다.

비구들이여, 예를 들면 심재의 나무가 백목질의 나무에 에워싸여 있는 것과 같다. 비구들이여, 나는 이 사람을 이런 나무와 같다고 말한다.”

6. “비구들이여, 그러면 어떤 자가 심재의 나무에 에워싸인 심재 나무의 사람인가?

비구들이여, 여기 어떤 사람은 계행을 구족하고 선한 성품을 가졌고 그의 회중도 계행을 구족하고 선한 성품을 가졌다. 비구들이여, 이와 같은 사람은 심재의 나무에 에워싸인 심재 나무의 사람이다.

비구들이여, 예를 들면 심재의 나무가 심재의 나무에 에워싸여 있는 것과 같다. 비구들이여, 나는 이 사람을 이런 나무와 같다고 말한다.

비구들이여, 이처럼 세상에는 나무의 비유와 같은 네 부류의 사람이 있다.”

뱀 경(A4:110)

Āsīvisa-sutta

1. “비구들이여, 네 가지 뱀이 있다. 무엇이 넷인가?

비구들이여, 독이 빨리 퍼지지만 오랫동안 고통을 주지 않는 것,[271] 독이 오랫동안 고통을 주지만 빨리 퍼지지 않는 것, 독이 빨리 퍼지고 오랫동안 고통을 주는 것, 독이 빨리 퍼지지도 않고 오랫동안 고통을 주지도 않는 것이다. 비구들이여, 이것이 네 가지 뱀이다."

2. "비구들이여, 이와 같이 세상에는 뱀의 비유와 같은 네 부류의 사람이 있다. 무엇이 넷인가?

독이 빨리 퍼지지만 오랫동안 고통을 주지 않는 자, 독이 오랫동안 고통을 주지만 빨리 퍼지지 않는 자, 독이 빨리 퍼지고 오랫동안 고통을 주는 자, 독이 빨리 퍼지지도 않고 오랫동안 고통을 주지도 않는 자이다."

3. "비구들이여, 그러면 어떤 사람이 독이 빨리 퍼지지만 오랫동안 고통을 주지 않는 자인가?

비구들이여, 여기 어떤 사람은 자주 화를 낸다. 그러나 그 화는 오래가지 않는다. 비구들이여, 이와 같은 사람은 독이 빨리 퍼지지만 오랫동안 고통을 주지 않는 자이다.

비구들이여, 예를 들면 독이 빨리 퍼지지만 오랫동안 고통을 주지 않는 뱀과 같다. 비구들이여, 나는 이 사람을 이런 뱀과 같다고 말한다."

---

271) '독이 빨리 퍼지는'은 āgata-viso를 옮긴 것이다. 독이 있다는 뜻이 직역이겠지만 주석서에서 '독이 온몸에 빨리 퍼지는'으로 설명하고 있어 이렇게 옮겼다.(AA.iii.120) 한편 '고통을 주는'은 ghora를 옮긴 것인데 ghora는 대개 무시무시한의 뜻으로 사용되지만 여기서는 뱀의 독이 긴 시간 동안 고통을 주는 것이라고 복주서는 설명하고 있어서(AAṬ.ii.296) 이렇게 옮겼다.

4. "비구들이여, 그러면 어떤 사람이 독이 오랫동안 고통을 주지만 빨리 퍼지지 않는 자인가?

비구들이여, 여기 어떤 사람은 자주 화를 내지 않는다. 그러나 그 화는 오래간다. 비구들이여, 이와 같은 사람은 독이 오랫동안 고통을 주지만 빨리 퍼지지 않는 자이다.

비구들이여, 예를 들면 독이 오랫동안 고통을 주지만 빨리 퍼지지 않는 뱀과 같다. 비구들이여, 나는 이 사람을 이런 뱀과 같다고 말한다."

5. "비구들이여, 그러면 어떤 사람이 독이 빨리 퍼지고 오랫동안 고통을 주는 자인가?

비구들이여, 여기 어떤 사람은 자주 화를 낸다. 그리고 그 화는 오래간다. 비구들이여, 이와 같은 사람은 독이 빨리 퍼지고 오랫동안 고통을 주는 자이다.

비구들이여, 예를 들면 독이 빨리 퍼지고 오랫동안 고통을 주는 뱀과 같다. 비구들이여, 나는 이 사람을 이런 뱀과 같다고 말한다."

6. "비구들이여, 그러면 어떤 사람이 독이 빨리 퍼지지도 않고 오랫동안 고통을 주지도 않는 자인가?

비구들이여, 여기 어떤 사람은 자주 화를 내지 않는다. 그리고 그 화는 오래가지 않는다. 비구들이여, 이와 같은 사람은 독이 빨리 퍼지지도 않고 오랫동안 고통을 주지도 않는 자이다.

비구들이여, 예를 들면 독이 빨리 퍼지지도 않고 오랫동안 고통을 주지도 않는 뱀과 같다. 비구들이여, 나는 이 사람을 이런 뱀과 같다고 말한다."

비구들이여, 이처럼 세상에는 뱀의 비유와 같은 네 부류의 사람이 있다."

제11장 비구름 품이 끝났다.

열한 번째 품에 포함된 경들의 목록은 다음과 같다.

두 가지 ①~② 비구름, ③ 항아리
두 가지 ④~⑤ 호수
⑥ 망고 ⑦ 쥐 ⑧ 황소
⑨ 나무 ⑩ 뱀 — 이러한 열 가지이다.

제12장 께시 품

Kesi-vagga

께시 경(A4:111)

Kesi-sutta

1. 그때 말 조련사 께시[272]가 세존께 다가갔다. 가서는 세존께 절을 올린 뒤 한 곁에 앉았다. 한 곁에 앉은 말 조련사 께시에게 세존께서는 이렇게 말씀하셨다.

2. "께시여, 그대는 훌륭한 말 조련사이다. 께시여, 그러면 그대는 어떻게 말을 길들이는가?"

"세존이시여, 저는 말을 길들일 때 온화하게 길들이기도 하고 혹독하게 길들이기도 하고 온화함과 혹독함 둘 다로 길들이기도 합니다."

"께시여, 만일 그대가 말을 길들일 때 그 말이 온화한 방법으로도 길들여지지 않고 혹독한 방법으로도 길들여지지 않고 온화함과 혹독함 둘 다로도 길들여지지 않는다면 그때는 어떻게 하는가?"

"세존이시여, 만일 제가 말을 길들일 때 그 말이 온화한 방법으로도 길들여지지 않고 혹독한 방법으로도 길들여지지 않고 온화함과 혹독함 둘 다로도 길들여지지 않는다면 그때는 말을 죽여 버립니다. 그것은 무슨 이유 때문일까요? 제 스승의 가문을 욕되게 하지 않기 위해서입니다. 세존이시여, 그런데 세존께서는 사람을 잘 길들이는 가장 높으신 분[無上士 調御丈夫][273]이십니다. 세존이시여, 그러면 세

---

272) 주석서와 복주서에는 께시(Kesi)가 누구인지에 대한 설명이 없다.

존께서는 어떻게 인간을 길들이십니까?"

3. "께시여, 나도 사람을 길들일 때 온화하게 길들이기도 하고 혹독하게 길들이기도 하고 온화함과 혹독함 둘 다로 길들이기도 한다.

께시여, 여기서 이것이 온화하게 길들이는 경우이다. 즉 '이것이 몸으로 짓는 좋은 행위이고, 이것이 몸으로 짓는 좋은 행위의 과보이고, 이것이 말로 짓는 좋은 행위이고, 이것이 말로 짓는 좋은 행위의 과보이고, 이것이 마음으로 짓는 좋은 행위이고, 이것이 마음으로 짓는 좋은 행위의 과보이고, 이것이 신이고, 이것이 인간이다.'라고.

께시여, 여기서 이것이 혹독하게 길들이는 경우이다. 즉 '이것이 몸으로 짓는 나쁜 행위이고, 이것이 몸으로 짓는 나쁜 행위의 과보이고, 이것이 말로 짓는 나쁜 행위이고, 이것이 말로 짓는 나쁜 행위의 과보이고, 이것이 마음으로 짓는 나쁜 행위이고, 이것이 마음으로 짓는 나쁜 행위의 과보이고, 이것이 지옥이고, 이것이 축생계이고, 이것이 아귀계이다.'라고.

께시여, 여기서 이것이 온화함과 혹독함 둘 다로 길들이는 경우이다. 즉 '이것이 몸으로 짓는 좋은 행위이고, 이것이 몸으로 짓는 좋은 행위의 과보이고, 이것이 몸으로 짓는 나쁜 행위이고, 이것이 몸으로 짓는 나쁜 행위의 과보이고, … 이것이 마음으로 짓는 좋은 행위이

---

273) '사람을 잘 길들이는 가장 높으신 분[無上士 調御丈夫]'은 anuttara purisadammasārathi를 옮긴 것이다. 일반적으로 여래 십호를 설명할 때 무상사와 조어장부를 분리해서 설명하고 있는데 께시는 이처럼 이 둘을 함께 붙여서 '사람을 잘 길들이는 가장 높으신 분'으로 부르고 있다.
이런 영향인지 『청정도론』에서도 "혹은 [앞의 무상사를 여기 가져와서] 사람을 잘 길들이는 가장 높으신 분[無上士 調御丈夫]으로 단 하나의 구문으로 간주하기도 한다."(Vis.VII.48)고 적고 있다.

고, 이것이 마음으로 짓는 좋은 행위의 과보이고, 이것이 마음으로 짓는 나쁜 행위이고, 이것이 마음으로 짓는 나쁜 행위의 과보이고, 이것이 신이고, 이것이 인간이고, 이것이 지옥이고, 이것이 축생계이고, 이것이 아귀계이다.'라고."

"세존이시여, 만일 세존께서 사람을 길들일 때 그 사람이 온화한 방법으로도 길들여지지 않고 혹독한 방법으로도 길들여지지 않고 온화함과 혹독함 둘 다로도 길들여지지 않는다면 그때는 어떻게 하십니까?"

"께시여, 만일 내가 사람을 길들일 때 그 사람이 온화한 방법으로도 길들여지지 않고 혹독한 방법으로도 길들여지지 않고 온화함과 혹독함 둘 다로도 길들여지지 않는다면 그때는 나는 그를 죽여 버린다."

4. "세존이시여, 참으로 세존께서는 생명을 결코 죽이지 않으십니다. 그런데 세존께서는 '나는 그를 죽여 버린다.'고 말씀하십니다."

"께시여, 여래가 생명을 죽이지 않는다는 것은 사실이다. 그렇더라도 만일 사람을 길들일 때 그 사람이 온화한 방법으로도 길들여지지 않고 혹독한 방법으로도 길들여지지 않고 온화함과 혹독함 둘 다로도 길들여지지 않는다면, 그때는 여래는 그를 훈도해서는 안 된다고 생각하고 교계해서는 안 된다고 생각하고, 청정범행을 닦는 지혜로운 동료 수행자들도 그를 훈도해서는 안 된다고 생각하고 교계해서는 안 된다고 생각한다. 께시여, 여래가 훈도해서는 안 된다고 생각하고 교계해서는 안 된다고 생각하고, 청정범행을 닦는 지혜로운 동료 수행자들이 훈도해서는 안 된다고 생각하고 교계해서는 안 된다고 생각하는 그런 사람은 참으로 이 성스러운 율에서 살해된 자이니라."274)

274) 본경을 통해서 왜 세존이 사람을 잘 길들이는 분[調御丈夫]이신지 그 진

"세존이시여, 참으로 그러합니다. 여래가 훈도해서는 안 된다고 생각하고 교계해서는 안 된다고 생각하고, 청정범행을 닦는 지혜로운 동료 수행자들이 훈도해서는 안 된다고 생각하고 교계해서는 안 된다고 생각하는 그런 사람은 참으로 살해된 자입니다.

경이롭습니다, 세존이시여. 경이롭습니다, 세존이시여. 마치 넘어진 자를 일으켜 세우시듯, 덮여있는 것을 걷어내 보이시듯, [방향을] 잃어버린 자에게 길을 가리켜주시듯, 눈 있는 자 형상을 보라고 어둠 속에서 등불을 비춰주시듯, 고따마 존자께서는 여러 가지 방편으로 법을 설해주셨습니다. 저는 이제 고따마 존자께 귀의하옵고 법과 비구승가에 귀의합니다. 고따마 존자께서는 저를 재가신자로 받아주소서. 오늘부터 목숨이 붙어 있는 그날까지 귀의하옵니다."

속력 경(A4:112)

Java-sutta

1. "비구들이여, 네 가지 요소를 구족한 혈통 좋은 멋진 말은 왕에게 어울리고 왕을 섬길 수 있으며 왕의 수족이라는 이름을 얻게 된다. 무엇이 넷인가?

정직함, 속력, 인욕, 온화함이다.[275] 비구들이여, 이러한 네 가지 요소를 구족한 혈통 좋은 멋진 말은 왕에게 어울리고 왕을 섬길 수 있으며 왕의 수족이라는 이름을 얻게 된다."

면목을 알 수 있다. 그래서 『율장 주석서』(VinA.i.120)는 '사람을 잘 길들이는 분[調御丈夫]'을 설명하는 보기로 본경을 들고 있다.

275) 본서 제1권 「셋의 모음」의 몇몇 경들(A3:94 등)에서는 용모와 힘과 속력의 세 가지 요소를 왕의 말이 갖추어야 할 것으로 들고 있다.

2. "비구들이여, 그와 같이 네 가지 요소를 구족한 비구는 공양받아 마땅하고, 선사받아 마땅하고, 보시받아 마땅하고, 합장받아 마땅하며, 세상의 위없는 복밭[福田]이다. 무엇이 넷인가?

정직함, 속력, 인욕, 온화함이다. 비구들이여, 이러한 네 가지 요소를 구족한 비구는 공양받아 마땅하고, 선사받아 마땅하고, 보시받아 마땅하고, 합장받아 마땅하며, 세상의 위없는 복밭이다."

채찍 경(A4:113)

Patoda-sutta

1. "비구들이여, 세상에는 네 가지 혈통 좋은 멋진 말이 있다. 무엇이 넷인가?

비구들이여, 여기 어떤 혈통 좋은 멋진 말은 채찍[276]의 그림자만 보고도 '오늘 말 조련사는 나에게 어떤 일을 시킬까? 나는 그에게 무엇을 해서 보답할까?'라고 절박해지고 절박함을 일으킨다. 비구들이여, 여기 이런 종류의 어떤 혈통 좋은 멋진 말이 있다. 비구들이여, 이것이 세상에 존재하는 첫 번째 혈통 좋은 멋진 말이다."

2. "다시 비구들이여, 여기 어떤 혈통 좋은 멋진 말은 채찍의 그림자를 보고는 절박해지고 절박함을 일으키지 않는다. 그러나 채찍이 털을 파고들어야 '오늘 말 조련사는 나에게 어떤 일을 시킬까? 나는 그에게 무엇을 해서 보답할까?'라고 절박해지고 절박함을 일으

276) '채찍'으로 옮긴 원어는 patoda인데 이것은 몽둥이 특히 소나 말을 몰 때 때리고 찌르는 막대기를 뜻한다. 여기서는 우리에게 익숙한 채찍으로 의역을 하였다.

킨다. 비구들이여, 여기 이런 종류의 어떤 혈통 좋은 멋진 말이 있다. 비구들이여, 이것이 세상에 존재하는 두 번째 혈통 좋은 멋진 말이다."

3. "다시 비구들이여, 여기 어떤 혈통 좋은 멋진 말은 채찍의 그림자를 보고도 … 채찍이 털을 파고들어도 절박해지고 절박함을 일으키지 않는다. 그러나 채찍이 살점을 파고들어야 '오늘 말 조련사는 나에게 어떤 일을 시킬까? 나는 그에게 무엇을 해서 보답할까?' 라고 절박해지고 절박함을 일으킨다. 비구들이여, 여기 이런 종류의 어떤 혈통 좋은 멋진 말이 있다. 비구들이여, 이것이 세상에 존재하는 세 번째 혈통 좋은 멋진 말이다."

4. "다시 비구들이여, 여기 어떤 혈통 좋은 멋진 말은 채찍의 그림자를 보고도 … 채찍이 털을 파고들어도 … 채찍이 살점을 파고들어도 절박해지고 절박함을 일으키지 않는다. 그러나 채찍이 뼈를 파고들어야 '오늘 말 조련사는 나에게 어떤 일을 시킬까? 나는 그에게 무엇을 해서 보답할까?'라고 절박해지고 절박함을 일으킨다. 비구들이여, 여기 이런 종류의 어떤 혈통 좋은 멋진 말이 있다. 비구들이여, 이것이 세상에 존재하는 네 번째 혈통 좋은 멋진 말이다.

비구들이여, 세상에는 이러한 네 가지 혈통 좋은 멋진 말이 있다."

5. "비구들이여, 그와 같이 세상에는 네 부류의 귀족 출신의 사람이 있다. 무엇이 넷인가?

비구들이여, 여기 어떤 귀족 출신의 사람은 '아무개 마을이나 성읍에서 어떤 여자나 남자가 고통에 시달리거나 죽었다.'라고 듣는다. 그러면 그는 절박해지고 절박함을 일으킨다. 절박함을 가진 그는 지혜롭게 노력하고 스스로를 독려하고 몸으로 구경의 진리를 실현하고 통찰지로써 꿰뚫어본다.

비구들이여, 예를 들면 혈통 좋은 멋진 말이 채찍의 그림자만 보아도 절박해지고 절박함을 일으키는 것과 같다. 비구들이여, 이 귀족 출신의 사람은 그 혈통 좋은 멋진 말과 같다고 나는 말한다. 비구들이여, 여기 어떤 귀족 출신의 사람은 이런 모양새를 가졌다. 비구들이여, 이것이 세상에 존재하는 첫 번째 귀족 출신의 사람이다."

6. "다시 비구들이여, 여기 어떤 혈통 좋은 멋진 사람은 '아무개 마을이나 성읍에서 여자나 남자가 고통에 시달리거나 죽었다.'라고 듣는 것이 아니라 어떤 여자나 남자가 고통에 시달리거나 죽은 것을 직접 본다. 그러면 그는 절박해지고 절박함을 일으킨다. 절박함을 가진 그는 지혜롭게 노력하고 스스로를 독려하고 몸으로 구경의 진리를 실현하고 통찰지로써 꿰뚫어본다.

비구들이여, 예를 들면 혈통 좋은 멋진 말이 채찍이 털을 파고들 때 절박해지고 절박함을 일으키는 것과 같다. 비구들이여, 이 혈통 좋은 멋진 사람은 그 혈통 좋은 멋진 말과 같다고 나는 말한다. 비구들이여, 여기 어떤 귀족 출신의 사람은 이런 모양새를 가졌다. 비구들이여, 이것이 세상에 존재하는 두 번째 귀족 출신의 사람이다."

7. "다시 비구들이여, 여기 어떤 귀족 출신의 사람은 '아무개 마을이나 성읍에서 어떤 여자나 남자가 고통에 시달리거나 죽었다.' 라고 듣지도 않고, … 직접 보지도 않는다. 그러나 그의 친지나 혈육이 고통에 시달리거나 죽으면 그는 절박해지고 절박함을 일으킨다. 절박함을 가진 그는 지혜롭게 노력하고 스스로를 독려하고 몸으로 구경의 진리를 실현하고 통찰지로써 꿰뚫어본다.

비구들이여, 예를 들면 혈통 좋은 멋진 말이 채찍이 살점을 파고들 때 절박해지고 절박함을 일으키는 것과 같다. 비구들이여, 이 귀족 출신의 사람은 그 혈통 좋은 멋진 말과 같다고 나는 말한다. 비구들이여, 여기 어떤 귀족 출신의 사람은 이런 모양새를 가졌다. 비구들이여, 이것이 세상에 존재하는 세 번째 귀족 출신의 사람이다."

8. "다시 비구들이여, 여기 어떤 귀족 출신의 사람은 '아무개 마을이나 성읍에서 어떤 여자나 남자가 고통에 시달리거나 죽었다.'라고 듣지도 않고, … 직접 보지도 않고, 그의 친지나 혈육이 고통에 시달리거나 죽지도 않았다. 그러나 스스로가 몸에 생겨난 괴롭고 날카롭고 거칠고 심하고 좋지 않고 마음에 들지 않고 생명을 위협하는 갖가지 느낌들에 시달리게 된다. 그러면 그는 절박해지고 절박함을 일으킨다. 절박함을 가진 그는 지혜롭게 노력하고 스스로를 독려하고 몸으로 구경의 진리를 실현하고 통찰지로써 꿰뚫어본다.

비구들이여, 예를 들면 혈통 좋은 멋진 말이 채찍이 뼈를 파고들 때 절박해지고 절박함을 일으키는 것과 같다. 비구들이여, 이 귀족 출신의 사람은 그 혈통 좋은 멋진 말과 같다고 나는 말한다. 비구들이여, 여기 어떤 귀족 출신의 사람은 이런 모양새를 가졌다. 비구들이여, 이것이 세상에 존재하는 네 번째 귀족 출신의 사람이다.

비구들이여, 세상에는 이러한 네 부류의 귀족 출신의 사람이 있다."

코끼리 경(A4:114)

Nāga-sutta

1. "비구들이여, 네 가지 요소를 구족한 왕의 코끼리는 왕에게

어울리고 왕을 섬길 수 있으며 왕의 수족이라는 이름을 얻게 된다. 무엇이 넷인가?

비구들이여, 여기 왕의 코끼리는 듣고, 죽이고, 감내하고, 간다."

2. "비구들이여, 그러면 어떻게 왕의 코끼리는 듣는가?

비구들이여, 여기 왕의 코끼리는 코끼리 조련사가 어떤 일을 시키더라도 — 전에 한 것이건 전에 하지 않은 것이건 — 그것을 깊이 새기고 마음에 잡도리하고 모든 마음을 다하여 몰두하여 귀를 기울이고 듣는다. 비구들이여, 이와 같이 왕의 코끼리는 듣는다."

3. "비구들이여, 그러면 어떻게 왕의 코끼리는 죽이는가?

비구들이여, 여기 왕의 코끼리는 전쟁터에 가면 코끼리도 죽이고 코끼리를 탄 자도 죽이고 말도 죽이고 말을 탄 자도 죽인다. 마차도 파괴하고 마부도 죽이고 보병도 죽인다. 비구들이여, 이와 같이 왕의 코끼리는 죽인다."

4. "비구들이여, 그러면 어떻게 왕의 코끼리는 감내하는가?

비구들이여, 여기 왕의 코끼리는 전쟁터에 가면 창에 찔리고 칼에 찔리고 화살에 찔리고 도끼에 찔리는 것과 큰북 소리와 작은북 소리와 고동 소리와 징소리와 고함소리를 감내한다. 비구들이여, 이와 같이 왕의 코끼리는 감내한다."

5. "비구들이여, 그러면 어떻게 왕의 코끼리는 가는가?

비구들이여, 여기 왕의 코끼리는 코끼리 조련사가 지시하는 대로 전에 가본 곳이건 전에 가지 않은 곳이건 즉시에 간다. 비구들이여, 이와 같이 왕의 코끼리는 간다.

비구들이여, 이러한 네 가지 요소를 구족한 왕의 코끼리는 왕에게 어울리고 왕을 섬길 수 있으며 왕의 수족이라는 이름을 얻게 된다."

6. "비구들이여, 그와 같이 네 가지 요소를 구족한 비구는 공양받아 마땅하고, 선사받아 마땅하고, 보시받아 마땅하고, 합장받아 마땅하며, 세상의 위없는 복밭[福田]이다. 무엇이 넷인가?

비구들이여, 여기 비구는 듣고, 죽이고, 감내하고, 간다."

7. "비구들이여, 그러면 어떻게 비구는 듣는가?

비구들이여, 여기 비구는 여래가 선언하신 법과 율이 설해질 때 그것을 깊이 새기고 마음에 잡도리하고 모든 마음을 다하여 몰두하여 귀를 기울이고 듣는다. 비구들이여, 이와 같이 비구는 듣는다."

8. "비구들이여, 그러면 어떻게 비구는 죽이는가?

비구들이여, 여기 비구는 감각적 욕망에 대한 생각이 일어나면 그것을 품지 않고 버리고 제거하고 끝내고 없앤다. 악의에 대한 생각이 일어나면 … 해코지에 대한 생각이 일어나면 … 계속적으로 나쁘고 해로운 법들이 일어나면 그것을 품지 않고 버리고 제거하고 끝내고 없앤다. 비구들이여, 이와 같이 비구는 죽인다."

9. "비구들이여, 그러면 어떻게 비구는 감내하는가?

비구들이여, 여기 비구는 추위와 더위와 배고픔과 목마름과, 날파리 모기 바람 뙤약볕 파충류에 닿음과, 고약하고 언짢은 말들을 견디고, 몸에 생겨난 괴롭고 날카롭고 거칠고 찌르고 불쾌하고 마음에 들지 않고 생명을 위협하는 갖가지 느낌들을 감내한다. 비구들이여, 이와 같이 비구는 감내한다."

10. "비구들이여, 그러면 어떻게 비구는 가는가?

비구들이여, 여기 비구는 이 긴 [삶의] 여정에서 전에 가본 적이 없는 방향 — 즉 모든 형성된 것[行]들이 가라앉음[止], 모든 재생의 근거277)를 놓아버림[放棄], 갈애의 소진, 탐욕이 빛바램[離慾], 소멸[滅], 열반 — 으로 즉시에 간다. 비구들이여, 이와 같이 비구는 간다.

비구들이여, 이러한 네 가지 요소를 구족한 비구는 공양받아 마땅하고, 선사받아 마땅하고, 보시받아 마땅하고, 합장받아 마땅하며, 세상의 위없는 복밭[福田]이다."

경우 경(A4:115)

Ṭhāna-sutta

1. "비구들이여, 네 가지 경우가 있다. 무엇이 넷인가?

비구들이여, 하기에도 마음에 들지 않고 그것을 하고 나면 해로움이 생기는 경우가 있다. 비구들이여, 하기에는 마음에 들지 않지만 그것을 하고 나면 이로움이 생기는 경우가 있다. 비구들이여, 하기에는 마음에 들지만 하고 나면 해로움이 생기는 경우가 있다. 비구들이여, 하기에도 마음에 들고 하고 나면 이로움이 생기는 경우가 있다."

2. "비구들이여, 이 가운데 [첫 번째인] 하기에도 마음에 들지 않고 그것을 하고 나면 해로움이 생기는 경우는 둘 다 행해서는 안 된다고 여겨진다. 즉 하기에 마음에 들지 않는 것도 행해서는 안 된다고 여겨지고 하고 나면 해로움이 생기는 것도 행해서는 안 된다고

---

277) '재생의 근거(upadhi)에 대해서는 본서 제1권 「노력 경」(A2:1:2)의 주해를 참조할 것.

여겨진다. 비구들이여, 이런 경우는 둘 다 행해서는 안 된다고 여겨진다."

3. "비구들이여, 이 가운데 [두 번째인] 하기에는 마음에 들지 않지만 그것을 하고 나면 이로움이 생기는 경우에는 남자다운 근력과 남자다운 노력과 남자다운 분발에 있어서 어리석은 자와 현명한 자를 구분해야 한다.

비구들이여, 어리석은 자는 '참으로 이 경우는 하기가 마음에 들지 않는다. 그러나 하고 나면 이로움이 생긴다.'라고 숙고해보지 않는다. 그래서 그는 이것을 하지 않는다. 그가 이것을 하지 않기 때문에 그에게는 해로움이 생긴다.

비구들이여, 그러나 현명한 자는 '참으로 이 경우는 하기가 마음에 들지 않는다. 그러나 하고 나면 이로움이 생긴다.'라고 숙고해본다. 그래서 그는 이것을 한다. 그가 이것을 하기 때문에 그에게는 이로움이 생긴다."

4. "비구들이여, 이 가운데 [세 번째인] 하기에는 마음에 들지만 하고 나면 해로움이 생기는 경우에도 남자다운 근력과 남자다운 노력과 남자다운 분발에 있어서 어리석은 자와 현명한 자를 구분해야 한다.

비구들이여, 어리석은 자는 '참으로 이 경우는 하기에는 마음에 든다. 그러나 하고 나면 해로움이 생긴다.'라고 숙고해보지 않는다. 그래서 그는 이것을 한다. 그가 이것을 하기 때문에 그에게는 해로움이 생긴다.

비구들이여, 그러나 현명한 자는 '참으로 이 경우는 하기에는 마음에 든다. 그러나 하고 나면 해로움이 생긴다.'라고 숙고해본다. 그래서 그는 이것을 하지 않는다. 그가 이것을 하지 않기 때문에 그에게는 이로움이 생긴다."

5. "비구들이여, 이 가운데 [네 번째인] 하기에도 마음에 들고 하고 나면 이로움이 생기는 경우는 둘 다 행해야 한다고 여겨진다. 즉 하기에 마음에 드는 것도 행해야 한다고 여겨지고 하고나면 이로움이 생기는 것도 행해야 한다고 여겨진다. 비구들이여, 이런 경우는 둘 다 행해야 한다고 여겨진다."

불방일 경(A4:116)
Appamāda-sutta

1. "비구들이여, 네 가지 경우로 불방일을 행해야 한다. 무엇이 넷인가?

비구들이여, 몸으로 짓는 나쁜 행위는 버려라. 몸으로 짓는 좋은 행위는 닦아라.[278] 여기에 방일하지 말라. 비구들이여, 말로 짓는 나쁜 행위는 버려라. 말로 짓는 좋은 행위는 닦아라. 여기에 방일하지 말라. 비구들이여, 마음으로 짓는 나쁜 행위는 버려라. 마음으로 짓는 좋은 행위는 닦아라. 여기에 방일하지 말라. 비구들이여, 삿된 견해는 버려라. 바른 견해는 닦아라. 여기에 방일하지 말라."

---

278) '닦다'로 옮긴 동사는 bhāveti이다. 이것의 명사인 바와나(bhāvanā)는 일반적으로 수행이라고도 옮기는데 닦음이라고도 옮긴다. 여기서는 수행하다로 옮길 수도 있지만 닦는다가 더 문맥과 어울리는 듯해서 이렇게 옮겼다.

2. “비구들이여, 비구가 몸으로 … 말로 … 마음으로 짓는 나쁜 행위를 버리고 몸으로 …말로 … 마음으로 짓는 좋은 행위를 닦고 삿된 견해를 버리고 바른 견해를 닦기 때문에 그는 내세와 죽음에 대해서 두려워하지 않는다.”

보호 경(A4:117)
Ārakkha-sutta

1. “비구들이여, 네 가지 경우에 자신을 위하는[279] 자는 불방일과 마음챙김과 마음의 보호를 행해야 한다. 무엇이 넷인가?

자신을 위하는 자는 ‘탐하기 마련인 것들에 대해서 나의 마음은 물들지 말기를!’이라고 불방일과 마음챙김과 마음의 보호를 행해야 한다.

자신을 위하는 자는 ‘성내기 마련인 것들에 대해서 나의 마음은 성내지 말기를!’이라고 불방일과 마음챙김과 마음의 보호를 행해야 한다.

자신을 위하는 자는 ‘어리석기 마련인 것들에 대해서 나의 마음은 어리석지 말기를!’이라고 불방일과 마음챙김과 마음의 보호를 행해야 한다.

자신을 위하는 자는 ‘취하게 하는 것들에 대해서 나의 마음은 취하지 말기를!’이라고 불방일과 마음챙김과 마음의 보호를 행해야 한다.”

2. “비구들이여, 비구가 탐하기 마련인 것들에 대해서 마음이 물들지 않고 욕망을 건너고, 성내기 마련인 것들에 대해서 성내지 않

---

279) ‘자신을 위하는’으로 옮긴 원어는 attarūpena인데 주석서는 “자신과 어울리는(anurūpa), 자신에게 적당한(anucchavika), 자신의 이익을 바라는(hitakāma)”(AA.iii.122)이라는 뜻이라고 설명하고 있다.

고 성냄을 건너고, 어리석기 마련인 것들에 대해서 어리석지 않고 어리석음을 건너고, 취하게 하는 것들에 대해서 취하지 않고 취함을 건너기 때문에 그는 두려워하지 않고 떨지 않고 동요하지 않고 전율하지 않으며 사문들의 말에 따라 가지 않는다."[280]

절박함을 일으킴 경(A4:118)

Saṁvejanīya-sutta

"비구들이여, 믿음을 가진 선남자가 친견해야 하고 절박함을 일으켜야 하는 네 가지 장소가 있다.[281] 어떤 것이 넷인가?

'여기서 여래가 태어나셨다.' — 비구들이여, 이곳이 믿음을 가진 선남자가 친견해야 하고 절박함을 일으켜야 하는 장소이다. '여기서 여래가 위없는 정등각을 깨달으셨다.' — 비구들이여, 이곳이 믿음을 가진 선남자가 친견해야 하고 절박함을 일으켜야 하는 장소이다. '여기서 여래가 위없는 법의 바퀴를 굴리셨다.' — 비구들이여, 이곳이 믿음을 가진 선남자가 친견해야 하고 절박함을 일으켜야 하는 장소이다. '여기서 여래가 무여열반의 요소로 반열반하셨다.' — 비구들이여, 이곳이 믿음을 가진 선남자가 친견해야 하고 절박함을 일으켜야 하는 장소이다.

---

280) '사문들의 말에 따라 가지 않는다.'는 na ca pana samaṇa-vacana-hetu pi gacchati를 옮긴 것이다. 주석서는 다른 교파의 사문들의 말을 듣고 자기의 견해를 버리고 그들의 견해를 따라 개종하지 않는다는 뜻이라고 설명하고 있다.(AA.iii.122)

281) 『디가 니까야』 제2권 「대반열반경」(D16) §5.8과 같음. 같은 단어를 '절박함을 일으키는 원인'으로 옮기고 있는 본서 제1권 「하나의 모음」(A1:19:1)의 주해도 참조할 것.

비구들이여, 이것이 믿음을 가진 선남자가 친견해야 하고 절박함을 일으켜야 하는 네 가지 장소이다."

두려움 경1(A4:119)

Bhaya-sutta

"비구들이여, 네 가지 두려움이 있다. 무엇이 넷인가?

태어남에 대한 두려움, 늙음에 대한 두려움, 병에 대한 두려움, 죽음에 대한 두려움이다. 비구들이여, 이러한 네 가지 두려움이 있다."

두려움 경2(A4:120)

"비구들이여, 네 가지 두려움이 있다. 무엇이 넷인가?

불에 대한 두려움, 물에 대한 두려움, 왕에 대한 두려움, 도둑에 대한 두려움이다. 비구들이여, 이러한 네 가지 두려움이 있다."

제12장 께시 품이 끝났다.

열두 번째 품에 포함된 경들의 목록은 다음과 같다.

① 께시 ② 속력 ③ 채찍
④ 코끼리, 다섯 번째로 ⑤ 경우
⑥ 불방일 ⑦ 보호 ⑧ 절박함을 일으킴
두 가지 ⑨~⑩ 두려움 — 이러한 열 가지이다.

제13장 두려움 품

Bhaya-vagga

자책 경(A4:121)

Attānuvāda-sutta

1. "비구들이여, 네 가지 두려움이 있다. 무엇이 넷인가?

자책에 대한 두려움, 남의 책망에 대한 두려움, 형벌에 대한 두려움, 악처에 대한 두려움이다."

2. "비구들이여, 그러면 어떤 것이 자책에 대한 두려움인가?

비구들이여, 여기 어떤 자는 이렇게 숙고한다. '내가 만일 몸으로 나쁜 행위를 저지르고 말로 나쁜 행위를 저지르고 마음으로 나쁜 행위를 저지른다면 계에 관한 한 내가 내 자신을 어찌 비난하지 않겠는가?'

그는 자책에 대한 두려움에 겁이 나서 몸으로 짓는 나쁜 행위를 버리고 몸으로 짓는 좋은 행위를 닦고 말로 짓는 나쁜 행위를 버리고 말로 짓는 좋은 행위를 닦고 마음으로 짓는 나쁜 행위를 버리고 마음으로 짓는 좋은 행위를 닦아서 청정한 자신을 유지한다. 비구들이여, 이를 일러 자책에 대한 두려움이라 한다."

3. "비구들이여, 그러면 어떤 것이 남의 책망에 대한 두려움인가?

비구들이여, 여기 어떤 자는 이렇게 숙고한다. '내가 만일 몸으로 나쁜 행위를 저지르고 말로 나쁜 행위를 저지르고 마음으로 나쁜 행

위를 저지른다면 계에 관한 한 남들이 나를 어찌 비난하지 않겠는가?'

그는 남의 책망에 대한 두려움에 겁이 나서 몸으로 짓는 나쁜 행위를 버리고 몸으로 짓는 좋은 행위를 닦고 말로 짓는 나쁜 행위를 버리고 말로 짓는 좋은 행위를 닦고 마음으로 짓는 나쁜 행위를 버리고 마음으로 짓는 좋은 행위를 닦아서 청정한 자신을 유지한다. 비구들이여, 이를 일러 남의 책망에 대한 두려움이라 한다."

4. "비구들이여, 그러면 어떤 것이 형벌에 대한 두려움인가?

비구들이여, 여기 어떤 자는 왕들이 나쁜 짓을 한 도둑을 잡아 여러 가지 형벌을 가하는 것을 볼 것이다. 채찍으로 때리고 회초리로 때리고 곤봉으로 치고, 손을 자르고 발을 자르고 손발을 다 자르고, 귀를 자르고 코를 자르고 귀와 코를 다 자르고, 죽 끓이는 가마솥에 처박고, 소라 고동처럼 까까머리를 만들고, 라후가 입에다 해를 삼킨 것처럼 만들고, [몸에 기름을 끼얹어] 불붙은 화환으로 만들고, 손을 불로 지지고, 목 아래로부터 피부를 깎아 발목에다 꼬아 붙여 그것에 거꾸로 매달고, 피부를 잘라 옷에다 매달고, 두 팔꿈치와 무릎에 쇠못을 박아 쇠막대기로 때리고는 땅에다 던져놓고 불을 지르고, 양쪽에 구멍이 있는 낚싯바늘로 피부를 깎아내리고, 칼로 온몸을 동전 크기만큼으로 자르고, 온몸을 막대기로 두들겨놓고는 그곳에다 솔로 양잿물을 뿌리고, 한쪽으로 눕힌 다음 귀를 꿰어 몸을 땅에다 박고 발을 잡아 빙빙 돌리며, 피부를 벗겨내고 위에서 가는 맷돌로 뼈를 갈아 건초 무더기처럼 만들어 괴롭히고, 뜨거운 기름을 뿌리고, 개가 물도록 놓아두고, 산 채로 무시무시한 쇠꼬챙이로 찌르고, 칼로 머리를 자르는 것을 볼 것이다.

그는 이와 같이 생각할 것이다. '이와 같은 나쁜 행위를 저질렀기 때문에 왕들이 나쁜 짓을 한 도둑을 잡아 채찍으로 때리고 … 칼로 머리를 자르는 등 여러 가지 형벌을 가하듯이 나도 이와 같은 나쁜 행위를 저지르면 왕들이 나를 잡아 채찍으로 때리고 … 칼로 머리를 자르는 등 여러 가지 형벌을 가할 것이다.'라고.

그래서 그는 형벌에 대한 두려움에 겁이 나서 남의 재산을 강탈하는 짓을 하지 않는다. 비구들이여, 이를 일러 형벌에 대한 두려움이라 한다."

5. "비구들이여, 그러면 어떤 것이 악처에 대한 두려움인가?

비구들이여, 여기 어떤 자는 이렇게 숙고한다. '몸으로 나쁜 행위를 저지르면 다음 생[282]에 악한 과보가 있다. 말로 나쁜 행위를 저지르면 다음 생에 악한 과보가 있다. 마음으로 나쁜 행위를 저지르면 다음 생에 악한 과보가 있다. 내가 만약 몸과 말과 마음으로 나쁜 행위를 저지른다면 몸이 무너져 죽은 뒤 그 때문에 처참한 곳, 불행한 곳, 파멸처, 지옥에 태어나지 않겠는가?'

그는 악처에 대한 두려움에 겁이 나서 몸으로 나쁜 행위를 저지르지 않고 좋은 행위를 닦고, 말과 마음으로도 나쁜 행위를 저지르지 않고 좋은 행위를 닦아서 자신을 청정하게 만든다. 비구들이여, 이를 일러 악처에 대한 두려움이라 한다.

비구들이여, 이러한 네 가지 두려움이 있다."

---

282) '다음 생'으로 옮긴 원어는 abhisamparāya인데 abhi(위로) + saṁ(함께) + para(넘어서) + √i(*to go*)에서 파생된 명사로 '넘어서 간 곳'이라는 문자적인 의미에서 '다음 생, 미래 생, 다음 세상'을 뜻한다. 주석서에서는 "저 세상(para-loka)"(AA.iii.96)이라고 설명하고 있다.

파도 경(A4:122)[283]

Ūmi-sutta

1. "비구들이여, 물속에 들어가는 자들에게 네 가지 두려움이 예상된다. 무엇이 넷인가?

파도에 대한 두려움과 악어에 대한 두려움과 소용돌이에 대한 두려움과 상어에 대한 두려움이다. 비구들이여, 물속에 들어가는 자들에게는 이러한 네 가지 두려움이 예상된다."

2. "비구들이여, 그와 같이 집을 나와서 이 법과 율에 출가한 좋은 가문의 아들[선남자][284]에게도 이러한 네 가지 두려움이 예상된다. 무엇이 넷인가? 파도에 대한 두려움과 악어에 대한 두려움과 소용돌이에 대한 두려움과 상어에 대한 두려움이다."

3. "비구들이여, 그러면 어떤 것이 파도에 대한 두려움인가?

비구들이여, 여기 어떤 좋은 가문의 아들은 믿음으로 집을 나와서 출가한다. '나는 태어남과 늙음과 죽음과 근심·탄식·육체적 고통·정

283) 『맛지마 니까야』 「짜뚜마 경」(Cātuma Sutta, M67) §14 이하와 같다.

284) '좋은 가문의 아들'은 kula-putta를 직역한 것이다. 주석서는 "두 가지 좋은 가문의 아들이 있다. 태생이 좋은 가문의 아들(jāti-kula-putta)과 스승의 가문의 아들(ācāra-kula-putta)이다."(MA.i.111)라고 주석하면서 대부분의 문맥에서 스승의 가문의 아들로 해석하고 있다. 물론 스승의 가문의 아들이란 부처님 가문의 아들 즉 부처님의 아들이란 뜻이며 출가한 스님들을 지칭하는 경우가 대부분이다. 중국에서는 선남자(善男子)로 옮겼으며 불자(佛子)라는 의미와도 상통한다.
한편 중국에서 선여인(善女人)으로 옮긴 빠알리어는 kula-dhītā(좋은 가문의 딸, Sk. kula-duhitā)인데 초기경에는 나타나지 않고 주석서 문헌에서부터 나타나고 있다. 그러나 출가한 불제자의 의미로는 사용되지 않고 있다.

신적 고통·절망에 빠져있고 괴로움에 빠져있고 괴로움에 압도되었다. 참으로 나에게 전 괴로움의 무더기의 끝이 드러날지도 모른다.'라고. 이렇게 출가한 그를 청정범행을 닦는 동료 수행자들은 훈도하고 훈계한다. '그대는 앞으로 볼 때는 이와 같이 해야 하고, 뒤로 돌아볼 때는 이와 같이 해야 하고, 구부릴 때는 이와 같이 해야 하고, 펼 때는 이와 같이 해야 하고, 가사와 발우와 의복을 수할 때는 이와 같이 해야 합니다.'라고.

그러면 그에게 이런 생각이 든다. '나는 전에 재가자였을 때는 다른 사람들을 훈도하고 훈계했다. 그러나 이제 아들쯤 되어 보이고 손자쯤 되어 보이는 이 [비구들이] 우리에게 훈도를 하고 훈계를 해야 한다고 생각하는구나.'라고. 그는 화가 나서 가르침을 버리고 낮은 [재가자의] 삶으로 되돌아간다.[285]

비구들이여, 이를 일러 파도에 대한 두려움에 겁이 나서 공부지음을 버리고 낮은 [재가자의] 삶으로 되돌아간다고 한다. 비구들이여, 파도에 대한 두려움이란 분노에 따른 절망을 두고 한 말이다. 비구들이여, 이를 일러 파도에 대한 두려움이라 한다."

4. "비구들이여, 그러면 어떤 것이 악어에 대한 두려움인가?

비구들이여, 여기 어떤 좋은 가문의 아들은 믿음으로 집을 나와서 출가한다. '나는 태어남과 늙음과 죽음과 근심·탄식·육체적 고통·정신적 고통·절망에 빠져있고 괴로움에 빠져있고 괴로움에 압도되었다. 이제 참으로 나에게 전 괴로움의 무더기의 끝이 드러날지도 모른다.'라고. 이렇게 출가한 그를 동료 수행자들은 훈도하고 훈계한다.

---

285) "'낮은 삶으로 되돌아간다(hīnāya āvattati)'는 것은 낮고 저열한(lāmaka) 재가자의 상태(gihi-bhāva)로 되돌아갔다는 말이다."(AA.ii.242) 즉 환속한다는 말이다.

'그대는 이것을 씹어 먹어야 한다. 이것은 씹어 먹으면 안 된다. 그대는 이것을 먹어야 한다. 이것은 먹으면 안 된다. 그대는 이것을 맛보아야 한다. 이것을 맛보아서는 안 된다. 그대는 이것을 마셔야 한다. 이것을 마셔서는 안 된다. 그대는 허락된 것만을 씹어 먹어야 하고 허락되지 않은 것을 씹어 먹어서는 안 된다. 그대는 허락된 것만을 먹어야 하고 허락되지 않은 것을 먹어서는 안 된다. 그대는 허락된 것만을 맛보아야 하고 허락되지 않은 것을 맛보아서는 안 된다. 그대는 허락된 것만을 마셔야 하고 허락되지 않은 것을 마셔서는 안 된다. 그대는 바른 때에 씹어 먹어야 하고 때 아닌 때에 씹어 먹어서는 안 된다. 그대는 바른 때에 먹어야 하고 때 아닌 때에 먹어서는 안 된다. 그대는 바른 때에 맛보아야 하고 때 아닌 때에 맛보아서는 안 된다. 그대는 바른 때에 마셔야 하고 때 아닌 때에 마셔서는 안 된다.'라고.

그러면 그에게 이런 생각이 든다. '우리가 전에 재가자였을 때는 원하는 것은 무엇이건 씹어 먹었다. 원하는 것은 무엇이건 먹었다. 원하는 것은 무엇이건 맛보았다. 원하는 것은 무엇이건 마셨다. 우리는 허락된 것도 씹어 먹었고 허락되지 않은 것도 씹어 먹었다. 우리는 허락된 것도 먹었고 허락되지 않은 것도 먹었다. 우리는 허락된 것도 맛보았고 허락되지 않은 것도 맛보았다. 우리는 허락된 것도 마셨고 허락되지 않은 것도 마셨다. 우리는 제때에도 씹어 먹었고 때 아닌 때에도 씹어 먹었다. 우리는 제때에도 먹었고 때 아닌 때에도 먹었다. 우리는 제때에도 맛보았고 때 아닌 때에도 맛보았다. 우리는 제때에도 마셨고 때 아닌 때에도 마셨다. 신심 깊은 장자들이 우리들에게 한낮의 때 아닌 때에 맛있는 여러 음식을 공양 올리는데 이 [비구들은] 우리의 입에 재갈을 물리는 것 같구나.'라고. 그는 공부지음을 버리고 낮은 [재가자의] 삶으로 되돌아간다.

비구들이여, 이를 일러 악어에 대한 두려움에 겁이 나서 공부지음을 버리고 낮은 [재가자의] 삶으로 되돌아간다고 한다. 비구들이여, 악어에 대한 두려움이란 게걸스러움을 두고 한 말이다. 비구들이여, 이를 일러 악어에 대한 두려움이라 한다."

5. "비구들이여, 그러면 어떤 것이 소용돌이에 대한 두려움인가?

비구들이여, 여기 어떤 좋은 가문의 아들은 믿음으로 집을 나와서 출가한다. '나는 태어남과 늙음과 죽음과 근심·탄식·육체적 고통·정신적 고통·절망에 빠져있고 괴로움에 빠져있고 괴로움에 압도되었다. 참으로 나에게 전 괴로움의 무더기의 끝이 드러날지도 모른다.'라고. 그는 이렇게 출가하여 아침에 옷매무새를 가다듬고 발우와 가사를 수하고 몸을 보호하지 않고 말을 보호하지 않고 마음챙김을 확립하지 않고 감각기능들을 제대로 단속하지 않고서는 마을이나 성읍으로 걸식을 하러 들어간다. 그는 거기서 장자나 장자의 아들이 다섯 가닥의 감각적 욕망을 갖추고 완비하여 즐기고 있는 것을 본다.

그러면 그에게 이런 생각이 든다. '우리는 전에 재가자였을 때 다섯 가닥의 감각적 욕망을 갖추고 완비하여 즐겼다. 우리 가문은 재물이 풍족하다. 나는 재물을 즐기고 공덕을 지을 수도 있다.'라고. 그는 공부지음을 버리고 낮은 [재가자의] 삶으로 되돌아간다.

비구들이여, 이를 일러 소용돌이에 대한 두려움에 겁이 나서 공부지음을 버리고 낮은 [재가자의] 삶으로 되돌아간다고 한다. 비구들이여, 소용돌이에 대한 두려움이란 다섯 가닥의 감각적 욕망들을 두고 한 말이다. 비구들이여, 이를 일러 소용돌이에 대한 두려움이라 한다."

6. "비구들이여, 그러면 어떤 것이 상어에 대한 두려움인가?

비구들이여, 여기 어떤 좋은 가문의 아들은 믿음으로 집을 나와서 출가한다. '나는 태어남과 늙음과 죽음과 근심·탄식·육체적 고통·정신적 고통·절망에 빠져있고 괴로움에 빠져있고 괴로움에 압도되었다. 참으로 나에게 전 괴로움의 무더기의 끝이 드러날지도 모른다.'라고. 그는 이렇게 출가하여 아침에 옷매무새를 가다듬고 발우와 가사를 수하고 마을이나 성읍으로 걸식을 하러 들어간다. 그러나 그의 몸은 보호되지 않았고 말도 보호되지 않았고 마음챙김도 확립되지 않았고 감각기능들도 제대로 단속되지 않았다.

그는 거기서 제대로 몸을 감싸지도 않고 제대로 옷을 입지 않은 여인을 본다. 제대로 몸을 감싸지도 않고 제대로 옷을 입지 않은 그런 여인을 보고서는 마음이 애욕에 물든다. 그는 애욕에 물든 마음으로 공부지음을 버리고 낮은 [재가자의] 삶으로 되돌아간다.

비구들이여, 이를 일러 상어에 대한 두려움에 겁이 나서 공부지음을 버리고 낮은 [재가자의] 삶으로 되돌아간다고 한다. 비구들이여, 상어에 대한 두려움이란 여인을 두고 한 말이다. 비구들이여, 이를 일러 상어에 대한 두려움이라 한다.

비구들이여, 집을 나와서 이 법과 율에 믿음으로 출가한 좋은 가문의 아들에게 이러한 네 가지 두려움이 예상된다."

다른 점 경1(A4:123)

Nānā-sutta

1. "비구들이여, 세상에는 네 부류의 사람이 있다. 무엇이 넷인가?

비구들이여, 여기 어떤 사람은 감각적 욕망들을 완전히 떨쳐버리고 해로운 법[不善法]들을 떨쳐버린 뒤, 일으킨 생각[尋]과 지속적인 고찰[伺]이 있고, 떨쳐버렸음에서 생겼으며, 희열[喜]과 행복[樂]이 있는 초선(初禪)을 구족하여 머문다.

그는 이 선[禪]을 즐기고, 이것을 바라고, 이것에 만족한다. 그는 여기에 굳게 서고 여기에 확신을 가지고 여기에 많이 머물고 이것으로부터 물러서지 않아서 죽은 뒤에 범신천(梵身天)286)의 신들의 동료로 태어난다. 비구들이여, 범신천의 신들의 수명의 한계는 일 겁이다.

거기서 범부는 그 신들의 수명의 한계만큼 거기 머물다가 그 기간이 모두 다하면 지옥에도 가고 축생에도 가고 아귀에도 간다. 그러나 세존의 제자는 그 신들의 수명의 한계만큼 거기 머물다가 그 기간이 모두 다하면 바로 그 범신천에서 반열반에 든다. 비구들이여, 갈 곳과 태어남287)에 관한 한 이것이 많이 배운 성스러운 제자와 배우지

---

286) '범신천(梵身天)'은 Brahmakāyikā를 직역한 것이다. 『디가 니까야 주석서』는 "범중천(Brahma-pārisajja)과 범보천(Brahma-purohita)과 대범천(Mahābrahma)"(DA.ii.510)이라고 설명하고 있다. 이 셋은 색계 초선천(初禪天)을 구성하고 있는 세상이다. 본문에서도 나타나듯이 색계 천상은 삼매를 닦아서 나는 천상이다. 그 가운데 초선을 닦아서 태어나는 곳이 바로 색계 초선천이다. 초선을 약하게 닦아서는 범중천에 태어나고 중간 정도로 닦아서는 범보천에 태어나고 강하게 닦아서는 대범천에 태어난다고 한다.(『아비담마 길라잡이』 5장 §6의 해설 1 참조) 이러한 색계 초선천을 통틀어서 초기경은 범신천이라 부르고 있다.(D15. §33, D33. §1.11(41) 등에도 나타나고 있다.)

287) "유학인 성스러운 제자는 재생연결을 할 때에 낮은 곳으로는 화현하지 않고 그 색계 존재(rūpa-bhāva)에서 다시 두 번째, 세 번째의 다른 범천의 세상(brahma-loka)에서 반열반하지만 범부는 다시 지옥 등으로 가게 된다. 이것이 차이점이라는 뜻이다."(AA.iii.124)
여기서 혼동을 피하기 위해서 언급해야 할 것이 있다. 여기서 범천의 세상(brahma-loka)과 이 범중천, 범보천, 대범천의 초선천을 그 내용으로 하

못한 범부 사이의 차이점이고 이것이 특별한 점이고 이것이 다른 점이다.”

2. “비구들이여, 여기 어떤 사람은 일으킨 생각[尋]과 지속적인 고찰[伺]을 가라앉혔기 때문에 [더 이상 존재하지 않으며], 자기 내면의 것이고, 확신이 있으며, 마음의 단일한 상태이고, 일으킨 생각과 지속적인 고찰은 없고, 삼매에서 생긴 희열과 행복이 있는 제2선(二禪)을 구족하여 머문다.

그는 이 선[禪]을 즐기고, 이것을 바라고, 이것에 만족한다. 그는 여기에 굳게 서고 여기에 확신을 가지고 여기에 많이 머물고 이것으로부터 물러서지 않아서 죽은 뒤에 광음천(光音天)288)의 신들의 동료로 태어난다. 비구들이여, 광음천의 신들의 수명의 한계는 2겁이다.

거기서 범부는 그 신들의 수명의 한계만큼 거기 머물다가 그 기간

는 범신천(Brahmakāyikā)은 서로 그 의미가 다른 술어라는 것이다. 주석서에서는 색계천상 이상의 모든 천상을 범천의 세상으로 표현하고 있다. 즉 색계 초선천부터 3선천까지의 9가지 천상과 4선천의 광과천과 무상유정천과 다섯 가지 정거천과 네 가지 무색계 천상 — 이 20가지 천상을 모두 범천의 세상(brahma-loka)으로 부르고 있다.(VibhA.521, 등) 더 자세한 것은 본서 「무외경」(A4:8) §1의 주해를 참조할 것.

288) ‘광음천(Ābhassarā)’은 색계 2선천(二禪天)의 세 번째 천상이다. 제2선을 닦아서 태어나는 2선천에는 소광천(Parittābhā)과 무량광천(Appamāṇābhā)과 광음천(Ābhassarā)이 있는데 여기서는 이 가운데서 제일 높은 광음천을 대표로 들고 있다. 여기서 원어를 통해서 볼 수 있듯이 2선천의 키워드는 광명(ābha)이다. 제2禪의 키워드가 희열과 행복이듯이 여기서 광명은 희열(pīti)과 자비(mettā)의 빛을 말한다. 임종 시에 2禪에 든 정도에 따라서 광명의 크기도 달라지는 것이다. 주석서에서는 “횃불의 빛처럼 이들의 몸으로부터 광명이 계속해서 떨치고 나와 떨어지는 것처럼 나온다(sarati = dhavati, DAṬ.i.150)고 해서 광음천이라 한다.”(DA.ii.509)고 설명하고 있다.

이 모두 다하면 지옥에도 가고 축생에도 가고 아귀에도 간다. 그러나 세존의 제자는 그 신들의 수명의 한계만큼 거기 머물다가 그 기간이 모두 다하면 바로 그 광음천에서 반열반에 든다. 비구들이여, 갈 곳과 태어남에 관한 한 이것이 많이 배운 성스러운 제자와 배우지 못한 범부 사이의 차이점이고 이것이 특별한 점이고 이것이 다른 점이다."

3. "비구들이여, 여기 어떤 사람은 희열이 빛바랬기 때문에 평온하게 머물고, 마음챙기고 알아차리며[正念正知] 몸으로 행복을 경험한다. [이 禪 때문에] 성자들이 그를 두고 '평온하고 마음챙기며 행복하게 머문다.'고 묘사하는 제3선(三禪)을 구족하여 머문다.

그는 이 선[禪]을 즐기고, 이것을 바라고, 이것에 만족한다. 그는 여기에 굳게 서고 여기에 확신을 가지고 여기에 많이 머물고 이것으로부터 물러서지 않아서 죽은 뒤에 변정천(遍淨天)289)의 신들의 동료로 태어난다. 비구들이여, 변정천의 신들의 수명의 한계는 4겁이다.

거기서 범부는 그 신들의 수명의 한계만큼 거기 머물다가 그 기간이 모두 다하면 지옥에도 가고 축생에도 가고 아귀에도 간다. 그러나 세존의 제자는 그 신들의 수명의 한계만큼 거기 머물다가 그 기간이 모두 다하면 바로 거기서 존재의 완전한 멸진인 반열반에 든다. 비구들이여, 갈 곳과 태어남에 관한 한 이것이 많이 배운 성스러운 제

---

289) '변정천(遍淨天)'은 Subhakiṇhā의 역어이다. 3선천(三禪天)은 소정천(Parittasubhā)과 무량정천(Appamāṇasubhā)과 변정천(Subhakiṇhā)인데 여기서는 이 가운데서 제일 높은 변정천을 대표로 들고 있다. 3선천의 키워드는 subha(깨끗함)이다. 변정천을 뜻하는 Subhakiṇhā의 kiṇha는 본래는 검은색을 뜻하는데 여기서는 '굳음, 덩어리'를 뜻한다. 광명이 크게 덩어리져서 오직 광명뿐인 그런 경지이다. 그래서 주석서는 "깨끗함이 뿌려지고 흩뿌려졌다. 깨끗한 몸의 밝은 빛깔로 하나로 뭉쳐졌다(ekagghana)는 뜻이다."(DA.ii.509)라고 설명하고 있다.

자와 배우지 못한 범부 사이의 차이점이고 이것이 특별한 점이고 이것이 다른 점이다."

4. "비구들이여, 여기 어떤 사람은 행복도 버리고 괴로움도 버리고, 아울러 그 이전에 이미 기쁨과 슬픔을 소멸하였으므로 괴롭지도 즐겁지도 않으며, 평온으로 인해 마음챙김이 청정한[捨念淸淨] 제4선(四禪)을 구족하여 머문다.

그는 이 선[禪]을 즐기고, 이것을 바라고, 이것에 만족한다. 그는 여기에 굳게 서고 여기에 확신을 가지고 여기에 많이 머물고 이것으로부터 물러서지 않아서 죽은 뒤에 광과천(廣果天)290)의 신들의 동료로 태어난다. 비구들이여, 광과천의 신들의 수명의 한계는 5백 겁이다.

거기서 범부는 그 신들의 수명의 한계만큼 거기 머물다가 그 기간이 모두 다하면 지옥에도 가고 축생에도 가고 아귀에도 간다. 그러나 세존의 제자는 그 신들의 수명의 한계만큼 거기 머물다가 그 기간이 모두 다하면 바로 그 광과천에서 반열반에 든다. 비구들이여, 갈 곳과 태어남에 관한 한 이것이 많이 배운 성스러운 제자와 배우지 못한 범부 사이의 차이점이고 이것이 특별한 점이고 이것이 다른 점이다.

비구들이여, 세상에는 이러한 네 부류의 사람이 있다."

---

290) '광과천(廣果天)'은 Vehapphalā의 역어이다. 광과천은 색계 4선천의 첫 번째 천상인데 이 천상은 다른 천상보다 그 과보가 수승하기 때문에 광과천이라 부른다고 한다. 4선천은 광과천(Veha-pphalā)과 무상유정천(Asañña-sattā)과 정거천(Suddhā-vāsā)이다. 4선에 들어서 태어난 이 천상의 경지는 다른 천상에 비하면 그 과보가 엄청나게 크다는 뜻이다. 무상유정천(無想有情天)으로 옮겨지는 Asañña-satta는 인식에 대해서 혐오하기 때문에(saññā-virāga) 이곳에 태어난다고 한다. 무상유정천에 대해서는 『아비담마 길라잡이』 6장 §28 등을 참조하고 정거천은 다음 경의 주해를 참조할 것.

다른 점 경2(A4:124)

1. "비구들이여, 세상에는 네 부류의 사람이 있다. 무엇이 넷인가? 비구들이여, 여기 어떤 사람은 감각적 욕망들을 완전히 떨쳐버리고 해로운 법[不善法]들을 떨쳐버린 뒤, 일으킨 생각[尋]과 지속적인 고찰[伺]이 있고, 떨쳐버렸음에서 생겼으며, 희열[喜]과 행복[樂]이 있는 초선(初禪)을 구족하여 머문다.

그는 거기서 물질이건 느낌이건 인식이건 심리현상들이건 알음알이건291) 그러한 법들을 무상하다고 괴로움이라고 병이라고 종기라고 화살이라고 재난이라고 질병이라고 남[他]이라고 부서지기 마련인 것이라고 공한 것이라고 무아라고 바르게 관찰한다.292) 그는 몸이 무너져 죽은 뒤에 정거천(淨居天)293)의 신들의 동료로 태어난

---

291) 즉 다섯 가지 무더기[五蘊]를 말하고 있다.

292) "이와 같이 오온에 대해서 삼특상(三特相, tilakkhaṇa, 무상 · 고 · 무아)을 제기하여 꿰뚫어 본 뒤에 세 가지 도와 세 가지 과(즉 예류도부터 불환과까지)를 실현한다."(AA.iii.126)
오온의 무상 · 고 · 무아를 통찰하는 것은 초기경의 도처에서 나타나고 있다. 이러한 무상 · 고 · 무아의 통찰은 본경처럼 11가지의 통찰로 확장이 되고 다시 『무애해도』(Ps.ii.238)에서는 40가지 방법으로 심화가 된다. 40가지에 대해서는 『청정도론』 XX.18을 참조할 것.
그리고 여기서 반드시 주목해야 할 점은 앞 경에서 언급된 범신천부터 광과천까지는 단지 본삼매 즉 禪만을 닦아서도 갈 수 있지만, 정거천에는 이러한 본삼매 즉 네 가지 禪을 닦고 그리고 반드시 오온에 대해서 무상 · 고 · 무아의 삼특상을 통찰해야 즉 위빳사나를 닦아야 도달할 수 있다는 것이다. 정거천은 깨달은 성자들만이 그것도 불환자만이 태어날 수 있는 곳이기 때문이다.

293) '정거천(淨居天)'은 Suddhāvāsa를 옮긴 것인데 이것은 suddha(청정함)+vāsa(거주)의 합성어이다. 불환자의 정형구가 "다섯 가지 낮은 단계

다.[294] 비구들이여, 이 [정거천에] 태어나는 것은 범부들과는 함께할 수 없는 것이다."

의 족쇄를 완전히 없애고 [정거천에] 화생하여 그곳에서 완전히 열반에 들어 그 세계로부터 다시 돌아오지 않는 법을 얻었다."이듯이 경과 주석서들에 의하면 정거천은 불환과를 얻은 자들만이 태어나는 곳이라고 한다. 정거천은 다시 다섯 가지 천들로 구성되는데 불환과를 얻은 자들은 거기에 태어나서 다시는 이보다 더 낮은 세상에 태어나지 않고 거기서 열반에 든다고 한다. 정거천에 속하는 다섯 가지 천들은 다음과 같다.

① 무번천(無煩天, 아위하, Avihā): aviha의 어원은 알려지지 않았다. 주석서에서는 자신의 성취로부터 떨어지지 않는다고 해서 아위하라고 한다고 설명하고 있다.(VibhA.521; DA.ii.480)

② 무열천(無熱天, 아땁빠, Atappā): atappa는 a(부정접두어)+ √tap(*to burn*)에서 파생된 명사이다. 이 천상에 사는 천신들은 다른 중생들을 괴롭히지 않는다고 해서 붙여진 이름이라고 주석서는 설명하고 있다.(DA.ii.480; VbhA.521)

③ 선현천(善現天, 수닷사, Sudassā): su(좋은, 쉬운)+√dṛś(*to see*)에서 파생된 명사로서 '보기에 아주 멋진'을 뜻한다.

④ 선견천(善見天, 수닷시, Sudassī): 선현과 같은 어원에서 파생된 명사이다.

⑤ 색구경천(色究竟天, 아까닛타, Akaniṭṭhā): akaniṭṭhā는 kaññā(어린)의 비교급인 kaniṭṭhā에 부정접두어 a-를 첨가하여 만든 명사이다. 이 천상에 사는 신들은 그 공덕과 행복을 누림에 있어 최상이며 거기에는 어린 자들이 없기 때문에 이렇게 이름 붙였다고 주석서는 설명하고 있다.(DA.ii.70) 색계 천상의 제일 으뜸이라 해서 중국에서는 색구경천으로 옮겼다.

불환자가 어떻게 해서 이 다섯 천상에 다르게 태어나는가 하는 것은 믿음[信]·정진(精進)·마음챙김[念]·삼매[定]·통찰지[慧]의 다섯 가지 기능[五根]과 배대하여 설명한다.(『아비담마 길라잡이』 5장 §31의 4번 해설 참조)

294) 정거천은 4선천이다. 그런데 어떻게 초선을 닦은 성자가 이곳에 태어날 수 있을까? 그래서 주석서는 "거기에 안주하여(tattha ṭhito) 제4선을 닦은 뒤에 태어난다."(AA.iii.126)고 설명한다. 다시 말하면 거기 즉 초선 혹은 아래 문단의 제2선이나 제3선에 안주한 뒤에 다시 제4선을 닦아서 정거천에 태어난다는 것이다.

2. "비구들이여, 여기 어떤 사람은 … 제2선(二禪)을 … 제3선(三禪)을 … 제4선(四禪)을 구족하여 머문다.

그는 거기서 어떠한 물질이건 느낌이건 인식이건 심리현상들이건 알음알이건 그러한 법들을 무상하다고 괴로움이라고 병이라고 종기라고 화살이라고 재난이라고 질병이라고 남이라고 붕괴하는 것이라고 공한 것이라고 무아라고 바르게 관찰한다. 그는 몸이 무너져 죽은 뒤에 정거천(淨居天)의 신들의 동료로 태어난다. 비구들이여, 이 [정거천에] 태어나는 것은 범부들과는 함께할 수 없는 것이다.

비구들이여, 세상에는 이러한 네 부류의 사람이 있다."

자애 경1(A4:125)

Mettā-sutta

1. "비구들이여, 세상에는 네 부류의 사람이 있다. 무엇이 넷인가?

비구들이여, 여기 어떤 사람은 자애[慈]가 함께한 마음으로 한 방향을 가득 채우면서 머문다. 그처럼 두 번째 방향을, 그처럼 세 번째 방향을, 그처럼 네 번째 방향을, 이와 같이 위로, 아래로, 주위로, 모든 곳에서 모두를 자신처럼 여기고, 모든 세상을 풍만하고, 광대하고, 무량하고, 원한 없고, 고통 없는 자애가 함께한 마음으로 가득 채우고 머문다.

그는 이 禪을 즐기고, 이것을 바라고, 이것에 만족한다. 그는 여기에 굳게 서고 여기에 확신을 가지고 여기에 많이 머물고 이것으로부터 물러서지 않아서 죽은 뒤에 범신천(梵身天)[295]의 신들의 동료로

295) 범신천에 대해서는 위 「다른 점 경」1(A4:123) §1의 주해를 참조할 것.

태어난다. 비구들이여, 범신천의 신들의 수명의 한계는 일 겁이다.

거기서 범부는 그 신들의 수명의 한계만큼 거기 머물다가 그 기간이 모두 다하면 지옥에도 가고 축생에도 가고 아귀에도 간다. 그러나 세존의 제자는 그 신들의 수명의 한계만큼 거기 머물다가 그 기간이 모두 다하면 바로 그 범신천에서 반열반에 든다. 비구들이여, 갈 곳과 태어남에 관한 한 이것이 많이 배운 성스러운 제자와 배우지 못한 범부 사이의 차이점이고 이것이 특별한 점이고 이것이 다른 점이다."

2. "다시 비구들이여, 여기 어떤 사람은 연민[悲]이 함께한 마음으로 … 더불어 기뻐함[喜]이 함께한 마음으로 … 평온[捨]이 함께한 마음으로 한 방향을 가득 채우면서 머문다. 그처럼 두 번째 방향을, 그처럼 세 번째 방향을, 그처럼 네 번째 방향을, 이와 같이 위로, 아래로, 주위로, 모든 곳에서 모두를 자신처럼 여기고, 모든 세상을 풍만하고, 광대하고, 무량하고, 원한 없고, 고통 없는 평온이 함께한 마음으로 가득 채우고 머문다.

그는 이 禪을 즐기고, 이것을 바라고, 이것에 만족한다. 그는 여기에 굳게 서고 여기에 확신을 가지고 여기에 많이 머물고 이것으로부터 물러서지 않아서 죽은 뒤에 광음천(光音天)의 신들의 동료로 태어난다. 비구들이여, 광음천의 신들의 수명의 한계는 2겁이다. … 변정천(遍淨天)의 신들의 동료로 태어난다. 비구들이여, 변정천의 신들의 수명의 한계는 4겁이다. … 광과천(廣果天)의 신들의 동료로 태어난다. 비구들이여, 광과천의 신들의 수명의 한계는 5백 겁이다.[296]

거기서 범부는 그 신들의 수명의 한계만큼 거기 머물다가 그 기간

296) 여기에 언급되는 천상도 모두 위 「다른 점 경」1(A4:123)의 주해들을 참조할 것.

이 모두 다하면 지옥에도 가고 축생에도 가고 아귀에도 간다. 그러나 세존의 제자는 그 신들의 수명의 한계만큼 거기 머물다가 그 기간이 모두 다하면 바로 그 광과천에서 반열반에 든다. 비구들이여, 갈 곳과 태어남에 관한 한 이것이 많이 배운 성스러운 제자와 배우지 못한 범부 사이의 차이점이고 이것이 특별한 점이고 이것이 다른 점이다."

자애 경2(A4:126)

1. "비구들이여, 세상에는 네 부류의 사람이 있다. 무엇이 넷인가?

비구들이여, 여기 어떤 인간은 자애[慈]가 함께한 마음으로 한 방향을 가득 채우면서 머문다. 그처럼 두 번째 방향을, 그처럼 세 번째 방향을, 그처럼 네 번째 방향을, 이와 같이 위로, 아래로, 주위로, 모든 곳에서 모두를 자신처럼 여기고, 모든 세상을 풍만하고, 광대하고, 무량하고, 원한 없고, 고통 없는 자애가 함께한 마음으로 가득 채우고 머문다.

그는 거기서 물질이건 느낌이건 인식이건 심리현상들이건 알음알이건 그러한 법들을 무상하다고 괴로움이라고 병이라고 종기라고 화살이라고 재난이라고 질병이라고 남이라고 붕괴하는 것이라고 공한 것이라고 무아라고 바르게 관찰한다. 그는 몸이 무너져 죽은 뒤에 정거천(淨居天)의 신들의 동료로 태어난다.297) 비구들이여, 이 [정거천에] 태어나는 것은 범부들과는 함께할 수 없는 것이다."

---

297) 여기서도 정거천에 태어나기 위해서는 반드시 오온의 무상 · 고 · 무아를 통찰해야 하는 것을 설하고 계신다. 정거천은 위 「다른 점 경」2(A4:124)의 주해를 참조할 것.

2. “다시 비구들이여, 여기 어떤 사람은 연민[悲]이 함께한 마음으로 … 더불어 기뻐함[喜]이 함께한 마음으로 … 평온[捨]이 함께한 마음으로 한 방향을 가득 채우면서 머문다. 그처럼 두 번째 방향을, 그처럼 세 번째 방향을, 그처럼 네 번째 방향을, 이와 같이 위로, 아래로, 주위로, 모든 곳에서 모두를 자신처럼 여기고, 모든 세상을 풍만하고, 광대하고, 무량하고, 원한 없고, 고통 없는 평온이 함께한 마음으로 가득 채우고 머문다.

그는 거기서 어떠한 물질이건 느낌이건 인식이건 심리현상들이건 알음알이건 그러한 법들을 무상하다고 괴로움이라고 병이라고 종기라고 화살이라고 재난이라고 질병이라고 남이라고 붕괴하는 것이라고 공한 것이라고 무아라고 바르게 관찰한다. 그는 몸이 무너져 죽은 뒤에 정거천(淨居天)의 신들의 동료로 태어난다. 비구들이여, 이 [정거천에] 태어나는 것은 범부들과는 함께할 수 없는 것이다.”

비구들이여, 세상에는 이러한 네 부류의 사람이 있다.”

경이로움 경1(A4:127)

Ācchariya-sutta

1. “비구들이여, 여래 · 아라한 · 정등각이 출현할 때에 네 가지 경이롭고 놀라운 법이 드러난다. 무엇이 넷인가?[298)]

비구들이여, 보살이 도솔천[299)]에서 몸을 버리고 마음챙기고 알아

298) 본경에서는 보살이 입태할 때, 출생했을 때, 깨달으셨을 때, 처음 법륜을 굴리실 때의 넷을 들고 있다.

299) ‘도솔천(兜率天)’으로 옮긴 원어는 Tusitā인데 이것을 중국에서는 도솔(兜率)로 음역한 것이다. tusita는 √tuṣ(*to be content*)에서 파생된 단

차리면서 어머니의 태에 들어갈 때 신과 마라와 범천을 포함한 세상에서, 사문·바라문과 신과 사람을 포함한 무리 가운데에서 측량할 수 없이 광휘로운 빛이 나타나는데 그것은 신들의 광채를 능가한다. 암흑으로 덮여 있고 칠흑같이 어두운 우주의 사이에 놓여 있는 세상이 있어, 그곳에는 큰 신통력과 큰 위력을 가진 해와 달도 광선을 비추지 못한다. 그러나 그곳에까지도 측량할 수 없이 광휘로운 빛이 나타나는데 그것은 신들의 광채를 능가한다. 그곳에 태어난 중생들은 그 빛으로 '다른 중생들도 여기 태어났구나.'라고 서로를 알아본다.

비구들이여, 이것이 여래·아라한·정등각이 출현할 때에 드러나는 첫 번째 경이롭고 놀라운 법이다."

2. "다시 비구들이여, 보살이 마음챙기고 알아차리면서 어머니의 태에서 나왔을 때 신과 마라와 범천을 포함한 세상에서, … 측량할 수 없이 광휘로운 빛이 나타나는데 그것은 신들의 광채를 능가한다. … 그곳에 태어난 중생들은 그 빛으로 '다른 중생들도 여기 태어났구나.'라고 서로를 알아본다.

비구들이여, 이것이 여래·아라한·정등각이 출현할 때에 드러나는 두 번째 경이롭고 놀라운 법이다."

어로 문자적인 뜻 그대로 '만족'을 뜻한다. 그래서 중국에서는 知足이라고 옮기기도 하였다. 도솔천이 중요한 것은 다음 생에 사바세계에 와서 정등각을 성취해서 부처님이 될 보살이 머무는 곳이기 때문이다. 그래서 과거 겁의 위빳시 부처님도 도솔천에 있다가 이 세상에 몸을 받아 오셨다고 하며(D14 §1.17) 석가모니 부처님도 바로 전생에는 도솔천에 거주하고 있었으며(도솔천에 머무실 때의 이름은 세따께뚜(Setaketu)였다고 한다. — VinA.i.161) 미래불인 미륵(Pāli. Metteyya, Sk. Maitreya)보살이 지금 거주하는 곳이라고 우리에게 잘 알려져 있다.(Mhv.xxxī.73)

3. “다시 비구들이여, 여래가 위없는 바른 깨달음을 깨달을 때 신과 마라와 범천을 포함한 세상에서, … 측량할 수 없이 광휘로운 빛이 나타나는데 그것은 신들의 광채를 능가한다. … 그곳에 태어난 중생들은 그 빛으로 ‘다른 중생들도 여기 태어났구나.’라고 서로를 알아본다.

비구들이여, 이것이 여래·아라한·정등각이 출현할 때에 드러나는 세 번째 경이롭고 놀라운 법이다.”

4. “다시 비구들이여, 여래가 위없는 법의 바퀴[법륜]를 굴릴 때 신과 마라와 범천을 포함한 세상에서, … 측량할 수 없이 광휘로운 빛이 나타나는데 그것은 신들의 광채를 능가한다. … 그곳에 태어난 중생들은 그 빛으로 ‘다른 중생들도 여기 태어났구나.’라고 서로를 알아본다.

비구들이여, 이것이 여래·아라한·정등각이 출현할 때에 드러나는 네 번째 경이롭고 놀라운 법이다.

비구들이여, 여래·아라한·정등각이 출현할 때에 이러한 네 가지 경이롭고 놀라운 법이 드러난다.”

경이로움 경2(A4:128)

1. “비구들이여, 여래·아라한·정등각이 출현할 때에 네 가지 경이롭고 놀라운 법이 드러난다. 무엇이 넷인가?

비구들이여, 사람들은 감각적 쾌락을 좋아하고 감각적 쾌락에 물들어 있고 감각적 쾌락에 탐닉하고 있다. 그러나 그들은 여래가 감각적 쾌락이 없는 법[300]을 설하면 듣고자 하고 귀를 기울이며 알기 위해서 마음을 확립시킨다.

비구들이여, 이것이 여래·아라한·정등각이 출현할 때에 드러나는 첫 번째 경이롭고 놀라운 법이다."

2. "비구들이여, 사람들은 자만을 좋아하고 자만에 물들어 있고 자만에 탐닉하고 있다. 그러나 그들은 여래가 자만을 길들이는 법을 설하면 듣고자 하고 귀를 기울이며 알기 위해서 마음을 확립시킨다.

비구들이여, 이것이 여래·아라한·정등각이 출현할 때에 드러나는 두 번째 경이롭고 놀라운 법이다."

3. "비구들이여, 사람들은 고요하지 않음을 좋아하고 고요하지 않음에 물들어 있고 고요하지 않음에 탐닉하고 있다. 그러나 그들은 여래가 고요함으로 인도하는 법을 설하면 듣고자 하고 귀를 기울이며 알기 위해서 마음을 확립시킨다.

비구들이여, 이것이 여래·아라한·정등각이 출현할 때에 드러나는 세 번째 경이롭고 놀라운 법이다."

4. "비구들이여, 사람들은 무명에 빠져있고 눈이 멀어 있고 가리개에 씌어 있다. 그러나 그들은 여래가 무명을 길들이는 법을 설하면 듣고자 하고 귀를 기울이며 알기 위해서 마음을 확립시킨다.

비구들이여, 이것이 여래·아라한·정등각이 출현할 때에 드러나는 네 번째 경이롭고 놀라운 법이다.

비구들이여, 여래·아라한·정등각이 출현할 때에 이러한 네 가지

300) "감각적 쾌락과 반대되는, 윤회의 거스름에 관계된 성스러운 법을 뜻한다."(AA.iii.128)

경이롭고 놀라운 법이 드러난다."

놀라운 법 경1(A4:129)[301)]

Abbhutadhamma-sutta

1. "비구들이여, 아난다에게는 네 가지 경이롭고 놀라운 법이 있다. 무엇이 넷인가?

비구들이여, 만일 비구 회중이 아난다를 보기 위해서 다가가면 그를 보는 것으로 그들은 마음이 흡족해진다. 만일 거기서 아난다가 법을 설하면 가르침으로 그들은 마음이 흡족해진다. 만일 아난다가 침묵하고 있으면 비구 회중은 흡족해 하지 않는다."

2. "비구들이여, 만일 비구니 회중이 아난다를 보기 위해서 다가가면 그를 보는 것으로 그들은 마음이 흡족해진다. 만일 거기서 아난다가 법을 설하면 가르침으로 그들은 마음이 흡족해진다. 만일 아난다가 침묵하고 있으면 비구니 회중은 흡족해 하지 않는다."

3. "비구들이여, 만일 청신사 회중이 아난다를 보기 위해서 다가가면 그를 보는 것으로 그들은 마음이 흡족해진다. 만일 거기서 아난다가 법을 설하면 가르침으로 그들은 마음이 흡족해진다. 만일 아난다가 침묵하고 있으면 청신사 회중은 흡족해 하지 않는다."

4. "비구들이여, 만일 청신녀 회중이 아난다를 보기 위해서 다가가면

---

301) 본경은 『디가 니까야』 제2권 「대반열반경」(D16) §5.16의 전반부와 동일하다. 육차결집본의 경의 명칭은 아난다가 가진 놀라움(Ānandā-cchariya-sutta)이다.

가가면 그를 보는 것으로 그들은 마음이 흡족해진다. 만일 거기서 아난다가 법을 설하면 가르침으로 그들은 마음이 흡족해진다. 만일 아난다가 침묵하고 있으면 청신녀 회중은 흡족해 하지 않는다.

비구들이여, 아난다에게는 이러한 네 가지 경이롭고 놀라운 법이 있다."

놀라운 법 경2(A4:130)[302]

1. "비구들이여, 전륜성왕에게는 네 가지 경이롭고 놀라운 법이 있다. 무엇이 넷인가?

비구들이여, 만일 끄샤뜨리야 회중이 전륜성왕을 보기 위해서 다가가면 그를 보는 것으로 그들은 마음이 흡족해진다. 만일 거기서 전륜성왕이 법을 설하면 가르침으로 그들은 마음이 흡족해진다. 만일 전륜성왕이 침묵하고 있으면 끄샤뜨리야 회중은 흡족해 하지 않는다."

2. "비구들이여, 만일 바라문 회중이 …"

3. "비구들이여, 만일 장자의 회중이 …"

4. "비구들이여, 만일 사문 회중이 전륜성왕을 보기 위해서 다가가면 그를 보는 것으로 그들은 마음이 흡족해진다. 만일 거기서 전륜성왕이 법을 설하면 가르침으로 그들은 마음이 흡족해진다. 만일 전륜성왕이 침묵하고 있으면 사문의 회중은 흡족해 하지 않는다.

비구들이여, 전륜성왕에게는 이러한 네 가지 경이롭고 놀라운 법

302) 육차결집본의 경 이름은 전륜성왕이 가진 놀라움(Cakkavattiacchariya-sutta)이다.

이 있다."

5. "비구들이여, 그와 같이 아난다에게는 네 가지 경이롭고 놀라운 법이 있다. 무엇이 넷인가?

비구들이여, 만일 비구 회중이 아난다를 보기 위해서 다가가면 그를 보는 것으로 그들은 마음이 흡족해진다. 만일 거기서 아난다가 법을 설하면 가르침으로 그들은 마음이 흡족해진다. 만일 아난다가 침묵하고 있으면 비구 회중은 흡족해 하지 않는다."

6. "비구들이여, 만일 비구니 회중이 … 만일 청신사 회중이 … 만일 청신녀 회중이 아난다를 보기 위해서 다가가면 그를 보는 것으로 그들은 마음이 흡족해진다. 만일 거기서 아난다가 법을 설하면 가르침으로 그들은 마음이 흡족해진다. 만일 아난다가 침묵하고 있으면 청신녀 회중은 흡족해 하지 않는다.

비구들이여, 아난다에게는 이러한 네 가지 경이롭고 놀라운 법이 있다."

제13장 두려움 품이 끝났다.

열세 번째 품에 포함된 경들의 목록은 다음과 같다.

① 자책 ② 파도, 두 가지 ③~④ 다른 점
두 가지 ⑤~⑥ 자애
두 가지 ⑦~⑧ 경이로움
두 가지 ⑨~⑩ 놀라운 법 — 이러한 열 가지이다.

제14장 사람 품

Puggala-vagga

족쇄 경(A4:131)

Saṁyojana-sutta

1. “비구들이여, 세상에는 네 부류의 사람이 있다. 무엇이 넷인가?
“비구들이여, 여기 어떤 사람은 낮은 단계의 족쇄[下分結]303)들도

303) 초기불교에서는 깨달음을 실현한 예류자, 일래자, 불환자, 아라한의 성자(ariya)들을 10가지 족쇄(saṁyojana)를 얼마나 많이 풀어내었는가와 연결 지어서 설명한다. 먼저 열 가지 족쇄를 간략히 살펴보면 다음과 같다.
① 유신견(有身見, sakkāya-diṭṭhi): 자아가 있다는 견해. 중생을 중생이게끔 기만하고 오도하는 가장 근본적인 삿된 견해로, 고정불변하는 자아 혹은 실체가 있다고 국집하는 견해이다. 경에서는 오온의 각각에 대해서 4가지로 자아 등이 있다고 여기는 것이라고 설명한다.(『아비담마 길라잡이』 7장 §7의 해설 참조)
② 계율과 의식(혹은 誓戒)에 대한 집착[戒禁取, sīlabbata-parāmāsa]: 형식적 계율과 의식을 지킴으로써 해탈할 수 있다고 집착하는 것.(『아비담마 길라잡이』 7장 §6의 해설 참조)
③ 의심[疑, vicikicchā]: 불・법・승, 계율, 연기법 등을 회의하여 의심하는 것.(『아비담마 길라잡이』 2장 §4의 해설 참조)
④ 감각적 욕망(kāma-rāga): 감각적 쾌락에 대한 욕망.
⑤ 적의(paṭigha): 반감, 증오, 분개, 적대감 등을 뜻하며 성내는 마음[嗔心]과 동의어이다.(『아비담마 길라잡이』 1장 §5의 3번 해설 참조)
⑥ 색계에 대한 집착(rūpa-rāga): 색계 禪(초선부터 제4선까지)으로 실현되는 경지에 대한 집착.
⑦ 무색계에 대한 집착(arūpa-rāga): 무색계 禪(공무변처부터 비상비비상처까지)으로 실현되는 경지에 대한 집착.
⑧ 자만[慢, māna]: 내가 남보다 낫다, 못하다, 동등하다 하는 마음.(『아비담마 길라잡이』 2장 §4 해설 참조)

제거하지 못했고 태어남을 얻게 하는 족쇄들[304]도 제거하지 못했고 [재생으로서의] 존재를 얻게 하는 [조건의] 족쇄들[305]도 제거하지 못했다.[306]

---

⑨ 들뜸(掉擧, uddhacca): 들뜨고 불안한 마음.(『아비담마 길라잡이』 2장 §4 해설 참조)
⑩ 무명(無明, avijjā): 사성제와 연기법 등을 모르는 것.
이 가운데서 유신견, 계율과 의식에 대한 집착, 의심, 감각적 욕망, 적의, 이 다섯은 아래의 [욕계에서] 생긴 무더기 등을 결박하기 때문에 낮은 단계의 족쇄[下分結]라 부른다.(『청정도론』 XXII.48)
그리고 색계에 대한 탐욕, 무색계에 대한 탐욕, 자만, 들뜸, 무명, 이 다섯은 위의 [색계와 무색계]에서 생긴 무더기 등을 결박하기 때문에 높은 단계의 족쇄[上分結]라 부른다.(*Ibid*)
예류자(sotāpatti)는 유신견, 계율과 의식에 대한 집착, 의심의 세 가지 족쇄가 완전히 풀린 사람이고, 일래자(sakadāgami)는 이 세 가지가 완전히 다 풀렸을 뿐만 아니라 감각적 욕망과 적의의 두 가지 족쇄가 아주 엷어진 사람이다. 불환자(anāgami)는 다섯 가지 낮은 단계의 족쇄가 완전히 다 풀려나간 사람이고 아라한(arahan)은 열 가지 모든 족쇄를 다 풀어버린 사람이다.

304) "'태어남을 얻게 하는 것들(upapattipaṭilābhiyāni)'이란 이것들 때문에 다시 태어남(upapatti)을 얻게 되는 것을 말한다. [즉 윤회하게 하는 것(saṁvattanika)이다 — AAṬ.ii.304]"(AA.iii.130)

305) '[재생으로서의] 존재를 얻게 하는 조건(paccaya)'의 원문은 bhava-paṭilābhiyāni이다. 존재(有, bhava)는 두 가지인데 '업으로서의 존재(業有, kammabhava)'와 '재생으로서의 존재(生有, upapatti-bhava)'이다. 주석서는 이 문맥에서 사용된 bhava를 재생으로서의 존재(upapatti-bhava)로 보면서 "재생으로서의 존재를 얻게 하는 조건(upapatti-bhavassa paṭilābhāya paccayāni)"(AA.iii.130)이라고 설명하고 있다. 역자도 이를 따라서 옮겼다.

306) 본경에서는 특이하게 10가지 족쇄들을 ① 낮은 단계의 족쇄들 ② 태어남을 얻게 하는 족쇄들 ③ 존재를 얻게 하는 조건인 족쇄들의 셋의 측면으로 분류하여 이 관점으로 성자들을 네 가지로 분류하고 있다. 이런 분류는 삼장 전체에서 오직 본경에만 나타나는 듯하다. 이 가운데 ① 낮은 단계의

비구들이여, 그러나 여기 어떤 사람은 낮은 단계의 족쇄들은 제거하였지만 태어남을 얻게 하는 족쇄들은 제거하지 못했고 [재생으로서의] 존재를 얻게 하는 [조건의] 족쇄들도 제거하지 못했다.

비구들이여, 그러나 여기 어떤 사람은 낮은 단계의 족쇄들은 제거하였고 태어남을 얻게 하는 족쇄들도 제거하였지만 [재생으로서의] 존재를 얻게 하는 [조건의] 족쇄들은 제거하지 못했다.

비구들이여, 그러나 여기 어떤 사람은 낮은 단계의 족쇄들도 제거하였고 태어남을 얻게 하는 족쇄들도 제거하였고 [재생으로서의] 존재를 얻게 하는 [조건의] 족쇄들도 제거하였다."

2. "비구들이여, 그러면 어떤 사람이 낮은 단계의 족쇄들도 제거하지 못했고 태어남을 얻게 하는 족쇄들도 제거하지 못했고 [재생으로서의] 존재를 얻게 하는 [조건의] 족쇄들도 제거하지 못했는가?

비구들이여, 일래자[307]인 사람은 낮은 단계의 족쇄들도 제거하지

족쇄들은 열 가지 족쇄 가운데 처음의 다섯 가지 족쇄를 뜻하며, 이 다섯을 완전히 제거한 자를 불환자라 하는 것은 잘 알려져 있다. 그러므로 ② 태어남을 얻게 하는 족쇄들 ③ 존재를 얻게 하는 조건인 족쇄들은 나머지 다섯 가지 높은 단계의 족쇄들을 의미할 것이다. 그러나 본서에 해당하는 주석서와 복주서는 구체적으로 어떤 족쇄들이 이 둘에 배대가 되는지는 언급하지 않고 있다.

307) 본경을 이해하기 위해서는 세 종류의 예류자와 다섯 종류의 일래자와 다섯 종류의 불환자를 아는 것이 도움이 된다. 『아비담마 길라잡이』 9장 §§38~40의 주해에서 인용하면 다음과 같다.

(1) 세 유형의 예류자(『청정도론』 XXIII.55)

① 일곱 번 인간 세상이나 천상 세계에 태어나는 자(sattakkhattu-parama) ② 아라한과를 얻기 전에 두 번이나 세 번 좋은 가문에 태어나는 자(kolaṁkola) ③ 열반을 증득하기 전에 한 번 더 태어나는 자(eka-bhījī) 이 셋은 본서 제1권 「외움 경」3(A3:87) §3에 나타나고 있다.

(2) 다섯 유형의 일래자(『인시설론 주석서』 PgA.197~198)

못했고 태어남을 얻게 하는 족쇄들도 제거하지 못했고 [재생으로서의] 존재를 얻게 하는 [조건의] 족쇄들도 제거하지 못했다."308)

---

① 인간 세상에서 일래과를 증득하여 인간 세상에 다시 태어나 완전한 열반에 드는 자
② 인간 세상에서 일래과를 증득하여 천상 세계에 다시 태어나 거기서 완전한 열반에 드는 자
③ 천상 세계에서 과를 증득하여 천상 세계에 다시 태어나 거기서 완전한 열반에 드는 자
④ 천상 세계에서 과를 증득하여 인간 세상에 다시 태어나 완전한 열반에 드는 자
⑤ 인간 세상에서 과를 증득하여 천상 세계에 다시 태어나 수명을 다 채우고 다시 인간 세상에 태어나 완전한 열반에 드는 자
여기서 주목해야 할 것은 앞의 세 번째 예류자인 에까비지(ekabījī)이다. 이 에까비지 예류자는 오직 한 번만 더 태어나지만 이 다섯 번째 유형의 일래자는 두 번 태어난다는 점이다.
(3) 다섯 유형의 불환자(『청정도론』 XXIII.56~57)
① 더 높은 세계에 화현하여 수명의 중간에 이르러 완전한 열반에 드는 자(antara-parinibbāyī)
② 수명의 반이 지나서, 때로는 죽음이 임박해서 완전한 열반에 드는 자(upahacca-parinibbāyī)
③ 정력적인 노력 없이 완전한 열반에 드는 자(asaṅkhāra-parinibbāyī)
④ 정력적인 노력으로 완전한 열반에 드는 자(saṅkhāra-parinibbāyī)
⑤ 더 높은 세계로 재생하여 정거천 가운데서 제일 높은 색구경천(Akaniṭṭha)에 이르러서 거기서 완전한 열반에 드는 자(uddhanisoto Akaniṭṭhagāmī)
이 다섯 가지는 본서 제1권 「외움 경」2(A3:86) §3에 나타나고 있다. 여기서 주목해야 할 것은 오직 불환자들만이 정거천에 태어나지만 모든 불환자들이 다 정거천에 태어나도록 고정되어 있는 것은 아니라는 점이다.

308) 일래자(sakadāgāmi)는 다섯 가지 낮은 단계의 족쇄 가운데서 앞의 세 가지 족쇄(유신견, 계금취, 의심)를 제거하였지만 뒤의 두 가지인 감각적 욕망과 적의는 엷어졌을 뿐 완전히 제거하지는 못했기 때문이다. 예류자는 일래자보다 낮은 단계이므로 이 분류에서는 일래자만을 언급하고 있다고 주석서는 밝힌다.(AA.iii.130)

3. "비구들이여, 그러면 어떤 사람이 낮은 단계의 족쇄들은 제거하였지만 태어남을 얻게 하는 족쇄들은 제거하지 못했고 [재생으로서의] 존재를 얻게 하는 [조건의] 족쇄들도 제거하지 못했는가?

비구들이여, 더 높은 세계로 재생하여 색구경천[309]에 이르는 사람[310]은 낮은 단계의 족쇄들은 제거하였지만 태어남을 얻게 하는 족쇄들은 제거하지 못했고 [재생으로서의] 존재를 얻게 하는 [조건의] 족쇄들도 제거하지 못했다."[311]

4. "비구들이여, 그러면 어떤 사람이 낮은 단계의 족쇄들도 제거하였고 태어남을 얻게 하는 족쇄들도 제거하였지만 [재생으로서의] 존재를 얻게 하는 [조건의] 족쇄들은 제거하지 못했는가?

비구들이여, 수명의 중반쯤에 이르러 완전한 열반에 드는 사람[312]

---

309) 색구경천(色究竟天, Akaniṭṭhā)에 대해서는 본서 「다른 점 경」2(A4:124) §1의 주해를 참조할 것. 이것은 색계 제4선천의 다섯 천상 가운데 제일 높은 곳이다. 그래서 색계 천상의 제일 으뜸이라 해서 중국에서는 색구경천으로 옮겼다.

310) '더 높은 세계로 재생하여 색구경천에 이르는 사람'은 "어느 곳에 태어나든지 그곳으로부터 위로 더 올라가 [정거천 가운데서 제일 높은] 색구경천(色究竟天)에 올라서 그곳에서 완전한 열반에 드는 자이다."(Vis.XXIII.57)

311) '더 높은 세계로 재생하여 색구경천에 이르는 자'는 불환과를 얻은 사람이므로 다섯 가지 낮은 단계의 족쇄는 제거하였지만 재생하여 다시 색구경천이라는 색계천상에 태어나게 되므로 태어남을 얻게 하는 족쇄와 [태어남의 조건인] 존재를 얻게 하는 족쇄는 제거하지 못한 것이 된다.

312) '수명의 중반쯤에 이르러 완전한 열반에 드는 사람(antarāparinibbāyi)'은 "정거천(淨居天) 가운데 어느 한 곳에 태어나서 수명의 절반 정도 살 때에 열반에 드는 자이다."(Vis.XXIII.57) 불환자 가운데서 가장 수승한 사람이다. 여기에 대해서는 본서 제1권 「외움 경」2(A3:86) §3의 주해를 참조할 것.

은 낮은 단계의 족쇄들도 제거하였고 태어남을 얻게 하는 족쇄들도 제거하였지만 [재생으로서의] 존재를 얻게 하는 [조건의] 족쇄들은 제거하지 못했다."[313]

5. "비구들이여, 그러면 어떤 사람이 낮은 단계의 족쇄들도 제거하였고 태어남을 얻게 하는 족쇄들도 제거하였고 [재생으로서의] 존재를 얻게 하는 [조건의] 족쇄들도 제거하였는가?

비구들이여, 아라한인 사람은 낮은 단계의 족쇄들도 제거하였고 태어남을 얻게 하는 족쇄들도 제거하였고 [재생으로서의] 존재를 얻게 하는 [조건의] 족쇄들도 제거하였다.

비구들이여, 세상에는 이러한 네 부류의 사람이 있다."

응답 경(A4:132)

Paṭibhāna-sutta

"비구들이여, 세상에는 네 부류의 사람이 있다. 무엇이 넷인가?

[질문에] 적절하게 응답하지만 빨리 응답하지 않는 자,[314] 빨리

313) "'수명의 중반쯤에 이르러 완전한 열반에 드는 자'는 불환과를 얻은 사람이므로 다섯 가지 낮은 단계의 족쇄를 제거하였고 수명의 중반쯤에 이르러 완전한 열반을 증득하기 때문에 그다음에 태어남도 없다. 그러나 그는 거기서 禪을 증득하여 머물고 있다. 그것은 유익함(kusalatta)이기 때문에 재생으로서의 존재의 조건(paccaya)이라는 이름을 얻는다. 그러므로 태어남을 얻게 하는 족쇄들은 제거하였지만 재생으로서의 존재를 얻게 하는 조건의 족쇄들은 제거하지 못했다고 설한 것이다."(AA.iii.130~131)

314) '적절하게 응답하지만 빨리 응답하지 않는 자'는 yuttapaṭibhāno na muttapaṭibhāno를 옮긴 것이다. 주석서는 "질문(paṇha)에 대답할 때 적절하게(yutta) 대답하지만 빨리(sīgha) 대답하지 않고 천천히(saṇika) 대답한다는 뜻이다."(AA.iii.131)라고 설명하고 있다.

응답하지만 적절하게 응답하지 않는 자, 적절하게 응답하면서 빨리 응답하는 자, 적절하게 응답하지도 않고 빨리 응답하지도 않는 자이다.

비구들이여, 세상에는 이러한 네 부류의 사람이 있다."

예리한 이해 경(A4:133)

Ugghaṭitaññū-sutta

"비구들이여, 세상에는 네 부류의 사람이 있다. 무엇이 넷인가?

간략한 가르침으로 이해하는 자, 자세한 설명으로 이해하는 자, [가르침을 통해서] 인도되는 자, 기껏 단어의 [뜻만] 아는 자이다.315)

비구들이여, 세상에는 이러한 네 부류의 사람이 있다."

---

315) 주석서는 『인시설론』의 다음 구절을 인용하여 이러한 네 부류의 사람을 설명하고 있다.

"그러면 어떤 사람이 '간략한 가르침으로 이해하는 자(ugghaṭitaññū)'인가? 설명하는 즉시로 법을 관통하는 자(dhamma-abhisamaya)를 말한다. 그러면 어떤 사람이 '자세한 설명으로 이해하는 자(vipacitaññū)'인가? 상세하게 그 뜻을 분석할 때(vibhajiyamāne) 법을 관통하는 자를 말한다. 그러면 어떤 사람이 '[가르침을 통해서] 인도되는 자(neyya)'인가? 설명하고 질문하고 지혜롭게 마음에 잡도리하고 선지식을 의지하고 섬기고 공경하여 점차적으로 법을 관통하는 자를 말한다. 그러면 어떤 사람이 '기껏 단어의 [뜻만] 아는 자(pada-parama)'인가? 많이 듣고 많이 읊고 많이 호지하고 많이 말하더라도 태생적으로 법을 관통하지 못하는 자를 말한다."(Pug.41)

노력 경(A4:134)[316]

Ṭhāna-sutta

"비구들이여, 세상에는 네 부류의 사람이 있다. 무엇이 넷인가?

노력의 결과로 삶을 살지만 업의 결과로 삶을 살지 않는 자,[317] 업의 결과로 삶을 살지만 노력의 결과로 삶을 살지 않는 자, 노력의 결과로도 삶을 살고 또한 업의 결과로도 삶을 사는 자, 노력의 결과로도 또한 업의 결과로도 삶을 살지 않는 자이다.

비구들이여, 세상에는 이러한 네 부류의 사람이 있다."

비난받아 마땅한 자 경(A4:135)

Sāvajja-sutta

1. "비구들이여, 세상에는 네 부류의 사람이 있다. 무엇이 넷인가? 비난받아 마땅한 자, 비난을 많이 받는 자, 비난을 적게 받는 자, 비난받을 일이 없는 자이다."

2. "비구들이여, 그러면 어떤 사람이 비난받아 마땅한 자인가?

---

316) 육차결집본의 경 이름은 본문에 나타나는 열심히 노력하는 자의 결실(Uṭṭhānaphala-sutta)이다. 본서의 경의 이름인 Ṭhāna는 uṭṭhāna의 준말로 이해해야 한다.

317) "그는 열심히 노력(uṭṭhāna-viriya)하여 매일 생계를 위해 일을 하고 그래서 흘러들어오는 결실만(nissanda-phala-matta)을 얻어서 삶을 영위한다. 그러나 그는 그 부지런함을 통해서 어떠한 공덕의 결실(puñña-phala)도 얻지 못한다. 이런 사람을 일러 '열심히 노력하는 결실로 삶을 영위하지만 업의 결실로 삶을 영위하지 않는 자(uṭṭhāna-phalūpajīvī na kammaphalūpajīvī)라 한다."(AA.iii.131~132)

비구들이여, 여기 어떤 사람은 비난받아 마땅한 몸의 업을 두루 갖추고 있다. 비난받아 마땅한 말의 업을 두루 갖추고 있다. 비난받아 마땅한 마음의 업을 두루 갖추고 있다. 비구들이여, 이러한 사람은 비난받아 마땅한 자이다."

3. "비구들이여, 그러면 어떤 사람이 비난을 많이 받는 자인가?

비구들이여, 여기 어떤 사람은 비난받아 마땅한 몸의 업은 많이 갖추고 있지만 비난받을 일이 없는 몸의 업은 적다. 비난받아 마땅한 말의 업은 많이 갖추고 있지만 비난받을 일이 없는 말의 업은 적다. 비난받아 마땅한 마음의 업은 많이 갖추고 있지만 비난받을 일이 없는 마음의 업은 적다. 비구들이여, 이러한 사람은 비난을 많이 받는 자이다."

4. "비구들이여, 그러면 어떤 사람이 비난을 적게 받는 자인가?

비구들이여, 여기 어떤 사람은 비난받을 일이 없는 몸의 업은 많이 갖추고 있지만 비난받아 마땅한 몸의 업은 적다. 비난받을 일이 없는 말의 업은 많이 갖추고 있지만 비난받아 마땅한 말의 업은 적다. 비난받을 일이 없는 마음의 업은 많이 갖추고 있지만 비난받아 마땅한 마음의 업은 적다. 비구들이여, 이러한 사람은 비난을 적게 받는 자이다."

5. "비구들이여, 그러면 어떤 사람이 비난받을 일이 없는 자인가?

비구들이여, 여기 어떤 사람은 비난받을 일이 없는 몸의 업을 두루 갖추고 있다. 비난받을 일이 없는 말의 업을 두루 갖추고 있다. 비난받을 일이 없는 마음의 업을 두루 갖추고 있다. 비구들이여, 이러한 사람은 비난받을 일이 없는 자이다.
비구들이여, 세상에는 이러한 네 부류의 사람이 있다."

계 경1(A4:136)
Sīla-sutta

"비구들이여, 세상에는 네 부류의 사람이 있다. 무엇이 넷인가?
비구들이여, 여기 어떤 사람은 계를 완성하지 못했고 삼매를 완성하지 못했고 통찰지를 완성하지 못했다. 비구들이여, 여기 어떤 사람은 계를 완성하였지만 삼매를 완성하지 못했고 통찰지도 완성하지 못했다. 비구들이여, 여기 어떤 사람은 계를 완성했고 삼매도 완성하였지만 통찰지를 완성하지 못했다. 비구들이여, 여기 어떤 사람은 계도 완성했고 삼매도 완성했고 통찰지도 완성했다.
비구들이여, 세상에는 이러한 네 부류의 사람이 있다."

계 경2(A4:137)

"비구들이여, 세상에는 네 부류의 사람이 있다. 무엇이 넷인가?
비구들이여, 여기 어떤 사람은 계를 중시하지 않고 계를 제일로 여기지 않으며 삼매를 중시하지 않고 삼매를 제일로 여기지 않으며 통찰지를 중시하지 않고 통찰지를 제일로 여기지 않는다. 비구들이여, 여기 어떤 사람은 계를 중시하고 계를 제일로 여기지만 삼매를 중시하지 않고 삼매를 제일로 여기지 않으며 통찰지를 중시하지 않고 통찰지를 제일로 여기지 않는다. 비구들이여, 여기 어떤 사람은 계를 중시하고 계를 제일로 여기며 삼매를 중시하고 삼매를 제일로 여기지만 통찰지를 중시하지 않고 통찰지를 제일로 여기지 않는다. 비구들이여, 여기 어떤 사람은 계를 중시하고 계를 제일로 여기며 삼매를 중시하고 삼매를 제일로 여기며 통찰지를 중시하고 통찰지를 제일로 여긴다.

비구들이여, 세상에는 이러한 네 부류의 사람이 있다."

끌어내림 경(A4:138)

Nikaṭṭha-sutta

1. "비구들이여, 세상에는 네 부류의 사람이 있다. 무엇이 넷인가? 몸은 빠져나왔지만 마음은 빠져나오지 못한 자,[318] 몸은 빠져나오지 못했지만 마음은 빠져나온 자, 몸도 빠져나오지 못했고 마음도 빠져나오지 못한 자, 몸도 빠져나왔고 마음도 빠져나온 자이다."

2. "비구들이여, 그러면 어떤 사람이 몸은 빠져나왔지만 마음은 빠져나오지 못한 자인가? 비구들이여, 여기 어떤 사람은 숲이나 밀림 속에 있는 외딴 처소들을 수용한다. 그는 거기서 감각적 욕망을 생각하고 악의를 생각하고 해코지를 생각한다. 비구들이여, 이러한 사람이 몸은 빠져나왔지만 마음은 빠져나오지 못한 자이다."

3. "비구들이여, 그러면 어떤 사람이 몸은 빠져나오지 못했지만 마음은 빠져나온 자인가? 비구들이여, 여기 어떤 사람은 숲이나 밀림 속에 있는 외딴 처소들을 수용하지 않는다. 그러나 그는 거기서

---

318) "몸은 마을(gāma)을 떠나 숲(arañña)에 살고 있지만 마음은 오로지 마을에 들어가 있는 자를 말한다. 이 방법은 모든 곳에 다 적용이 된다." (AA.iii.132)

출리를 생각하고 악의 없음을 생각하고 해코지 않음을 생각한다. 비구들이여, 이러한 사람이 몸은 빠져나오지 못했지만 마음은 빠져나온 자이다."

4. "비구들이여, 그러면 어떤 사람이 몸도 빠져나오지 못했고 마음도 빠져나오지 못한 자인가? 비구들이여, 여기 어떤 사람은 숲이나 밀림 속에 있는 외딴 처소들을 수용하지 않는다. 그는 거기서 감각적 욕망을 생각하고 악의를 생각하고 해코지를 생각한다. 비구들이여, 이러한 사람이 몸도 빠져나오지 못했고 마음도 빠져나오지 못한 자이다."

5. "비구들이여, 그러면 어떤 사람이 몸도 빠져나왔고 마음도 빠져나온 자인가? 비구들이여, 여기 어떤 사람은 숲이나 밀림 속에 있는 외딴 처소들을 수용한다. 그는 거기서 출리를 생각하고 악의 없음을 생각하고 해코지 않음을 생각한다. 비구들이여, 이러한 사람이 몸도 빠져나왔고 마음도 빠져나온 자이다.

비구들이여, 세상에는 이러한 네 부류의 사람이 있다."

법사 경(A4:139)

Dhammakathika-sutta

1. "비구들이여, 세상에는 네 부류의 법사(法師)319)가 있다. 무엇이 넷인가?

비구들이여, 여기 어떤 법사는 적게 말하고 일관되지 않게 말한다.

---

319) '법사(法師)'는 dhamma-kathika를 옮긴 것으로 법을 설하는 자라 직역된다.

그리고 그의 회중은 일관된 것과 일관되지 않은 것에 대해서 능숙하지 못하다. 비구들이여, 이러한 법사는 이러한 회중의 법사라는 명칭을 가진다."

2. "비구들이여, 그러나 여기 어떤 법사는 적게 말하고 일관되게 말한다. 그리고 그의 회중은 일관된 것과 일관되지 않은 것에 대해서 능숙하다. 비구들이여, 이러한 법사는 이러한 회중의 법사라는 명칭을 가진다."

3. "비구들이여, 그러나 여기 어떤 법사는 많이 말하고 일관되지 않게 말한다. 그리고 그의 회중은 일관된 것과 일관되지 않은 것에 대해서 능숙하지 못하다. 비구들이여, 이러한 법사는 이러한 회중의 법사라는 명칭을 가진다."

4. "비구들이여, 그러나 여기 어떤 법사는 많이 말하고 일관되게 말한다. 그리고 그의 회중은 일관된 것과 일관되지 않은 것에 대해서 능숙하다. 비구들이여, 이러한 법사는 이러한 회중의 법사라는 명칭을 가진다.

비구들이여, 세상에는 이러한 네 부류의 법사가 있다."

논사 경(A4:140)
Vādī-sutta

1. "비구들이여, 세상에는 네 부류의 논사가 있다. 무엇이 넷인가?

비구들이여, 뜻으로는 막히지만 자구(字句)로는 막히지 않는 논사가 있다. 비구들이여, 자구로는 막히지만 뜻으로는 막히지 않는 논사가 있다. 비구들이여, 뜻으로도 막히고 자구로도 막혀버리는 논사가 있다. 비구들이여, 뜻으로도 막히지 않고 자구로도 막히지 않는 논사가 있다. 비구들이여, 세상에는 이러한 네 부류의 논사가 있다.”

2. “비구들이여, 네 가지 무애해[320]를 갖춘 자가 뜻으로도 막혀버리고 자구로도 막혀버린다는 것은 있을 수 없고 불가능한 일이다.”

제14장 사람 품이 끝났다.

열네 번째 품에 포함된 경들의 목록은 다음과 같다.

① 족쇄 ② 응답 ③ 예리한 이해
④ 노력, 다섯 번째로 ⑤ 비난받아 마땅한 자
두 가지 ⑥~⑦ 계 ⑧ 끌어내림
⑨ 법사 ⑩ 논사 — 이러한 열 가지이다.

---

320) ‘네 가지 무애해(paṭisambhidā)’는 ① 뜻(attha)에 대한 무애해[義無碍解] ② 법(dhamma)에 대한 무애해[法無碍解] ③ 언어(nirutti)에 대한 무애해[詞無碍解] ④ 영감(paṭibhāna)에 대한 무애해[辯無碍解]이다. 결과(phala)에 대한 지혜를 ‘뜻에 대한 무애해’라 하고, 원인(hetu)에 대해 지혜를 ‘법에 대한 무애해’라 한다. 뜻과 법에 대해서 [정확한] 언어를 구사함에 대한 지혜를 ‘언어에 대한 무애해’라 하고, 앞의 지혜들을 대상으로 한 지혜 혹은 앞의 세 가지 지혜에 대해 각각의 대상, 역할 등으로 상세하게 아는 것을 ‘영감에 대한 무애해’라 한다고 『청정도론』(XIV.21~26)은 설명하고 있다.

제15장 빛 품

Ābhā-vagga

빛 경(A4:141)

Ābhā-sutta

"비구들이여, 네 가지 빛이 있다. 무엇이 넷인가?

달빛, 햇빛, 불빛, 통찰지의 빛이다. 비구들이여, 이러한 네 가지 빛이 있다. 비구들이여, 이러한 네 가지 가운데 통찰지의 빛이 최상이다."

밝음 경(A4:142)

Pabhā-sutta

"비구들이여, 네 가지 밝음이 있다. 무엇이 넷인가?

달의 밝음, 태양의 밝음, 불의 밝음, 통찰지의 밝음이다. 비구들이여, 이러한 네 가지 밝음이 있다. 비구들이여, 이러한 네 가지 가운데 통찰지의 밝음이 최상이다."

광명 경(A4:143)

Āloka-sutta

"비구들이여, 네 가지 광명이 있다. 무엇이 넷인가?

달의 광명, 태양의 광명, 불의 광명, 통찰지의 광명이다. 비구들이여, 이러한 네 가지 광명이 있다. 비구들이여, 이러한 네 가지 가운데 통찰지의 광명이 최상이다."

광휘로움 경(A4:144)
Obhāsa-sutta

"비구들이여, 네 가지 광휘로움이 있다. 무엇이 넷인가?
달의 광휘로움, 태양의 광휘로움, 불의 광휘로움, 통찰지의 광휘로움이다. 비구들이여, 이러한 네 가지 광휘로움이 있다. 비구들이여, 이러한 네 가지 가운데 통찰지의 광휘로움이 최상이다."

광채 경(A4:145)
Pajjota-sutta

"비구들이여, 네 가지 광채가 있다. 무엇이 넷인가?
달의 광채, 태양의 광채, 불의 광채, 통찰지의 광채이다. 비구들이여, 이러한 네 가지 광채가 있다. 비구들이여, 이러한 네 가지 가운데 통찰지의 광채가 최상이다."

적절한 시기 경1(A4:146)
Kāla-sutta

"비구들이여, 네 가지 적절한 시기가 있다. 무엇이 넷인가?
적절한 시기에 법을 배움, 적절한 시기에 법을 담론함, 적절한 시기에 사마타를 닦음, 적절한 시기에 위빳사나를 수행함이다. 비구들이여, 이러한 네 가지 시기가 있다."

적절한 시기 경2(A4:147)

1. "비구들이여, 이 네 가지 적절한 시기의 [유익한 법들을] 바르게 수행하고 반복적으로 수행하면 점차적으로 번뇌들이 다한

[아라한과를] 얻는다. 무엇이 넷인가?

적절한 시기에 법을 배움, 적절한 시기에 법을 담론함, 적절한 시기에 사마타를 닦음, 적절한 시기에 위빳사나를 수행함이다. 비구들이여, 이러한 네 가지 적절한 시기의 [유익한 법들을] 바르게 수행하고 반복적으로 수행하면 점차적으로 번뇌들이 다한 [아라한과를] 얻는다."

2. "비구들이여, 예를 들면 이러하다. 산꼭대기에 억수같이 비가 내리면 경사진 곳을 따라 빗물이 흘러내려서 산의 협곡과 계곡과 지류를 가득 채운다. 그리고는 작은 못을 가득 채우고 또 다시 큰 못을 가득 채운다. 그리고는 작은 강을 가득 채우고 또 다시 큰 강을 가득 채운다. 큰 강을 가득 채우고는 다시 바다와 대해를 가득 채우는 것과 같다.[321)]

비구들이여, 그와 같이 이러한 네 가지 적절한 시기의 [유익한 법들을] 바르게 수행하고 반복적으로 수행하면 점차적으로 번뇌들이 다한 [아라한과를] 얻는다."

행위 경1(A4:148)

Carita-sutta

"비구들이여, 네 가지 말로 짓는 나쁜 행위가 있다. 무엇이 넷인가?

거짓말, 이간질, 욕설, 잡담이다. 비구들이여, 이것이 네 가지 말로 짓는 나쁜 행위이다."

---

321) 마치 산에 내린 비가 순차적이고 점진적으로 대해에 이르듯이 수행자도 순차적이고 점진적으로 법을 듣고 법을 담론하고 사마타를 닦고 위빳사나를 닦아서 깨달음의 바다로 들어간다는 말씀이다.

행위 경2(A4:149)

"비구들이여, 네 가지 말로 짓는 좋은 행위가 있다. 무엇이 넷인가?

진실한 말, 이간하지 않는 말, 아름다운 말, 진중한 말[322]이다. 비구들이여, 이것이 네 가지 말로 짓는 좋은 행위이다."

정수 경(A4:150)

Sāra-sutta

"비구들이여, 네 가지 정수가 있다. 무엇이 넷인가?

계의 정수,[323] 삼매의 정수, 통찰지의 정수, 해탈의 정수이다. 비구들이여, 이러한 네 가지 정수가 있다."

제15장 빛 품이 끝났다.

열다섯 번째 품에 포함된 경들의 목록은 다음과 같다.

① 빛 ② 밝음 ③ 광명
④ 광휘로움, 다섯 번째로 ⑤ 광채
두 가지 ⑥~⑦ 적절한 시기, 두 가지 ⑧~⑨ 행위
⑩ 정수 — 이러한 열 가지이다.

세 번째 50개 경들의 묶음이 끝났다.

---

322) "'진중한 말(manta-bhāsa)'이란 진언(眞言, manta)이라 불리는 통찰지(paññā)로 분명하게 안 뒤에 하는 말이다."(AA.iii.134)

323) "'계의 정수(sīla-sāra)'란 정수를 얻는(sampāpaka) 계라는 뜻이다. 나머지에도 이 방법이 적용된다."(*Ibid*)

IV. 큰 50개 경들의 묶음

Mahā-paññāsaka

제16장 기능 품

Indriya-vagga

기능 경(A4:151)

Indriya-sutta

"비구들이여, 네 가지 기능[根][324]이 있다. 무엇이 넷인가?

믿음의 기능, 정진의 기능, 마음챙김의 기능, 삼매의 기능이다. 비구들이여, 이러한 네 가지 기능이 있다."[325]

---

324) '기능[根]'으로 옮긴 인드리야(indriya)는 문자적으로만 보면 √ind(*to be powerful*)에서 파생된 남성명사인 indra의 형용사 형태로서 '인드라(Indra)에 속하는'의 뜻이다. 여기서 말하는 인드라는 다름 아닌 신들의 왕으로 우리에게 제석이나 석제로 알려진 인도의 신이다. 그래서 인드라는 힘의 상징이며 지배자, 통치자, 권력자를 뜻한다. 이러한 지배력을 가진 것이라는 의미에서 중성명사로 정착된 것이 인드리야 즉 기능[根]이다. 그래서 기능들은 각각의 영역에서 이들과 관계된 법들(sampayutta-dhammā)을 지배하는(issara) 정신적인 현상을 뜻한다. 기능은 모두 22가지로 정리되어 있다. 여기에 대해서는 『아비담마 길라잡이』 7장 §18과 『청정도론』 XVI장의 전반부를 참조할 것.

325) 다섯 가지 기능[五根] 가운데 통찰지의 기능을 제외한 나머지이다.

믿음의 힘 경(A4:152)

Saddhābala-sutta

"비구들이여, 네 가지 힘[力]이 있다.[326] 무엇이 넷인가?

믿음의 힘, 정진의 힘, 마음챙김의 힘, 삼매의 힘이다. 비구들이여, 이러한 네 가지 힘이 있다."

통찰지의 힘 경(A4:153)

Paññābala-sutta

"비구들이여, 네 가지 힘이 있다. 무엇이 넷인가?

통찰지의 힘, 정진의 힘, 비난받을 일이 없음의 힘, 친절의 힘이다. 비구들이여, 이러한 네 가지 힘이 있다."

마음챙김의 힘 경(A4:154)

Satibala-sutta

"비구들이여, 네 가지 힘이 있다. 무엇이 넷인가?

마음챙김의 힘, 삼매의 힘, 비난받을 일이 없음의 힘, 친절의 힘이다. 비구들이여, 이러한 네 가지 힘이 있다."

---

326) 이것을 힘(bala)이라 하는 이유는 이들이 이와 반대되는 것들에 의해 흔들리지 않기 때문이고(akampiya), 이들과 함께하는 법들을 강하게(thira-bhāva) 만들기 때문이다. 그래서 주석서는 "불신에 의해서 흔들리지 않는다(akampana)는 뜻에서 믿음의 힘이라 한다. 나머지에도 이 방법이 적용된다."(*Ibid*)고 설명하고 있다.

숙고의 힘 경(A4:155)

Paṭisaṅkhānabala-sutta

"비구들이여, 네 가지 힘이 있다. 무엇이 넷인가?

숙고의 힘, 수행의 힘, 비난받을 일이 없음의 힘, 친절의 힘이다. 비구들이여, 이러한 네 가지 힘이 있다."

겁 경(A4:156)

Kappa-sutta

"비구들이여, 네 가지 헤아릴 수 없는 겁이 있다. 무엇이 넷인가?

비구들이여, 겁이 수축할 때[壞劫] 몇 해라거나 몇백 년이라거나 몇천 년이라거나 몇십만 년이라고 쉽게 헤아릴 수가 없다.

비구들이여, 겁이 수축하여 머물 때[壞住劫] 몇 해라거나 몇백 년이라거나 몇천 년이라거나 몇십만 년이라고 쉽게 헤아릴 수가 없다.

비구들이여, 겁이 팽창할 때[成劫] 몇 해라거나 몇백 년이라거나 몇천 년이라거나 몇십만 년이라고 쉽게 헤아릴 수가 없다.

비구들이여, 겁이 팽창하여 머물 때[成住劫] 몇 해라거나 몇백 년이라거나 몇천 년이라거나 몇십만 년이라고 쉽게 헤아릴 수가 없다.

비구들이여, 이러한 네 가지 헤아릴 수 없는 겁이 있다."

병 경(A4:157)

Roga-sutta

1. "비구들이여, 두 가지 병이 있다. 무엇이 둘인가?

몸의 병과 마음의 병이다. 비구들이여, 중생들은 몸의 병에 관한

한 일 년 동안은 건강하게 지내기도 하고 2년 동안 건강하게 지내기도 하고 3년, 4년, 5년, 10년, 20년, 30년, 40년, 50년 동안 건강하게 지내기도 하고 백 년 동안 건강하게 지내기도 한다. 비구들이여, 그러나 이 세상에서 마음의 병에 관한 한 잠시라도 건강하게 지내는 중생들은 번뇌 다한 자들을 제외하고는 참으로 만나기 어렵다."

2. "비구들이여, 네 가지 출가자의 병이 있다. 무엇이 넷인가?

비구들이여, 여기 큰 욕심을 가져 곤혹스럽고 이런저런 의복, 음식, 거처, 병구완을 위한 약품으로 만족하지 못하는 자가 있다. 그는 큰 욕심을 가져 곤혹스럽고 이런저런 의복, 음식, 거처, 병구완을 위한 약품으로 만족하지 못하여, [남들로부터] 멸시를 받지 않을 뿐 아니라 이득과 존경과 명성을 얻기 위해서 악한 소원을 가진다. 그는 [남들로부터] 멸시를 받지 않을 뿐 아니라 이득과 존경과 명성을 얻기 위해서 분발하고 애쓰고 노력한다. 그는 알아주기를 바라면서[327] 신도 집을 방문하고 알아주기를 바라면서 앉고 알아주기를 바라면서 법을 설하고 알아주기를 바라면서 대소변을 본다. 비구들이여, 이것이 출가자의 네 가지 병이다."

3. "비구들이여, 그러므로 그대들은 마땅히 이와 같이 공부지어야 한다.

'우리는 큰 욕심을 가져 곤혹스럽고 이런저런 의복, 음식, 거처, 병구완을 위한 약품으로 만족하지 못하는 자가 되지 않으리라. 우리는 큰 욕심을 가져 곤혹스럽고 이런저런 의복, 음식, 거처, 병구완을 위

327) "'그들은 내가 이런 사람이라는 것을 알아줄 것이다.'라고 하면서."(AA. iii.135)

한 약품으로 만족하지 못하여, [남들로부터] 멸시를 받지 않을 뿐 아니라 이득과 존경과 명성을 얻기 위해서 악한 소원을 가지지 않으리라. 우리는 [남들로부터] 멸시를 받지 않을 뿐 아니라 이득과 존경과 명성을 얻기 위해서 분발하고 애쓰고 노력하지 않으리라. 우리는 추위와 더위와 배고픔과 목마름과, 날파리와 모기와 바람과 뙤약볕과 파충류에 닿음과, 고약하고 언짢은 말들을 견뎌낼 것이고, 몸에 생겨난 괴롭고 날카롭고 거칠고 찌르고 불쾌하고 마음에 들지 않고 생명을 위협하는 갖가지 느낌들을 감내할 것이다.'라고.

비구들이여, 참으로 그대들은 이와 같이 공부지어야 한다."

쇠퇴 경(A4:158)

Parihāni-sutta

1. 거기서 사리뿟따 존자는 "도반 비구들이여"라고 비구들을 불렀다. "도반이시여"라고 비구들은 사리뿟따 존자에게 응답했다. 사리뿟따 존자는 이렇게 말하였다.

"도반들이여, 어떤 비구든 비구니든 자신 안에서 네 가지 법을 관찰하게 되면 이러한 결론에 도달해야 합니다. '나는 유익한 법들로부터 쇠퇴할 것이다. 세존께서도 이것을 쇠퇴라고 하셨다.'라고. 무엇이 넷입니까?

탐욕이 드세어짐, 성냄이 드세어짐, 어리석음이 드세어짐, 심오한 것의 옳고 그름을 보는 통찰지의 눈[慧眼][328]을 가지지 못하는 것입

---

328) "'통찰지의 눈[慧眼, paññā-cakkhu]'이란 이해하고 다시 질문하는 통찰지도 되고 명상(sammasana)과 꿰뚫음(paṭivedha)을 통한 통찰지도 된다."(AA.iii.135)

니다.

도반들이여, 어떤 비구든 비구니든 자신 안에서 이러한 네 가지 법을 관찰하게 되면 이러한 결론에 도달해야 합니다. '나는 유익한 법들로부터 쇠퇴할 것이다. 세존께서도 이것을 쇠퇴라고 하셨다.'라고."

2. "도반들이여, 어떤 비구든 비구니든 자신 안에서 네 가지 법을 관찰하게 되면 이러한 결론에 도달해야 합니다. '나는 유익한 법들로부터 쇠퇴하지 않는다. 세존께서도 이것은 쇠퇴가 아니라고 하셨다.'라고. 무엇이 넷입니까?

탐욕이 감소함, 성냄이 감소함, 어리석음이 감소함, 심오한 여러 가지 경우들에 대한 통찰지의 눈을 가지는 것입니다.

도반들이여, 어떤 비구든 비구니든 자신 안에서 이러한 네 가지 법을 관찰하게 되면 이러한 결론에 도달해야 합니다. '나는 유익한 법들로부터 쇠퇴하지 않는다. 세존께서도 이것을 쇠퇴가 아니라고 하셨다.'라고."

비구니 경(A4:159)

Bhikkhunī-sutta

1. 한때 아난다 존자는 꼬삼비에서 고시따 원림에 머물렀다. 그때 어떤 비구니가 어떤 사람을 불러서 말했다.

"이리 오시오, 아무개 사람이여. 그대는 아난다 존자께 가시오. 가서는 나의 이름으로 아난다 존자의 발에 머리 조아려 절을 올리고 '존자시여, 이러한 이름의 비구니가 중병에 걸려 아픔과 고통에 시달리고 있습니다. 지금 그가 아난다 존자의 발에 머리 조아려 절을 올립니다.'라고 말씀드려주세요. 그리고 다시 '존자시여, 아난다 존자께서는 연민을 일으키시어 비구니의 거처를 방문해주시면 감사하겠습니다.'라고 여쭈어주세요."

"알겠습니다, 스님."이라고 그 사람은 비구니에게 대답한 뒤 아난다 존자께 다가갔다. 가서는 아난다 존자께 절을 올리고 한 곁에 앉았다. 한 곁에 앉아서 그 사람은 아난다 존자께 이렇게 말하였다.

"'존자시여, 이러한 이름의 비구니가 중병에 걸려 아픔과 고통에 시달리고 있습니다. 지금 그가 아난다 존자의 발에 머리 조아려 절을 올립니다. 그리고 다시 '존자시여, 아난다 존자께서는 연민을 일으키시어 비구니의 거처를 방문해주시면 감사하겠습니다.'라고 여쭙니다."

아난다 존자는 침묵으로 허락하였다.

2. 그러자 아난다 존자는 옷매무새를 가다듬고 발우와 가사를 수하고 비구니의 처소로 갔다. 그 비구니는 아난다 존자가 멀리서 오는 것을 보았다. 보고서는 머리를 덮고 [거짓으로 아픈척하며] 침상에 누웠다. 그때 아난다 존자는 그 비구니에게 가서 지정된 자리에 앉았다. 자리에 앉아서 아난다 존자는 비구니에게 이렇게 말하였다.

3. "누이여, 이 몸이란 것은 음식에서 생긴 것입니다. 그러므로 음식을 의지하여 음식을 버려야 합니다. 누이여, 이 몸이란 갈애에서 생긴 것입니다. 그러므로 갈애를 의지하여 갈애를 버려야 합니다. 누이여, 이 몸이란 자만에서 생긴 것입니다. 그러므로 자만을 의지하여 자만을 버려야 합니다. 누이여, 이 몸은 성행위로 생긴 것입니다. 그리고 성행위에 대해서는 세존께서는 다리[橋]를 부수어버리는 것329)

---

329) '다리[橋]를 부숨'은 setu-ghāta를 직역한 것이다. 주석서는 "발자국(혹

을 말씀하셨습니다."

4. "'누이여, 이 몸이란 것은 음식에서 생긴 것입니다. 그러므로 음식을 의지하여 음식을 버려야 합니다.'라고 하였습니다. 그러면 이것은 무엇을 반연하여 한 말입니까?

누이여, 여기 비구는 숙고하기 때문에 지혜롭게 음식을 수용합니다. 그것은 즐기기 위해서가 아니며 취하기 위해서가 아니며 치장을 하기 위해서도 아니며 장식을 위해서도 아니며 단지 이 몸을 지탱하고 유지하고 잔인함을 쉬고 청정범행을 잘 지키기 위해서 입니다. '그래서 나는 오래된 느낌을 물리치고 새로운 느낌을 일어나게 하지 않을 것이다. 나는 잘 부양될 것이고 비난받을 일 없이 편안하게 머물 것이다.'라고. 그는 나중에 음식을 의지하여 음식을 버립니다.[330)]

'누이여, 이 몸이란 것은 음식에서 생긴 것입니다. 음식을 의지하여 음식을 버려야 합니다.'라고 한 것은 이것을 반연하여 한 말입니다."

5. "'누이여, 이 몸이란 것은 갈애에서 생긴 것입니다. 그러므로 갈애를 의지하여 갈애를 버려야 합니다.'라고 하였습니다. 그러면 이것은 무엇을 반연하여 한 말입니까?

누이여, 여기 비구는 '참으로 아무개라 이름 하는 비구는 모든 번

은 발, pada)을 부수고 조건(paccaya)을 부수는 것"(AA.iii.137)으로 설명하고 있다. 본서 제1권 「슬피 욺 경」(A3:103)에서는 '조건을 부숨'으로 옮겼다.

330) "'음식을 의지하여 음식을 버린다(āhāraṁ nissāya āhāraṁ pajahati)'는 것은 현재의 먹는 음식을 의지하여 이것을 지혜롭게 수용하면서 이전의 업(kamma)이라 불리는 음식을 버린다는 말이다. 그리고 현재의 먹는 음식에 대해 갈구하는 갈애(nikanti-taṇhā)도 역시 버려야 한다."(AA.iii.136)

뇌가 다하여 아무 번뇌가 없는 마음의 해탈[心解脫]과 통찰지를 통한 해탈[慧解脫]을 바로 지금여기에서 스스로 최상의 지혜로 알고 실현하고 구족하여 머문다.'라고 듣습니다. 그에게 이런 생각이 듭니다. '그래, 참으로 나도 모든 번뇌가 다하여 … 실현하고 구족하여 머무르리라.'라고. 그는 나중에 갈애를 의지하여 갈애를 버립니다.331)

'누이여, 이 몸이란 것은 갈애에서 생긴 것입니다. 그러므로 갈애를 의지하여 갈애를 버려야 합니다.'라고 한 것은 이것을 반연하여 한 말입니다."

6. "'누이여, 이 몸이란 것은 자만에서 생긴 것입니다. 그러므로 자만을 의지하여 자만을 버려야 합니다.'라고 하였습니다. 그러면 이것은 무엇을 반연하여 한 말입니까?

누이여, 여기 비구는 '참으로 아무개라 이름 하는 비구는 모든 번뇌가 다하여 아무 번뇌가 없는 마음의 해탈[心解脫]과 통찰지를 통한 해탈[慧解脫]을 바로 지금여기에서 스스로 최상의 지혜로 알고 실현하고 구족하여 머문다.'라고 듣습니다. 그에게 이런 생각이 듭니다. '그래, 참으로 그 존자가 모든 번뇌가 다하여 … 실현하고 구족하여 머무는데 왜 나는 안 된단 말인가?'라고. 그는 나중에 자만을 의지하여 자만을 버립니다.332)

---

331) "이와 같이 일어난 현재의 갈애를 의지하여 윤회의 뿌리가 되는(vaṭṭa-mūlika) 이전의 갈애를 버린다. 그러면 현재의 갈애는 유익한 것인가 해로운 것인가? 해로운 것(akusala)이다. 받들어 행해야 하는 것인가 아닌가? 받들어 행해야 하는 것(sevitabba)이다. 재생연결(paṭisandhi)을 가져오는 것인가, 아닌가? 가져오지 않는 것이다. (nākaḍḍhati) 그리고 이러한 현재에 받들어 행해야 하는 갈애를 갈구하는 것도 버려야 한다." (AA.iii.136)

'누이여, 이 몸이란 것은 자만에서 생긴 것입니다. 그러므로 자만을 의지하여 자만을 버려야 합니다.'라고 한 것은 이것을 반연하여 한 말입니다."

7. "누이여, 이 몸은 성행위로 생긴 것입니다. 그리고 성행위에 대해서는 세존께서는 다리를 부수어버리는 것을 말씀하셨습니다."

8. 그러자 그 비구니는 침상에서 일어나서 한쪽 어깨가 드러나게 윗옷을 입고 아난다 존자의 발에 머리를 대고 엎드려서 아난다 존자에게 이렇게 말하였다.

"존자시여, 저는 잘못을 범하였습니다. 존자시여, 제가 어리석고 미혹하고 신중하지 못해서 잘못을 범하였습니다. 존자시여, 아난다 존자께서는 제가 미래에 [다시 이와 같은 잘못을 범하지 않고] 제 자신을 단속할 수 있도록 제 잘못에 대한 참회를 섭수하여 주소서."

9. "누이여, 확실히 그대는 잘못을 범하였습니다. 어리석고 미혹하고 신중하지 못해서 그대는 잘못을 범하였습니다. 누이여, 그러나 그대는 잘못을 범한 것을 잘못을 범했다고 인정하고 법답게 참회를 했습니다. 그러므로 우리는 그대를 받아들입니다. 누이여, 잘못을 범한 것을 잘못을 범했다고 인정한 다음 법답게 참회하고 미래에 [그러한 잘못을] 단속하는 자는 성스러운 율에서 향상하기 때문입니다."333)

---

332) "이와 같이 일어난 받들어 행해야 하는 자만(māna)을 의지하여 윤회의 뿌리가 되는 이전의 자만을 버린다. 그리고 이러한 현재의 자만도 [위의] 갈애의 경우와 같이 해로운 것이지만 받들어 행해야 하는 것이고, 재생연결을 가져오지 않으며, 이러한 자만에 대한 갈구도 버려야 한다."(AA.iii.136~137)

선서의 율 경(A4:160)

Sugatavinaya-sutta

1. "비구들이여, 선서(善逝)와 선서의 율이 세상에 머무는 것은 많은 사람의 이익을 위하고 많은 사람의 행복을 위하고 세상을 연민하고 신과 인간의 이로움과 이익과 행복을 위해서이다. 비구들이여, 그러면 어떤 분이 선서인가?

비구들이여, 여기 여래가 이 세상에 출현한다. 그는 아라한[應供]이며, 완전히 깨달은 분[正等覺]이며, 영지와 실천이 구족한 분[明行足]이며, 피안으로 잘 가신 분[善逝]이며, 세간을 잘 알고 계신 분[世間解]이며, 가장 높은 분[無上士]이며, 사람을 잘 길들이는 분[調御丈夫]이며, 하늘과 인간의 스승[天人師]이며, 깨달은 분[佛]이며, 세존(世尊)이다. 비구들이여, 이것이 선서이다."

2. "비구들이여, 그러면 어떤 것이 선서의 율인가?

그는 법을 설한다.334) 그는 시작도 훌륭하고 중간도 훌륭하고 끝도 훌륭하게 [법을 설하고], 의미와 표현을 구족하여 법을 설하여, 더할 나위 없이 완벽하고 지극히 청정한 범행(梵行)을 드러낸다. 비구들이여, 이것이 선서의 율이다.

비구들이여, 선서(善逝)와 선서의 율이 세상에 머무는 것은 많은 사

---

333) "아난다 장로가 이러한 네 가지를 설명하였을 때 비구니는 장로에 대해서 가지고 있던 욕탐(chanda-rāga)이 사라졌다. 비구니는 장로에게 용서를 구하기 위해서 잘못을 드러내었고 장로는 그것을 섭수하였다."(AA.111.137)

334) 법의 정형구에 대한 설명은 『청정도론』 VII.68 이하에 상세하게 설명되어 있다.

람의 이익을 위하고 많은 사람의 행복을 위하고 세상을 연민하고 신과 인간의 이로움과 이익과 행복을 위해서이다."

3. "비구들이여, 네 가지 경우가 정법을 혼란스럽게 하고 사라지게 한다. 무엇이 넷인가?

비구들이여, 여기 비구들은 단어와 문장들이 잘못 구성되어 잘 못 파악한 경을 가르친다.[335] 비구들이여, 단어와 문장들이 잘못 구성되면 뜻이 바르게 전달되지 않는다. 비구들이여, 이것이 정법을 혼란스럽게 하고 사라지게 하는 첫 번째 경우이다."

4. "다시 비구들이여, 비구들은 훈계하기 어렵다. 그들은 훈계하기 어려운 성품들을 지니고 있고 인욕하지 못하고 교계를 공경하여 받아들이지 않는다. 비구들이여, 이것이 정법을 혼란스럽게 하고 사라지게 하는 두 번째 경우이다."

5. "다시 비구들이여, 많이 배우고 전승된 가르침에 능통하고 법(경장)을 호지하고 율[장]을 호지하고 논모(論母, 마띠까)[336]를 호지

---

335) '가르치다'로 옮긴 원어는 pariyāpuṇanti이다. 주로 배우다, 이해하다, 외우다 등의 뜻으로 사용되나 이 문맥에서는 가르치다의 뜻으로 사용되었다.(AA.iii.137)

336) '논모(論母)'나 개요로 옮겨지는 마띠까(mātikā)는 문자적으로는 인도-유럽어족에 속하는 matrix(자궁, 모체)란 말과 같은 어원인데 어머니를 뜻하는 mātā(Sk. mātṛ)에서 파생된 말이다. 논모는 경이나 율의 주요 주제를 표제어만 뽑아서 외우기 쉽고 전체를 파악하기 쉽게 축약한 것이다. 논모에는 법에 대한 논모와 율에 대한 논모가 있다. 법에 대한 논모는 논장의 첫머리에 나타나는데 논장은 이 논모를 상세하게 설명하는 형식으로 구성되어 있다. 그리고 율장의 논모는 비구 계목과 비구니 계목이다. 이를 "두 가지 마띠까(dve mātikā)"(VinA.i.247 등)라고 부르기도 한다. 전체

한 비구들이 경을 남에게 열심히 설해주지 않는다. 그들이 죽으면 경은 뿌리가 잘려버리게 되고 의지처를 잃게 된다. 비구들이여, 이것이 정법을 혼란스럽게 하고 사라지게 하는 세 번째 경우이다."

6. "다시 비구들이여, 장로 비구들이 [옷 등 네 가지 필수품을] 너무 많이 가지고 [교법에] 방만하다. 그들은 [다섯 가지 장애로 불리는] 퇴보에 앞장서고 한거하는 것에 짐을 내팽개쳐버리고 얻지 못한 것을 얻고 증득하지 못한 것을 증득하고 실현하지 못한 것을 실현하기 위해서 열심히 정진하지 않는다. 그래서 그다음 세대들도 그들의 [삿된] 견해를 이어받게 된다. 그래서 그들도 [옷 등 네 가지 필수품을] 너무 많이 가지고 [교법에] 방만하다. 그들은 [다섯 가지 장애로 불리는] 퇴보에 앞장서고 한거하는 것에 짐을 내팽개쳐버리고 얻지 못한 것을 얻고 증득하지 못한 것을 증득하고 실현하지 못한 것을 실현하기 위해서 열심히 정진하지 않는다. 비구들이여, 이것이 정법을 혼란스럽게 하고 사라지게 하는 네 번째 경우이다.

비구들이여, 이러한 네 가지 경우가 정법을 혼란스럽게 하고 사라지게 한다."

7. "비구들이여, 네 가지 경우가 정법을 확고하게 하고 혼란스

율장은 율의 논모인 이 두 계목에 대한 설명을 주축으로 하고 있다. 이처럼 주석서에서는 일반적으로 "논모를 호지한 자(Mātika-dhāra)는 비구계목과 비구니 계목의 두 가지 논모를 호지한 자(dve-pātimokkha-dharā)"(AA.iii.382)라고 설명하고 있다. 그러나 같은 주석서에 대한 복주서에서는 "법과 율의 논모를 호지한 자(dhammavinayānaṁ mātikāya dhāraṇena mātikādharā)"(AAṬ.iii.109)라고 설명하고 있다. 본경의 문맥에서는 이러한 복주서의 설명이 더 타당하다. 마띠까에 대해서는 『아비담마 길라잡이』 서문 §4를 참조할 것.

럽지 않게 하고 사라지지 않게 한다. 무엇이 넷인가?

비구들이여, 여기 비구들은 단어와 문장들이 바르게 구성되어 잘 파악한 경을 가르친다. 비구들이여, 단어와 문장들이 바르게 구성되면 뜻이 바르게 전달된다. 비구들이여, 이것이 정법을 확고하게 하고 혼란스럽지 않게 하고 사라지지 않게 하는 첫 번째 경우이다."

8. "다시 비구들이여, 비구들은 훈계하기 쉽다. 그들은 훈계하기 쉬운 성품들을 지니고 있고 인욕하고 교계를 공경하여 받아들인다. 비구들이여, 이것이 정법을 확고하게 하고 혼란스럽지 않게 하고 사라지지 않게 하는 두 번째 경우이다."

9. "다시 비구들이여, 많이 배우고 전승된 가르침에 능통하고 법(경장)을 호지하고 율[장]을 호지하고 논모(論母, 마띠까)를 호지한 비구들이 경을 남에게 열심히 설해준다. 그들이 죽으면 경은 뿌리가 잘리지 않게 되고 의지처를 잃지 않게 된다. 비구들이여, 이것이 정법을 확고하게 하고 혼란스럽지 않게 하고 사라지지 않게 하는 세 번째 경우이다."

10. "다시 비구들이여, 장로 비구들이 [옷 등 네 가지 필수품을] 너무 많이 가지지 않고 [교법에] 방만하지 않다. 그들은 향상에 앞장서고 한거하는 것에 짐을 내팽개치지 않고 얻지 못한 것을 얻고 증득하지 못한 것을 증득하고 실현하지 못한 것을 실현하기 위해서 열심히 정진한다. 그래서 그다음 세대들도 그들의 [바른] 견해를 이어받게 된다. 그래서 그들도 [옷 등 네 가지 필수품을] 너무 많이 가지지 않고 [교법에] 방만하지 않다. 그들은 향상에 앞장서고

한거하는 것에 짐을 내팽개치지 않고 얻지 못한 것을 얻고 증득하지 못한 것을 증득하고 실현하지 못한 것을 실현하기 위해서 열심히 정진한다. 비구들이여, 이것이 정법을 확고하게 하고 혼란스럽지 않게 하고 사라지지 않게 하는 네 번째 경우이다.

비구들이여, 이러한 네 가지 경우가 정법을 확고하게 하고 혼란스럽지 않게 하고 사라지지 않게 한다."

제16장 기능 품이 끝났다.

열여섯 번째 품에 포함된 경들의 목록은 다음과 같다.

① 기능 ② 믿음의 힘 ③ 통찰지의 힘
④ 마음챙김의 힘, 다섯 번째로 ⑤ 숙고의 힘
⑥ 겁 ⑦ 병 ⑧ 쇠퇴 ⑨ 비구니
⑩ 선서의 율 — 이러한 열 가지이다.

제17장 도닦음 품

Paṭipadā-vagga

간략하게 경(A4:161)

Saṁkhitta-sutta

"비구들이여, 네 가지 도닦음이 있다. 무엇이 넷인가?

도닦음도 어렵고 최상의 지혜(초월지)도 더딘 것, 도닦음은 어려우나 최상의 지혜는 빠른 것, 도닦음은 쉬우나 최상의 지혜가 더딘 것, 도닦음도 쉽고 최상의 지혜도 빠른 것이다. 비구들이여, 이러한 네 가지 도닦음이 있다."337)

상세하게 경(A4:162)

Vitthata-sutta

1. "비구들이여, 네 가지 도닦음이 있다. 무엇이 넷인가?

---

337) 『디가 니까야』 제3권 「합송경」(D33) §1.11(21)에도 나타난다. 여기서 언급되는 네 가지 도닦음에 대해서는 『청정도론』 III.§14 이하에 잘 설명되어 있는데 중요한 부분을 옮기면 다음과 같다.
"[여기서] 처음 禪을 닦는 것부터 시작하여 그 禪의 근접삼매가 일어날 때까지 계속되는 삼매의 수행을 도닦음(paṭipadā)이라 한다. 근접삼매부터 시작하여 본삼매까지 계속되는 통찰지를 최상의 지혜(abhiññā, 초월지)라 한다. 이런 도닦음이 어떤 자에게는 어렵다. 장애(nīvaraṇa, 五蓋) 등 반대되는 법이 일어나는 것을 잡도리하는 것이 어렵기 때문이다. 반복하기 쉽지 않다는 뜻이다. 어떤 자에게는 그런 것이 없기 때문에 쉽다. 최상의 지혜(초월지)도 어떤 자에게는 더디다. 느리고 신속하게 일어나지 않는다. 어떤 자에게는 빠르다. 느리지 않고 신속하게 일어난다."(Vis.III.14)

도닦음도 어렵고 최상의 지혜(초월지)도 더딘 것, 도닦음은 어려우나 최상의 지혜는 빠른 것, 도닦음은 쉬우나 최상의 지혜가 더딘 것, 도닦음도 쉽고 최상의 지혜도 빠른 것이다."

2. "비구들이여, 그러면 어떤 것이 도닦음도 어렵고 최상의 지혜도 더딘 것인가?

비구들이여, 여기 어떤 자는 선천적으로 심한 탐욕을 가지고 태어나서 극심한 탐욕에서 생긴 괴로움과 정신적 고통을 경험한다. 선천적으로 심한 성냄을 가지고 태어나서 극심한 성냄에서 생긴 괴로움과 정신적 고통을 경험한다. 선천적으로 심한 어리석음을 가지고 태어나서 극심한 어리석음에서 생긴 괴로움과 정신적 고통을 경험한다.

그에게는 믿음의 기능과 정진의 기능과 마음챙김의 기능과 삼매의 기능과 통찰지의 기능인 다섯 가지 기능[五根][338]이 약하게 나타난다.

---

338) 다섯 가지 기능[五根]은 37보리분법에 포함되며 초기불교에서 설하는 실참수행의 중요한 지침이 된다. 『청정도론』에는 이러한 다섯 가지 기능을 조화롭게 유지할 것을 강조하는데(Vis.IV.45~49) 그 가운데서 한 부분을 인용한다.
"여기서 특별히 믿음과 통찰지의 균등함(samatā), 삼매와 정진의 균등함을 권한다. 믿음이 강하고 통찰지가 약한 자는 미신이 되고, 근거 없이 믿는다. 통찰지가 강하고 믿음이 약한 자는 교활한 쪽으로 치우친다. 약으로 인해 생긴 병처럼 치료하기가 어렵다. 두 가지 모두 균등함을 통해서 믿을 만한 것을 믿는다. 삼매는 게으름(kosajja)으로 치우치기 때문에 삼매가 강하고 정진이 약한 자는 게으름에 의해 압도된다. 정진은 들뜸(uddhacā)으로 치우치기 때문에 정진이 강하고 삼매가 약한 자는 들뜸에 의해 압도된다. 삼매가 정진과 함께 짝이 될 때 게으름에 빠지지 않는다. 정진이 삼매와 함께 짝이 될 때 들뜸에 빠지지 않는다. 그러므로 그 둘 모두 균등해야 한다. 마음챙김은 모든 곳에서 강하게 요구된다. 마음챙김은 마음이 들뜸으로 치우치는 믿음과 정진과 통찰지로 인해 들뜸에 빠지는 것을 보호하고, 게으름으로 치우치는 삼매로 인해 게으름에 빠지는 것을 보호한다."

이처럼 그의 다섯 가지 기능이 약하기 때문에 바로 다음에 증득되는 번뇌들의 소멸도 더디게 얻어진다.

비구들이여, 이를 일러 도닦음도 어렵고 최상의 지혜도 더디다고 한다."

3. "비구들이여, 그러면 어떤 것이 도닦음은 어려우나 최상의 지혜는 빠른 것인가?

비구들이여, 여기 어떤 자는 선천적으로 심한 탐욕을 가지고 태어나서 … 극심한 어리석음에서 생긴 괴로움과 정신적 고통을 경험한다.

그러나 그에게는 믿음의 기능과 정진의 기능과 마음챙김의 기능과 삼매의 기능과 통찰지의 기능인 다섯 가지 기능[五根]이 아주 강하게 나타난다. 이처럼 그의 다섯 가지 기능이 아주 강하기 때문에 바로 다음에 증득되는 번뇌들의 소멸도 빠르게 얻어진다.

비구들이여, 이를 일러 도닦음은 어려우나 최상의 지혜는 빠르다고 한다."

4. "비구들이여, 그러면 어떤 것이 도닦음은 쉬우나 최상의 지혜가 더딘 것인가?

비구들이여, 여기 어떤 자는 선천적으로 심한 탐욕을 가지고 태어나지 않아서 극심한 탐욕에서 생긴 괴로움과 정신적 고통을 경험하지 않는다. 선천적으로 심한 성냄을 가지고 태어나지 않아서 극심한 성냄에서 생긴 괴로움과 정신적 고통을 경험하지 않는다. 선천적으로 심한 어리석음을 가지고 태어나지 않아서 극심한 어리석음에서 생긴 괴로움과 정신적 고통을 경험하지 않는다.

(Vis.IV.48~49)

그러나 그에게는 믿음의 기능과 정진의 기능과 마음챙김의 기능과 삼매의 기능과 통찰지의 기능인 다섯 가지 기능[五根]이 약하게 나타난다. 이처럼 그의 다섯 가지 기능이 약하기 때문에 바로 다음에 증득되는 번뇌들의 소멸도 더디게 얻어진다.

비구들이여, 이를 일러 도닦음은 쉬우나 최상의 지혜가 더디다고 한다."

5. "비구들이여, 그러면 어떤 것이 도닦음도 쉽고 최상의 지혜도 빠른 것인가?

비구들이여, 여기 어떤 자는 선천적으로 심한 탐욕을 가지고 태어나지 않아서 … 극심한 어리석음에서 생긴 괴로움과 정신적 고통을 경험하지 않는다.

그에게는 믿음의 기능과 정진의 기능과 마음챙김의 기능과 삼매의 기능과 통찰지의 기능인 다섯 가지 기능[五根]이 아주 강하게 나타난다. 이처럼 그의 다섯 가지 기능이 아주 강하기 때문에 바로 다음에 증득되는 번뇌들의 소멸도 아주 빠르게 얻어진다.

비구들이여, 이를 일러 도닦음도 쉽고 최상의 지혜도 빠르다고 한다.

비구들이여, 이러한 네 가지 도닦음이 있다."

부정(不淨) **경**(A4:163)

Asubha-sutta

1. "비구들이여, 네 가지 도닦음이 있다. 무엇이 넷인가?

도닦음도 어렵고 최상의 지혜도 더딘 것, 도닦음은 어려우나 최상의 지혜는 빠른 것, 도닦음은 쉬우나 최상의 지혜가 더딘 것, 도닦음도 쉽고 최상의 지혜도 빠른 것이다."

2. "비구들이여, 그러면 어떤 것이 도닦음도 어렵고 최상의 지혜도 더딘 것인가?

비구들이여, 여기 비구는 몸에 대해서 부정함을 관찰하면서 머물고,339) 음식에 혐오하는 인식340)을 가지고, 온 세상에 대해 기쁨이 없다는 인식을 가지고, 모든 형성된 것들에 대해서 무상하다고 관찰하고, 안으로 죽음에 대한 인식341)이 잘 확립되어 있다. 그는 믿음의 힘, 양심의 힘, 수치심의 힘, 정진의 힘, 통찰지의 힘인 다섯 가지 유학(有學)의 힘을 의지하여 머문다.

그러나 그에게는 믿음의 기능과 정진의 기능과 마음챙김의 기능과

---

339) 주석서는 "열 가지 부정함(asubha)을 비추어 바라봄(upasaṁharaṇa)을 통해서 부정함을 관찰하면서 머무는 것이다."(AA.iii.140)라고 설명한다. 열 가지 부정함은 40가지 명상주제(kammaṭṭhāna)에 포함되어 있는데 ① 부푼 것 ② 검푸른 것 ③ 문드러진 것 ④ 끊어진 것 ⑤ 뜯어 먹힌 것 ⑥ 흩어져있는 것 ⑦ 난도질당하여 뿔뿔이 흩어진 것 ⑧ 피가 흐르는 것 ⑨ 벌레가 버글거리는 것 ⑩ 해골이 된 것이다. 『청정도론』 VI장은 이 열 가지를 관찰하는 수행을 상세하게 설명하고 있다. 본서 「단속 경」(A4:14) §4와 본서 제1권 A1:20:88~92에는 각각 6가지와 5가지가 언급되고 있다.

340) '음식에 혐오하는 인식(āhāre paṭikkūlasaññī)'도 40가지 명상주제 가운데 포함되어 있다. 이것을 닦는 방법은 『청정도론』 XI.1~26에 상세하게 설명되어 있다.

341) '죽음에 대한 인식(maraṇasaññā)'은 죽음에 대한 마음챙김[死念, maraṇa-ssati]으로 40가지 명상주제 가운데 포함되어 있으며 이것을 닦는 방법은 『청정도론』 VIII.1~48에 상세하게 설명되어 있다.
『청정도론』 III.57~58에는 비구가 반드시 닦아야 하는 모든 곳에 유익한 명상주제로 비구승가 등에 대한 자애[慈, mettā]와 죽음에 대한 마음챙김[死念, maraṇassati]을 들 정도로 죽음에 대한 인식은 수행의 기본이 되는 항목이다.

삼매의 기능과 통찰지의 기능인 다섯 가지 기능[五根]이 약하게 나타난다. 이처럼 그의 다섯 가지 기능이 약하기 때문에 바로 다음에 증득되는 번뇌들의 소멸도 더디게 얻어진다.

비구들이여, 이를 일러 도닦음도 어렵고 최상의 지혜도 더디다고 한다."

3. "비구들이여, 그러면 어떤 것이 도닦음은 어려우나 최상의 지혜는 빠른 것인가?

비구들이여, 여기 비구는 몸에 대해서 부정함을 관찰하면서 머물고, 음식에 혐오하는 인식을 가지고, 온 세상에 대해 기쁨이 없다는 인식을 가지고, 모든 형성된 것들에 대해서 무상하다고 관찰하고, 안으로 죽음에 대한 인식이 잘 확립되어 있다. 그는 믿음의 힘, 양심의 힘, 수치심의 힘, 정진의 힘, 통찰지의 힘인 다섯 가지 유학의 힘을 의지하여 머문다.

그러나 그에게는 믿음의 기능과 정진의 기능과 마음챙김의 기능과 삼매의 기능과 통찰지의 기능인 다섯 가지 기능[五根]이 아주 강하게 나타난다. 이처럼 그의 다섯 가지 기능이 아주 강하기 때문에 바로 다음에 증득되는 번뇌들의 소멸도 빠르게 얻어진다.

비구들이여, 이를 일러 도닦음은 어려우나 최상의 지혜는 빠르다고 한다."

4. "비구들이여, 그러면 어떤 것이 도닦음은 쉬우나 최상의 지혜가 더딘 것인가?

비구들이여, 여기 비구는 감각적 욕망들을 완전히 떨쳐버리고 해로운 법[不善法]들을 떨쳐버린 뒤, 일으킨 생각[尋]과 지속적인 고찰

[伺]이 있고, 떨쳐버렸음에서 생겼으며, 희열[喜]과 행복[樂]이 있는 초선(初禪)을 구족하여 머문다.

일으킨 생각[尋]과 지속적인 고찰[伺]을 가라앉혔기 때문에 [더 이상 존재하지 않으며], 자기 내면의 것이고, 확신이 있으며, 마음의 단일한 상태이고, 일으킨 생각과 지속적인 고찰은 없고, 삼매에서 생긴 희열과 행복이 있는 제2선(二禪)을 구족하여 머문다.

희열이 빛바랬기 때문에 평온하게 머물고, 마음챙기고 알아차리며[正念正知] 몸으로 행복을 경험한다. [이 禪 때문에] 성자들이 그를 두고 '평온하고 마음챙기며 행복하게 머문다.'고 묘사하는 제3선(三禪)을 구족하여 머문다.

행복도 버리고 괴로움도 버리고, 아울러 그 이전에 이미 기쁨과 슬픔을 소멸하였으므로 괴롭지도 즐겁지도 않으며, 평온으로 인해 마음챙김이 청정한[捨念淸淨] 제4선(四禪)을 구족하여 머문다.

그러나 그에게는 믿음의 기능과 정진의 기능과 마음챙김의 기능과 삼매의 기능과 통찰지의 기능인 다섯 가지 기능[五根]이 약하게 나타난다. 이처럼 그의 다섯 가지 기능이 약하기 때문에 바로 다음에 증득되는 번뇌들의 소멸도 더디게 얻어진다.

비구들이여, 이를 일러 도닦음은 쉬우나 최상의 지혜가 더디다고 한다."

5. "비구들이여, 그러면 어떤 것이 도닦음도 쉽고 최상의 지혜도 빠른 것인가?

비구들이여, 여기 비구는 감각적 욕망들을 완전히 떨쳐버리고 해로운 법[不善法]들을 떨쳐버린 뒤, 일으킨 생각[尋]과 지속적인 고찰[伺]이 있고, 떨쳐버렸음에서 생겼고, 희열[喜]과 행복[樂]이 있는 초선

(初禪)을 구족하여 머문다. … 제2선(二禪)을 구족하여 머문다. … 제3선(三禪)을 구족하여 머문다. … 제4선(四禪)을 구족하여 머문다.

그에게는 믿음의 기능과 정진의 기능과 마음챙김의 기능과 삼매의 기능과 통찰지의 기능인 다섯 가지 기능[五根]이 아주 강하게 나타난다. 이처럼 그의 다섯 가지 기능이 아주 강하기 때문에 바로 다음에 증득되는 번뇌들의 소멸도 아주 빠르게 얻어진다.

비구들이여, 이를 일러 도닦음도 쉽고 최상의 지혜도 빠르다고 한다.

비구들이여, 이러한 네 가지 도닦음이 있다."

견딤 경1(A4:164)

Khama-sutta

1. "비구들이여, 네 가지 도닦음이 있다. 무엇이 넷인가?

견디지 못함의 도닦음, 견딤의 도닦음, [감각기능들을] 길들임의 도닦음, 고요함의 도닦음이다."[342)]

2. "비구들이여, 그러면 어떤 것이 견디지 못함의 도닦음인가? 비구들이여, 여기 어떤 자는 모욕을 모욕으로 되갚고 분노를 분노로 되갚고 다툼을 다툼으로 되갚는다. 비구들이여, 이를 일러 견디지 못함의 도닦음이라 한다."

3. "비구들이여, 그러면 어떤 것이 견딤의 도닦음인가? 비구들이여, 여기 어떤 자는 모욕을 모욕으로 되갚지 않고 분노를 분노로 되갚지 않고 다툼을 다툼으로 되갚지 않는다. 비구들이여, 이를 일러

---

342) 『디가 니까야』 제3권 「합송경」(D33) §1.11(22)에도 나타나고 있다.

견딤의 도닦음이라 한다."

4. "비구들이여, 그러면 어떤 것이 [감각기능들을] 길들임의 도닦음인가? 비구들이여, 여기 비구는 눈으로 형상을 봄에 그 표상[全體相]을 취하지 않으며, 또 그 세세한 부분상[細相]을 취하지도 않는다. 만약 그의 눈의 기능[眼根]이 제어되어 있지 않으면 욕심과 싫어하는 마음이라는 나쁘고 해로운 법[不善法]들이 그에게 [물밀듯이] 흘러들어 올 것이다. 따라서 그는 눈의 감각기능을 잘 단속하기 위해 수행하며, 눈의 감각기능을 잘 방호하고, 눈의 감각기능을 잘 단속한다.

… 귀로 소리를 들음에 … 코로 냄새를 맡음에 … 혀로 맛을 봄에 … 몸으로 감촉을 느낌에 … 마노[意]로 법을 지각함에 그 표상을 취하지 않으며, 그 세세한 부분상을 취하지도 않는다. 만약 그의 마노의 기능[意根]이 제어되어 있지 않으면 욕심과 싫어하는 마음이라는 나쁘고 해로운 법[不善法]들이 그에게 [물밀듯이] 흘러들어 올 것이다. 따라서 그는 마노의 감각기능을 잘 단속하기 위해 수행하며, 마노의 감각기능을 잘 방호하고, 마노의 감각기능을 잘 단속한다. 비구들이여, 이를 일러 길들임의 도닦음이라 한다."

5. "비구들이여, 그러면 어떤 것이 고요함의 도닦음인가? 비구들이여, 여기 비구는 감각적 욕망에 대한 생각이 일어나면 그것을 품지 않고 버리고 제거하고 끝내고 없앤다. 악의에 대한 생각이 일어나면 … 해코지에 대한 생각이 일어나면 … 계속적으로 나쁘고 해로운 법들이 일어나면 그것을 품지 않고 버리고 제거하고 끝내고 없앤다. 비구들이여, 이를 일러 고요함의 도닦음이라 한다.

비구들이여, 이러한 네 가지 도닦음이 있다."

견딤 경2(A4:165)

1. "비구들이여, 네 가지 도닦음이 있다. 무엇이 넷인가? 견디지 못함의 도닦음, 견딤의 도닦음, [감각기능들을] 길들임의 도닦음, 고요함의 도닦음이다."

2. "비구들이여, 그러면 어떤 것이 견디지 못함의 도닦음인가? 비구들이여, 여기 어떤 자는 추위와 더위와 배고픔과 목마름과, 날파리와 모기와 바람과 뙤약볕과 파충류에 닿음과, 고약하고 언짢은 말들을 견디지 못하고, 몸에 생겨난 괴롭고 날카롭고 거칠고 찌르고 불쾌하고 마음에 들지 않고 생명을 위협하는 갖가지 느낌들을 감내하지 못한다. 비구들이여, 이를 일러 견디지 못함의 도닦음이라 한다."

3. "비구들이여, 그러면 어떤 것이 견딤의 도닦음인가? 비구들이여, 여기 어떤 자는 추위와 더위와 배고픔과 목마름과, 날파리와 모기와 바람과 뙤약볕과 파충류에 닿음과, 고약하고 언짢은 말들을 견디고, 몸에 생겨난 괴롭고 날카롭고 거칠고 찌르고 불쾌하고 마음에 들지 않고 생명을 위협하는 갖가지 느낌들을 감내한다. 비구들이여, 이를 일러 견딤의 도닦음이라 한다."

4. "비구들이여, 그러면 어떤 것이 [감각기능들을] 길들임의 도닦음인가? 비구들이여, 여기 비구는 눈으로 형상을 봄에 그 표상[全體相]을 취하지 않으며, 또 그 세세한 부분상[細相]을 취하지도 않는다. 만약 그의 눈의 기능[眼根]이 제어되어 있지 않으면 욕심과 싫어하는 마음이라는 나쁘고 해로운 법[不善法]들이 그에게 [물밀듯이]

흘러들어 올 것이다. 따라서 그는 눈의 감각기능을 잘 단속하기 위해 수행하며, 눈의 감각기능을 잘 방호하고, 눈의 감각기능을 잘 단속한다.

… 귀로 소리를 들음에 … 코로 냄새를 맡음에 … 혀로 맛을 봄에 … 몸으로 감촉을 느낌에 … 마노[意]로 법을 지각함에 그 표상을 취하지 않으며, 그 세세한 부분상을 취하지도 않는다. 만약 그의 마노의 기능[意根]이 제어되어 있지 않으면 욕심과 싫어하는 마음이라는 나쁘고 해로운 법[不善法]들이 그에게 [물밀듯이] 흘러들어 올 것이다. 따라서 그는 마노의 감각기능을 잘 단속하기 위해 수행하며, 마노의 감각기능을 잘 방호하고, 마노의 감각기능을 잘 단속한다. 비구들이여, 이를 일러 길들임의 도닦음이라 한다."

5. "비구들이여, 그러면 어떤 것이 고요함의 도닦음인가? 비구들이여, 여기 비구는 감각적 욕망에 대한 생각이 일어나면 그것을 품지 않고 버리고 제거하고 끝내고 없앤다. 악의에 대한 생각이 일어나면 … 해코지에 대한 생각이 일어나면 … 계속적으로 나쁘고 해로운 법들이 일어나면 그것을 품지 않고 버리고 제거하고 끝내고 없앤다. 비구들이여, 이를 일러 고요함의 도닦음이라 한다.

비구들이여, 이러한 네 가지 도닦음이 있다."

양쪽 모두 경(A4:166)343)

Ubhaya-sutta

1. "비구들이여, 네 가지 도닦음이 있다. 무엇이 넷인가?

---

343) PTS본에는 dutiya로 나타나는데 육차결집본의 ubhaya가 문맥상 더 나아서 이를 채택했다.

도닦음도 어렵고 최상의 지혜(초월지)도 더딘 것, 도닦음은 어려우나 최상의 지혜는 빠른 것, 도닦음은 쉬우나 최상의 지혜가 더딘 것, 도닦음도 쉽고 최상의 지혜도 빠른 것이다."

2. "비구들이여, 이 가운데 도닦음도 어렵고 최상의 지혜도 더딘 이러한 도닦음은 양쪽 모두 저열하다고 일컬어진다. 즉 도닦음이 어려운 것도 저열하다고 일컬어지고 최상의 지혜가 더딘 도닦음도 저열하다고 일컬어진다. 비구들이여, 이러한 도닦음은 양쪽 모두 저열하다고 일컬어진다."

3. "비구들이여, 이 가운데 도닦음은 어려우나 최상의 지혜는 빠른 도닦음이 있다. 이것은 도닦음이 어렵기 때문에 저열하다고 일컬어진다."

4. "비구들이여, 이 가운데 도닦음은 쉬우나 최상의 지혜가 더딘 도닦음이 있다. 이것은 최상의 지혜가 더디기 때문에 저열하다고 일컬어진다."

5. "비구들이여, 이 가운데 도닦음도 쉽고 최상의 지혜도 빠른 이러한 도닦음은 양쪽 모두 수승하다고 일컬어진다. 즉 도닦음이 쉬운 것도 수승하다고 일컬어지고 최상의 지혜가 빠른 도닦음도 수승하다고 일컬어진다. 비구들이여, 이러한 도닦음은 양쪽 모두 수승하다고 일컬어진다.

비구들이여, 이러한 네 가지 도닦음이 있다."

목갈라나 경(A4:167)

Moggallāna-sutta

1. 그때 사리뿟따 존자는 목갈라나 존자에게 갔다. 가서는 목갈라나 존자와 함께 환담을 나누었다. 유쾌하고 기억할 만한 이야기로 서로 담소를 나누고 한 곁에 앉았다. 한 곁에 앉은 사리뿟따 존자는 목갈라나 존자에게 이렇게 말하였다.

"도반 목갈라나여, 네 가지 도닦음이 있습니다. 무엇이 넷인가요?

도닦음도 어렵고 최상의 지혜도 더딘 것, 도닦음은 어려우나 최상의 지혜는 빠른 것, 도닦음은 쉬우나 최상의 지혜가 더딘 것, 도닦음도 쉽고 최상의 지혜도 빠른 것입니다. 도반 목갈라나여, 이러한 네 가지 도닦음이 있습니다."

2. "도반이여, 이러한 네 가지 도닦음 가운데 어떤 도닦음을 통해서 스님은 취착이 없어져서 번뇌들로부터 마음이 해탈하였습니까?"

"도반 사리뿟따여, 네 가지 도닦음이 있습니다. 무엇이 넷인가요? 도닦음도 어렵고 최상의 지혜도 더딘 것, 도닦음은 어려우나 최상의 지혜는 빠른 것, 도닦음은 쉬우나 최상의 지혜가 더딘 것, 도닦음도 쉽고 최상의 지혜도 빠른 것입니다. 도반이여, 이러한 네 가지 도닦음이 있습니다.

도반이여, 이러한 네 가지 도닦음 가운데 나는 도닦음은 어려우나 최상의 지혜는 빠른 도닦음을 통해서 취착이 없어져서 번뇌들로부터 마음이 해탈하였습니다."

사리뿟따 경(A4:168)

Sāriputta-sutta

1. 그때 목갈라나 존자는 사리뿟따 존자에게 갔다. 가서는 사리뿟따 존자와 함께 환담을 나누었다. 유쾌하고 기억할 만한 이야기로 서로 담소를 나누고 한 곁에 앉았다. 한 곁에 앉은 목갈라나 존자는 사리뿟따 존자에게 이렇게 말하였다.

"도반 사리뿟따여, 네 가지 도닦음이 있습니다. 무엇이 넷인가요?

도닦음도 어렵고 최상의 지혜도 더딘 것, 도닦음은 어려우나 최상의 지혜는 빠른 것, 도닦음은 쉬우나 최상의 지혜가 더딘 것, 도닦음도 쉽고 최상의 지혜도 빠른 것입니다. 도반이여, 이러한 네 가지 도닦음이 있습니다."

2. "도반이여, 이러한 네 가지 도닦음 가운데 어떤 도닦음을 통해서 스님은 취착이 없어져서 번뇌들로부터 마음이 해탈하였습니까?"

"도반 목갈라나여, 네 가지 도닦음이 있습니다. 무엇이 넷인가요? 도닦음도 어렵고 최상의 지혜도 더딘 것, 도닦음은 어려우나 최상의 지혜는 빠른 것, 도닦음은 쉬우나 최상의 지혜가 더딘 것, 도닦음도 쉽고 최상의 지혜도 빠른 것입니다. 도반이여, 이러한 네 가지 도닦음이 있습니다.

도반이여, 이러한 네 가지 도닦음 가운데 나는 도닦음도 쉽고 최상의 지혜도 빠른 도닦음을 통해서 취착이 없어져서 번뇌들로부터 마음이 해탈하였습니다."

정력적인 노력 경(A4:169)

Sasaṅkhāra-sutta

1. "비구들이여, 세상에는 네 부류의 사람이 있다. 무엇이 넷인가? 비구들이여, 여기 어떤 사람은 지금여기에서 정력적인 노력으로 완전한 열반을 증득한다.[344] 비구들이여, 그러나 여기 어떤 사람은 몸이 무너지고 난 뒤 정력적인 노력으로 완전한 열반을 증득한다.[345] 비구들이여, 그러나 여기 어떤 사람은 지금여기에서 정력적인 노력 없이 완전한 열반을 증득한다. 비구들이여, 그러나 여기 어떤 사람은 몸이 무너지고 난 뒤 정력적인 노력 없이 완전한 열반을 증득한다."

2. "비구들이여, 그러면 어떤 사람이 지금여기에서 정력적인 노력으로 완전한 열반에 드는 자인가?

비구들이여, 여기 비구는 몸에 대해서 부정함을 관찰하면서 머물

---

344) "첫 번째와 두 번째 사람은 순수 위빳사나 행자[乾觀者, sukkha-vipassaka]인데 정력적인 노력으로(sasaṅkhārena sappayoga) 상카라의 표상(saṅkhāra-nimitta)을 확립한다. 이 가운데 첫 번째 사람은 위빳사나의 기능들이 강하기 때문에 여기 [금생에서] 오염원을 완전히 멸진하여(kilesa-parinibbāna) 완전한 열반을 실현한다. 두 번째 사람은 기능들이 약하기 때문에 여기 [금생에는] 불가능하고 다음 생의 몸(atta-bhāva)을 받아 거기서 근본 명상주제(mūla-kammaṭṭhāna)를 얻어 정력적인 노력으로 상카라의 표상을 확립한 뒤 오염원을 완전히 멸진하여 완전한 열반을 실현한다."(AA.iii.142)

345) "세 번째와 네 번째는 사마타 행자이다. 한 사람은 정력적인 노력 없이도 기능들이 강하기 때문에 여기 [금생에서] 오염원들을 제거한다. 하지만 다른 사람(네 번째)은 기능들이 약하기 때문에 다음 생의 몸을 받아 거기서 근본 명상주제를 얻어 자극이 없고 수단이 없이 오염원들을 제거한다."(*Ibid*)

고, 음식에 혐오하는 인식을 가지고, 온 세상에 대해 기쁨이 없다는 인식을 가지고, 모든 형성된 것들에 대해서 무상하다고 관찰하고, 안으로 죽음의 인식이 잘 확립되어 있다. 그는 믿음의 힘, 양심의 힘, 수치심의 힘, 정진의 힘, 통찰지의 힘인 다섯 가지 유학의 힘을 의지하여 머문다.

그에게는 믿음의 기능과 정진의 기능과 마음챙김의 기능과 삼매의 기능과 통찰지의 기능인 다섯 가지 기능[五根]이 아주 강하게 나타난다. 이처럼 그의 다섯 가지 기능이 아주 강하기 때문에 지금여기에서 정력적인 노력으로 완전한 열반을 증득한다."

3. "비구들이여, 그러면 어떤 사람이 몸이 무너지고 난 뒤 정력적인 노력으로 완전한 열반에 드는 자인가?

비구들이여, 여기 비구는 몸에 대해서 부정함을 관찰하면서 머물고, … 믿음의 힘, 양심의 힘, 수치심의 힘, 정진의 힘, 통찰지의 힘인 다섯 가지 유학의 힘을 의지하여 머문다.

그에게는 믿음의 기능과 정진의 기능과 마음챙김의 기능과 삼매의 기능과 통찰지의 기능인 다섯 가지 기능[五根]이 약하게 나타난다. 이처럼 그의 다섯 가지 기능이 약하기 때문에 몸이 무너지고 난 뒤 정력적인 노력으로 완전한 열반을 증득한다."

4. "비구들이여, 그러면 어떤 사람이 지금여기에서 정력적인 노력 없이 완전한 열반에 드는 자인가?

비구들이여, 여기 비구는 감각적 욕망들을 완전히 떨쳐버리고 해로운 법[不善法]들을 떨쳐버린 뒤, 일으킨 생각[尋]과 지속적인 고찰[伺]이 있고, 떨쳐버렸음에서 생겼고, 희열[喜]과 행복[樂]이 있는 초선

(初禪)을 구족하여 머문다. … 제2선(二禪)을 구족하여 머문다. … 제3선(三禪)을 구족하여 머문다. … 제4선(四禪)을 구족하여 머문다.

그에게는 믿음의 기능과 정진의 기능과 마음챙김의 기능과 삼매의 기능과 통찰지의 기능인 다섯 가지 기능[五根]이 아주 강하게 나타난다. 이처럼 그의 다섯 가지 기능이 아주 강하기 때문에 지금여기에서 정력적인 노력 없이 완전한 열반을 증득한다."

5. "비구들이여, 그러면 어떤 사람이 몸이 무너지고 난 뒤 정력적인 노력 없이 완전한 열반에 드는 자인가?

비구들이여, 여기 비구는 감각적 욕망들을 완전히 떨쳐버리고 해로운 법[不善法]들을 떨쳐버린 뒤, 일으킨 생각[尋]과 지속적인 고찰[伺]이 있고, 떨쳐버렸음에서 생겼고, 희열[喜]과 행복[樂]이 있는 초선(初禪)을 구족하여 머문다. … 제2선(二禪)을 구족하여 머문다. … 제3선(三禪)을 구족하여 머문다. … 제4선(四禪)을 구족하여 머문다.

그에게는 믿음의 기능과 정진의 기능과 마음챙김의 기능과 삼매의 기능과 통찰지의 기능인 다섯 가지 기능[五根]이 약하게 나타난다. 이처럼 그의 다섯 가지 기능이 약하기 때문에 몸이 무너지고 난 뒤 정력적인 노력 없이 완전한 열반을 증득한다.

비구들이여, 세상에는 이러한 네 부류의 사람이 있다."

쌍 경(A4:170)
Yuganaddha-sutta

1. 한때 아난다 존자는 꼬삼비에서 고시따 원림에 머물렀다. 거기서 아난다 존자는 "도반 비구들이여"라고 비구들을 불렀다. "도

반이시여"라고 비구들은 아난다 존자에게 응답했다. 아난다 존자는 이렇게 말하였다.

"도반들이여, 어떤 비구든 비구니이든 나의 곁에서 아라한과를 증득했다고 설명하는 자는 모두 네 가지 특징 가운데 어느 하나에 속합니다. 무엇이 넷인가요?"

2. "도반들이여, 여기 비구는 사마타를 먼저 닦고 위빳사나를 닦습니다.[346] 그가 사마타를 먼저 닦고 위빳사나를 닦을 때 도를 인식합니다.[347] 그는 그 도를 거듭하고 닦고 많이 [공부]짓습니다.[348]

---

346) "이것은 사마타 행자(samatha-yānika)를 두고 한 말이다. 그는 첫 번째로 근접삼매(upacāra-samādhi)나 본삼매(appanā-samādhi)를 일으킨다. 이것은 사마타이다. 그는 삼매와 이러한 삼매와 함께하는 법에 대해서 무상 등으로 관찰한다(vipassati). 이것은 위빳사나이다. 이처럼 첫 번째 사마타가 있고 그다음에 위빳사나가 있다. 그래서 '사마타를 먼저 닦고 위빳사나를 닦는다(samathapubbaṅgamaṁ vipassanaṁ bhāveti)'고 한 것이다."(AAṬ.ii.314)

347) "첫 번째 출세간 도(lokuttara-magga)가 생긴다는 말이다."(A.iii.142)
"여기서 첫 번째 출세간 도란 예류도(sotāpatti-magga)를 두고 한 말이다. 혹은 세간적인 도(lokiya-magga)로도 이 성전의 뜻을 알아도 된다. 예비단계인(pubbabhāgiya) 세간의 도가 생긴다는 뜻으로 [이해할 수 있기 때문이다.]"(AAṬ.ii.314)

348) "염오를 따라 관찰하는 것(nibbidānupassanā)을 통해서 '거듭한다(āsevati).' 해탈하기를 원함(muccitukamyatā)에 의해서 '닦는다(bhāveti).' 숙고함을 따라 관찰함(paṭisaṅkhānupassanā)을 통해서 '많이 [공부]짓는다(bahulīkaroti).'
혹은, 공포로 나타나는 지혜(bhayatupaṭṭhānañāṇa)를 통해서 '거듭한다.' 해탈하고자 하는 지혜(muñcitukamyatāñāṇa) 등을 통해서 '닦는다.' 도의 출현으로 인도하는 위빳사나(vuṭṭhānagāminīvipassanā)를 통해서 '많이 [공부]짓는다.'"(*Ibid*)
여기서 언급되는 술어들은 『청정도론』 XXI.1 이하를 참조할 것.

그가 그 도를 거듭하고 닦고 많이 [공부]지으면 족쇄들이 제거되고[349] 잠재성향[350]들이 끝이 나게 됩니다."

3. "다시 도반들이여, 비구는 위빳사나를 먼저 닦고 사마타를 닦습니다.[351] 그가 위빳사나를 먼저 닦고 사마타를 닦을 때 도를 인

---

349) 『청정도론』은 도(예류도부터 아라한도까지)에 의해서 족쇄(saṁyojana)들이 제거되는 것을 다음과 같이 설명한다.
"유신견, 의심, 계율과 의식에 대한 집착, 악처로 인도하는 감각적 욕망, 악의 — 이 다섯 가지 법들은 첫 번째 도(예류도)의 지혜로 버리고, 나머지 거친 감각적 욕망과 적의는 두 번째 도(일래도)의 지혜로 버리고, 미세한 감각적 욕망과 적의는 세 번째 도(불환도)의 지혜로 버리고, 색계에 대한 욕망 등 다섯은 오직 네 번째 도(아라한도)의 지혜로 버린다."(Vis.XXII.64)

350) '잠재성향'은 anusaya를 옮긴 것이다. 이 단어는 anu(~를 따라서, ~의 아래) + √śī(*to lie*)에서 파생된 남성명사이다. 문자적인 뜻을 살려 잠재성향으로 옮겼다. 『청정도론』은 다음과 같이 설명한다.
"이들은 고질적(thāma-gata)이기 때문에 잠재성향이라고 한다. 왜냐하면 이들은 반복해서 감각적 욕망 등이 일어날 원인의 상태로 잠재해 있기 때문이다."(『청정도론』 XXII.60)
『디가 니까야』 제3권 「합송경」(D33) §2.3(12) 등에서 잠재성향은 감각적 욕망의 잠재성향, 적의(敵意)의 잠재성향, 자만의 잠재성향, 사견(邪見)의 잠재성향, 의심의 잠재성향, 존재에 대한 탐욕의 잠재성향, 무명의 잠재성향의 일곱 가지가 나타난다.
『청정도론』은 이들 일곱 가지 잠재성향이 어떻게 도에 의해서 버려지는가를 다음과 같이 설명한다.
"사견의 잠재성향과 의심의 잠재성향은 첫 번째 지혜(예류도의 지혜)로 버린다. 감각적 욕망에 대한 잠재성향과 적의의 잠재성향은 세 번째 지혜(불환도의 지혜)로 버린다. 자만의 잠재성향과 존재에 대한 탐욕의 잠재성향과 무명의 잠재성향은 네 번째 지혜(아라한도의 지혜)로 버린다."(Vis.XXII.73)

351) "이것은 위빳사나 행자를 두고 한 말이다. 그는 앞서 말한 사마타를 성취하지 않고 다섯 가지 취착하는 무더기[五取蘊]에 대해서 무상 등으로 관

식합니다. 그는 그 도를 거듭 반복하고 닦고 많이 [공부]짓습니다. 그가 그 도를 거듭 반복하고 닦고 많이 [공부]지으면 족쇄들이 제거되고 잠재성향들이 끝이 나게 됩니다."

4. "다시 도반들이여, 비구는 사마타와 위빳사나를 쌍으로 닦습니다.[352] 그가 사마타와 위빳사나를 쌍으로 닦을 때 도를 인식합니다. 그는 그 도를 거듭 반복하고 닦고 많이 [공부]짓습니다. 그가 그 도를 거듭 반복하고 닦고 많이 [공부]지으면 족쇄들이 제거되고 잠재성향들이 끝이 나게 됩니다."

찰한다.(vipassati)"(*Ibid*)
초기경에서 세존께서 고구정녕하게 강조하시는 것으로 많은 경들에서 거듭 나타나는 '오온의 무상·고·무아를 통찰하라.'는 가르침을 바로 실천하는 것이 위빳사나를 먼저 닦는 수행이라는 설명이다. 이렇게 사마타와 위빳사나는 분명하게 정리할 수 있다.

352) "'쌍으로 닦는다(.yuganaddhaṁ bhāveti)'고 하였다. 그러나 증득[等至]에 든(samāpattiṁ samāpajjitvā) 마음(citta)으로 형성된 것(saṅkhāra)들을 명상할 수는 없다.(sammasituṁ na sakkā) 그러므로 이것은 증득에 든 만큼 형성된 것들을 명상하고 형성된 것들을 명상하는 만큼 [다시] 증득에 든다는 [말이다.] 어떻게?
초선을 증득한다(samāpajjati). 거기서 출정(出定)한 뒤(tato vuṭṭhāya) 형성된 것들을 명상한다(sammasati). 형성된 것들을 명상 한 뒤 제2선의 증득에 든다. 거기서 출정한 뒤 다시 형성된 것들을 명상한다. … 비상비비상처의 증득에 든다. 거기서 출정한 뒤 형성된 것들을 명상한다. 이와 같이 하는 것을 사마타와 위빳사나를 쌍으로 닦는다고 한다."(AA.iii.143)
주석서는 사마타와 위빳사나를 쌍으로 닦는다는 의미를 이렇게 분명하게 밝히고 있다. 본삼매 즉 禪에 들어서 위빳사나를 닦는 것이 지관겸수 혹은 정혜쌍수라고 주장하는 것은 잘못이다. 표상이라는 개념에 집중된 사마타와 법의 찰나성(무상) 등을 통찰하는 위빳사나는 그 성격이 전혀 다르기 때문이다. 위빳사나 즉 법의 무상·고·무아를 통찰하는 것은 이처럼 반드시 사마타에서 출정한 뒤에야 가능하다. 이것이 상좌부의 정통 견해이다.

5. "다시 도반들이여, 비구가 [성스러운] 법이라고 생각하면서 일어난 들뜸에 의해서 마음이 붙들리게 되는 [경우가] 있습니다.353) 그런 과정에서 일어난 마음을 안으로 확립하고 안정시키고 하나에 고정하여 삼매에 들 때 그는 도를 인식합니다. 그는 그 도를 거듭 반복하고 닦고 많이 [공부]짓습니다. 그가 그 도를 거듭 반복하고 닦고 많이 [공부]지으면 족쇄들이 제거되고 잠재성향들이 끝이 나게 됩니다.

비구들이여, 어떤 비구든 비구니든 나의 곁에서 아라한과를 증득했다고 설명하는 자는 모두 이러한 네 가지 특징 가운데 어느 하나

---

353) "'[성스러운] 법이라고 생각하면서 일어난 들뜸에 의해서 마음이 붙들림(dhamm-uddhacca-viggahita)'이란 사마타와 위빳사나 [도중에 생기는] 법들 가운데 열 가지 위빳사나의 경계(dasa-vipassan-upakkilesa)라 불리는 들뜸에 의해서 붙들렸다, 완전히 붙들렸다는 뜻이다."(AA.iii.143)

한편 『청정도론』 XX.106은 이 문장에 대한 『무애해도』의 말씀을 다음과 같이 인용하고 있다.

"어떻게 [성스러운] 법이라고 생각하면서 일어난 들뜸에 의해서 마음이 붙들리게 되는가? 그가 [상카라들을] 무상이라고 마음에 잡도리할 때 ① 광명이 일어난다. 광명이 법이라고 생각하고 광명으로 전향한다. 그것으로 인한 산만함이 들뜸이다. 그 들뜸에 마음이 붙들려 그들이 일어남을 무상하다고 있는 그대로 꿰뚫어 알지 못한다. 그들이 일어남을 괴로움이라고 … 무아라고 있는 그대로 꿰뚫어 알지 못한다.

그와 마찬가지로 무상이라고 마음에 잡도리할 때 ② 지혜가 일어난다. … ③ 희열이 … ④ 경안이 … ⑤ 행복이 … ⑥ 결심이 … ⑦ 분발이 … ⑧ 확립이 … ⑨ 평온이 … ⑩ 욕구가 일어난다. 욕구가 법이라고 생각하고 욕구로 전향한다. 그것으로 인한 산만함이 들뜸이다. 그 들뜸에 마음이 붙들려 그들이 일어남을 무상하다고 있는 그대로 꿰뚫어 알지 못한다. 그들이 일어남을 괴로움이라고 … 무아라고 있는 그대로 꿰뚫어 알지 못한다."(Ps.ii.100~101)

열 가지 위빳사나의 경계는 『청정도론』 XX.105 이하에 상세하게 설명되어 있으니 참조할 것.

에 속합니다.”

제17장 도닦음 품이 끝났다.

열일곱 번째 품에 포함된 경들의 목록은 다음과 같다.

① 간략하게 ② 상세하게
③ 부정, 두 가지 ④~⑤ 견딤
⑥ 양쪽 모두 ⑦ 목갈라나 ⑧ 사리뿟따
⑨ 정력적인 노력 ⑩ 쌍 — 이러한 열 가지이다.

제18장 의도 품

Sañcetaniya-vagga

의도 경(A4:171)

Cetanā-sutta

1. "비구들이여, 몸이 있을 때[354)] 몸을 반연하여 일어난 의도를 조건하여 내적인 즐거움과 괴로움이 일어난다. 비구들이여, 말이 있을 때[355)] 말을 반연하여 일어난 의도를 조건하여 내적인 즐거움

---

354) "'몸(kāya)'이란 몸의 문(kāya-dvāra)을 말한다. 그러므로 몸이 있을 때(kāye sati)란 몸의 암시(kāya-viññatti)가 있을 때란 뜻이다."(AA.iii.144) 『청정도론』은 몸의 암시를 다음과 같이 설명한다.
"마음에 의해 생긴 바람의 요소[風界]가 앞으로 나아가는 등의 행동을 생기게 한다. 이 바람의 요소의 형태 변화(ākāra-vikāra)를 '몸의 암시[身表, kāya-viññatti]'라 한다. 이것은 동시에 태어난 물질의 몸을 뻣뻣하게 하고 지탱하고 움직이게 하는 조건이다. 이것의 역할은 의도하는 것을 넌지시 알리는 것이다. 몸을 움직이는 원인으로 나타난다. 이것의 가까운 원인은 마음으로부터 생긴 바람의 요소이다. 이것은 몸의 움직임을 통하여 의도한 것을 알리는 원인이고 또 그 자체가 몸을 통하여, 즉 몸의 움직임을 통하여 알아져야 하기 때문에 몸의 암시라 한다. 이 몸의 암시는 마음으로부터 생긴 물질을 움직인다. 또한 온도로부터 생긴(utuja) 물질 등도 이 마음으로부터 생긴 물질과 서로 연관되어있는데 그들이 움직이기 때문에 앞으로 나아가는 행동 등이 생긴다고 알아야 한다."(Vis.XIV.61)
아비담마에서는 이 몸의 암시를 업을 짓는 매개체라 하며 그래서 몸의 문(kāya-dvāra)이라 한다. 그래서 위 주석서도 몸을 몸의 문으로, 다시 몸의 암시로 설명하고 있으며 본문에서 의도(sañcetanā)로 언급되는 업(kamma)은 이를 통해서 일어나는 것이다.(『아비담마 길라잡이』 5장 §22의 해설 참조)

355) 위와 같은 방법으로 말(vacī)은 말의 문(vacī-dvāra)을 뜻하고 말의 문

과 괴로움이 일어난다. 비구들이여, 마노[意][356]가 있을 때 마노를 반연하여 일어난 의도를 조건하여 내적인 즐거움과 괴로움이 일어난다. 이 의도는 무명을 조건으로 한[357] 것이다."

2. "비구들이여, 스스로가 몸으로 의도적 행위를 지으면[358] 그것을 조건으로 해서 내적인 즐거움과 괴로움이 일어난다. 비구들이여, 남들에 의해서 몸으로 의도적 행위를 지으면 그것을 조건으로 해서 내적인 즐거움과 괴로움이 일어난다. 알아차리면서[359] 몸으로 의

은 바로 말의 암시[語表, vacī-viññatti]이며 이것은 말의 업[口業]을 짓는 문이 된다.

356) 같은 방법으로 마노[意, mano]는 마노의 업[意業]을 짓는 문이며 이를 마노의 문(mano-dvāra)이라고 한다. 여기서 말하는 마노의 문이란 이런 의도적인 행위 즉 업에 개입된 매순간 일어나는 알음알이를 전체적인 측면에서 일컫는 집합적인 명칭이라고 CMA는 설명하고 있다.(『아비담마 길라잡이』 5장 §22의 해설 참조) 한편 아비담마에서는 구체적으로 잠재의식(바왕가, bhavaṅga-citta)을 일러 마노의 문이라 한다. 여기에 대해서는 『아비담마 길라잡이』 3장 §12의 해설들을 참조할 것.

357) "만일 [사실을] 가려버리는(chādayamānā) 무명이 조건이 되면 세 가지 문에서 즐거움과 괴로움의 조건이 되는 의도가 일어난다. 이처럼 근본이 되는 무명을 통해서 이 사실을 말한 것이다."(AA.iii.144)
즉 주석서는 무명은 마음의 문에서만 조건이 되는 것이 아니라 몸의 문과 말의 문을 포함한 세 문 모두에서 의도가 일어나게 하는 조건이 된다고 설명하고 있다.

358) "'스스로가 몸으로 의도적 행위를 짓는다(sāmaṁ kāya-saṅkhāram abhisaṅkharoti)'는 것은 남들의 명령이 아니라 스스로 의도적 행위를 하는 것을 말한다."(AA.iii.144~145)
주석서의 설명에서 보듯이 abhisaṅkharoti나 이것의 명사인 abhisaṅkhāra는 초기경과 특히 주석서에서는 업형성력이나 의도적 행위(cetanā)라는 상카라[行]의 적극적인 측면을 나타내는 술어로 사용되고 있다. 그래서 『청정도론』 XVII. §46에서도 '삼계의 유익하거나 해로운 의도를 일러 업형성(abhisaṅkharaṇaka)의 상카라라 부른다.'라고 설명하고 있다.

도적 행위를 지으면 그것을 조건으로 해서 내적인 즐거움과 괴로움이 일어난다. 알아차리지 못하면서[360] 몸으로 의도적 행위를 지으면 그것을 조건으로 해서 내적인 즐거움과 괴로움이 일어난다."

3. "비구들이여, 스스로가 말로 의도적 행위를 지으면 그것을 조건으로 해서 내적인 즐거움과 괴로움이 일어난다. 비구들이여, 남들에 의해서 말로 의도적 행위를 지으면 그것을 조건으로 해서 내적인 즐거움과 괴로움이 일어난다. 알아차리면서 말로 의도적 행위를 지으면 그것을 조건으로 해서 내적인 즐거움과 괴로움이 일어난다. 알아차리지 못하면서 말로 의도적 행위를 지으면 그것을 조건으로 해서 내적인 즐거움과 괴로움이 일어난다."

4. "비구들이여, 스스로가 마노로 의도적 행위를 지으면 그것을 조건으로 해서 내적인 즐거움과 괴로움이 일어난다. 비구들이여, 남들에 의해서 마노로 의도적 행위를 지으면 그것을 조건으로 해서 내적인 즐거움과 괴로움이 일어난다. 알아차리면서 마노로 의도적 행위를 지으면 그것을 조건으로 해서 내적인 즐거움과 괴로움이 일

---

359) "유익한 것(kusala)을 유익한 것이라고 해로운 것(akusala)을 해로운 것이라고 유익한 과보를 유익한 과보라고 해로운 과보를 해로운 과보라고 알면서 몸의 문을 통해서 몸으로 의도적 행위를 짓는 것을 말한다."(AA. iii.145)

360) 주석서는 알아차리지 못하면서 짓는 업(asampajāna-kamma)의 예를 다음과 같이 들고 있다.
"남자 아이나 여자 아이가 부모님들이 하는 대로 해야지 하면서 탑에 예배를 하고 꽃을 공양하고 비구 승가를 공경한다. 그들은 이것이 유익한 것이라고 알지 못하지만 그것은 유익한 것이다. 남자 아이나 여자 아이가 손으로 부모를 때리고 비구들에게 손을 치켜들고 막대기를 들고 욕을 하는 것은 알든 모르든 해로운 업이라고 알아야 한다."(*Ibid*)

어난다. 알아차리지 못하면서 마노로 의도적 행위를 지으면 그것을 조건으로 해서 내적인 즐거움과 괴로움이 일어난다."

5. "비구들이여, 이러한 법들은 무명의 영향을 받는다.[361] 그러나 무명이 남김없이 빛바래어 소멸할 때 내적인 즐거움과 괴로움을 일어나게 하는 조건인 몸이 없으며[362] 내적인 즐거움과 괴로움을 일어나게 하는 조건인 말이 없으며 내적인 즐거움과 괴로움을 일어나게 하는 조건인 마노가 없다. 내적인 즐거움과 괴로움을 일어나게 하는 조건인 터전이 존재하지 않고 … 기반이 존재하지 않고 … 장소가 존재하지 않고 … 이유가 존재하지 않는다."[363]

---

361) "이러한 의도라는 법(cetanā-dhamma)들은 무명을 반연한 것이다. 무명은 의도라는 법들에게 함께 생긴 조건(sahajāta), 의지하는 조건(upanissaya)이다. 이와 같이 무명은 윤회(vaṭṭa)뿐만 아니라 윤회의 뿌리라고 알려주시는 것이다."(AA.iii.146)

362) "번뇌 다한 아라한도 탑전을 청소하고 보리수나무 주위를 청소하고 앞으로 가고 뒤로 가고 하는 등의 몸으로 짓는 행위를 한다. 몸의 문에서는 20가지 과보의 법이 아닌 의도가 일어난다. 그러므로 '내적인 즐거움과 괴로움을 일어나게 하는 조건인 몸이 없다'고 했다. 몸의 문을 통해서 생긴 의도(cetanā)가 여기서는 몸과 동의어이다. 이것은 말과 마노에도 적용이 된다."(*Ibid*) 즉 여기서 몸이 없다는 말은 몸의 문으로 일으키는 의도가 없다는 말이라고 분명히 밝히고 있다.

363) "여기서 '터전(khetta)' 등은 모두 유익하거나 해로운 업의 이름이다. 업은 과보(vipāka)를 자라게 하는 장소라는 뜻에서 '터전'이라 하고 확립되게 한다는 뜻에서 '기반(vatthu)'이라 하고 원인이라는 뜻에서 '장소(āyatana)'라 하고 이유라는 뜻에서 '이유(adhikaraṇa)'라 한다."(AA.iii.147)

자기 존재 경(A4:172)[364]

Attabhāva-sutta

1. "비구들이여, 네 가지 자기 존재의 획득이 있다. 무엇이 넷인가?

비구들이여, 자기 존재를 획득할 때 남의 의도가 아닌 자신의 의도에 의해 자기 존재를 획득함이 있다. 비구들이여, 자기 존재를 획득할 때 자신의 의도가 아닌 남의 의도에 의해 자기 존재를 획득함이 있다. 비구들이여, 자기 존재를 획득할 때 자신의 의도와 남의 의도에 의해 자기 존재를 획득함이 있다. 비구들이여, 자기 존재를 획득할 때 자신의 의도에 의해서도 아니고 남의 의도에 의해서도 아닌 자기 존재를 획득함이 있다.[365]

비구들이여, 이러한 네 가지 자기 존재의 획득이 있다."

2. 이렇게 말씀하시자 사리뿟따 존자가 세존께 이렇게 말씀드렸다.

"세존이시여, 세존께서 간략하게 설해주신 뜻을 저는 이와 같이

---

364) 육차결집본에서 본경은 앞의 171번 경에 포함되어 편집되어 있다. 그리고 뒤의 174번 경을 둘로 나누어 전체적으로 경의 번호를 배대하고 있다. PTS본의 품의 목록에도 본경에 해당하는 경의 이름이 나타나지 않는다. 그러므로 육차결집본의 편집이 더 타당한 듯하다. 본경의 제목은 역자가 임의로 택한 것이다. "앞의 경에서 세 가지 문을 통해 쌓은 업을 보이신 뒤 이제 그 업이 익는 것을 보이시기 위해 네 가지 자기 존재의 획득에 대해 설하셨다."(*Ibid*)

365) 『디가 니까야』 제3권 「합송경」(D33) §.11(38)과 같다.
"유희로 타락하기 쉬운 욕계의 신은 자신의 의도에 의해 죽고, 마음이 타락하기 쉬운 사대왕천의 신은 남의 의도에 의해 죽고, 인간은 자신의 의도와 남의 의도에 의해 죽는다.(AA.iii.147~148)

자세하게 이해합니다.

세존이시여, 자기 존재를 획득할 때 남의 의도가 아닌 자신의 의도에 의해 자기 존재를 획득할 경우에 중생들은 자신의 의도 때문에 그 몸을 버리고 죽습니다.

세존이시여, 자기 존재를 획득할 때 자신의 의도가 아닌 남의 의도에 의해 자기 존재를 획득할 경우에 중생들은 남의 의도 때문에 그 몸을 버리고 죽습니다.

세존이시여, 자기 존재를 획득할 때 자신의 의도와 남의 의도에 의해 자기 존재를 획득할 경우에 중생들은 자신의 의도와 남의 의도 때문에 그 몸을 버리고 죽습니다."

3. "세존이시여, 그런데 자기 존재를 획득할 때 자신의 의도에 의해서도 아니고 남의 의도에 의해서도 아닌 자기 존재를 획득함이 있습니다. 어떤 신들이 여기에 [속한다고] 여겨야 합니까?"

"사리뿟따여, 비상비비상처에 태어난 신들이 여기에 [속한다고] 여겨야 한다."

"세존이시여, 무슨 원인과 무슨 조건 때문에 어떤 중생들은 그 몸을 버리고 죽어서 다시 돌아오는 자가 되어 이러한 상태로[366] 되돌아오는 자가 됩니까?

세존이시여, 무슨 원인과 무슨 조건 때문에 어떤 중생들은 그 몸을 버리고 죽어서 다시는 돌아오지 않는 자(불환자)가 되어 이러한 상태로 되돌아오지 않는 자가 됩니까?"

4. "사리뿟따여, 여기 어떤 사람은 [다섯 가지] 낮은 단계의 족

---

366) "이러한 상태란 욕계의 오온을 가진 중생을 뜻한다."(AA.iii.148)

쇄[下分結]들을 버리지 못하지만 지금여기에서 비상비비상처를 증득하여 머문다. 그는 이 선[禪]을 즐기고, 이것을 바라고, 이것에 만족을 느낀다. 그는 여기에 굳게 서고 여기에 확신을 가지고 여기에 많이 머물고 이것으로부터 물러서지 않아서 죽은 뒤에 비상비비상처의 신들의 동료로 태어난다. 그는 거기서 죽어서 다시 돌아오는 자가 되어 이러한 상태로 되돌아오는 자가 된다."

5. "사리뿟따여, 여기 어떤 사람은 [다섯 가지] 낮은 단계의 족쇄[下分結]들을 버리고 지금여기에서 비상비비상처를 증득하여 머문다. 그는 이 선[禪]을 즐기고, 이것을 바라고, 이것에 만족을 느낀다. 그는 여기에 굳게 서고 여기에 확신을 가지고 여기에 많이 머물고 이것으로부터 물러서지 않아서 죽은 뒤에 비상비비상처의 신들의 동료로 태어난다. 그는 거기서 죽어서 다시는 돌아오지 않는 자(불환자)가 되어 이러한 상태로 되돌아오지 않는 자가 된다.

사리뿟따여, 이런 원인과 이런 조건 때문에 어떤 중생들은 그 몸을 버리고 죽어서 다시 돌아오는 자가 되어 이러한 상태로 되돌아오고, 이런 원인과 이런 조건 때문에 어떤 중생들은 그 몸을 버리고 죽어서 다시는 돌아오지 않는 자(불환자)가 되어 이러한 상태로 되돌아오지 않는 자가 되는 것이다."

분석 경(A4:173)

Vibhatti-sutta

1. 거기서 사리뿟따 존자는 "도반 비구들이여"라고 비구들을 불렀다. "도반이시여"라고 비구들은 사리뿟따 존자에게 응답했다.

사리뿟따 존자는 이렇게 말하였다.

"도반들이여, 나는 구족계를 받은 지 보름 만에 특별히[367] 뜻과 결과에 대한 주제와 단어에 대한 무애해[義無碍解][368]를 실현하였습니다. 나는 그것을 여러 가지 방법으로 설명하고 가르치고 밝히고 공언하고 확립하고 드러내고 분석하고 명확하게 하였습니다.

누구든지 의심과 혼란이 있는 자는 나에게 질문하십시오. 나는 상세하게 설명하겠습니다. 우리가 얻어야 하는 법들에 대해서 아주 능숙하신 스승께서 면전에 계십니다."

2. "도반들이여, 나는 구족계를 받은 지 보름 만에 특별히 원인과 법의 성질에 대한 주제와 단어에 대한 무애해[法無碍解]를 … 언어에 대한 무애해[詞無碍解]를 … 영감에 대한 무애해[辯無碍解]를 실현하였습니다. 나는 그것을 여러 가지 방법으로 설명하고 가르치고 밝히고 공언하고 확립하고 드러내고 분석하고 명확하게 하였습니다.

누구든지 의심과 혼란이 있는 자는 나에게 질문하십시오. 나는 상세하게 설명하겠습니다. 우리가 얻어야 하는 법들에 대해서 아주 능숙하신 스승께서 면전에 계십니다."

---

367) '특별히'로 옮긴 원어는 odhiso인데 '제한적인'이 기본 의미이다. 문맥에 따라 특별히로 옮겼다. 주석서에서는 '원인에 따라(kāraṇaso)'라고 설명한다.(AA.iii.149)

368) 네 가지 무애해에 대해서는 본서 「논사 경」(A4:140) §1의 주해와 『청정도론』 XIV.21 이하를 참조할 것.

마하꼿티따 경(A4:174)

Koṭṭhita-sutta

1. 그때 마하꼿티따 존자[369]는 사리뿟따 존자에게 갔다. 가서는 사리뿟따 존자와 함께 환담을 나누었다. 유쾌하고 기억할 만한 이야기로 서로 담소를 나누고 한 곁에 앉았다. 한 곁에 앉은 마하꼿티따 존자는 사리뿟따 존자에게 이렇게 말하였다.

"도반이여, 여섯 가지 감각접촉의 장소가 남김없이 빛바래어 소멸하고 나면 다른 어떤 것이 있습니까?"[370]

"도반이여, 그렇게 말하지 마십시오."

"도반이여, 여섯 가지 감각접촉의 장소가 남김없이 빛바래어 소멸하고 나면 다른 어떤 것이 없습니까?"

"도반이여, 그렇게 말하지 마십시오."

"도반이여, 여섯 가지 감각접촉의 장소가 남김없이 빛바래어 소멸하고 나면 다른 어떤 것이 있기도 하고 없기도 합니까?"

"도반이여, 그렇게 말하지 마십시오."

"도반이여, 여섯 가지 감각접촉의 장소가 남김없이 빛바래어 소멸

---

369) 마하꼿티따 존자(āyasmā Mahākoṭṭhita)는 본서 제1권 「하나의 모음」(A1:14:3-10)에서 무애해(paṭisambhidā)를 얻은 비구들 가운데 최상이라고 언급되었던 분이다. 그는 사왓티의 부유한 바라문 가문에서 태어났으며 삼베다에 통달했다고 하며 부처님의 설법을 듣고 출가하여 곧 아라한이 되었다고 한다.(AA.i.286)
그는 본경 외에도 여러 경에서 특히 사리뿟따 존자와 담론을 나누는데 『장로게』에서 사리뿟따 존자가 마하꼿티따 존자를 칭송하는 게송이 나타날 정도로 두 분은 교분이 깊었던 듯하다.

370) "여섯 감각접촉의 장소가 다 소멸하고 난 뒤 어떤 오염원이 조금이라도 남아 있는가 하는 질문이다."(AA.iii.151)

하고 나면 다른 어떤 것이 있는 것도 아니고 없는 것도 아닙니까?"

"도반이여, 그렇게 말하지 마십시오."

2. "'도반이여, 여섯 가지 감각접촉의 장소가 남김없이 빛바래어 소멸하고 나면 다른 어떤 것이 있습니까?'라고 물으면 그대는 '도반이여, 그렇게 말하지 마십시오.'라고 대답합니다. '… 다른 어떤 것이 없습니까? … 다른 어떤 것이 있기도 하고 없기도 합니까? … 다른 어떤 것이 있는 것도 아니고 없는 것도 아닙니까?'라고 물으면 그대는 [모두] '도반이여, 그렇게 말하지 마십시오.'라고 대답합니다. 도반이여, 도대체 이러한 대답의 뜻을 어떻게 이해해야 합니까?"

3. "'도반이여, 여섯 가지 감각접촉의 장소가 남김없이 빛바래어 소멸하고 나면 다른 어떤 것이 있습니까?'라고 말하는 것은 사량분별(思量分別)할 수 없는 것을 사량분별하는 것입니다.371) '도반이여,

371) '사량분별할 수 없는 것을 사량분별한다.'는 appapañcaṁ papañceti를 옮긴 것이다. 주석서는 "사량분별해야 할 경우(papañcetabba-ṭṭhāna)가 아닌 곳에서 사량분별을 만드는 것이고, 가서는 안 될 길(magga)을 가는 것이라는 말이다."라고 설명하고 있어서 이렇게 옮겼다.(AA.iii.151)
'사량분별(思量分別)'로 옮긴 빠빤짜(papañca, Sk. prapañca)는 불교에서 쓰이는 용어로서 pra(앞으로)+√pañc에서 파생된 남성명사이다. 빠니니의 『다뚜빠타』에 'pañc는 퍼짐의 뜻으로 쓰인다(paci vistāra-vacane)'라고 나타난다. 앞으로 퍼져나가고 확장된다는 뜻이 되겠다. 희론(戱論)이라고 한역하기도 하였으며 여러 가지 사량분별이 확장되고 전이되어 가는 것을 나타내는 불교술어이다. 그래서 사량분별로 옮겼다.
한편 사량분별 없음(nippapañca)은 열반 혹은 무위법의 33가지 동의어들 가운데 하나로 나타난다.(S.iv.370) 주석서는 "사량분별 없음은 갈애(taṇhā)와 자만(māna)과 사견(diṭṭhi)의 사량분별이 없음이다."(MA.iii.112 등)라고 설명하기도 하고 "빠빤짜로부터 벗어난다는 것(papañcārāmatā)은 갈애, 자만, 사견으로부터 벗어남을 말한다."(VbhA.508)라고 설명하기도 한다.

… 다른 어떤 것이 없습니까? … 다른 어떤 것이 있기도 하고 없기도 합니까? … 다른 어떤 것이 있는 것도 아니고 없는 것도 아닙니까?'라고 말하는 것은 사량분별할 수 없는 것을 사량분별하는 것입니다. 도반이여, 여섯 가지 감각접촉의 장소가 있는 한 사량분별이 있고[372] 사량분별이 있는 한 여섯 가지 감각접촉의 장소가 있는 것입니다. 도반이여, 여섯 가지 감각접촉의 장소가 남김없이 빛바래어 소멸할 때 사량분별이 소멸하고 사량분별이 가라앉습니다[373]."

4. [374] 그때 아난다 존자는 마하꼿티따 존자에게 갔다. 가서는 마하꼿티따 존자와 함께 환담을 나누었다. 유쾌하고 기억할 만한 이야기로 서로 담소를 나누고 한 곁에 앉았다. 한 곁에 앉은 아난다 존자는 마하꼿티따 존자에게 이렇게 말하였다.

"도반이여, 여섯 가지 감각접촉의 장소가 남김없이 빛바래어 소멸하고 나면 다른 어떤 것이 있습니까?"

"도반이여, 그렇게 말하지 마십시오."

"도반이여, 여섯 가지 감각접촉의 장소가 남김없이 빛바래어 소멸하고 나면 다른 어떤 것이 없습니까?"

---

372) "감각접촉의 장소가 있는 한 갈애와 사견과 자만으로 분류되는 사량분별이 있다는 뜻이다."(AA.iii.151)

373) 위의 주해에서 언급한 것처럼 '사량분별의 소멸(papañca-nirodha)'과 '사량분별의 가라앉음(papañca-vūpasama)'은 사량분별 없음(nippapañca) 즉 열반을 뜻한다.

374) 본 품의 말미에 있는 경들의 목록(uddāna)에는 위의 「자기 존재 경」(A4:172)은 나타나지 않고 대신에 「마하꼿티따 경」 다음에 아난다라는 목록이 나타난다. 이로 미루어 볼 때 본경의 이 문단 이하는 「아난다 경」이라는 독립된 경으로 간주되었던 듯하다.

"도반이여, 그렇게 말하지 마십시오."

"도반이여, 여섯 가지 감각접촉의 장소가 남김없이 빛바래어 소멸하고 나면 다른 어떤 것이 있기도 하고 없기도 합니까?"

"도반이여, 그렇게 말하지 마십시오."

"도반이여, 여섯 가지 감각접촉의 장소가 남김없이 빛바래어 소멸하고 나면 다른 어떤 것이 있는 것도 아니고 없는 것도 아닙니까?"

"도반이여, 그렇게 말하지 마십시오."

5. "'도반이여, 여섯 가지 감각접촉의 장소가 남김없이 빛바래어 소멸하고 나면 다른 어떤 것이 있습니까?'라고 물으면 그대는 '도반이여, 그렇게 말하지 마십시오.'라고 대답합니다. '도반이여, … 다른 어떤 것이 없습니까? … 다른 어떤 것이 있기도 하고 없기도 합니까? … 다른 어떤 것이 있는 것도 아니고 없는 것도 아닙니까?'라고 물으면 그대는 [모두] '도반이여, 그렇게 말하지 마십시오.'라고 대답합니다. 도반이여, 도대체 이러한 대답의 뜻을 어떻게 이해해야 합니까?"

"'도반이여, 여섯 가지 감각접촉의 장소가 남김없이 빛바래어 소멸하고 나면 다른 어떤 것이 있습니까?'라고 말하는 것은 사량분별할 수 없는 것을 사량분별하는 것입니다. '도반이여, … 다른 어떤 것이 없습니까? … 다른 어떤 것이 있기도 하고 없기도 합니까? … 다른 어떤 것이 있는 것도 아니고 없는 것도 아닙니까?'라고 말하는 것은 사량분별할 수 없는 것을 사량분별하는 것입니다. 도반이여, 여섯 가지 감각접촉의 장소가 있는 한 사량분별이 있고 사량분별이 있는 한 여섯 가지 감각접촉의 장소가 있습니다. 도반이여, 여섯 가지 감각접촉의 장소가 남김없이 빛바래어 소멸할 때 사량분별의 소멸과 사량분별의 적멸이 있습니다."

우빠와나 경(A4:175)

Upavāṇa-sutta

1. 그때 우빠와나 존자[375]는 사리뿟따 존자에게 갔다. 가서는 사리뿟따 존자와 함께 환담을 나누었다. 유쾌하고 기억할 만한 이야기로 서로 담소를 나누고 한 곁에 앉았다. 한 곁에 앉은 우빠와나 존자는 사리뿟따 존자에게 이렇게 말하였다.

"도반 사리뿟따여, 영지(靈知)로 [윤회의 괴로움을] 종식시킵니까?"[376]

"도반이여, 그렇지 않습니다."

"도반 사리뿟따여, 그러면 실천으로 [윤회의 괴로움을] 종식시킵니까?"

"도반이여, 그렇지 않습니다."

"도반 사리뿟따여, 그러면 영지와 실천[377]으로 [윤회의 괴로움을]

---

375) 우빠와나 존자(āyasmā Upavāṇa)는 사왓티의 부유한 바라문 출신이라고 한다. 세존께서 사왓티의 제따 숲에 머무실 때 세존의 위엄(anubhāva)에 감동하여 출가하였다고 한다.(ThagA.i.308) 『디가 니까야』 제2권 「대반열반경」(D16) §5.4에 나타나듯이 그는 아난다 존자 이전에 세존의 시자로 있었다. 그와 관련된 경들이 『상윳따 니까야』와 『앙굿따라 니까야』에 나타난다.

376) "'영지로 종식시킨다(vijjāyantakaro hoti)'는 것은 영지로 윤회의 괴로움(vaṭṭadukkha)을 끝낸다, 모든 윤회의 괴로움을 완전히 잘라버리고(paricchinna) 에워싸버린다(parivaṭuma)는 말이다."(AA.iii.151)

377) 『청정도론』에서는 영지와 실천(vijjā-caraṇa)을 다음과 같이 설명한다. "'영지(vijjā)'란 세 가지 영지[三明]도 있고 여덟 가지 영지[八明]도 있

종식시킵니까?"

"도반이여, 그렇지 않습니다."

"도반 사리뿟따여, 그러면 영지와 실천 이외의 다른 것으로 [윤회의 괴로움을] 종식시킵니까?"

"도반이여, 그렇지 않습니다."

2. "'도반 사리뿟따여, 영지로 [윤회의 괴로움을] 종식시킵니까?'라고 물으면 그대는 '도반이여, 그렇지 않습니다.'라고 대답합니다. '… 실천으로 … 영지와 실천으로 … 영지와 실천 이외의 다른 것으로 [윤회의 괴로움을] 종식시킵니까?'라고 물으면 그대는 [모두] '도반이여, 그렇지 않습니다.'라고 대답합니다. 도반이여, 그러면 도대체 어떻게 [윤회의 괴로움을] 종식시킵니까?"

다. 세 가지 영지는 「두려움과 공포 경」(怖駭經, M4/i.22 이하)에서 설한 방법대로 알아야 하고 여덟 가지는 「암밧타 경」(D3/i.100 이하)에서 설한 대로 알아야 한다. 또 위빳사나의 지혜(D2 §83)와 마음으로 이루어진 신통(D2 §85)과 함께 여섯 가지 특별한 지혜[六神通]를 더하여 여덟 가지의 영지를 설하셨다.(즉 천안통, 천이통, 신족통, 타심통, 숙명통, 누진통의 육신통 가운데 뒤의 셋을 삼명이라 하며, 이 육신통에다 위빳사나의 지혜와 마음으로 이루어진 신통을 포함시키면 8가지 영지가 된다. 8가지 영지에 대해서는 『디가 니까야』 제1권 「사문과경」(D2) §§83~98을 참조할 것.)

'실천(caraṇa)'이란 계(戒)로 절제함, 감각기능[根]들의 문을 단속함, 음식에서 적당량을 앎, 깨어있으려는 노력, 일곱 가지 참된 법, 네 가지 색계선[四禪]이라는 이 열다섯 가지 법들이라고 알아야 한다. 이 열다섯 가지 법들에 의해 성스러운 제자들은 스스로 실천하고 불사의 경지로 가기 때문에 실천이라 한다."(Vis.VII.30~31)

여기서 일곱 가지 참된 법(saddhamma)은 믿음(saddhā), 양심(hirī), 수치심(ottappa), 많이 배움(bahūsuta), 정진(viriya), 마음챙김(sati), 통찰지(paññā)를 말한다.(D33 §2.3.(5), SAṬ.i.217 등)

3. "'도반이여, 만일 영지로 [윤회의 괴로움을] 종식시킨다고 한다면 그는 아직 취착이 남아 있는 채로 [윤회의 괴로움을] 종식시키는 것이 됩니다. 도반이여, 만일 실천으로 [윤회의 괴로움을] 종식시킨다고 한다면 그는 아직 취착이 남이 있는 채로 [윤회의 괴로움을] 종식시키는 것이 됩니다. 만일 영지와 실천으로 [윤회의 괴로움을] 종식시킨다고 한다면 그는 아직 취착이 남이 있는 채로 [윤회의 괴로움을] 종식시키는 것이 됩니다.

그리고 만일 영지와 실천 이외의 다른 것으로 [윤회의 괴로움을] 종식시킨다면 그것은 범부가 [윤회의 괴로움을] 종식시키는 것이 됩니다. 도반이여, 범부는 영지와 실천이 없고 실천을 구족하지 못하여 있는 그대로 알지 못하고 보지 못합니다. 오직 실천을 구족한 자만이 있는 그대로 알고 봅니다. 있는 그대로 알고 볼 때 그는 [윤회의 괴로움을] 종식시키는 것입니다."[378]

---

378) "'있는 그대로 알고 보는 것이 [윤회의 괴로움을] 끝장내는 것입니다'라는 것은 고유성질에 따라(yathā-sabhāvaṁ) 도의 통찰지로써 알고 본 뒤에 윤회의 괴로움을 끝장내게 된다는 말이며 아라한됨을 정점(nikūṭa)으로 하여 질문에 대한 대답을 마무리 하였다."(*Ibid*)
15가지 법으로 정리한 실천을 통해서(*Ibid*) 드러나는 삼명(三明)이나 팔명(八明)을 성취하고 있는 그대로 알고 보는 것이 윤회를 끝장내는 것이지, 만일 영지와 실천이라는 것을 설정하고 그것을 취착하고 거머쥔다면 그것은 윤회의 괴로움으로부터 벗어나는 것이 아니라는 뜻이다.

포부 경(A4:176)[379]

Āyācana-sutta

1. "비구들이여, 믿음을 가진 비구는 이와 같은 바른 포부를 가져야 한다. '나는 사리뿟따와 목갈라나 같은 그런 분이 되기를!' 비구들이여, 사리뿟따와 목갈라나는 나의 비구 제자들의 저울이고 표준이다."

2. "비구들이여, 믿음을 가진 비구니는 이와 같은 바른 포부를 가져야 한다. '나는 케마 비구니와 웁빨라완나 비구니 같은 그런 분이 되기를!' 비구들이여, 케마 비구니와 웁빨라완나 비구니는 나의 비구니 제자들의 저울이고 표준이다."

3. "비구들이여, 믿음을 가진 청신사는 이와 같은 바른 포부를 가져야 한다. '나는 찟따 장자와 핫타까 알라와까 같은 그런 분이 되기를!' 비구들이여, 찟따 장자와 핫타까 알라와까는 나의 청신사 제자들의 저울이고 표준이다."

4. "비구들이여, 믿음을 가진 청신녀는 이와 같은 바른 포부를 가져야 한다. '나는 청신녀 쿳줏따라와 웰루깐따끼 마을의 난다마따(난다의 어머니) 같은[380] 그런 분이 되기를!' 비구들이여, 청신녀 쿳줏따라와 난다의 어머니 웰루깐따끼야는 나의 청신녀 제자들의 저울이고 표준이다."

---

379) 본경은 본서 제1권 「발원 경」1/2/3/4(A2:12:1~4)의 네 개의 경을 합친 것이다.

380) 웰루깐따끼 마을의 난다마따(Veḷukaṇṭakiyā Nandamātā)에 대해서는 본서 제1권 A1:14:7(5)의 주해의 마지막 부분을 참조할 것.

라훌라 경(A4:177)

Rāhula-sutta

1. 그때 라훌라 존자가 세존께 다가갔다. 가서는 세존께 절을 올리고 한 곁에 앉았다. 한 곁에 앉은 라훌라 존자에게 세존께서는 이렇게 말씀하셨다.[381]

"라훌라여, 안에 있는 땅의 요소와 밖에 있는 땅의 요소는 다만 땅의 요소이다.[382] 이것에 대해 '이것은 나의 것이 아니다. 이것은 내가 아니다. 이것은 나의 자아가 아니다.'라고[383] 있는 그대로 바른 통찰지로써 보아야 한다.[384] 이와 같이 이것을 있는 그대로 바른 통찰지로써 본 뒤[385] 땅의 요소를 염오하고 통찰지로써 마음이 탐욕에서 빛바래도록 해야 한다."

2. "라훌라여, 안에 있는 물의 요소와 밖에 있는 물의 요소는 다만 물의 요소이다. 이것에 대해 … 있는 그대로 바른 통찰지로써

---

381) 본경은 『맛지마 니까야』 「긴 라훌라 교계경」(M62) §8 이하에도 나타나고 있다.

382) "'안에 있는 것(ajjhattikā)'은 머리털 등의 20가지 부분에서 딱딱한 특징을 가진 땅의 요소이다. '밖에 있는 것(bāhirā)'은 감각기능들이 없는(anindriya-baddha) 바위와 산 등의 딱딱한 특징을 가진 땅의 요소이다. 나머지 요소들도 이런 방법으로 알아야 한다."(AA.iii.152)

383) "이 셋은 [각각] 갈애와 자만과 사견으로 거머쥠을 내던지는 것(gāha-paṭikkhepa)을 통해서 말씀하셨다."(*Ibid*)

384) "원인(hetu)과 이유(kāraṇa)와 도의 통찰지(magga-paññā)로써 봐야 한다."(*Ibid*)

385) "위빳사나와 함께하는 도의 통찰지로써 본 뒤"(*Ibid*)

본 뒤 물의 요소를 염오하고 통찰지로써 마음이 탐욕에서 빛바래도록 해야 한다."

3. "라홀라여, 안에 있는 불의 요소와 밖에 있는 불의 요소는 다만 불의 요소이다. 이것에 대해 … 있는 그대로 바른 통찰지로써 본 뒤 불의 요소를 염오하고 통찰지로써 마음이 탐욕에서 빛바래도록 해야 한다."

4. "라홀라여, 안에 있는 바람의 요소와 밖에 있는 바람의 요소는 다만 바람의 요소이다. 이것에 대해 … 있는 그대로 바른 통찰지로써 본 뒤 바람의 요소를 염오하고 통찰지로써 마음이 탐욕에서 빛바래도록 해야 한다."

5. "라홀라여, 비구가 이러한 네 가지 요소들[四大]에 대해서 '이것은 나의 것이 아니다. 이것은 내가 아니다. 이것은 나의 자아가 아니다.'라고 바르게 관찰하면 이것을 일러 '비구는 갈애를 잘라버렸고, 족쇄를 풀어버렸고, 바르게 자만을 꿰뚫어버렸고, 마침내 괴로움을 끝내어버렸다.'고 한다."386)

마을의 못 경(A4:178)

Jambālī-sutta

1. "비구들이여, 세상에는 네 부류의 사람이 있다. 무엇이 넷인가? 비구들이여, 여기 비구는 어떤 평화로운 마음의 해탈[心解脫]387)을

---

386) "본경을 통해서 세존께서는 네 가지 요소[四大, catu-koṭika]의 공함[空性, suññatā]을 설하셨다."(*Ibid*)

구족하여 머문다. 그는 자기 존재[有身, 五蘊]의 소멸[388]을 마음에 잡도리한다. 그가 자기 존재의 소멸을 마음에 잡도리하지만 마음이 자기 존재의 소멸에 들어가지 못하고[389] 그것에 청정한 믿음을 가지지 못하고 그것에 안정되지 못하고 해탈하지 못한다. 비구들이여, 그런 비구에게는 자기 존재의 소멸을 기대하지 못한다.

비구들이여, 예를 들면, 끈끈한 액체가 묻은 손으로 나뭇가지를 잡으면 그의 손은 거기에 달라붙고 붙잡히고 묶이게 된다. 비구들이여, 그와 같이 비구는 어떤 평화로운 마음의 해탈[心解脫]을 구족하여 머문다. 그는 자기 존재[有身]의 소멸을 마음에 잡도리한다. 그가 자기 존재의 소멸을 마음에 잡도리하지만 마음이 자기 존재의 소멸에 들어가지 못하고 그것에 청정한 믿음을 가지지 못하고 그것에 안정되지 못하고 해탈하지 못한다. 비구들이여, 그런 비구에게는 자기 존재의 소멸을 기대하지 못한다."

2. "비구들이여, 여기 비구는 어떤 평화로운 마음의 해탈[心解脫]을 구족하여 머문다. 그는 자기 존재[有身]의 소멸을 마음에 잡도리한다. 그가 자기 존재의 소멸을 마음에 잡도리할 때 마음이 자기

---

387) "'평화로운 마음의 해탈(santa cetovimutti)'이란 여덟 가지 증득 가운데서 어느 하나의 증득이다."(AA.iii.153) 여덟 가지 증득이란 4선-4처(색계 4선과 무색계 4선)를 말하며 사마타를 닦아서 도달하는 경지이다.

388) "'자기 존재의 소멸(sakkāya-nirodha)'이란 삼계윤회(tebhūmaka-vaṭṭa)라 불리는 자기 존재의 소멸이란 말이며 열반을 뜻한다."(*Ibid*)
자기 존재[有身, sakkāya]에 대해서는 본서 「사자 경」(A4:33) §2의 주해를 참조할 것.

389) "들어가지 못한다는 것은 자기 존재의 소멸 즉 오온의 소멸, 열반이라는 그 대상에 들어가지 못한다는 뜻이다."(AA.iii.153)

존재의 소멸에 들어가고 그것에 청정한 믿음을 가지고 그것에 안정되고 해탈하게 된다. 비구들이여, 그런 비구에게는 자기 존재의 소멸을 기대할 수 있다.

비구들이여, 예를 들면, 깨끗한 손으로 나뭇가지를 잡으면 그의 손은 거기에 달라붙지 않고 붙잡히지 않고 묶이지 않는다. 비구들이여, 그와 같이 비구는 어떤 평화로운 마음의 해탈[心解脫]을 구족하여 머문다. 그는 자기 존재[有身]의 소멸을 마음에 잡도리한다. 그가 자기 존재의 소멸을 마음에 잡도리할 때 마음이 자기 존재의 소멸에 들어가고 그것에 청정한 믿음을 가지고 그것에 안정되고 해탈하게 된다. 비구들이여, 그런 비구에게는 자기 존재의 소멸을 기대할 수 있다."

3. "비구들이여, 여기 비구는 어떤 평화로운 마음의 해탈[心解脫]을 구족하여 머문다. 그는 무명을 잘라버림을 마음에 잡도리한다. 그가 무명을 잘라버림을 마음에 잡도리하지만 마음이 무명을 잘라버림에 들어가지 못하고 그것에 청정한 믿음을 가지지 못하고 그것에 안정되지 못하고 해탈하지 못한다. 비구들이여, 그런 비구에게는 무명을 잘라버림을 기대하지 못한다.

비구들이여, 예를 들면 햇수가 오래 된 마을의 못이 있어, 사람이 그곳으로 [물이] 흘러들어오는 통로는 막아버리고 흘러나가는 곳은 열어놓고 또 비가 제대로 내리지도 않는다면 그 마을의 못의 제방을 허물어버리는 것은 기대할 수 없을 것이다. 비구들이여, 그와 같이 비구는 어떤 평화로운 마음의 해탈[心解脫]을 구족하여 머문다. 그는 무명을 잘라버림을 마음에 잡도리한다. 그가 무명을 잘라버림을 마음에 잡도리하지만 마음이 무명을 잘라버림에 들어가지 못하고 그것에 청정한 믿음을 가지지 못하고 그것에 안정되지 못하고 해탈하지 못한다. 비구들이여, 그런 비구에게는 무명을 잘라버림을 기대하지 못한다."

4. "비구들이여, 여기 비구는 어떤 평화로운 마음의 해탈[心解脫]을 구족하여 머문다. 그는 무명을 잘라버림을 마음에 잡도리한다. 그가 무명을 잘라버림을 마음에 잡도리할 때 마음이 무명을 잘라버림에 들어가고 그것에 청정한 믿음을 가지고 그것에 안정되고 해탈한다. 비구들이여, 그런 비구에게는 무명을 잘라버림을 기대할 수 있다.

비구들이여, 예를 들면 햇수가 오래 된 마을의 못이 있어, 사람이 그곳으로 [물이] 흘러들어오는 통로는 열어놓고 흘러나가는 곳은 막아버리고 또 비가 제대로 내린다면 그 마을의 못의 제방을 허물어버리는 것은 기대할 수 있을 것이다. 비구들이여, 그와 같이 비구는 어떤 평화로운 마음의 해탈[心解脫]을 구족하여 머문다. 그는 무명을 잘라버림을 마음에 잡도리한다. 그가 무명을 잘라버림을 마음에 잡도리할 때 마음이 무명을 잘라버림에 들어가고 그것에 청정한 믿음을 가지고 그것에 안정되고 해탈한다. 비구들이여, 그런 비구에게는 무명을 잘라버림을 기대할 수 있다.

비구들이여, 세상에는 이러한 네 부류의 사람이 있다."

열반 경(A4:179)
Nibbāna-sutta

1. 그때 아난다 존자가 사리뿟따 존자에게 갔다. 가서는 사리뿟따 존자와 함께 환담을 나누었다. 유쾌하고 기억할 만한 이야기로 서로 담소를 나누고 한 곁에 앉았다. 한 곁에 앉은 아난다 존자는 사

리뿟따 존자에게 이렇게 말하였다.

"도반 사리뿟따여, 무슨 이유와 무슨 조건 때문에 여기 어떤 중생들은 지금여기에서 완전한 열반을 증득하지 못합니까?"

"도반 아난다여, 중생들은 '이것은 퇴보에 빠진 인식[390]이다.'라고 있는 그대로 꿰뚫어 알지 못하고, '이것은 정체에 빠진 인식이다.'라고 있는 그대로 꿰뚫어 알지 못하고, '이것은 수승함에 동참하는 인식이다.'라고 있는 그대로 꿰뚫어 알지 못하고, '이것은 꿰뚫음에 동참하는 인식이다.'라고 있는 그대로 꿰뚫어 알지 못합니다.[391] 도반 아난다여, 이러한 이유와 이러한 조건 때문에 여기 어떤 중생들은 지금여기에서 완전한 열반을 증득하지 못합니다."

---

390) '퇴보에 빠진 인식(hāna-bhāgiyā saññā)' 등은 "초선을 얻은 사람에게 감각적 욕망이 함께한 인식과 마음에 잡도리함이 일어날 때 그의 통찰지는 퇴보에 빠진다."(Vbh.330)는 아비담마에서 설하신 방법으로 그 뜻을 알아야 한다. 자세한 인용은 아래 주해를 참조할 것.

391) 『청정도론』은 이 네 가지에 대해서 『위방가』를 인용하여 다음과 같이 설명하고 있다.
"퇴보에 빠진 삼매가 있고, 정체에 빠진 삼매가 있고, 수승함에 동참하는 삼매가 있고, 꿰뚫음에 동참하는 삼매가 있다. 이 가운데서 각각의 [禪과] 반대되는 것이 일어나서 퇴보에 빠진 것과, 그것에 적절한 마음챙김을 확립하여 정체에 빠진 것과, 위의 수승한 상태에 도달하여 수승함에 동참하는 것과, 역겨움이 함께한 인식과 마음에 잡도리함이 일어나서 꿰뚫음에 동참하는 것을 알아야 한다.
이처럼 말씀하셨다. "초선을 얻은 사람에게 감각적 욕망이 함께한 인식과 마음에 잡도리함이 일어날 때 그의 통찰지는 퇴보에 빠진다. 그 禪에 적절한 마음챙김이 확립될 때 그의 통찰지는 정체에 빠진다. 일으킨 생각과 함께하지 않은 인식과 마음에 잡도리함이 일어날 때 그의 통찰지는 수승함에 동참한다. 역겨움이 함께하고 [열반이라 불리는] 탐욕의 빛바램으로 기우는 인식과 마음에 잡도리함이 일어날 때 그의 통찰지는 꿰뚫음에 동참한다."(Vbh.330)라고."(Vis.III.22)

2. "도반 사리뿟따여, 무슨 이유와 무슨 조건 때문에 여기 어떤 중생들은 지금여기에서 완전한 열반을 증득합니까?"

"도반 아난다여, 중생들은 '이것은 퇴보에 빠진 인식이다.'라고 있는 그대로 꿰뚫어 알고, '이것은 정체에 빠진 인식이다.'라고 있는 그대로 꿰뚫어 알고, '이것은 수승함에 동참하는 인식이다.'라고 있는 그대로 꿰뚫어 알고, '이것은 꿰뚫음에 동참하는 인식이다.'라고 있는 그대로 꿰뚫어 압니다. 도반 아난다여, 이러한 이유와 이러한 조건 때문에 여기 어떤 중생들은 지금여기에서 완전한 열반을 증득합니다."

큰 권위 경(A4:180)[392)]

Mahāpadesa-sutta

1. 한때 세존께서는 보가나가라에서 아난다 탑묘에 머무셨다. 거기서 세존께서는 "비구들이여."라고 비구들을 부르셨다. "세존이시여."라고 비구들은 세존께 응답했다. 세존께서는 이렇게 말씀하셨다.

"비구들이여, 네 가지 큰 권위[393)]를 설하리라. 그것을 듣고 마음에

---

392) 본경은『디가 니까야』제2권「대반열반경」(D16) §§4.7~4.11과 같은 내용이다.

393) 세존께서는 당신이 입멸하고 나면 "법과 율이 그대들의 스승이 될 것이다."(D16. §6.1)라고 천명하셨다. 그러므로 어떤 비구가 특정 가르침을 '이것은 법이고 이것은 율입니다.'라고 주장한다면 그것이 법과 율에 부합하는가, 부합하지 않는가를 면밀하게 살펴본 뒤에 법과 율로 확정해야 한다. 이러한 방법으로 제시하시는 것이 바로 '큰 권위[大法敎]'로 옮기고 있는 mahā-apadesa이다.
주석서는 "부처님 등의 위대하고 위대한 분들을 권위(증인)로 하여(apadisitvā) 설해진 큰 행위(kāraṇa)들이라는 뜻이다."(DA.ii.565)라고 설명하고 있다. 본경에서 보듯이 경과 율로 확정짓는 이러한 권위는 차례

잘 새겨라. 이제 설하리라."

"그렇게 하겠습니다, 세존이시여."라고 비구들은 세존께 응답했다. 세존께서는 이와 같이 말씀하셨다.

"비구들이여, 무엇이 네 가지 큰 권위인가?"

2. "비구들이여, 여기 비구가 말하기를 '도반들이여, 나는 이것을 세존의 면전에서 듣고 세존의 면전에서 받아 지녔습니다. 이것은 법이고 이것은 율이고 이것은 스승의 교법입니다.'라고 하면, [일단] 그런 비구의 말을 인정하지도 말고 공박하지도 말아야 한다. 인정하지도 공박하지도 않은 채로 그 단어와 문장들을 주의 깊게 들어서 경과 대조해 보고 율에 비추어 보아야 한다.

그의 말을 경과 대조해 보고 율에 비추어 보아 만일 경에 적합하지 않고 율과 맞지 않는다면 여기서 '이것은 그분 세존·아라한·정등각의 말씀이 아닙니다. 이 비구가 잘못 파악한 것입니다.'라는 결론에 도달해야 한다. 비구들이여, 이렇게 해서 이것은 물리쳐야 한다."

3. "비구들이여, 여기 비구가 말하기를 '도반들이여, 나는 이것을 세존의 면전에서 듣고 세존의 면전에서 받아 지녔습니다. 이것은 법이고 이것은 율이고 이것은 스승의 교법입니다.'라고 하면, [일단] 그런 비구의 말을 인정하지도 말고 공박하지도 말아야 한다. 인정하지도 공박하지도 않은 채로 그 단어와 문장들을 주의 깊게 들어서 경과 대조해 보고 율에 비추어 보아야 한다.

그의 말을 경과 견주어 보고 율에 비추어 보아서 만일 경에 적합

대로 부처님에 의한 권위, 승가에 의한 권위, 많은 장로(thera)들에 의한 권위, 한 장로에 의한 권위의 네 가지가 있다. 그러나 이러한 네 가지 권위도 경과 율에 부합해야 비로소 그 권위가 인정된다.

하고 율과 맞는다면 여기서 '이것은 그분 세존 · 아라한 · 정등각의 말씀입니다. 이 비구가 바르게 파악한 것입니다.'라는 결론에 도달해야 한다.

비구들이여, 이것이 첫 번째 큰 권위이다."

4. "비구들이여, 여기 비구가 말하기를 '도반들이여, 아무개 거처에 장로들과 유명한 스승이 계시는 승가가 있습니다. 나는 이것을 그 승가의 면전에서 듣고 승가의 면전에서 받아 지녔습니다. 이것은 법이고 이것은 율이고 이것은 스승의 교법입니다.'라고 하면, [일단] 그런 비구의 말을 인정하지도 말고 공박하지도 말아야 한다. 인정하지도 공박하지도 않은 채로 그 단어와 문장들을 주의 깊게 들어서 경과 대조해 보고 율에 비추어 보아야 한다.

그의 말을 경과 대조해 보고 율에 비추어 보아 만일 경에 적합하지 않고 율과 맞지 않는다면 여기서 '이것은 그분 세존 · 아라한 · 정등각의 말씀이 아닙니다. 이 비구가 잘못 파악한 것입니다.'라는 결론에 도달해야 한다. 비구들이여, 이렇게 해서 이것은 물리쳐야 한다."

5. "비구들이여, 여기 비구가 말하기를 '도반들이여, 아무개 거처에 장로들과 유명한 스승이 계시는 승가가 있습니다. 나는 이것을 그 승가의 면전에서 듣고 승가의 면전에서 받아 지녔습니다. 이것은 법이고 이것은 율이고 이것은 스승의 교법입니다.'라고 하면, [일단] 그런 비구의 말을 인정하지도 말고 공박하지도 말아야 한다. 인정하지도 공박하지도 않은 채로 그 단어와 문장들을 주의 깊게 들어서 경과 대조해 보고 율에 비추어 보아야 한다.

그의 말을 경과 대조해 보고 율에 비추어 보아서 만일 경에 적합하고 율과 맞는다면 여기서 '이것은 그분 세존 · 아라한 · 정등각의 말씀입니다. 이 비구가 바르게 파악한 것입니다.'라는 결론에 도달해야 한다.

비구들이여, 이것이 두 번째 큰 권위이다."

6. "비구들이여, 여기 비구가 말하기를 '도반들이여, 아무개 거처에 많이 배우고 전승된 가르침에 능통하고 법(경장)을 호지하고 율[장]을 호지하고 논모(論母, 마띠까)를 호지한 많은 장로 비구들이 계십니다. 나는 이것을 그 장로들의 면전에서 듣고 장로들의 면전에서 받아 지녔습니다. 이것은 법이고 이것은 율이고 이것은 스승의 교법입니다.'라고 하면, [일단] 그런 비구의 말을 인정하지도 말고 공박하지도 말아야 한다. 인정하지도 공박하지도 않은 채로 그 단어와 문장들을 주의 깊게 들어서 경과·대조해 보고 율에 비추어 보아야 한다.

그의 말을 경과 대조해 보고 율에 비추어 보아 만일 경에 적합하지 않고 율과 맞지 않는다면 여기서 '이것은 그분 세존 · 아라한 · 정등각의 말씀이 아닙니다. 이 비구가 잘못 파악한 것입니다.'라는 결론에 도달해야 한다. 비구들이여, 이렇게 해서 이것은 물리쳐야 한다."

7. "비구들이여, 여기 비구가 말하기를 '도반들이여, 아무개 거처에 많이 배우고 전승된 가르침에 능통하고 법(경장)을 호지하고 율[장]을 호지하고 논모(論母, 마띠까)를 호지한 많은 장로 비구들이 계십니다. 나는 이것을 그 장로들의 면전에서 듣고 장로들의 면전에서 받아 지녔습니다. 이것은 법이고 이것은 율이고 이것은 스승의 교법입니다.'라고 하면, [일단] 그런 비구의 말을 인정하지도 말고 공박하지도 말아야 한다. 인정하지도 공박하지도 않은 채로 그 단어와 문장들

을 주의 깊게 들어서 경과 대조해 보고 율에 비추어 보아야 한다.

그의 말을 경과 대조해 보고 율에 비추어 보아서 만일 경에 적합하고 율과 맞는다면 여기서 '이것은 그분 세존·아라한·정등각의 말씀입니다. 이 비구가 바르게 파악한 것입니다.'라는 결론에 도달해야 한다.

비구들이여, 이것이 세 번째 큰 권위이다."

8. "비구들이여, 여기 비구가 말하기를 '도반들이여, 아무개 거처에 많이 배우고 전승된 가르침에 능통하고 법(경장)을 호지하고 율[장]을 호지하고 논모(論母, 마띠까)를 호지한 한 분의 장로 비구가 계십니다. 나는 이것을 그 장로의 면전에서 듣고 장로들의 면전에서 받아 지녔습니다. 이것은 법이고 이것은 율이고 이것은 스승의 교법입니다.'라고 하면, [일단] 그런 비구의 말을 인정하지도 말고 공박하지도 말아야 한다. 인정하지도 공박하지도 않은 채로 그 단어와 문장들을 주의 깊게 들어서 경과 대조해 보고 율에 비추어 보아야 한다.

그의 말을 경과 대조해 보고 율에 비추어 보아, 만일 경에 적합하지 않고 율과 맞지 않는다면 여기서 '이것은 그분 세존·아라한·정등각의 말씀이 아닙니다. 이 비구가 잘못 파악한 것입니다.'라는 결론에 도달해야 한다. 비구들이여, 이렇게 해서 이것은 물리쳐야 한다."

9. "비구들이여, 여기 비구가 말하기를 '도반들이여, 아무개 거처에 많이 배우고 전승된 가르침에 능통하고 법(경장)을 호지하고 율[장]을 호지하고 논모(論母, 마띠까)를 호지한 한 분의 장로 비구가 계십니다. 나는 이것을 그 장로의 면전에서 듣고 장로들의 면전에서 받아 지녔습니다. 이것은 법이고 이것은 율이고 이것은 스승의 교법입

니다.'라고 하면, [일단] 그런 비구의 말을 인정하지도 말고 공박하지도 말아야 한다. 인정하지도 공박하지도 않은 채로 그 단어와 문장들을 주의 깊게 들어서 경과 대조해 보고 율에 비추어 보아야 한다.

그의 말을 경과 대조해 보고 율에 비추어 보아서 만일 경에 적합하고 율과 맞는다면 여기서 '이것은 그분 세존·아라한·정등각의 말씀입니다. 이 비구가 바르게 파악한 것입니다.'라는 결론에 도달해야 한다.

비구들이여, 이것이 네 번째 큰 권위이다.

비구들이여, 이것이 네 가지 큰 권위이다."

제18장 의도 품이 끝났다.

열여덟 번째 품에 포함된 경들의 목록은 다음과 같다.

① 의도 ② 자기 존재 ③ 분석
④ 마하꼿티따, 다섯 번째로 ⑤ 우빠와나
⑥ 포부 ⑦ 라훌라 ⑧ 마을의 못
⑨ 열반 ⑩ 큰 권위 — 이러한 열 가지이다.

제19장 무사 품[394)]

Yodhājīva-vagga

무사 경(A4:181)[395)]

Yodha-sutta

1. "비구들이여, 네 가지 요소를 구족한 무사는 왕에게 어울리고 왕을 섬길 수 있으며 왕의 수족이라는 이름을 얻게 된다. 무엇이 넷인가?

비구들이여, 여기 무사는 장소에 능숙하고,[396)] 멀리 쏘고, 전광석화와 같이 꿰뚫고, 큰 몸을 쳐부순다. 비구들이여, 이러한 네 가지 요소를 구족한 무사는 왕에게 어울리고 왕을 섬길 수 있으며 왕의 수족이라는 이름을 얻게 된다."

2. "비구들이여, 그와 같이 네 가지 법을 구족한 비구는 공양받아 마땅하고, 선사받아 마땅하고, 보시받아 마땅하고, 합장받아 마땅하며, 세상의 위없는 복밭[福田]이다. 무엇이 넷인가?

비구들이여, 여기 비구는 장소에 능숙하고, 멀리 쏘고, 전광석화와 같이 꿰뚫고, 큰 몸을 쳐부순다. 비구들이여, 이러한 네 가지 법을 구

---

394) 육차결집본에는 바라문 품(Brāhmaṇa-vagga)으로 나타나고 주석서에도 Brāhmaṇa-vagga로 나타난다.

395) 본경에서 장소에 능숙함을 제외하면 본서 제1권 「무사 경」(A3:131)과 같다.

396) "즉 어느 장소에 섰을 때 실수하지 않고 바로 맞힐 수 있을지 무사는 그 장소에 대해 능숙하다는 뜻이다."(AA.iii.160)

족한 비구는 공양받아 마땅하고, 선사받아 마땅하고, 보시받아 마땅하고, 합장받아 마땅하며, 세상의 위없는 복밭[福田]이다."

3. "비구들이여, 그러면 비구는 어떻게 장소에 능숙한가? 비구들이여, 여기 비구는 계를 잘 지킨다. 그는 빠띠목카(계목)의 단속으로 단속하면서 머문다. 바른 행실과 행동의 영역을 갖추고, 작은 허물에 대해서도 두려움을 보며, 학습계목들을 받아지녀 공부짓는다. 비구들이여, 비구는 이처럼 장소에 능숙하다."

4. "비구들이여, 그러면 비구는 어떻게 멀리 쏘는가? 비구들이여, 여기 비구는 그것이 어떠한 물질이건, 그것이 과거의 것이건 미래의 것이건 현재의 것이건 안의 것이건 밖의 것이건 거칠건 미세하건 저열하건 수승하건 멀리 있건 가까이 있건 '이것은 내 것이 아니요, 이것은 내가 아니며, 이것은 나의 자아가 아니다.'라고 있는 그대로 바른 통찰지로 본다.

그것이 어떠한 느낌이건 … 그것이 어떠한 인식이건 … 그것이 어떠한 심리현상들이건 … 그것이 어떠한 알음알이건, 그것이 과거의 것이건 미래의 것이건 현재의 것이건 안의 것이건 밖의 것이건 거칠건 미세하건 저열하건 수승하건 멀리 있건 가까이 있건 '이것은 내 것이 아니요, 이것은 내가 아니며, 이것은 나의 자아가 아니다.'라고 있는 그대로 바른 통찰지로 본다. 비구들이여, 비구는 이처럼 멀리 쏜다."

5. "비구들이여, 그러면 비구는 어떻게 전광석화와 같이 꿰뚫는가? 비구들이여, 여기 비구는 '이것이 괴로움이다.'라고 있는 그대

로 꿰뚫어 안다. '이것이 괴로움의 일어남이다.'라고 있는 그대로 꿰뚫어 안다. '이것이 괴로움의 소멸이다.'라고 있는 그대로 꿰뚫어 안다. '이것이 괴로움의 소멸로 인도하는 도닦음이다.'라고 있는 그대로 꿰뚫어 안다. 비구들이여, 비구는 이처럼 전광석화와 같이 꿰뚫는다."

6. "비구들이여, 그러면 비구는 어떻게 큰 몸을 쳐부수는가? 비구들이여, 여기 비구는 크나큰 무명의 무더기를 쳐부순다. 비구들이여, 비구는 이처럼 큰 몸을 쳐부순다.

비구들이여, 이러한 네 가지 법을 구족한 비구는 공양받아 마땅하고, 선사받아 마땅하고, 보시받아 마땅하고, 합장받아 마땅하며, 세상의 위없는 복밭[福田]이다."

보증 경(A4:182)

Pāṭibhoga-sutta

1. "비구들이여, 네 가지 법들에 대해서는 어떤 사문도 바라문도 신도 마라도 범천도 이 세상의 그 누구도 보증하지 못한다. 무엇이 넷인가?

'늙기 마련인 법을 늙지 말라.'고 어떤 사문도 바라문도 신도 마라도 범천도 이 세상의 그 누구도 보증하지 못한다."

2. "'병들기 마련인 법을 병들지 말라.'고 어떤 사문도 바라문도 신도 마라도 범천도 이 세상의 그 누구도 보증하지 못한다."

3. "'죽기 마련인 법을 죽지 말라.'고 어떤 사문도 바라문도 신도 마라도 범천도 이 세상의 그 누구도 보증하지 못한다."

4. "'정신적 오염원이고 다시 태어남[再生]을 가져오고 두렵고 괴로운 과보를 가져오며 미래의 태어남과 늙음과 죽음을 가져오는 그러한 악한 업들에 대해 그 과보가 생기지 말라.'고 어떤 사문도 바라문도 신도 마라도 범천도 이 세상의 그 누구도 보증하지 못한다.

비구들이여, 이러한 네 가지 법들에 대해서는 어떤 사문도 바라문도 신도 마라도 범천도 이 세상의 그 누구도 보증하지 못한다."

들음 경(A4:183)

Suta-sutta

1. 한때 세존께서는 라자가하에서 대나무 숲의 다람쥐 보호구역에 머무셨다. 그때 마가다의 대신인 왓사까라 바라문[397]이 세존께 다가갔다. 가서는 세존과 함께 환담을 나누었다. 유쾌하고 기억할 만한 이야기로 서로 담소를 한 뒤 한 곁에 앉았다. 한 곁에 앉은 마가다의 대신인 왓사까라 바라문은 세존께 이렇게 말씀드렸다.

"고따마 존자시여, 저는 이런 주장과 이런 견해를 가졌습니다. '누구든지 '나는 이렇게 보았다.'라고 본 것을 말하는 자에게는 잘못은 없습니다. 그리고 누구든지 '나는 이렇게 들었다.'라고 들은 것을 말하는 자에게도 잘못은 없습니다. 그리고 누구든지 '나는 이렇게 생각했다.'라고 생각한 것을 말하는 자에게도 잘못은 없습니다. 그리고 누구든지 '나는 이렇게 알았다.'라고 안 것을 말하는 자에게도 잘못은 없습니다.'라고."

---

397) 왓사까라 바라문에 대해서는 본서 「왓사까라 경」(A4:35) §1의 주해를 참조할 것.

2. "바라문이여, 나는 '본 것은 모두 말해야 한다.'라고 말하지 않고 '본 것은 모두 말하지 않아야 한다.'라고도 말하지 않는다. 나는 '들은 것은 모두 말해야 한다.'라고 말하지 않고 '들은 것은 모두 말하지 않아야 한다.'라고도 말하지 않는다. 나는 '생각한 것은 모두 말해야 한다.'라고 말하지 않고 '생각한 것은 모두 말하지 않아야 한다.' 라고도 말하지 않는다. 나는 '안 것은 모두 말해야 한다.'라고 말하지 않고 '안 것은 모두 말하지 않아야 한다.'라고도 말하지 않는다."

3. "바라문이여, 본 것을 말하여 그에게 해로운 법[不善法]들이 증장하고 유익한 법[善法]들이 줄어든다면 그러한 본 것은 말해서는 안 된다고 나는 말한다. 바라문이여, 그러나 본 것을 말하여 그에게 해로운 법들이 줄어들고 유익한 법들이 증가한다면 그러한 본 것은 말해야 한다고 나는 말한다. 바라문이여, 들은 것을 말하여 … 생각한 것을 말하여 … 안 것을 말하여 그에게 해로운 법들이 증장하고 유익한 법들이 줄어든다면 그러한 안 것은 말해서는 안 된다고 나는 말한다. 바라문이여, 그러나 안 것을 말하여 해로운 법들이 줄어들고 유익한 법들이 증가한다면 그러한 안 것은 말해야 한다고 나는 말한다."

그러자 마가다의 대신인 왓사까라 바라문은 세존의 말씀을 기뻐하고 감사드린 뒤 자리에서 일어나서 나갔다.

무외 경(A4:184)

Abhaya-sutta

1. 그때 자눗소니 바라문[398]이 세존께 다가갔다. 가서는 세존

과 함께 환담을 나누었다. 유쾌하고 기억할 만한 이야기로 서로 담소를 한 뒤 한 곁에 앉았다. 한 곁에 앉은 자눗소니 바라문은 세존께 이렇게 말씀드렸다.

"고따마 존자시여, 저는 이런 주장과 이런 견해를 가졌습니다. '죽기 마련인 자가 죽음을 두려워하지 않고 죽음에 대해 떨지 않는 자는 없다.'라고."

"바라문이여, 죽기 마련인 자가 죽음을 두려워하고 죽음에 대해 떠는 자가 있다. 그러나 바라문이여, 죽기 마련인 자가 죽음을 두려워하지 않고 죽음에 대해 떨지 않는 자도 있다."

2. "바라문이여, 그러면 어떤 자가 죽기 마련이면서 죽음을 두려워하고 죽음에 대해 떠는 자인가?

바라문이여, 여기 어떤 자는 감각적 욕망에 대한 탐욕을 여의지 못하고 의욕을 여의지 못하고 애정을 여의지 못하고 갈증을 여의지 못하고 열병을 여의지 못하고 갈애를 여의지 못하였다. 그런 그가 어떤 혹독한 병에 걸렸다. 그가 혹독한 병에 걸리자 이런 생각이 들었다. '저 사랑하는 감각적 욕망들은 나를 버릴 것이다. 나도 저 사랑하는 감각적 욕망들을 버리게 될 것이다.'라고. 그는 근심하고 상심하고

---

398) 자눗소니 바라문(Jāṇussonī brāhmaṇa)은 꼬살라의 유명한 바라문 마을이었던 잇차낭깔라(Icchānaṅkala 혹은 Icchānaṅgala)라는 곳에 살고 있었다고 한다. 『맛지마 니까야』 「두려움과 공포 경」(Bhayabherava Sutta, M4) 등 적지 않은 경들이 그와 세존이 나눈 대화를 기록한 것이다. 그는 세존께 큰 신뢰를 가진 재가신도였다.
주석서에 의하면 자눗소니는 그의 부모가 지어준 개인 이름이 아니라 꼬살라 왕이 지은 궁중제관(purohita)의 서열을 나타내는 작위명이라고 한다.(MA.i.109) 『앙굿따라 니까야 주석서』는 누구든지 이 서열에 이른 자는 자눗소니 가문이라 한다고 적고 있다.(AA.ii.115)

슬퍼하고 가슴을 치고 울부짖고 광란한다.

바라문이여, 이런 자가 죽기 마련이면서 죽음을 두려워하고 죽음에 대해 떠는 자이다."

3. "다시 바라문이여, 여기 어떤 자는 몸에 대한 탐욕을 여의지 못하고 … 갈애를 여의지 못하였다. 그런 그가 어떤 혹독한 병에 걸렸다. 그가 혹독한 병에 걸리자 이런 생각이 들었다. '저 사랑하는 몸은 나를 버릴 것이다. 나도 저 사랑하는 몸을 버리게 될 것이다.'라고. 그는 근심하고 상심하고 슬퍼하고 가슴을 치고 울부짖고 광란한다.

바라문이여, 이런 자도 죽기 마련이면서 죽음을 두려워하고 죽음에 대해 떠는 자이다."

4. "다시 바라문이여, 여기 어떤 자는 선행을 하지 않았고 덕행399)을 하지 않았고 두려움으로부터 피난처를 만들지 않았으며 사악한 짓을 했고 잔인한 짓을 했고 악독한 짓을 했다. 그는 어떤 혹독한 병에 걸렸다. 그가 혹독한 병에 걸리자 이런 생각이 들었다. '나는 선행을 하지 않았고 덕행을 하지 않았고 두려움으로부터 피난처를 만들지 않았으며 사악한 짓을 했고 잔인한 짓을 했고 악독한 짓을 했다. 아, 참으로 나는 죽은 뒤에 선행을 하지 않았고 … 악독한 짓을 한 자들이 태어나는 그 곳으로 갈 것이다.'라고. 그는 근심하고 상심하고 슬퍼하고 가슴을 치고 울부짖고 광란한다.

바라문이여, 이런 자도 죽기 마련이면서 죽음을 두려워하고 죽음에 대해 떠는 자이다."

---

399) '덕행'은 kusala를 옮긴 것이다. 다른 문맥에서는 대부분 '유익한'으로 옮겼으나 이 문맥에서는 덕스러운 행위라고 주석서에서 설명하고 있어 이렇게 옮겼다.(AA.iii.161)

5. “다시 바라문이여, 여기 어떤 자는 정법을 회의하고 의심하고 바른 결론에 도달하지 못한 채 어떤 혹독한 병에 걸렸다. 그가 혹독한 병에 걸리자 이런 생각이 들었다. ‘나는 정법을 회의하고 의심하고 결론에 도달하지 못했다.’라고. 그는 근심하고 상심하고 슬퍼하고 가슴을 치고 울부짖고 광란한다.

바라문이여, 이런 자도 죽기 마련이면서 죽음을 두려워하고 죽음에 대해 떠는 자이다.

바라문이여, 죽기 마련이면서 죽음을 두려워하고 죽음에 대해 떠는 자는 이러한 네 부류가 있다.”

6. “바라문이여, 그러면 어떤 자가 죽기 마련이면서 죽음을 두려워하지 않고 죽음에 대해 떨지 않는 자인가?

바라문이여, 여기 어떤 자는 감각적 욕망에 대한 탐욕을 여의고 의욕을 여의고 애정을 여의고 갈증을 여의고 열병을 여의고 갈애를 여의었다. 그런 그가 어떤 혹독한 병에 걸렸다. 그가 혹독한 병에 걸리자 이런 생각이 들었다. ‘저 사랑하는 감각적 욕망들은 나를 버릴 것이다. 나도 저 사랑하는 감각적 욕망들을 버리게 될 것이다.’라고. 그는 근심하지 않고 상심하지 않고 슬퍼하지 않고 가슴을 치지 않고 울부짖고 광란하지 않는다.

바라문이여, 이런 자가 죽기 마련이면서 죽음을 두려워하지 않고 죽음에 대해 떨지 않는 자이다.”

7. “다시 바라문이여, 여기 어떤 자는 몸에 대한 탐욕을 여의고 … 갈애를 여의었다. 그런 그가 어떤 혹독한 병에 걸렸다. 그가 혹

독한 병에 걸리자 이런 생각이 들었다. '저 사랑하는 몸은 나를 버릴 것이다. 나도 저 사랑하는 몸을 버리게 될 것이다.'라고. 그는 근심하지 않고 상심하지 않고 슬퍼하지 않고 가슴을 치지 않고 울부짖고 광란하지 않는다.

바라문이여, 이런 자도 죽기 마련이면서 죽음을 두려워하지 않고 죽음에 대해 떨지 않는 자이다."

8. "다시 바라문이여, 여기 어떤 자는 사악한 짓을 하지 않았고 잔인한 짓을 하지 않았고 악독한 짓을 하지 않았으며 선행을 하고 덕행을 하고 두려움으로부터 피난처를 만들었다. 그는 어떤 혹독한 병에 걸렸다. 그가 혹독한 병에 걸리자 이런 생각이 들었다. '나는 사악한 짓을 하지 않았고 잔인한 짓을 하지 않았고 악독한 짓을 하지 않았으며 선행을 하고 덕행을 하고 두려움으로부터 피난처를 만들었다. 아, 참으로 나는 죽은 뒤에 사악한 짓을 하지 않았고 … 두려움으로부터 피난처를 만든 자들이 태어나는 그 곳으로 갈 것이다.'라고. 그는 근심하지 않고 상심하지 않고 슬퍼하지 않고 가슴을 치지 않고 울부짖고 광란하지 않는다.

바라문이여, 이런 자도 죽기 마련이면서 죽음을 두려워하지 않고 죽음에 대해 떨지 않는 자이다."

9. "다시 바라문이여, 여기 어떤 자는 정법을 회의하지 않고 의심하지 않고 바른 결론에 도달하였다. 그런 그가 어떤 혹독한 병에 걸렸다. 그가 혹독한 병에 걸리자 이런 생각이 들었다. '나는 정법을 회의하지 않고 의심하지 않고 바른 결론에 도달하였다.'라고. 그는 근심하지 않고 상심하지 않고 슬퍼하지 않고 가슴을 치지 않고 울부

짖고 광란하지 않는다.

바라문이여, 이런 자도 죽기 마련이면서 죽음을 두려워하지 않고 죽음에 대해 떨지 않는 자이다.

바라문이여, 죽기 마련이면서 죽음을 두려워하지 않고 죽음에 대해 떨지 않는 자는 이러한 네 부류가 있다."

"경이롭습니다, 고따마 존자시여. 경이롭습니다, 고따마 존자시여. 마치 넘어진 자를 일으켜 세우시듯, 덮여있는 것을 걷어내 보이시듯, [방향을] 잃어버린 자에게 길을 가리켜주시듯, 눈 있는 자 형상을 보라고 어둠 속에서 등불을 비춰주시듯, 고따마 존자께서는 여러 가지 방편으로 법을 설해주셨습니다. 저는 이제 고따마 존자께 귀의하옵고 법과 비구승가에 귀의합니다. 고따마 존자께서는 저를 재가신자로 받아주소서. 오늘부터 목숨이 붙어 있는 그날까지 귀의하옵니다."

바라문의 진리 경(A4:185)400)

Brāhmaṇasacca-sutta

1. 한때 세존께서는 라자가하에서 독수리봉 산에 머무셨다. 그 무렵에 잘 알려진 유행승들이 사삐니(암 뱀) 강의 언덕에 있는 유행승들의 원림(園林)에 거주하고 있었으니, 그들은 안나바라, 와라다라, 사꿀루다이, 그리고 다른 아주 잘 알려진 유행승들이었다.

세존께서는 해거름에 [낮 동안의] 홀로 앉으심을 풀고 자리에서 일어나셔서는 사삐니 강의 언덕에 있는 유행승들의 원림으로 가셨

400) PTS본의 품의 목록에는 사문의 진리(Samaṇa-sacca)로 경의 제목이 나타나는데 문맥상 육차결집본의 Brāhmaṇa-sacca가 더 적절하게 여겨져 육차결집본의 경 이름을 택했음.

다. 그 무렵에 외도 유행승들은 모여서 함께 자리를 하여 이런 이야기를 하고 있었다. '이것이야말로 바라문의 진리이다. 이것이야말로 바라문의 진리이다.'

2. 그때 세존께서는 유행승들에게로 다가가셨다. 가서 마련해 드린 자리에 앉으셨다. 자리에 앉으신 세존께서는 그 유행승들에게 이렇게 말씀하셨다.

"유행승들이여, 그대들은 무슨 이야기를 하기 위해 지금 여기에 모였는가? 그리고 그대들이 하다만 이야기는 무엇인가?"

"고따마 존자시여, 여기 우리들이 모여서 함께 자리를 하여 이런 이야기를 하고 있었습니다. '이것이야말로 바라문의 진리이다. 이것이야말로 바라문의 진리이다.'"

3. "유행승들이여, 네 가지 바라문의 진리를 나는 스스로 최상의 지혜로 알고 실현하여 드러내었다. 무엇이 넷인가?

유행승들이여, 여기 바라문은 '모든 생명을 죽여서는 안 된다.'라고 말한다. 이렇게 말하는 바라문은 진리를 말한 것이지 거짓을 말한 것이 아니다. 그는 그것으로 '나는 [진정한] 사문이다.'라고도 생각하지 않고, '나는 [진정한] 바라문이다.'라고도 생각하지 않고, '내가 더 뛰어나다.'고도 생각하지 않고, '나는 [남들과] 동등하다.'고도 생각하지 않고, '내가 더 못하다.'고도 생각하지 않는다. 그 대신에 그러한 진리를 최상의 지혜로 안 뒤 그는 생명들에 대한 동정과 연민을 위해서 도를 닦는다."

4. "유행승들이여, 여기 바라문은 '모든 감각적 욕망은 무상하

고 괴롭고 변하기 마련인 법이다.'라고 말한다. 이렇게 말하는 바라문은 진리를 말한 것이지 거짓을 말한 것이 아니다. 그는 그것으로 '나는 [진정한] 사문이다.'라고도 생각하지 않고, '나는 [진정한] 바라문이다.'라고도 생각하지 않고, '내가 더 뛰어나다.'고도 생각하지 않고, '나는 동등하다.'고도 생각하지 않고, '내가 더 못하다.'고도 생각하지 않는다. 그 대신에 그러한 진리를 최상의 지혜로 안 뒤 그는 감각적 욕망들을 염오하고 빛바래고 소멸하기 위해서 도를 닦는다."

5. "유행승들이여, 여기 바라문은 '모든 존재는 무상하고 괴롭고 변하기 마련인 법이다.'라고 말한다. 이렇게 말하는 바라문은 진리를 말한 것이지 거짓을 말한 것이 아니다. 그는 그것으로 '나는 [진정한] 사문이다.'라고도 생각하지 않고, '나는 [진정한] 바라문이다.'라고도 생각하지 않고, '내가 더 뛰어나다.'고도 생각하지 않고, '나는 동등하다.'고도 생각하지 않고, '내가 더 못하다.'고도 생각하지 않는다. 그 대신에 그러한 진리를 최상의 지혜로 안 뒤 그는 존재들을 염오하고 빛바래고 소멸하기 위해서 도를 닦는다."

6. "유행승들이여, 여기 바라문은 '나는 어디에도 누구에게도 결코 속하지 않는다. 어느 곳에서든 누구에게 있어서든 내 것은 결코 없다.'라고 말한다. 이렇게 말하는 바라문은 진리를 말한 것이지 거짓을 말한 것이 아니다. 그는 그것으로 '나는 [진정한] 사문이다.'라고도 생각하지 않고, '나는 [진정한] 바라문이다.'라고도 생각하지 않고, '내가 더 뛰어나다.'고도 생각하지 않고, '나는 동등하다.'고도 생각하지 않고, '내가 더 못하다.'고도 생각하지 않는다. 그 대신에 그러한 진리를 최상의 지혜로 안 뒤 그는 무소유의 도를 닦는다.

유행승들이여, 이러한 네 가지 바라문의 진리를 나는 스스로 최상의 지혜로 알고 실현하여 드러내었다."

용솟음 경(A4:186)

Ummagga-sutta

1. 그때 어떤 비구가 세존께 다가갔다. 가서는 세존께 절을 올리고 한 곁에 앉았다. 한 곁에 앉아서 그 비구는 세존께 이렇게 말씀드렸다.

"세존이시여, 무엇이 세상을 이끕니까? 무엇이 세상을 끌어당깁니까? 어떤 것이 생겨나서 이것을 지배합니까?"

"장하고 장하구나, 비구여. 참으로 그대의 용솟음치는 [통찰지][401]는 경사스럽구나. 그대의 영감은 경사스럽고 그대의 질문은 좋구나. 비구여, 그대는 참으로 '세존이시여, 무엇이 세상을 이끕니까? 무엇이 세상을 끌어당깁니까? 어떤 것이 생겨나서 이것을 지배합니까?'라고 물었는가?"

"그렇습니다, 세존이시여."

"비구여, 마음이 세상을 이끄노라. 마음이 세상을 끌어당기노라. 마음이 생겨나서 이것을 지배하노라."

2. "잘 알겠습니다, 세존이시여."라고 그 비구는 세존의 말씀을 기뻐하고 감사드린 뒤 세존께 다른 질문을 드렸다.

"세존이시여, '많이 배우고 법(경장)을 호지한 자, 많이 배우고 법을

---

401) "'용솟음(ummagga)'이란 솟구쳐 오름(ummujjana)이다. 통찰지가 생겼음(paññāgamana)을 뜻한다."(AA.iii.163)

호지한 자'라고들 합니다. 세존이시여, 어느 정도가 많이 배우고 법을 호지한 자입니까?"

"장하고 장하구나, 비구여. 참으로 그대의 용솟음치는 [통찰지]는 경사스럽구나. 그대의 영감은 경사스럽고 그대의 질문은 좋구나. 비구여, 그대는 참으로 '세존이시여, '많이 배우고 법(경장)을 호지한 자, 많이 배우고 법을 호지한 자'라고들 합니다. 세존이시여, 어느 정도가 많이 배우고 법을 호지한 자입니까?'라고 물었는가?"

"그렇습니다, 세존이시여."

"비구여, 나는 많은 법을 설하였나니 그것은 경(經), 응송(應頌), 상세한 설명[記別, 授記], 게송(偈頌), 감흥어(感興語), 여시어(如是語), 본생담(本生譚), 미증유법(未曾有法), 문답[方等]이다. 만일 비구가 네 구절로 된 게송[四句偈]이라도 그 뜻을 완전하게 알고 법을 완전하게 알아서 [출세간]법에 이르게 하는 법을 닦는다면 그는 많이 배우고 법(경장)을 호지한 자라고 부르기에 충분하다."

3. "잘 알겠습니다, 세존이시여."라고 그 비구는 세존의 말씀을 기뻐하고 감사드린 뒤 세존께 다른 질문을 드렸다.

"세존이시여, '잘 배우고 꿰뚫는 통찰지를 가진 자, 잘 배우고 꿰뚫는 통찰지를 가진 자'라고들 합니다. 세존이시여, 어느 정도가 잘 배우고 꿰뚫는 통찰지를 가진 자입니까?"

"장하고 장하구나, 비구여. 참으로 그대의 용솟음치는 [통찰지]는 경사스럽구나. 그대의 영감은 경사스럽고 그대의 질문은 좋구나. 비구여, 그대는 참으로 '세존이시여, '잘 배우고 꿰뚫는 통찰지를 가진 자, 잘 배우고 꿰뚫는 통찰지를 가진 자'라고들 합니다. 세존이시여, 어느 정도가 잘 배우고 꿰뚫는 통찰지를 가진 자입니까?'라고 물었는가?"

"그렇습니다, 세존이시여."

"비구여, 여기 비구가 '이것이 괴로움이다.'라고 듣고 그 뜻을 통찰지로써 꿰뚫어본다. '이것이 괴로움의 일어남이다.'라고 듣고 그 뜻을 통찰지로써 꿰뚫어본다. '이것이 괴로움의 소멸이다.'라고 듣고 그 뜻을 통찰지로써 꿰뚫어본다. '이것이 괴로움의 소멸로 인도하는 도닦음이다.'라고 듣고 그 뜻을 통찰지로써 꿰뚫어본다. 비구여, 이와 같이 그는 잘 배우고 꿰뚫는 통찰지를 가진 자이다."

4. "잘 알겠습니다, 세존이시여."라고 그 비구는 세존의 말씀을 기뻐하고 감사드린 뒤 세존께 다른 질문을 드렸다.

"세존이시여, '현명하고 큰 통찰지를 가진 자, 현명하고 큰 통찰지를 가진 자'라고들 합니다. 세존이시여, 어느 정도가 현명하고 큰 통찰지를 가진 자입니까?"

"장하고 장하구나, 비구여. 참으로 그대의 용솟음치는 [통찰지]는 경사스럽구나. 그대의 영감은 경사스럽고 그대의 질문은 좋구나. 비구여, 그대는 참으로 '세존이시여, '현명하고 큰 통찰지를 가진 자, 현명하고 큰 통찰지를 가진 자'라고들 합니다. 세존이시여, 어느 정도가 현명하고 큰 통찰지를 가진 자입니까?'라고 물었는가?"

"그렇습니다, 세존이시여."

"비구여, 여기 현명하고 큰 통찰지를 가진 자는 자기를 해치는 생각을 하지 않고 타인을 해치는 생각을 하지 않고 둘 모두를 해치는 생각을 하지 않는다. 항상 자신의 이익과 남의 이익과 둘 다의 이익과 모든 세상의 이익을 생각한다. 비구여, 이와 같이 그는 현명하고 큰 통찰지를 가진 자이다."

왓사까라 경(A4:187)

Vassakāra-sutta

1. 한때 세존께서는 라자가하에서 대나무 숲의 다람쥐 보호구역에 머무셨다. 그때 마가다의 대신인 왓사까라 바라문이 세존께 다가갔다. 가서는 세존과 함께 환담을 나누었다. 유쾌하고 기억할 만한 이야기로 서로 담소를 한 뒤 한 곁에 앉았다. 한 곁에 앉은 마가다의 대신인 왓사까라 바라문은 세존께 이렇게 말씀드렸다.

"고따마 존자시여, 참되지 못한 사람이 참되지 못한 사람을 '이 양반은 참되지 못한 사람이다.'라고 알게 됩니까?"

"바라문이여, 참되지 못한 사람이 참되지 못한 사람을 '이 양반은 참되지 못한 사람이다.'라고 안다는 것은 있을 수 없고 불가능한 일이다."

2. "고따마 존자시여, 그러면 참되지 못한 사람은 참된 사람을 '이 양반은 참된 사람이다.'라고 알게 됩니까?"

"바라문이여, 참되지 못한 사람이 참된 사람을 '이 양반은 참된 사람이다.'라고 안다는 것도 불가능하고 이치에 맞지 않다."

3. "고따마 존자시여, 참된 사람은 참된 사람을 '이 양반은 참된 사람이다.'라고 알게 됩니까?"

"바라문이여, 참된 사람이 참된 사람을 '이 양반은 참된 사람이다.'라고 아는 것은 가능하다."

4. "고따마 존자시여, 참된 사람은 참되지 못한 사람을 '이 양

반은 참되지 못한 사람이다.'라고 알게 됩니까?"

"바라문이여, 참된 사람이 참되지 못한 사람을 '이 양반은 참되지 못한 사람이다.'라고 아는 것은 가능하다."

5. "참으로 경이롭습니다, 고따마 존자시여. 참으로 놀랍습니다, 고따마 존자시여. 고따마 존자께서는 참으로 이런 금언을 말씀하셨습니다.

'바라문이여, 참되지 못한 사람이 참되지 못한 사람을 '이 양반은 참되지 못한 사람이다.'라고 안다는 것은 불가능하고 이치에 맞지 않다.

바라문이여, 참되지 못한 사람이 참된 사람을 '이 양반은 참된 사람이다.'라고 안다는 것도 불가능하고 이치에 맞지 않다.

바라문이여, 참된 사람이 참된 사람을 '이 양반은 참된 사람이다.' 라고 아는 것은 가능하다.

바라문이여, 참된 사람은 참되지 못한 사람을 '이 양반은 참되지 못한 사람이다.'라고 아는 것은 가능하다.'라고."

6. "고따마 존자시여, 한번은 또데야 바라문402)의 회중에 남을

---

402) 본경에 해당하는 주석서는 또데야 바라문(Todeyya brāhmaṇa)을 뚜디 마을에 사는 자(Tudigāma-vāsika)라고만 언급하고 있다.(AA.iii.164) 이로 미루어 볼 때 그는 『디가 니까야 주석서』에서 사왓티 근교의 뚜디 마을(Tudigāma)의 수장이었다고 하며 그래서 또데야(Todeyya, 뚜디에 사는)라고 불렸다고 하는(DA.ii.384) 또데야 바라문인 듯하다. 또데야 바라문은 『디가 니까야』 제1권 「삼명경」(D13)과 『맛지마 니까야』 「와셋타 경」(M98)과 「수바 경」(M99) 등에서 짱끼 바라문 등과 더불어 유명한 바라문으로 언급되고 있다.
『디가 니까야 주석서』에 의하면 그는 큰 부자였지만 아주 인색하여 남에게 보시라고는 하나도 하지 않았다고 한다. 그래서 죽어서 자기 집에 개(sunakha)로 태어났으며 세존께서 뚜디 마을로 탁발을 가셨는데 그 개가

비난하는 말이 퍼졌습니다. '엘레야 왕[403]은 참으로 바보로구나. 그는 사문 라마뿟따[404]에게 청정한 믿음을 가지고 있고 사문 라마뿟따에게 절을 올리고 자리에서 일어나 맞이하고 합장하고 공경하는 등 최상의 존경을 표하다니. 그리고 야마까, 목갈라, 욱가, 나인다끼, 간답바, 악기웻사와 같은 엘레야 왕의 측근들도 참으로 바보로구나. 그들도 사문 라마뿟따에게 청정한 믿음을 가지고 있고 그들도 사문 라마뿟따에게 절을 올리고 자리에서 일어나 맞이하고 합장하고 공경하는 등 최상의 존경을 표하다니.'라고."

"[바라문이여, 그러나] 또데야 바라문은 자신의 회중에 앉아서[405] 이런 방법으로 [그의 회중을] 진정시켰다.[406]

세존을 보고 짖었다고 한다. 세존께서는 그 개를 또데야라고 불렀고 개는 그러자 침실에 들어가서 침대 위에 앉아 꼼짝을 하지 않았다고 한다. 이런 소동을 통해서 그의 아버지가 개로 태어났다는 말을 들은 그의 아들 수바(Subha) 바라문 학도는 잔뜩 화가 나서 우리 아버지는 범천에 태어났다고 하면서 따지러 세존을 찾아가서는 오히려 세존의 법문을 듣고 세존의 신심 깊은 신도가 되었다고 한다.(DA.ii.384) 그의 아들 수바 바라문 학도와 아난다 존자가 부처님의 일대시교에 대해서 나눈 대화가 『디가 니까야』 제1권 「수바 경」(D10)이다.

403) 엘레야 왕(rājā Eḷeyya)은 본경에만 나타나는데 그가 누군지 주석서는 아무 언급이 없다.

404) 사문 라마뿟따(samaṇa Rāmaputta)가 누구인지에 대해서도 주석서는 아무런 언급이 없다. DPPN은 세존이 깨닫기 전의 스승이었으며 비상비비상처를 천명하였던 웃다까 라마뿟따(Uddaka Rāmaputta)로 간주하고 있다.

405) '자신의 회중에 앉아서'로 의역을 한 원어는 tyassudaṁ이다. 주석서는 "여기서 assudaṁ은 단지 분사(nipāta-matta)일 뿐이다. 그리고 이것은 자신의 회중에 앉아서(te attano parisati nisinne)라는 뜻이다."라고 설명하고 있어서 이렇게 옮겼다.(AA.iii.165)

406) '진정시키다'로 옮긴 원어는 neti(인도하다)인데 주석서는 "진정시키다

'존자들은 이를 어떻게 생각하는가? 현명한 엘레야 왕은 [현자들이] 해야 할 일과 특별한 주의를 가지고 해야 할 일과 해야 할 말과 특별한 주의를 가지고 해야 할 말에 대해 그 이익을 깊이 따져보는 자들보다 더 깊이 그 이익을 따져보는 자인가?'

[그러자 그의 회중이 그에게 대답했다.]407)

'존자여, 그러합니다. 현명한 엘레야 왕은 [현자들이] 해야 할 일과 특별한 주의를 가지고 해야 할 일과 해야 할 말과 특별한 주의를 가지고 해야 할 말에 대해 그 이익을 깊이 따져보는 자들보다 더 깊이 그 이익을 따져보는 자입니다. 존자여, 사문 라마뿟따는 현명한 엘레야 왕보다 더 현명하고 [현자들이] 해야 할 일과 특별한 주의를 가지고 해야 할 일과 해야 할 말과 특별한 주의를 가지고 해야 할 말에 대해 그 이익을 깊이 따져보는 자들보다 더 깊이 그 이익을 따져보는 자입니다. 그래서 엘레야 왕은 사문 라마뿟따에게 청정한 믿음을 가지고 있고 사문 라마뿟따에게 절을 올리고 자리에서 일어나 맞이하고 합장하고 공경하는 등 최상의 존경을 표하는 것입니다.'

'존자들은 이를 어떻게 생각하는가? 야마까, 목갈라, 욱가, 나인다끼, 간담바, 악기웻사와 같은 엘레야 왕의 현명한 측근들은 해야 할 일과 특별한 주의를 가지고 해야 할 일과 해야 할 말과 특별한 주의를 가지고 해야 할 말에 대해 그 이익을 깊이 따져보는 자들보다 더

(anuneti), 알게 하다(jānāpeti)"(*Ibid*)로 설명하고 있어서 이렇게 옮겼다.

407) 아래 문단도 또데야가 그의 회중에게 설명하는 것으로 이해하는 것이 전체 문맥상 더 의미가 정확하게 파악된다고 여겨진다. 그러나 주석서에 "그들(또데야의 회중)이 그(또데야)에게 대답하면서(paṭipucchantā)"라고 적혀 있어서(*Ibid*) 이 문단을 또데야의 회중이 또데야에게 대답하는 것으로 옮겼다.

깊이 그 이익을 따져보는 자들인가?'

'존자여, 그러합니다. 야마까, 목갈라, 욱가, 나인다끼, 간답바, 악기웻사와 같은 엘레야 왕의 현명한 측근들은 해야 할 일과 특별한 주의를 가지고 해야 할 일과 해야 할 말과 특별한 주의를 가지고 해야 할 말에 대해 그 이익을 깊이 따져보는 자들보다 더 깊이 그 이익을 따져보는 자들입니다. 존자여, 사문 라마뿟따는 엘레야 왕의 현명한 측근들보다 더 현명하고 해야 할 일과 특별한 주의를 가지고 해야 할 일과 해야 할 말과 특별한 주의를 가지고 해야 할 말에 대해 그 이익을 깊이 따져보는 자들보다 더 깊이 그 이익을 따져보는 자입니다. 그래서 야마까, 목갈라, 욱가, 나인다끼, 간답바, 악기웻사와 같은 엘레야 왕의 측근들도 사문 라마뿟따에게 청정한 믿음을 가지고 있고 사문 라마뿟따에게 절을 올리고 자리에서 일어나 맞이하고 합장하고 공경하는 등 최상의 존경을 표하는 것입니다.'

[바라문이여, 또데야 바라문은 이와 같이 그의 회중을 진정시켰다.]"408)

7. "참으로 경이롭습니다, 고따마 존자시여. 참으로 놀랍습니다, 고따마 존자시여. 고따마 존자께서는 참으로 이런 금언을 말씀하셨습니다.

---

408) 주석서는 다음과 같이 덧붙이고 있다.
"바르지 못한 사람은 어둠(andha)과 같고 참된 사람은 눈을 가진 사람(cakkhuma)과 같다. 어둠이 어둠을 보지 못하듯이 참되지 못한 사람은 결코 참된 사람도 알아보지 못하고 참되지 못한 사람도 알아보지 못한다. 마치 눈을 가진 사람은 어둠도 보고 어둡지 않은 것도 보는 것처럼 참된 사람은 참된 사람도 알아보고 참되지 못한 사람도 알아본다. 또데야는 참된 사람이었기 때문에 참되지 못한 사람들(즉 자신의 회중)을 알아봤던 것이다."(AA.iii.165～166)

'바라문이여, 참되지 못한 사람이 참되지 못한 사람을 '이 양반은 참되지 못한 사람이다.'라고 안다는 것은 불가능하고 이치에 맞지 않다.

바라문이여, 참되지 못한 사람이 참된 사람을 '이 양반은 참된 사람이다.'라고 안다는 것도 불가능하고 이치에 맞지 않다.

바라문이여, 참된 사람이 참된 사람을 '이 양반은 참된 사람이다.' 라고 아는 것은 가능하다.

바라문이여, 참된 사람은 참되지 못한 사람을 '이 양반은 참되지 못한 사람이다.'라고 아는 것은 가능하다.'라고."

세존이시여, 이제 저희는 그만 물러가겠습니다. 저는 바쁘고 해야 할 일이 많습니다."

"바라문이여, 지금이 적당한 시간이라면 그렇게 하라."

그러자 마가다의 대신 왓사까라 바라문은 세존의 말씀을 기뻐하고 감사드린 뒤 자리에서 일어나 물러갔다.

우빠까 경(A4:188)

Upaka-sutta

1. 한때 세존께서는 라자가하에서 독수리봉 산에 머무셨다. 그때 우빠까 만디까뿟따409)가 세존께 다가갔다. 가서는 세존께 절을

409) 주석서에 의하면 우빠까 만디까뿟따(Upaka Maṇḍikāputta) 혹은 만디까의 아들 우빠까는 데와닷따(Devadatta)의 추종자였다고 한다. 그는 세존이 자신을 비난하는지를 보기 위해서 세존께 왔다고 하기도 하고 데와닷따가 지옥에 떨어졌다는 소문을 듣고 세존을 비난하기 위해서 세존께 왔다고 하기도 한다.(AA.iii.166) 본경 §3에서 아자따삿뚜는 그를 소금장수의 아들(loṇa-kāraka-dāraka)이라고 부르고 있다. 이 우빠까는 세존께서 성도하신 뒤 바라나시로 가는 도중에 만난 아지와까(사명외도) 우빠까와는 다른 사람이다.

올리고 한 곁에 앉았다. 한 곁에 앉은 우빠까 만디까뿟따는 세존께 이렇게 말씀드렸다.

"고따마 존자시여, 저는 이런 주장과 이런 견해를 가졌습니다. '누구든지 남을 비난하면 남을 비난할 땐 모든 곳에서 [유익한 법을] 일으킬 수 없고,410) [유익한 법을] 일으키지 못할 때 그는 비난받고 책망받는다.'라고."

"우빠까여, 만일 누구든지 남을 비난하면 남을 비난할 땐 모든 곳에서 [유익한 법을] 일으킬 수 없고, [유익한 법을] 일으키지 못할 때 그는 비난받고 책망받는다고 한다면 그대야말로 남을 비난하고 있고, 남을 비난하는 그대는 [유익한 법을] 일으킬 수 없다. [유익한 법을] 일으키지 못할 때 그대도 비난받고 책망받는다."411)

2. "세존이시여, 마치 [물] 위로 솟아오르는 [물고기]를 큰 올가미로 낚아채는 것과 같이 세존께서는 위로 고개를 내민 저를 세존의 큰 말씀의 올가미로 낚아채버렸습니다."

"우빠까여, '이것은 해로운 것이다.'라고 나는 공언하였다. 그렇게 공언할 때 셀 수 없이 많은 단어와 셀 수 없이 많은 문장과 셀 수 없이 많은 여래의 설법으로 '이러한 [이유로] 이것은 해로운 것이다.'라고 공언하였다. 우빠까여, '이 해로운 것은 버려야 한다.'라고 나는 공언하였다. 그렇게 공언할 때 셀 수 없이 많은 단어와 셀 수 없이 많은

---

410) "'모든 곳에서 일으킬 수 없다(sabbaso na upapādeti)'란 모든 곳에서 유익한 법(kusala-dhamma)을 일으키지 못한다는 뜻이다."(*Ibid*)

411) 부처님께서는 승가에 분열을 일으켰으며 그러한 후유증으로 몸이 상하여 9개월을 중병에 시달리다가 죽은 데와닷따를 추종한 우빠까의 잘못을 이런 말씀으로 나무라시는 듯하다. 데와닷따에 대해서는 본서 「데와닷따 경」(A4:68) §1의 주해를 참조할 것.

문장과 셀 수 없이 많은 여래의 설법으로 '이러한 [이유로] 이 해로운 것은 버려야 한다.'라고 공언하였다.

우빠까여, '이것은 유익한 것이다.'라고 나는 공언하였다. 그렇게 공언할 때 셀 수 없이 많은 단어와 셀 수 없이 많은 문장과 셀 수 없이 많은 여래의 설법으로 '이러한 [이유로] 이것은 유익한 것이다.'라고 공언하였다. "우빠까여, '이 유익한 것은 닦아야 한다.'라고 나는 공언하였다. 그렇게 공언할 때 셀 수 없이 많은 단어와 셀 수 없이 많은 문장과 셀 수 없이 많은 여래의 설법으로 '이러한 [이유로] 이 유익한 것은 닦아야 한다.'라고 공언하였다."412)

3. 그러자 우빠까 만디까뿟따는 세존의 말씀을 기뻐하고 감사드린 뒤 자리에서 일어나 세존께 절을 올리고 오른쪽으로 [세 번] 돌아 [경의를 표한] 뒤에 마가다의 왕 아자따삿뚜 웨데히뿟따413)에게

412) 선법, 불선법에 대한 부처님의 이러한 간곡한 말씀을 우리도 뼈에 새겨야 한다. 선법과 불선법을 간택하여 불선법은 버리기 위해서 노력하고 선법은 닦기 위해서 노력하는 것이야말로 팔정도의 여섯 번째인 정정진(正精進)의 내용이다.

413) 아자따삿뚜 왕은 모든 경에서 이처럼 '마가다의 왕 아자따삿뚜 웨데히뿟따(rājā Māgadha Ajātasattu Vedehiputta)'로 정형화되어 나타난다.
아자따삿뚜(Ajātasattu)라는 이름은 '왕의 적(sattu)은 태어나지 않을 것(ajāta)이다.'라고 점성가들이 예언했기 때문에 그렇게 불린다고 주석서는 설명하고 있다.(DA.i.133) 이름만으로도 그 권세를 알 수 있다. 그리고 주석서에는 그가 웨데히뿟따(Vedehiputta, 위데하의 여인의 아들)라고 불린다고 해서 그의 어머니가 위데하 출신이라고 봐서는 안 되고 그의 어머니는 꼬살라 왕의 딸이라고 밝히고 있다. 웨데히는 현자와 동의어(paṇḍita-adhivacana)라고 주석서는 설명하고 있다.(DA.i.139)
아자따삿뚜는 빔비사라 왕의 아들이었으며 빔비사라 왕을 시해하고 왕이 되었다.(DA.i.137) 그는 아버지를 시해하고 왕이 되었기 때문에 그도 그의 아들 우다이밧다(Udāyībhadda)에 의해서 시해당할까 항상 두려워했

갔다. 가서는 세존과 더불어 있었던 대화를 모두 마가다의 왕 아자따삿뚜 웨데히뿟따에게 고하였다.

그러자 마가다의 왕 아자따삿뚜 웨데히뿟따는 화가 나고 마음이 언짢아서 우빠까 만디까뿟따에게 이렇게 말했다.

"이 무뢰하기 그지없는 소금장수 아들놈이 참으로 수다스럽고 뻔뻔하여 그분 세존・아라한・정등각께 대든 듯하구나. 저리로 꺼져버려라. 참으로 재수 없구나, 우빠까여. 너는 다시는 내 앞에 나타나지도 말라."

실현해야 할 법 경(A4:189)

Sacchikiriya-sutta

1. "비구들이여, 네 가지 실현해야 할 법이 있다. 무엇이 넷인가? 비구들이여, 몸으로 실현해야 할 법들이 있다. 비구들이여, 마음챙김으로 실현해야 할 법들이 있다. 비구들이여, 눈으로 실현해야 할 법들이 있다. 비구들이여, 통찰지로 실현해야 할 법들이 있다."414)

고 그래서 아들이 출가하기를 바랐다고 한다.(DA.i.153) 그러나 결국은 그의 아버지 빔비사라왕이 처참하게 죽던 날에 태어난(DA.i.137) 그의 아들 우다이밧다(Udāyibhadda)에 의해서 그도 시해당하고 말았다 한다.(Mhv.iv.1.26) 주석서에 의하면 부친을 시해하고 잠을 제대로 이루지 못하던 왕은『디가 니까야』제1권「사문과경」(D2)에서 나타나듯이 명의(名醫) 지와까를 통해서 부처님을 뵙고 법문을 들은 뒤 잘못을 참회한 후에야 제대로 잠을 이룰 수 있었다고 한다.

그는 32년간 왕위에 있었다고 하며(Mhv.ii.31) 그가 왕으로 있을 때 왓지(Vajjī)를 정복하고 꼬살라를 병합했다. 그는 빠딸리뿟따(지금 인도 비하르 주의 주도인 빠뜨나)를 큰 도시로 만들게 하였으며 나중에 이는 마가다국의 수도가 되었다. 그는 인도를 통일국가로 만들 튼튼한 기초를 닦은 왕임에 틀림없다.

2. "비구들이여, 그러면 어떤 것이 몸으로 실현해야 할 법들인가? 비구들이여, 여덟 가지 해탈[八解脫]415)이 몸으로 실현해야 할 법들이다."

3. "비구들이여, 그러면 어떤 것이 마음챙김으로 실현해야 할 법들인가? 비구들이여, 전생의 거주처416)가 마음챙김으로 실현해야 할 법들이다."

4. "비구들이여, 그러면 어떤 것이 눈으로 실현해야 할 법들인가? 비구들이여, 중생들의 죽고 다시 태어남417)이 눈으로 실현해야 할 법들이다."

5. "비구들이여, 그러면 어떤 것이 통찰지로 실현해야 할 법들인가? 비구들이여, 번뇌들의 소멸[漏盡]418)이 통찰지로 실현해야 할

---

414) 『디가 니까야』 제3권 「합송경」(D33) §1.11(30)에도 나타나고 있다.

415) 여덟 가지 해탈에 대해서는 본서 「음식 경」(A4:87) §3의 주해를 참조할 것.

416) '전생의 거주처(pubbe-nivāsa)'란 전생을 기억하는 지혜(pubbenivāsa-anussati-ñāṇa, 宿命通)를 말한다. 전생을 기억하는 지혜의 정형구는 본서 제1권 「띠깐나 경」(A3:58) §3에 나타나고 『청정도론』 XIII.13~71에 상세하게 설명되어 있다.

417) '중생들의 죽고 다시 태어남(cutupapāta)'은 중생들의 죽음과 다시 태어남을 [아는] 지혜(cutūpapāta-ñāṇa, 天眼通)를 말한다. 이 정형구도 본서 제1권 「띠깐나 경」(A3:58) §4에 나타나며 『청정도론』 XIII.72~101에 상세하게 설명되어 있다.

418) '모든 번뇌를 소멸하는 지혜(āsavānaṁ khayañāṇa, 漏盡通)'를 말한다. 이 정형구도 본서 제1권 「띠깐나 경」(A3:58) §5에 나타나므로 참조할 것.

법들이다.

비구들이여, 이러한 네 가지 실현해야 할 법이 있다."

포살 경(A4:190)

Uposatha-sutta

1. 한때 세존께서는 사왓티에서 동쪽 원림[東園林]에 있는 미가라마따(녹자모)의 강당에 머무셨다. 그 무렵에 세존께서는 포살일에 비구승가에 둘러싸여서 노지에 앉아 계셨다. 그때 세존께서는 침묵하고 침묵하는 비구 승가를 둘러보신 뒤 비구들을 불러 말씀하셨다.

"비구들이여, 이 회중은 잡담을 하지 않는다. 비구들이여, 이 회중은 떠들지 않는다. 참으로 순수하고 계의 정수에 확립되어 있다. 비구들이여, 이 세상에서 이러한 비구 승가와 이러한 회중은 친견하기가 쉽지 않다. 비구들이여, 이러한 비구 승가와 이러한 회중은 공양받아 마땅하고, 선사받아 마땅하고, 보시받아 마땅하고, 합장받아 마땅하며, 세상의 위없는 복밭[福田]이니라. 비구들이여, 이러한 비구 승가와 이러한 회중은 적게 보시해도 많은 [과보를] 가져오고 많이 보시하면 더 많은 [과보를] 가져온다. 비구들이여, 이러한 비구 승가와 이러한 회중을 친견하기 위해서는 도시락을 어깨에 메고 몇 요자나의 [먼 거리]라도 가기에 충분하다."

2. "비구들이여, 이 비구승가에는 신의 경지를 얻은[419] 비구들

---

419) "'신의 경지를 얻음(devappatta)'이란 다시 태어날 때 신으로 태어나서 천상에 거주(dibba-vihāra)하고 천상에 거주하면서 아라한이 되는 것이다."(AA.iii.168)

이 있다. 비구들이여, 이 비구승가에는 범천의 경지를 얻은 비구들이 있다. 비구들이여, 이 비구승가에는 흔들림 없는 경지를 얻은 비구들이 있다. 비구들이여, 이 비구승가에는 성자의 경지를 얻은 비구들이 있다."

3. "비구들이여, 그러면 어떻게 비구는 신의 경지를 얻는가?

비구들이여, 여기 비구는 감각적 욕망들을 완전히 떨쳐버리고 해로운 법[不善法]들을 떨쳐버린 뒤, 일으킨 생각[尋]과 지속적인 고찰[伺]이 있고, 떨쳐버렸음에서 생겼으며, 희열[喜]과 행복[樂]이 있는 초선(初禪)을 구족하여 머문다. … 제2선(二禪)을 … 제3선(三禪)을 … 제4선(四禪)을 구족하여 머문다.

비구들이여, 이와 같이 비구는 신의 경지를 얻는다."

4. "비구들이여, 그러면 어떻게 비구는 범천의 경지를 얻는가?

비구들이여, 여기 비구는 자애[慈]가 함께한 마음으로 한 방향을 가득 채우면서 머문다. 그처럼 두 번째 방향을, 그처럼 세 번째 방향을, 그처럼 네 번째 방향을, 이와 같이 위로, 아래로, 주위로, 모든 곳에서 모두를 자신처럼 여기고, 모든 세상을 풍만하고, 광대하고, 무량하고, 원한 없고, 고통 없는 자애가 함께한 마음으로 가득 채우고 머문다.

연민[悲]이 함께한 마음으로 … 더불어 기뻐함[喜]이 함께한 마음으로 … 평온[捨]이 함께한 마음으로 한 방향을 가득 채우면서 머문다. 그처럼 두 번째 방향을, 그처럼 세 번째 방향을, 그처럼 네 번째 방향을, 이와 같이 위로, 아래로, 주위로, 모든 곳에서 모두를 자신처럼 여기고, 모든 세상을 풍만하고, 광대하고, 무량하고, 원한 없고, 고통

없는 평온이 함께한 마음으로 가득 채우고 머문다.

비구들이여, 이와 같이 비구는 범천의 경지를 얻는다."420)

5. "비구들이여, 그러면 어떻게 비구는 흔들림 없는 경지421)를 얻는가?

비구들이여, 여기 비구는 물질에 대한 인식(산냐)을 완전히 초월하고, 부딪힘의 인식을 소멸하고, 갖가지 인식을 마음에 잡도리하지 않기 때문에 '무한한 허공'이라고 하면서 공무변처(空無邊處)를 구족하여 머문다. 공무변처를 완전히 초월하여 '무한한 알음알이[識]'라고 하면서 식무변처(識無邊處)를 구족하여 머문다. 식무변처를 완전히 초월하여 '아무 것도 없다.'라고 하면서 무소유처(無所有處)를 구족하여 머문다. 무소유처를 완전히 초월하여 비상비비상처(非想非非想處)를 구족하여 머문다.

비구들이여, 이와 같이 비구는 흔들림 없는 경지를 얻는다."

---

420) 네 가지 거룩한 마음가짐[四梵住, brahma-vihāra]은 『디가 니까야』 제1권 「삼명경」(D13) §76에서도 범천에 태어나는 길로 설해지고 있다. 이러한 거룩한 마음가짐을 닦아야 범천에 태어난다는 것이 세존의 가르침이다.

421) 본문에서 보듯이 '흔들림 없는 경지(ānejja 혹은 āneñja)'는 항상 무색계를 뜻한다. 그래서 『디가 니까야 주석서』에는 "흔들림 없는 행위(āneñja-abhisaṅkhāra)란 네 가지 무색계의 유익한 의도와 동의어이다."(DA.iii.998)라고 나타나며, 『청정도론』에는 "흔들림 없는 행위는 무색계 존재에서 네 가지 과보로 나타난 마음에게 삶의 전개과정과 재생연결에서 그와 같이 조건이 된다."(Vis.XVII.181)로 언급하고 있다.
이러한 무색계 세상에 태어나기 위해서는 본문에서 말씀하시듯이 당연히 네 가지 무색계선을 닦아야 한다.

6. "비구들이여, 그러면 어떻게 비구는 성자의 경지를 얻는가?

비구들이여, 여기 비구는 '이것이 괴로움이다.'라고 있는 그대로 꿰뚫어 안다. '이것이 괴로움의 일어남이다.'라고 있는 그대로 꿰뚫어 안다. '이것이 괴로움의 소멸이다.'라고 있는 그대로 꿰뚫어 안다. '이것이 괴로움의 소멸로 인도하는 도닦음이다.'라고 있는 그대로 꿰뚫어 안다.

비구들이여, 이와 같이 비구는 성자의 경지를 얻는다."422)

제19장 무사 품이 끝났다.

열아홉 번째 품에 포함된 경들의 목록은 다음과 같다.

① 무사 ② 보증 ③ 들음
④ 무외, 다섯 번째로 ⑤ 바라문의 진리
⑥ 용솟음 ⑦ 왓사까라 ⑧ 우빠까
⑨ 실현해야 할 법 ⑩ 포살 — 이러한 열 가지이다.

---

422) 예류자 이상을 성자라 한다. 이러한 성자가 되기 위해서는 사성제를 꿰뚫어 알아야 한다는 말씀이시다.

제20장 대품

Mahā-vagga

귀로 들음 경(A4:191)

Sotānugata-sutta

1. "비구들이여, 귀로 들은 것들, 외워서 친숙해진 것들, 마음으로 숙고한 것들, 견해로 완전히 꿰뚫은 것들에서 네 가지 이익이 기대된다. 무엇이 넷인가?

비구들이여, 여기 비구는 법을 잘 배운다. 그것은 경(經), 응송(應頌), 상세한 설명[記別, 授記], 게송(偈頌), 감흥어(感興語), 여시어(如是語), 본생담(本生譚), 미증유법(未曾有法), 문답[方等]이다. 그는 이러한 법들을 귀로 들은 뒤 외워서 친숙하게 하고 마음으로 숙고하고 견해로 완전히 꿰뚫는다. 그는 마음챙김을 놓아버리고 죽어서[423] 어떤 신의 무리에 태어난다. 거기서 행복한 그에게 법문의 구절들이 분명하게 드러난다.[424] 비구들이여, 그에게 마음챙김이 일어나는 것은 느리다.

---

423) "'마음챙김을 놓아버리고(muṭṭhassati) 죽는다.'는 것은 부처님의 가르침(Buddha-vacana)을 기억하는 마음챙김(anussaraṇa-sati)이 없다는 것이 아니다. 이것은 범부(puthujjana)로 죽는 것을 두고 한 말이다. 범부는 마음챙김을 놓아버리고 죽기 때문이다."(AA.iii.170)

424) PTS본은 dhammapadāni pi lapanti인데 육차결집본은 dhammapadā plavanti이다. 주석서도 육차결집본의 문장대로 설명하고 있고, 문맥으로도 더 잘 어울리는 것 같아서 역자도 그에 따라 옮겼다. 즉 전생에 마음챙김을 놓아버린 자에게 이전에 배웠던 것에 뿌리 했고(sajjhāya-mūlikā) 외워서 친숙해진(vācā-paricita) 부처님의 가르침들(buddha-vacana-dhammā)이 마치 깨끗한 거울에 영상이 드러나듯이 분명하게 나타난다,

그러나 그 중생은 재빨리 특별함으로 인도된다.[425]

비구들이여, 이것이 귀로 들은 것들, 외워서 친숙해진 것들, 마음으로 숙고한 것들, 견해로 완전히 꿰뚫은 것들에서 기대되는 첫 번째 이익이다."

2. "비구들이여, 여기 비구는 법을 잘 배운다. 그것은 경, 응송, … 문답이다. 그는 이러한 법들을 귀로 들은 뒤 외워서 친숙하게 하고 마음으로 숙고하고 견해로 잘 꿰뚫는다. 그는 마음챙김을 놓아버리고 죽어서 어떤 신의 무리에 태어난다. 거기서 행복한 그에게 법문의 구절들이 분명하게 드러나지 않는다. 그러나 신통을 가졌고 마음의 자유자재를 얻은 비구가 [와서] 신들의 회중에서 법과 율을 설한다. 그러면 그에게 이런 생각이 든다. '이것은 내가 전에 청정범행을 닦은 바로 그 법과 율이구나.'라고. 그에게 느리게 마음챙김이 일어난다. 그러나 그 중생은 재빨리 특별함으로 인도된다.

비구들이여, 예를 들면 북소리에 능숙한 자와 같다. 그는 큰길을 가다가 북소리를 들으면 북소리인지 아닌지에 대해서 의심이나 혼란이 없이 북소리를 정확하게 판단한다.

비구들이여, 그와 같이 비구는 법을 잘 배운다. 그것은 경, 응송, … 문답이다. 그는 이러한 법들을 귀로 들은 뒤 외워서 친숙하게 하고 마음으로 숙고하고 견해로 잘 꿰뚫는다. 그는 마음챙김을 놓아버

분명하게 알아진다는 뜻이다."(AA.iii.170)

425) "'그에게 마음챙김이 일어나는 것은 느리다.(dandho satuppādo)'라는 것은 부처님의 가르침을 기억하는 마음챙김이 느리게, 무겁게(garu) 일어난다는 뜻이다. '그러나 그 중생은 재빨리 특별함으로 인도된다.'는 것은 재빨리 열반을 실현하는 자(nibbāna-gāmi)가 된다는 뜻이다."(*Ibid*)

리고 죽어서 어떤 신의 무리에 태어난다. 거기서 행복한 그에게 법문의 구절들이 분명하게 드러나지 않는다. 그러나 신통을 가졌고 마음의 자유자재를 얻은 비구가 [와서] 신들의 회중에서 법과 율을 설한다. 그러면 그에게 이런 생각이 든다. '이것은 내가 전에 청정범행을 닦은 바로 그 법과 율이구나.'라고. 그러면 그에게 느리게 마음챙김이 일어난다. 그러나 그 중생은 재빨리 특별함으로 인도된다.

비구들이여, 이것이 귀로 들은 것들, 외워서 친숙해진 것들, 마음으로 숙고한 것들, 견해로 완전히 꿰뚫은 것들에서 기대되는 두 번째 이익이다."

3. "비구들이여, 여기 비구는 법을 잘 배운다. 그것은 경, 응송, … 문답이다. 그는 이러한 법들을 귀로 들은 뒤 외워서 친숙하게 하고 마음으로 숙고하고 견해로 잘 꿰뚫는다. 그는 마음챙김을 놓아버리고 죽어서 어떤 신의 무리에 태어난다. 거기서 행복한 그에게 법문의 구절들이 분명하게 드러나지 않는다. 신통을 가졌고 마음의 자유자재를 얻은 비구가 [와서] 신들의 회중에서 법과 율을 설하지도 않는다. 그러나 어떤 신의 아들이 신들의 회중에서 법을 설한다. 그러면 그에게 이런 생각이 든다. '이것은 내가 전에 청정범행을 닦은 바로 그 법과 율이로구나.'라고. 그러면 그에게 느리게 마음챙김이 일어난다. 그러나 그 중생은 재빨리 특별함으로 인도된다.

비구들이여, 예를 들면 소라 고동소리에 능숙한 자와 같다. 그는 큰길을 가다가 소라 고동소리를 들으면 소라 고동소리인지 아닌지에 대해서 의심이나 혼란이 없이 소라 고동소리를 정확하게 판단한다.

비구들이여, 그와 같이 비구는 법을 잘 배운다. 그것은 경, 응송, … 문답이다. 그는 이러한 법들을 귀로 들은 뒤 외워서 친숙하게 하고 마음으로 숙고하고 견해로 잘 꿰뚫는다. 그는 마음챙김을 놓아버리고 죽어서 어떤 신의 무리에 태어난다. 거기서 행복한 그에게 법문의 구절들이 분명하게 드러나지 않는다. 신통을 가졌고 마음의 자유자재를 얻은 비구가 [와서] 신들의 회중에서 법과 율을 설하지도 않는다. 그러나 어떤 신의 아들이 신들의 회중에서 법과 율을 설한다. 그러면 그에게 이런 생각이 든다. '이것은 내가 전에 청정범행을 닦은 바로 그 법과 율이로구나.'라고. 그러면 그에게 느리게 마음챙김이 일어난다. 그러나 그 중생은 재빨리 특별함으로 인도된다.

비구들이여, 이것이 귀로 들은 것들, 외워서 친숙해진 것들, 마음으로 숙고한 것들, 견해로 완전히 꿰뚫은 것들에서 기대되는 세 번째 이익이다."

4. "비구들이여, 여기 비구는 법을 잘 배운다. 그것은 경, 응송, … 문답이다. 그는 이러한 법들을 귀로 들은 뒤 외워서 친숙하게 하고 마음으로 숙고하고 견해로 잘 꿰뚫는다. 그는 마음챙김을 놓아버리고 죽어서 어떤 신의 무리에 태어난다. 거기서 행복한 그에게 법문의 구절들이 분명하게 드러나지 않는다. 신통을 가졌고 마음의 자유자재를 얻은 비구가 [와서] 신들의 회중에서 법과 율을 설하지도 않고, 어떤 신의 아들이 신들의 회중에서 법과 율을 설하지도 않는다. 그러나 [먼저 그곳에] 화현한 자가 [나중에 그곳에] 화현한 그에게 '존자여, 당신은 기억하십니까? 존자여, 당신은 기억하십니까? 우리는 전생에 청정범행을 닦았지 않습니까?'라고 기억을 되살리게 한다. 그러면 그는 '존자여, 기억합니다. 존자여, 기억하구말구요.'라고 말한다. 그러면 그에게 느리게 마음챙김이 일어난다. 그러나 그 중생은 재빨리 특별함으로 인도된다.

비구들이여, 마치 [어릴 때] 흙장난을 하고 놀던 두 친구가 어느 때에 어느 곳에서 서로 만난 것과 같다. 그러면 [그 흙장난을 두고] 한 친구가 다른 친구에게 '여보게, 이것을 기억하는가? 여보게, 이것을 기억하는가?'라고 말할 것이다. 그러면 다른 친구는 '여보게, 기억한다네. 여보게, 기억하고말고.'라고 말할 것이다.

그것은 경, 응송, … 문답이다. 그는 이러한 법들을 귀로 들은 뒤 외워서 친숙하게 하고 마음으로 숙고하고 견해로 잘 꿰뚫는다. 그는 마음챙김을 놓아버리고 죽어서 어떤 신의 무리에 태어난다. 거기서 행복한 그에게 법문의 구절들이 분명하게 드러나지 않는다. 신통을 가졌고 마음의 자유자재를 얻은 비구가 [와서] 신들의 회중에서 법과 율을 설하지도 않고, 어떤 신의 아들이 신들의 회중에서 법과 율을 설하지도 않는다. 그러나 [먼저 그곳에] 화현한 자가 [나중에 그곳에] 화현한 그에게 '존자여, 당신은 기억하십니까? 존자여, 당신은 기억하십니까? 우리는 전생에 청정범행을 닦았지 않습니까?'라고 기억을 되살리게 한다. 그러면 그는 '존자여, 기억합니다. 존자여, 기억하구말구요.'라고 말한다. 그러면 그에게 느리게 마음챙김이 일어난다. 그러나 그 중생은 재빨리 특별함으로 인도된다.

비구들이여, 이것이 귀로 들은 것들, 외워서 친숙해진 것들, 마음으로 숙고한 것들, 견해로 완전히 꿰뚫은 것들에서 기대되는 네 번째 이익이다.

비구들이여, 귀로 들은 것들, 외워서 친숙해진 것들, 마음으로 숙고한 것들, 견해로 완전히 꿰뚫은 것들에서 이러한 네 가지 이익이 기대된다."

경우 경(A4:192)

Ṭhāna-sutta

1. "비구들이여, 네 가지 조건으로 네 가지 경우를 알아야 한다.[426] 무엇이 넷인가?

비구들이여, 계행은 함께 살아야 알 수 있다. 그것도 오랜 세월이 지난 뒤 알 수 있고, 그렇지 않고서는 알 수 없다. 그것은 그것에 주의를 기울이는 사람에 의해서 알 수 있고, 그렇지 않고서는 알 수 없다. 그것은 통찰지를 갖춘 사람에 의해 알 수 있고, 어리석은 사람에 의해서는 알 수 없다.

비구들이여, 깨끗함은 함께 대화를 나눔으로써 알 수 있다. 그것도 오랜 세월이 지난 뒤 알 수 있고, 그렇지 않고서는 알 수 없다. 그것은 그것에 주의를 기울이는 사람에 의해서 알 수 있고, 그렇지 않고서는 알 수 없다. 그것은 통찰지를 갖춘 사람에 의해 알 수 있고, 어리석은 사람에 의해서는 알 수 없다.

비구들이여, [지혜의] 힘은 역경에 처했을 때 알 수 있다. 그것도 오랜 세월이 지난 뒤 알 수 있고, 그렇지 않고서는 알 수 없다. 그것은 그것에 주의를 기울이는 사람에 의해서 알 수 있고, 그렇지 않고서는 알 수 없다. 그것은 통찰지를 갖춘 사람에 의해 알 수 있고, 어리석은 사람에 의해서는 알 수 없다.

비구들이여, 통찰지는 토론을 함으로써 알 수 있다. 그것도 오랜 세월이 지난 뒤 알 수 있고, 그렇지 않고서는 알 수 없다. 그것은 그것에 주의를 기울이는 사람에 의해서 알 수 있고, 그렇지 않고서는 알 수 없다. 그것은 통찰지를 갖춘 사람에 의해 알 수 있고, 어리석은

---

426) 『상윳따 니까야』(S3:11/i.78*f*)와 같은 내용이다.

사람에 의해서는 알 수 없다."

2. "'비구들이여, 계행은 함께 살아야 알 수 있다. 그것도 오랜 세월이 지난 뒤 알 수 있고, 그렇지 않고서는 알 수 없다. 그것은 그것에 주의를 기울이는 사람에 의해서 알 수 있고, 그렇지 않고서는 알 수 없다. 그것은 통찰지를 갖춘 사람에 의해 알 수 있고, 어리석은 사람에 의해서는 알 수 없다.'라고 했다. 이것은 무엇을 조건으로 말했는가?

비구들이여, 여기 사람이 사람과 함께 살 때 이와 같이 [서로를] 알게 된다. '이 존자는 오랫동안 계행이 훼손되고[427] 뚫어지고 오점이 있고 얼룩이 있다. 그의 계행은 시종일관되지 못하고 계행을 가지고 머물지 못한다. 이 존자는 계행을 파한 자이다. 이 존자는 계행을 갖춘 자가 아니다.'라고.

비구들이여, 그러나 여기 사람이 사람과 함께 살 때 이와 같이 [서로를] 알게 된다. '이 존자는 오랫동안 계행이 훼손되지 않고 뚫어지지 않고 오점이 없고 얼룩이 없다. 그의 계행은 시종일관되고 계행을 가지고 머문다. 이 존자는 계행을 갖춘 자이다. 이 존자는 계행을 파한 자가 아니다.'라고.

---

427) 계행의 훼손, 뚫어짐, 오점, 얼룩에 대해서 『청정도론』은 이렇게 설명한다. "일곱 가지 범계(āpatti)의 무더기들 가운데서 처음이나 끝에 학습계율을 파한 자의 계는 훼손되었다고 한다. 마치 가장자리가 끊어진 천 조각처럼. 중간에 파한 자의 계는 뚫어졌다고 한다. 마치 중간에 구멍 난 천 조각처럼. 그들을 차례대로 둘 혹은 셋을 파한 자의 계는 오점이 있다고 한다. 마치 등이나 혹은 배에 나타난 얼룩덜룩한 검고 붉은 색 등의 어떤 색깔을 가진 소처럼. 그 사이사이에 그들을 파한 자의 계는 얼룩졌다고 한다. 마치 서로 다른 색깔의 반점으로 얼룩덜룩한 소처럼."(Vis.I.143) 더 자세한 설명은 『청정도론』의 해당 부분을 참조할 것.

'비구들이여, 계행은 함께 살아야 알 수 있다. 그것도 오랜 세월이 지난 뒤 알 수 있고, 그렇지 않고서는 알 수 없다. 그것은 그것에 주의를 기울이는 사람에 의해서 알 수 있고, 그렇지 않고서는 알 수 없다. 그것은 통찰지를 갖춘 사람에 의해 알 수 있고, 어리석은 사람에 의해서는 알 수 없다.'라고 했다. 이것은 바로 이것을 조건으로 하여 한 말이다."

3. "'비구들이여, 깨끗함은 함께 대화를 나눔으로써 알 수 있다. 그것도 오랜 세월이 지난 뒤 알 수 있고, 그렇지 않고서는 알 수 없다. 그것은 그것에 주의를 기울이는 사람에 의해서 알 수 있고, 그렇지 않고서는 알 수 없다. 그것은 통찰지를 갖춘 사람에 의해 알 수 있고, 어리석은 사람에 의해서는 알 수 없다.'라고 했다. 이것은 무엇을 조건으로 말했는가?

비구들이여, 여기 사람은 사람과 함께 대화를 나눔으로써 이와 같이 알게 된다. '이 존자는 일대일로 대화를 나눌 땐 이렇게 처신하고 두 사람과 대화를 나눌 땐 저렇게 처신하고 세 사람과 대화할 땐 다르게 처신하고 많은 사람과 대화할 땐 또 다르게 처신한다. 이 존자는 앞사람과 나눈 대화는 뒷사람과 나눈 대화와 일치하지 않는다. 이 존자는 교제할 때 청정하지 못한 처신을 한다. 이 존자의 대화는 청정하지 않고 청정한 대화를 가지지 않는다.'라고.

비구들이여, 그러나 여기 사람은 사람과 함께 대화를 나눔으로써 이와 같이 알게 된다. '이 존자는 일대일로 대화를 나눌 때 처신하던 대로 두 사람과 대화를 나눌 때도 그렇게 처신하고 세 사람과 대화를 나눌 때도 그렇게 처신하고 많은 사람과 대화를 나눌 때도 그렇게 처신한다. 이 존자가 앞사람과 나눈 대화는 뒷사람과 나눈 대화와 일치한다. 이 존자는 청정한 대화를 나누며 [처신한다.] 이 존자의 대화는 청정하지 않은 것이 아니다.'라고.

'비구들이여, 깨끗함은 함께 대화를 나눔으로써 알 수 있다. 그것도 오랜 세월이 지난 뒤 알 수 있고, 그렇지 않고서는 알 수 없다. 그것은 그것에 주의를 기울이는 사람에 의해서 알 수 있고, 그렇지 않고서는 알 수 없다. 그것은 통찰지를 갖춘 사람에 의해 알 수 있고, 어리석은 사람에 의해서는 알 수 없다.'라고 했다. 그것은 바로 이것을 조건으로 하여 말했다."

4. "'비구들이여, [지혜의] 힘은 역경에 처했을 때 알 수 있다. 그것도 오랜 세월이 지난 뒤 알 수 있고, 그렇지 않고서는 알 수 없다. 그것은 그것에 주의를 기울이는 사람에 의해서 알 수 있고, 그렇지 않고서는 알 수 없다. 그것은 통찰지를 갖춘 사람에 의해 알 수 있고, 어리석은 사람에 의해서는 알 수 없다.'라고 했다. 이것은 무엇을 조건으로 말했는가?

비구들이여, 여기 어떤 사람은 친척을 잃는 불운을 겪고 재물을 잃는 불운을 겪고 건강을 잃는 불운을 겪으면서 이와 같이 숙고하지 않는다.[428] '세상 삶은 이러하고 자기 존재를 얻음은 이러하다. 이러한 세상 삶과 이러한 자기 존재를 얻음에 따라 여덟 가지 세상의 법이 세상을 돌아가게 하고 세상은 다시 여덟 가지 세상의 법을

---

428) 육차결집본에는 rogabyasanena vā phuṭṭho samāno na iti paṭisañcikkhati로 부정문으로 나타나고 PTS본에는 na가 생략된 긍정문으로 나타나고 있다. 문맥상으로 볼 때 본 문단에서는 역경에 처했을 때에 세상에서 돌고 도는 8가지 법에 대해 숙고하지 않기 때문에 괴로워하지만, 바로 아래 문단에서 그렇게 숙고하기 때문에 괴로워하지 않는다고 말씀하시는 내용이다. 그러므로 역자는 육차결집본을 따라 부정으로 옮겼다.

돌아가게 한다. 그것은 획득과 손실, 명성과 악명, 칭송과 비난, 즐거움과 괴로움이다.'라고. 그는 친척을 잃는 불운을 겪고 재물을 잃는 불운을 겪고 건강을 잃는 불운을 겪을 때 근심하고 상심하고 슬퍼하고 가슴을 치고 울부짖고 광란한다.

비구들이여, 그러나 여기 어떤 사람은 친척을 잃는 불운을 겪고 재물을 잃는 불운을 겪고 건강을 잃는 불운을 겪으면서 이렇게 숙고한다. '세상 삶은 이러하고 자기 존재를 얻음은 이러하다. 이러한 세상 삶과 이러한 자기 존재를 얻음에 따라 여덟 가지 세상의 법이 세상을 돌아가게 하고 세상은 다시 여덟 가지 세상의 법을 돌아가게 한다. 그것은 획득과 손실, 명성과 악명, 칭송과 비난, 즐거움과 괴로움이다.'라고. 그는 친척을 잃는 불운을 겪고 재물을 잃는 불운을 겪고 건강을 잃는 불운을 겪을 때 근심하지 않고 상심하지 않고 슬퍼하지 않고 가슴을 치지 않고 울부짖고 광란하지 않는다.

'비구들이여, [지혜의] 힘은 역경에 처했을 때 알 수 있다. 그것도 오랜 세월이 지난 뒤 알 수 있고, 그렇지 않고서는 알 수 없다. 그것은 그것에 주의를 기울이는 사람에 의해서 알 수 있고, 그렇지 않고서는 알 수 없다. 그것은 통찰지를 갖춘 사람에 의해 알 수 있고, 어리석은 사람에 의해서는 알 수 없다.'라고 했다. 그것은 바로 이것을 조건으로 말했다."

5. "'비구들이여, 통찰지는 토론을 함으로써 알 수 있다. 그것도 오랜 세월이 지난 뒤 알 수 있고, 그렇지 않고서는 알 수 없다. 그것은 그것에 주의를 기울이는 사람에 의해서 알 수 있고, 그렇지 않고서는 알 수 없다. 그것은 통찰지를 갖춘 사람에 의해 알 수 있고, 어리석은 사람에 의해서는 알 수 없다.'라고 했다. 이것은 무엇을 조

건으로 말했는가?

비구들이여, 여기 사람은 사람과 토론을 하면서 이와 같이 알게 된다. '이 존자가 문제제기429)하는 것과 이 존자가 마음을 기울이는 것과 이 존자가 질문하는 것에 따라 판단하면 이 존자는 나쁜 통찰지를 가졌다. 이 존자는 통찰지가 없다.'라고. 그것은 무슨 이유 때문인가? 이 존자는 심오하고 평화롭고 숭고하며 단순한 사유의 영역을 넘어서 있고 미묘하여 오로지 현자들만이 알아볼 수 있는 그러한 문장을 사용하지 못한다. 그리고 이 존자는 법을 설할 때 간략하게 혹은 상세하게 그 의미를 설명하고 가르치고 천명하고 확립하고 드러내고 분석하고 명확하게 하는 힘이 없다. 그러므로 이 존자는 나쁜 통찰지를 가졌다. 이 존자는 통찰지가 없다고 [안다].

비구들이여, 예를 들면 눈을 가진 사람이 호수의 언덕에 서서 조그만 물고기가 위로 솟아오르는 것을 보는 것과 같다. 그에게 이런 생각이 든다. '이 물고기가 위로 솟아오르는 것과 물결을 일으키는 것과 가는 속력으로 판단해보면 이 물고기는 작은 것이다. 이 물고기는 큰 것이 아니다.'라고.

비구들이여, 그와 같이 사람은 사람과 토론을 하면서 이와 같이 알게 된다. '이 존자가 문제제기하는 것과 이 존자가 마음을 기울이는 것과 이 존자가 질문하는 것에 따라 판단하면 이 존자는 나쁜 통찰지를 가졌다. 이 존자는 통찰지가 없다.'라고. 그것은 무슨 이유 때문인

---

429) '문제제기'로 옮긴 원어는 ummagga(위로 오르는 길)인데 주석서는 pañhummagga(질문을 위로 오르게 함)으로 설명하고 있다. '마음을 기울임'으로 옮긴 원어는 abhinīhāra(기움)인데 질문을 의도함(pañha-abhisaṅkharaṇa)을 통한 마음의 기움이라고 설명하고 있다. '질문하는 것'으로 옮긴 원어는 samudāhāra인데 질문을 하는 것(pañha-pucchana)이라고 설명하고 있다.(AA.iii.172)

가? 이 존자는 심오하고 평화롭고 숭고하며 단순한 사유의 영역을 넘어서 있고 미묘하여 오로지 현자들만이 알아볼 수 있는 그러한 문장을 사용하지 못한다. 그리고 이 존자는 법을 설할 때 간략하게 혹은 상세하게 그 의미를 설명하고 가르치고 천명하고 확립하고 드러내고 분석하고 명확하게 하는 힘이 없다. 그러므로 이 존자는 나쁜 통찰지를 가졌다. 이 존자는 통찰지가 없다고 [안다.]

비구들이여, 그러나 여기 사람은 사람과 토론을 하면서 이와 같이 알게 된다. '이 존자가 문제제기하는 것과 이 존자가 마음을 기울이는 것과 이 존자가 질문하는 것에 따라 판단하면 이 존자는 통찰지가 있다. 이 존자는 나쁜 통찰지를 가지지 않았다.'라고. 그것은 무슨 이유 때문인가? 이 존자는 심오하고 평화롭고 숭고하며 단순한 사유의 영역을 넘어서 있고 미묘하여 오로지 현자들만이 알아볼 수 있는 그러한 문장을 사용한다. 그리고 이 존자는 법을 설할 때 간략하게 혹은 상세하게 그 의미를 설명하고 가르치고 천명하고 확립하고 드러내고 분석하고 명확하게 하는 힘이 있다. 그러므로 이 존자는 통찰지가 있다. 이 존자는 나쁜 통찰지를 가지지 않았다고 [안다.]

비구들이여, 예를 들면 눈을 가진 사람이 호수의 언덕에 서서 큰 물고기가 위로 솟아오르는 것을 보는 것과 같다. 그에게 이런 생각이 든다. '이 물고기가 위로 솟아오르는 것과 물결을 일으키는 것과 가는 속력으로 판단해보면 이 물고기는 큰 것이다. 이 물고기는 작은 것이 아니다.'라고.

비구들이여, 그와 같이 사람은 사람과 토론을 하면서 이와 같이 알게 된다. '이 존자가 문제제기하는 것과 이 존자가 마음을 기울이는 것과 이 존자가 질문하는 것에 따라 판단하면 이 존자는 통찰지가 있다. 이 존자는 나쁜 통찰지를 가지지 않았다.'라고. 그것은 무슨 이유 때문인가? 이 존자는 심오하고 평화롭고 숭고하며 단순한 사유의 영역을 넘어서 있고 미묘하여 오로지 현자들만이 알아볼 수 있는 그러한 문장을 사용한다. 그리고 이 존자는 법을 설할 때 간략하게 혹은 상세하게 그 의미를 설명하고 가르치고 천명하고 확립하고 드러내고 분석하고 명확하게 하는 힘이 있다. 그러므로 이 존자는 통찰지가 있다. 이 존자는 나쁜 통찰지를 가지지 않았다고 [안다.]

'비구들이여, 통찰지는 토론을 함으로써 알 수 있다. 그것도 오랜 세월이 지난 뒤 알 수 있고, 그렇지 않고서는 알 수 없다. 그것은 그것에 주의를 기울이는 사람에 의해서 알 수 있고, 그렇지 않고서는 알 수 없다. 그것은 통찰지를 갖춘 사람에 의해 알 수 있고, 어리석은 사람에 의해서는 알 수 없다.'라고 했다. 그것은 바로 이것을 조건으로 말했다.

비구들이여, 이러한 네 가지 조건으로 이러한 네 가지 경우를 알아야 한다."

밧디야 경(A4:193)

Bhaddiya-sutta

1. 한때 세존께서는 웨살리[430]에서 큰 숲[431]의 중각강당[432]

---

430) 웨살리(Vesāli)는 공화국 체제를 유지했던 왓지(Vajji) 족들의 수도였다. 주석서는 "번창하게 되었기 때문에(visālabhāva-upagamanato) 웨살리라 한다."(DA.i.309)고 설명하고 있다. 웨살리와 부처님 교단은 많은 인연이 있었으며 많은 경들이 여기에서 설해졌다.
특히 웨살리는 자이나교(니간타)의 창시자인 마하위라(Mahāvīra)의 고향인데, 자이나교의 『깔빠 수뜨라』(Kalpa Sūtra, sect. 122)에 의하면

에 머무셨다. 그때 릿차위[433] 밧디야[434]가 세존께 다가갔다. 가서는

마하위라는 42하안거 가운데 12안거를 웨살리에서 보냈다고 한다. 『맛지마 니까야』 「우빨리 경」(M56)과 「아비야 왕자 경」(M58) 등을 통해서 니간타들이 그들의 신도들이 불교로 전향하는 것을 막기 위해서 안간힘을 쓰는 것을 볼 수 있다. 그래서 밧디야도 세존께 이런 질문을 하는 것이다. 그리고 본서 제1권 「니간타 경」(A3:74) 등과 같이 이곳 사람들이 니간타에 관한 질문을 세존이나 부처님 제자들에게 하는 경들이 몇 개가 있다.
그리고 웨살리에는 짜빨라(Cāpāla), 삿땀바까(Sattambaka), 바후뿟따(Bahuputta, 多子), 고따마(Gotama), 사란다다(Sārandada), 우데나(Udena)등의 많은 탑묘(cetiya)들이 있었으며 주석서에 의하면 이들은 약카(yakkha, 야차)를 섬기는 곳이었다고 한다.(DA.ii.554) 약카는 자이나 문헌에서도 숭배의 대상으로 많이 등장하며 이런 점을 봐도 웨살리는 니간타(자이나) 등을 위시한 고행자, 유행승 등의 사문 전통이 강한 곳이었던 것 같다.

431) '큰 숲[大林]'은 Mahā(큰)-vana(숲)를 직역한 것이다. 세존께서 웨살리에 머무실 때는 주로 이 큰 숲의 중각강당에 계셨다고 한다. 초기경에는 몇 군데 큰 숲이 언급되고 있다. 여기 웨살리의 마하와나(D6, M35; M36 M71; M105 등)와 까삘라왓투의 마하와나(D20; M18 등)와 우루웰라 근교의 마하와나(A.iv.437)와 네란자라(Nerañjarā) 강 언덕의 마하와나(DhA.i.86) 등이다.

432) '중각강당'은 kūṭāgārasālā를 옮긴 것인데 kūṭa(위층 누각[이 있는])-āgāra(집의)-sālā(강당)라는 뜻이다. 여기 kūṭa는 뾰족한 지붕(우리의 기와지붕이나 태국의 사원들처럼 위가 솟은 지붕)을 뜻하기도 하고 누각 등의 위층을 뜻하기도 하였다. 그래서 꾸따가라는 크고 좋은 저택을 뜻하는 의미로 쓰였다. 중국에서 중각강당(重閣講堂)이라 한역하였으며 역자도 이를 따랐다.

433) 릿차위(Licchavī)는 웨살리를 수도로 한 공화국 체제를 갖춘 왓지(Vajjī)국을 대표하는 종족의 이름이다. 그들은 끄샤뜨리야였으며 세존께서는 그들의 공화국 체제를 승가가 쇠퇴하지 않는 것과 견줄 정도로 칭송하셨다.(D16 §1.4~6)

434) 릿차위 밧디야(Bhaddiya Licchavi)는 본경에만 등장하는 인물이다. 빠알리어 bhadda(Sk. bhadra)가 행운을 뜻하는 길상한 단어이기 때문에 초기경에는 Bhadda라거나 Bhaddiya라는 사람과 지명이 적지 않게 등장

세존께 절을 올리고 한 곁에 앉았다. 한 곁에 앉아서 릿차위 밧디야는 세존께 이렇게 말씀드렸다.

"세존이시여, 저는 이렇게 들었습니다. '사문 고따마는 요술쟁이다. 그는 개종시키는 요술435)을 알아서 다른 외도436)들을 제자로 개종시킨다.'라고. 세존이시여, '사문 고따마는 요술쟁이다. 그는 개종시키는 요술을 알아서 다른 외도들을 제자로 개종시킨다.'라고 말하는 자들은 세존께서 말씀하신 대로 말한 것입니까? 세존을 거짓으로 헐뜯지 않고 세존께서 설하신 것을 반복한 것입니까? [세존께서 설하셨다고 전해진 이것을 반복하더라도] 어떤 사람도 나쁜 견해에

하고 있다. 주석서는 이 릿차위의 밧디야에 대한 자세한 설명을 하지 않고 있다.

435) '개종시키는 요술'은 āvaṭṭani māya를 옮긴 것이다.
밧디야는 탐욕, 성냄, 어리석음을 조장하는 말이라면 아무리 대단한 사람의 말이라도 따르지 말고 그 반대라면 그것을 따르고 실천하라는 세존의 말씀에 감복하여 경의 마지막 부분에 세존의 개종시키는 요술은 축복이고 그 개종시키는 요술은 훌륭하다고 외친다. 진정한 개종이 무엇인지 생각하게 해주는 부처님의 멋진 말씀을 담고 있다.

436) '외도'는 añña(다른)-titthiya(여울 혹은 성소에 있는 자)를 옮긴 것이다.
tittha는 문자적으로는 여울을 뜻하고 실제적으로는 지금 인도에 있는 가뜨(ghat, 강가의 층계)를 말한다. 인도에서 강은 성스러운 곳이다. 이곳에서 만뜨라를 읊기도 하고 기도를 올리기도 하고 물을 깃기도 하는 종교적인 성스러운 곳(聖所)이다. 그래서 외도(añña-titthiya)란 같은 성소(즉 교단)에 있지 않고 다른 성소에 있는 자라는 일차적인 의미가 있다.
주석서는 외도를 이렇게 설명한다. "외도란 사상(dassana)도 다르고 옷차림새(ākappa)도 다르고 처세(kutta)도 다르고 행실(ācāra)도 다르고 사는 방식(vihāra)도 다르고 자세[威儀, iriyāpatha]도 다른 종교인(titthiya)을 말한다."(DA.iii.833)
주석서와 복주서에는 bāhiraka(밖에 있는 사람)란 표현을 많이 사용하며 경에서도 드물게 나타나고 있다.(본서 제1권 「훈련됨 경」(A2:5:6) 참조)

빠져 비난의 조건을 만나지 않겠습니까? 저는 세존을 비방하고 싶지 않습니다."

2. "보라, 밧디야여. 그대는 소문으로 들었다 해서[437] [나의 말을 따르지 말라]. 대대로 전승되어 온다고 해서, '그렇다고 들었다.'고 해서, [우리의] 성전에 써 있다고 해서, 논리적이라고 해서, 추론에 의해서, 이유가 적절하다고 해서, 우리가 사색하여 얻은 견해와 일치한다고 해서, 유력한 사람이 한 말이라 해서, 혹은 '이 사문은 우리의 스승이시다.'라는 생각 때문에 [그대로 따르지는 말라.] 밧디야여, 그대는 참으로 스스로가 '이러한 법들은 해로운 것이고, 이러한 법들은 비난받아 마땅하고, 이런 법들은 지자들의 비난을 받을 것이고, 이러한 법들을 전적으로 받들어 행하면 손해와 괴로움이 있게 된다.'라고 알게 되면 그때 그것들을 버리도록 하라."

3. "밧디야여, 이를 어떻게 생각하는가? 사람의 내면에서 탐욕이 일어나면 그것은 그에게 이익이 되겠는가, 손해가 되겠는가?"

"손해가 됩니다, 세존이시여."

"밧디야여, 심한 탐욕을 가진 사람은 탐욕에 사로잡히고 그것에 얼이 빠져 생명을 죽이고, 주지 않는 것을 갖고, 남의 아내에게 접근하고, 거짓말을 하게 된다. 또, 다른 사람마저도 그렇게 하도록 유도한다. 그러면 이것은 오랜 세월을 그에게 손해와 괴로움이 되지 않겠는가?"

"그렇습니다, 세존이시여."

---

437) 이하 본 문단에 나타나는 용어들에 대한 설명은 본서 제1권 「깔라마 경」(A3:65) §3의 해당 주해를 참조할 것.

4. "밧디야여, 이를 어떻게 생각하는가? 사람의 마음속에 성냄이 … 어리석음이 … 폭력이 일어나면 그것이 그에게 이익이 되겠는가, 불행이 되겠는가?"

"불행이 됩니다, 세존이시여."

"밧디야여, 폭력적인 사람은 폭력적인 [생각]에 사로잡히고, 그것에 얼이 빠져 생명을 죽이고, 주지 않는 것을 갖고, 남의 아내에게 접근하고, 거짓말을 하게 된다. 또, 다른 사람마저도 그렇게 하도록 유도한다. 그러면 이것은 오랜 세월을 그에게 손해와 괴로움이 되지 않겠는가?"

"그렇습니다, 세존이시여."

5. "밧디야여, 이를 어떻게 생각하는가? 이러한 법들은 유익한 것인가, 해로운 것인가?"

"해로운 것입니다, 세존이시여."

"비난받아 마땅한 것인가, 그렇지 않을 일인가?"

"비난받아 마땅한 것입니다, 세존이시여."

"지자에 의해 비난받을 일인가, 칭찬받을 일인가?"

"비난받을 일입니다, 세존이시여."

"전적으로 받들어 행하면 손해가 있고 괴롭게 되는가, 아닌가? 그대의 생각에는 어떠한가?"

"세존이시여, 전적으로 받들어 행하면 손해가 되고 괴롭게 됩니다. 저는 이렇게 생각합니다."

6. "밧디야여, 그래서 우리는 이렇게 말했던 것이다. '그대는

소문으로 들었다 해서, 대대로 전승되어 온다고 해서, '그렇다고 들었다.'고 해서, [우리의] 성전에 써 있다고 해서, 논리적이라고 해서, 추론에 의해서, 이유가 적절하다고 해서, 우리가 사색하여 얻은 견해와 일치한다고 해서, 유력한 사람이 한 말이라 해서, 혹은 '이 사문은 우리의 스승이시다.'라는 생각 때문에 그대로 따르지는 말라. 밧디야여, 그대는 참으로 스스로가 '이러한 법들은 해로운 것이고, 이러한 법들은 비난받아 마땅하고, 이런 법들은 지자들의 비난을 받을 것이고, 이러한 법들을 전적으로 받들어 행하면 손해와 괴로움이 있게 된다.'라고 알게 되면 그때 그것들을 버리도록 하라.'라고. 이렇게 말한 것은 이것을 반연하여 말한 것이다."

7. "보라, 밧디야여. 그대는 소문으로 들었다 해서, 대대로 전승되어 온다고 해서, '그렇다고 들었다.'고 해서, [우리의] 성전에 써 있다고 해서, 논리적이라고 해서, 추론에 의해서, 이유가 적절하다고 해서, 우리가 사색하여 얻은 견해와 일치한다고 해서, 유력한 사람이 한 말이라 해서, 혹은 '이 사문은 우리의 스승이시다.'라는 생각 때문에 그대로 따르지는 말라. 밧디야여, 그대는 참으로 스스로가 '이러한 법들은 유익한 것이고, 이러한 법들은 비난받지 않을 것이며, 이런 법들은 지자들의 비난을 받지 않을 것이고, 이러한 법들을 전적으로 받들어 행하면 이익과 행복이 있게 된다.'라고 알게 되면, 그것들을 구족하여 머물러라."

8. "밧디야여, 이를 어떻게 생각하는가? 사람의 내면에서 탐욕 없음이 일어나면 그것은 그에게 이익이 되겠는가, 손해가 되겠는가?"

"이익이 됩니다, 세존이시여."

"밧디야여, 심한 탐욕을 가지지 않은 사람은 탐욕에 사로잡히지 않고 그것에 얼이 빠지지 않아서 생명을 죽이지 않고, 주지 않는 것을 갖지 않고, 남의 아내에게 접근하지 않고, 거짓말을 하지 않게 된다. 또, 다른 사람도 그렇게 하도록 인도한다. 그러면 이것은 오랜 세월을 그에게 이익과 행복이 되지 않겠는가?"

"그렇습니다, 세존이시여."

9. "밧디야여, 이를 어떻게 생각하는가? 사람의 마음속에 성냄 없음이 … 어리석음 없음이 … 폭력 없음이 일어나면 그것이 그에게 이익이 되겠는가, 불행이 되겠는가?"

"이익이 됩니다, 세존이시여."

"밧디야여, 폭력적이지 않은 사람은 폭력 없는 생각을 가져서 [폭력적인 생각]에 사로잡히지 않고 그것에 얼이 빠지지 않아서 생명을 죽이지 않고, 주지 않는 것은 갖지 않으며, 남의 아내에게 접근하지 않고, 거짓말을 하지 않는다. 또 다른 사람마저도 그렇게 하도록 인도한다. 그러면 이것은 오랜 세월을 그에게 이익과 행복이 되지 않겠는가?"

"그렇습니다, 세존이시여."

10. "밧디야여, 이를 어떻게 생각하는가? 이러한 법들은 유익한 것인가, 해로운 것인가?"

"유익한 것입니다, 세존이시여."

"비난받아 마땅한 것인가, 그렇지 않을 일인가?"

"비난받지 않을 일입니다, 세존이시여."

"지자에 의해 비난받을 일인가, 칭찬받을 일인가?"

"칭찬받을 일입니다, 세존이시여."

"전적으로 받들어 행하면 이익이 있고 행복하게 되는가, 아닌가? 그대의 생각에는 어떠한가?"

"세존이시여, 전적으로 받들어 행하면 이익이 있고 행복하게 됩니다. 저는 이렇게 생각합니다."

11. "밧디야여, 그래서 우리는 이렇게 말했던 것이다. '그대는 소문으로 들었다 해서, 대대로 전승되어 온다고 해서, '그렇다고 들었다.'고 해서, [우리의] 성전에 써 있다고 해서, 논리적이라고 해서, 추론에 의해서, 이유가 적절하다고 해서, 우리가 사색하여 얻은 견해와 일치한다고 해서, 유력한 사람이 한 말이라 해서, 혹은 '이 사문은 우리의 스승이시다.'라는 생각 때문에 그대로 따르지는 말라. 밧디야여, 그대는 참으로 스스로가 '이러한 법들은 유익한 것이고, 이러한 법들은 비난받지 않을 것이며, 이런 법들은 지자들의 비난을 받지 않을 것이고, 이러한 법들을 전적으로 받들어 행하면 이익과 행복이 있게 된다.'라고 알게 되면, 그것들을 구족하여 머물러라.'라고. 그렇게 말한 것은 이것을 반연하여 말한 것이다."438)

12. "밧디야여, 세상에 있는 참된 사람[眞人]들은 그들의 제자에게 이렇게 가르친다. '이리 오시오, 아무개 사람이여. 그대는 탐욕을 길들이고 머무시오. 그대가 탐욕을 길들이고 머물면 몸과 말과 마음으로 탐욕에서 생긴 업을 짓지 않을 것이오. 그대는 성냄을 … 어리석음을 … 폭력적인 마음을 길들이고 머무시오. 그대가 폭력적인 마

438) 이상 §§2~11까지는 본서 제1권 「깔라마 경」(A3:65)의 해당 부분과 내용이 같다.

음을 길들이고 머물면 몸과 말과 마음으로 폭력적인 마음에서 생긴 업을 짓지 않을 것이오.'라고."

13. "경이롭습니다, 세존이시여. 경이롭습니다, 세존이시여. 마치 넘어진 자를 일으켜 세우시듯, 덮여있는 것을 걷어내 보이시듯, [방향을] 잃어버린 자에게 길을 가리켜주시듯, 눈 있는 자 형상을 보라고 어둠 속에서 등불을 비춰주시듯, 세존께서는 여러 가지 방편으로 법을 설해주셨습니다. 저는 이제 세존께 귀의하옵고 법과 비구승가에 귀의합니다. 세존께서는 저를 재가신자로 받아주소서. 오늘부터 목숨이 붙어 있는 그날까지 귀의하옵니다."

"밧디야여, 그런데도 내가 그대에게 '밧디야여, 그대는 나에게 오라. 나의 제자가 되어라. 나는 그대의 스승이 될 것이다.'라고 말하였는가?"

"그렇지 않습니다, 세존이시여."

"밧디야여, 이렇게 설하고 이렇게 선언하는 나를 두고 어떤 사문·바라문들은 근거 없이 헛되이 거짓으로 사실과 다르게 비난한다. '사문 고따마는 요술쟁이다. 그는 개종시키는 요술을 알아서 다른 외도들을 제자로 개종시킨다.'라고."

"세존이시여, 세존의 개종시키는 요술은 축복입니다. 세존이시여, 그 개종시키는 요술은 훌륭합니다. 세존이시여, 나의 사랑하는 혈육과 친척들이 이러한 개종으로 개종한다면 나의 사랑하는 혈육과 친척들에게 오랜 세월을 이익과 행복이 있을 것입니다.

세존이시여, 만일 모든 끄샤뜨리야들이 이런 개종으로 개종한다면 모든 끄샤뜨리야들에게 오랜 세월을 이익과 행복이 있을 것입니다. 세존이시여, 만일 모든 바라문들이 … 와이샤들이 … 수드라들이 이러한 개종으로 개종한다면 모든 수드라들에게 오랜 세월을 이익과 행복이 있을 것입니다.

세존이시여, 만일 신을 포함하고 마라를 포함하고 범천을 포함하고 사문·바라문들을 포함하고 신과 인간을 포함한 사람들이 이러한 개종으로 개종한다면 신을 포함하고 마라를 포함하고 범천을 포함하고 사문·바라문들을 포함하고 신과 인간을 포함한 사람들에게 이익과 행복이 있을 것입니다."

"참으로 그러하다, 밧디야여. 참으로 그러하다, 밧디야여. 밧디야여, 만일 모든 끄샤뜨리야들이 해로운 법들을 버리고 유익한 법들을 두루 갖추기 위해서 개종을 한다면 모든 끄샤뜨리야들에게 오랜 세월을 이익과 행복이 있을 것이다. 밧디야여, 만일 모든 바라문들이 … 와이샤들이 … 수드라들이 해로운 법들을 버리고 유익한 법들을 두루 갖추기 위해서 개종을 한다면 모든 수드라들에게 오랜 세월을 이익과 행복이 있을 것이다.

밧디야여, 만일 신을 포함하고 마라를 포함하고 범천을 포함하고 사문·바라문들을 포함하고 신과 인간을 포함한 사람들이 해로운 법들을 버리고 유익한 법들을 두루 갖추기 위해서 개종을 한다면 신을 포함하고 마라를 포함하고 범천을 포함하고 사문·바라문들을 포함하고 신과 인간을 포함한 사람들에게 이익과 행복이 있을 것이다.

밧디야여, 만일 이 큰 살라 나무들[439]조차도 해로운 법들을 버리고 유익한 법들을 두루 갖추기 위해서 개종을 한다면 이 큰 살라 나무들에게 오랜 세월을 이익과 행복이 있을 것이다. 물론 그들이 인간

439) "바로 앞에 살라 나무들이 서 있었는데 그것을 가리키면서 하신 말씀이다."(AA.iii.173)

처럼 생각할 수 있다면 말이다."[440]

사뿌기야 경(A4:194)[441]

Sāpūgiya-sutta

1. 한때 아난다 존자는 꼴리야[442]에서 사뿌가[443]라는 꼴리야들의 성읍에 머물렀다. 그때 많은 꼴리야의 후예인 사뿌기야들이 아난다 존자에게 다가갔다. 가서는 아난다 존자에게 절을 올리고 한 곁에 앉았다. 한 곁에 앉은 꼴리야의 후예 사뿌기야들에게 아난다 존자는 이렇게 말하였다.

"호랑이가 다니던 길에 사는 자들이여,[444] 아시는 분 보시는 분

---

440) 부처님 말씀을 듣고 밧디야는 예류과를 얻었다고 주석서는 밝히고 있다.(*Ibid*)

441) 육차결집본에는 사무기야(Sāmugiya)로 나타남.

442) 꼴리야(Koliya)에 대해서는 본서 「숩빠와사 경」(A4:57) §1의 주해를 참조할 것.

443) 사뿌가(Sāpūga)와 사뿌기야(Sāpūgiyā, 사뿌가족)는 본경에만 나타나고 주석서는 별다른 설명이 없다.

444) '호랑이가 다니던 길에 사는 자들'은 Vyagghapajjā(웨약가빳자)를 풀어서 옮긴 말이다. 여기서 vyaggha는 호랑이를 뜻하고 pajja는 pada(길)에서 파생된 단어이다.
이 웨약가빳자(Vyagghapajjā)는 꼴리야의 수도인 꼴라나가라(Kolanagara)의 다른 이름이면서 동시에 웨약가빳자 즉 꼴라나가라에 사는 사람들을 뜻하기도 한다. 그리고 이것은 꼴리야(Koliya) 족들을 부르는 이름이기도 하다. 꼴리야는 사꺄(석가족)와는 형제국이나 다름이 없었기 때문에 석가족 출신인 아난다 존자가 이런 친근한 호칭을 사용하는 것이라 여겨진다. 주석서는 이렇게 설명하고 있다.
"꼴라나가라(꼴리야의 수도)에는 꼴라 나무들을 가져와서 심었기 때문에 꼴라나가라라 하기도 하고, 호랑이가 다니는 길에다 이 도시를 만들었기

그분 세존・아라한・정등각께서는 네 가지 청정을 위한 노력의 구성요소들을 바르게 설하셨나니, 그것은 중생들을 청정하게 하고, 근심과 탄식을 다 건너게 하며, 육체적 고통과 정신적 고통을 사라지게 하고, 옳은 방법을 터득하게 하고, 열반을 실현하게 하기 위한 것입니다. 무엇이 넷인가요?

계의 청정을 위한 노력의 구성요소, 마음의 청정을 위한 노력의 구성요소, 견해의 청정을 위한 노력의 구성요소, 해탈의 청정을 위한 노력의 구성요소입니다."

2. "호랑이가 다니던 길에 사는 자들이여, 그러면 무엇이 계의 청정을 위한 노력의 구성요소인가요?

호랑이가 다니던 길에 사는 자들이여, 여기 비구는 계를 잘 지킵니다. 그는 빠띠목카의 단속으로 단속하면서 머뭅니다. 바른 행실과 행동의 영역을 갖추고, 작은 허물에 대해서도 두려움을 보며, 학습계목들을 받아지녀 공부짓습니다. 호랑이가 다니던 길에 사는 자들이여, 이를 일러 계의 청정이라 합니다.

'이러한 계의 청정을 아직 완성하지 못했으면 완성시킬 것이고 이미 완성했으면 바로 그곳에서 [위빳사나의] 통찰지로 잘 지킬 것이다.'라고 의욕과 노력과 관심과 분발과 불퇴전과 마음챙김과 알아차림을 확립합니다. 호랑이가 다니던 길에 사는 자들이여, 이를 일러 계의 청정을 위한 노력의 구성요소라 합니다."

때문에 웨약가빳자(호랑이 길이 있는 곳)라고 하기도 한다. 이러한 두 가지 이름이 있다. 이들의 선조들이 그곳에 살았기 때문에 호랑이 길이 있는 곳에 사는 사람들(Vyagghapajjavāsino) 혹은 웨약가빳자(Vyagghapajjā, 호랑이 길에 사는 자들)라고 부른다."(AA.iii.173)

3. "호랑이가 다니던 길에 사는 자들이여, 그러면 무엇이 마음의 청정을 위한 노력의 구성요소인가요?

호랑이가 다니던 길에 사는 자들이여, 여기 비구는 감각적 욕망들을 완전히 떨쳐버리고 해로운 법[不善法]들을 떨쳐버린 뒤, 일으킨 생각[尋]과 지속적인 고찰[伺]이 있고, 떨쳐버렸음에서 생겼고, 희열[喜]과 행복[樂]이 있는 초선(初禪)을 구족하여 머뭅니다. … 제2선(二禪)을 … 제3선(三禪)을 … 제4선(四禪)을 구족하여 머뭅니다. 호랑이가 다니던 길에 사는 자들이여, 이를 일러 마음의 청정이라 합니다.

'이러한 마음의 청정을 아직 완성하지 못했으면 완성시킬 것이고 이미 완성했으면 바로 그곳에서 [위빳사나의] 통찰지로 잘 지킬 것이다.'라고 의욕과 노력과 관심과 분발과 불퇴전과 마음챙김과 알아차림을 확립합니다. 호랑이가 다니던 길에 사는 자들이여, 이를 일러 마음의 청정을 위한 노력의 구성요소라 합니다."

4. "호랑이가 다니던 길에 사는 자들이여, 그러면 무엇이 견해의 청정을 위한 노력의 구성요소인가요?

호랑이가 다니던 길에 사는 자들이여, 여기 비구는 '이것이 괴로움이다.'라고 있는 그대로 꿰뚫어 압니다. '이것이 괴로움의 일어남이다.'라고 있는 그대로 꿰뚫어 압니다. '이것이 괴로움의 소멸이다.'라고 있는 그대로 꿰뚫어 압니다. '이것이 괴로움의 소멸로 인도하는 도닦음이다.'라고 있는 그대로 꿰뚫어 압니다. 호랑이가 다니던 길에 사는 자들이여, 이를 일러 견해의 청정이라 합니다.

'이러한 견해의 청정을 아직 완성하지 못했으면 완성시킬 것이고 이미 완성했으면 바로 그곳에서 [위빳사나의] 통찰지로 잘 지킬 것이다.'라고 의욕과 노력과 관심과 분발과 불퇴전과 마음챙김과 알아차림을 확립합니다. 호랑이가 다니던 길에 사는 자들이여, 이를 일러 견해의 청정을 위한 노력의 구성요소라 합니다."

5. "호랑이가 다니던 길에 사는 자들이여, 그러면 무엇이 해탈의 청정을 위한 노력의 구성요소인가요?

호랑이가 다니던 길에 사는 자들이여, 성스러운 제자는 이러한 계의 청정을 위한 노력의 구성요소를 구족하고 이러한 마음의 청정을 위한 노력의 구성요소를 구족하고 이러한 견해의 청정을 위한 노력의 구성요소를 구족하여 매혹적인 대상들[445]에 대해서 마음이 물들지 않게 하고 해탈해야 하는 대상들로부터 마음을 해탈하게 합니다. 매혹적인 것들에 대해서 마음이 물들지 않게 하고 해탈해야 하는 대상들로부터 마음을 해탈하게 하여 바른 해탈을 체득합니다. 호랑이가 다니던 길에 사는 자들이여, 이를 일러 해탈의 청정이라 합니다.

'이러한 해탈의 청정을 아직 완성하지 못했으면 완성시킬 것이고 이미 완성했으면 바로 그곳에서 [위빳사나의] 통찰지로 잘 지킬 것이다.'라고 의욕과 노력과 관심과 분발과 불퇴전과 마음챙김과 알아차림을 확립합니다. 호랑이가 다니던 길에 사는 자들이여, 이를 일러 해탈의 청정을 위한 노력의 구성요소라 합니다.

호랑이가 다니던 길에 사는 자들이여, 아시는 분 보시는 분 그분 세존·아라한·정등각께서는 이러한 네 가지 청정을 위한 노력의 구성요소들을 바르게 설하셨나니, 그것은 중생들을 청정하게 하고,

---

445) '매혹적인 대상들'은 rajanīyā dhammā를 옮긴 것으로 '욕망에 물들기 마련인 것들'로 직역할 수 있다. 주석서에서 "욕망의 조건이 되는 원하는 대상들(iṭṭhārammaṇā)"(AA.iii.174)이라고 설명하고 있어서 이렇게 옮겼다.

근심과 탄식을 다 건너게 하며, 육체적 고통과 정신적 고통을 사라지게 하고, 옳은 방법을 터득하게 하고, 열반을 실현하게 하기 위한 것입니다."

왑빠 경(A4:195)

Vappa-sutta

1. 한때 세존께서는 삭까에서 까삘라왓투에 있는 니그로다 원림에 머무셨다. 그때 니간타의 제자인 삭까족 왑빠446)가 목갈라나 존자에게 다가갔다. 가서는 목갈라나 존자에게 절을 올리고 한 곁에 앉았다. 한 곁에 앉은 니간타의 제자인 삭까족 왑빠에게 목갈라나 존자는 이렇게 말했다.

"왑빠여, 여기 어떤 이는 무명이 빛바래어 소멸되었고 [도의] 영지가 일어났기 때문에 몸의 [문이] 단속되고 말의 [문이] 단속되고 마음의 [문이] 단속되었습니다. 왑빠여, 그 사람에게 어떤 원인 때문에 미래(내생)에 괴로운 느낌을 가져올 번뇌들이 흐를 그런 가능성이 있다고 봅니까?"

"존자시여, 여기 이전에 지은 악한 업의 과보가 아직 익지 않았을 경우에 이것을 원인으로 해서 그 사람에게 내생에 괴로운 느낌을 가져올 번뇌들이 흐릅니다. 저는 그런 가능성이 있다고 봅니다."

그러나 마하목갈라나 존자와 니간타의 제자인 삭까족 왑빠 간의 이런 이야기는 중단이 되었다.

---

446) 주석서에 의하면 왑빠(Vappa)는 부처님의 작은 아버지(cūla-pitā, 삼촌)였으며 사꺄 족의 왕이었다고 한다.(AA.iii.174) 그는 본경을 통해서 세존의 가르침이 니간타의 가르침보다 수승함을 알고 부처님의 재가신자가 된다.

2. 그때 세존께서는 해거름에 [낮 동안의] 홀로 앉으심을 풀고 자리에서 일어나 집회소로 가셨다. 가셔서는 마련해드린 자리에 앉으셨다. 자리에 앉으신 후 세존께서는 마하목갈라나 존자에게 이렇게 말씀하셨다.

"목갈라나여, 그대들은 무슨 이야기를 하기 위해 지금 여기에 모였는가? 그리고 그대들이 하다만 이야기는 무엇인가?"

"세존이시여, 저는 여기서 니간타의 제자인 삭까족 왑빠에게 이렇게 말했습니다. '왑빠여, 여기 어떤 이는 무명이 빛바래어 소멸되었고 영지가 일어났기 때문에 몸의 [문이] 단속되고 말의 [문이] 단속되고 마음의 [문이] 단속되었습니다. 왑빠여, 그 사람에게 미래(내생)에 괴로운 느낌을 가져올 번뇌들이 흐를 그런 가능성이 있다고 봅니까?'라고.

이렇게 말하자 니간타의 제자인 삭까족 왑빠는 제게 이렇게 말했습니다. '존자시여, 여기 이전에 지은 악한 업의 과보가 아직 익지 않았을 경우에 이것을 원인으로 해서 그 사람에게 내생에 괴로운 느낌을 가져올 번뇌들이 흐릅니다. 저는 그런 가능성이 있다고 봅니다.'라고.

세존이시여, 저와 니간타의 제자인 삭까족 왑빠 간의 이러한 이야기는 중단이 되었고 그때 세존께서 오셨습니다."

3. 그러자 세존께서는 니간타의 제자인 삭까족 왑빠에게 이렇게 말씀하셨다.

"왑빠여, 만일 그대가 인정할 만하다고 생각하는 것은 인정하고 거절할 만하다고 생각하는 것은 거절하라. 그리고 내가 말한 것에 대해서 그 뜻을 모르겠으면 나에게 되물어보라. '세존이시여, 이것은 어떻게 됩니까? 이것의 뜻은 무엇입니까?'라고. 그러면 여기서 우리는 대화를 할 수 있을 것이다."

"세존이시여, 만일 제가 세존에 대해서 인정할 만하다고 생각하는 것은 인정하고 거절할 만하다고 생각하는 것은 거절하겠습니다. 그리고 세존께서 말씀하신 것에 대해서 그 뜻을 모르겠으면 세존께 되물어보겠습니다. '세존이시여, 이것은 어떻게 됩니까? 이것의 뜻은 무엇입니까?'라고. 그러니 여기서 우리는 대화를 하면 좋겠습니다."

4. "이를 어떻게 생각하는가, 왑빠여. 몸의 폭력을 조건으로 하여 속상함과 열병을 초래하는 번뇌들이 일어난다. 그러나 몸의 폭력을 멀리 여읜 자에게는 그러한 속상함과 열병을 초래하는 번뇌들은 일어나지 않는다. 그는 새로운 업을 짓지 않고 오래된 업은 그것을 겪는 족족 끝낸다. 이러한 [오염원을] 부숨[447)]은 스스로 보아 알 수 있고, 시간이 걸리지 않고, 와서 보라는 것이고, 향상으로 인도하고, 지자들이 각자 알아야 하는 것이다.

왑빠여, 그 사람에게 미래(내생)에 괴로운 느낌을 가져올 번뇌들이 흐를 그런 가능성이 있다고 보는가?"

"그런 것을 보지 못합니다, 세존이시여."

5. "이를 어떻게 생각하는가, 왑빠여. 말의 폭력을 조건으로 하여 속상함과 열병을 초래하는 번뇌들이 일어난다. 그러나 말의 폭력을 멀리 여읜 자에게는 그러한 속상함과 열병을 초래하는 번뇌들은

447) '[오염원을] 부숨'은 nijjarā를 옮긴 것이다. 주석서는 "오염원을 부수는 도닦음(kilesa-jīraṇaka-paṭipadā)"(AA.iii.175)이라고 설명하고 있어서 이렇게 옮겼다.

일어나지 않는다. 그는 새로운 업을 짓지 않고 오래된 업은 그것을 겪는 족족 끝낸다. 이러한 [오염원을] 부숨은 스스로 보아 알 수 있고, 시간이 걸리지 않고, 와서 보라는 것이고, 향상으로 인도하고, 지자들이 각자 알아야 하는 것이다.

왑빠여, 그 사람에게 미래(내생)에 괴로운 느낌을 가져올 번뇌들이 흐를 그런 가능성이 있다고 보는가?"

"그런 것을 보지 못합니다, 세존이시여."

6. "이를 어떻게 생각하는가, 왑빠여. 마음의 폭력을 조건으로 하여 속상함과 열병을 초래하는 번뇌들이 일어난다. 그러나 마음의 폭력을 멀리 여읜 자에게는 그러한 속상함과 열병을 초래하는 번뇌들은 일어나지 않는다. 그는 새로운 업을 짓지 않고 오래된 업은 그것을 겪는 족족 끝낸다. 이러한 [오염원의] 부숨은 스스로 보아 알 수 있고, 시간이 걸리지 않고, 와서 보라는 것이고, 향상으로 인도하고, 지자들이 각자 알아야 하는 것이다.

왑빠여, 그 사람에게 미래(내생)에 괴로운 느낌을 가져올 번뇌들이 흐를 그런 가능성이 있다고 보는가?"

"그런 것을 보지 못합니다, 세존이시여."

7. "이를 어떻게 생각하는가, 왑빠여. 무명을 조건으로 하여 속상함과 열병을 초래하는 번뇌들이 일어난다. 그러나 무명을 빛바래어 소멸하고 [도의] 영지가 일어난 자에게는 그러한 속상함과 열병을 초래하는 번뇌들은 일어나지 않는다. 그는 새로운 업을 짓지 않고 오래된 업은 그것을 겪는 족족 끝낸다. 이러한 [오염원으로부터] 풀려남은 스스로 보아 알 수 있고, 시간이 걸리지 않고, 와서 보라는 것

이고, 향상으로 인도하고, 지자들이 각자 알아야 하는 것이다.

왑빠여, 그 사람에게 미래(내생)에 괴로운 느낌을 가져올 번뇌들이 흐를 그런 가능성이 있다고 보는가?"

"그런 것을 보지 못합니다, 세존이시여."

8. "왑빠여, 이와 같이 바르게 마음이 해탈한 비구는 여섯 가지 영원히 머묾을 얻는다. 그는 눈으로 형상을 볼 때 마음이 즐겁거나 괴롭지 않고 평온하고 마음챙기고 알아차리면서 머문다. 귀로 소리를 들을 때 … 코로 냄새를 맡을 때 … 혀로 맛을 볼 때 … 몸으로 감촉을 닿을 때 … 마노로 법을 알 때 마음이 즐겁거나 괴롭지 않고 평온하고 마음챙기고 알아차리면서 머문다.448)

그는 몸이 무너지는 느낌을 느낄 때 '나는 지금 몸이 무너지는 느낌을 느낀다.'라고 꿰뚫어 안다. 목숨이 끊어지는 느낌을 느낄 때 '나는 지금 목숨이 끊어지는 느낌을 느낀다.'라고 꿰뚫어 안다. 그리고 그는 '지금 곧 이 몸 무너져 목숨이 다하면, 즐길 것이라고는 하나도 없는 이 모든 느낌들도 싸늘하게 식고 말 것이다.'라고 꿰뚫어 안다."

9. "왑빠여, 예를 들면 나무둥지를 조건으로 하여 생긴 그늘과 같다. 어떤 사람이 괭이와 바구니를 가지고 와서 나무의 뿌리를 자를 것이다. 뿌리를 자른 뒤에는 [뿌리 주위에] 땅을 팔 것이고 땅을 판

---

448) 이 부분은 『디가 니까야』 제3권 「합송경」(D33) §2.2(20)에도 꼭 같이 나타난다. 『디가 니까야 주석서』는 "번뇌 멸한(khīṇāsava) [아라한]이 항상(njcca) 머무는 것이다."(DA.iii.1037)라고 설명하고 있으며 본경에 해당하는 주석서도 번뇌 멸한 자의 머묾이라고 적고 있다.(AA.iii.175) 아라한은 여섯 감각기관을 통해서 여섯 대상과 접촉할 때 항상 평온과 마음챙김과 알아차림을 유지한다는 뜻이다.

뒤에는 뿌리와 그 안에 있는 잔뿌리까지 모두 뽑아낼 것이다. 그런 후에 다시 그는 그 나무둥지를 토막토막 자를 것이고 토막토막 자른 뒤에는 쪼개고 또 쪼개어 다시 산산조각을 내어 바람이나 햇빛에 말릴 것이다. 바람이나 햇빛에 말린 뒤에는 불에 태우고 불에 태운 뒤에는 재로 만들고 재로 만든 뒤에는 강한 바람에 날려 보내거나 물살이 센 강에 흩어버릴 것이다. 왑빠여, 이와 같이 하면 나무둥지를 조건으로 하여 생긴 그늘은 그 뿌리를 잃어버리게 되고 줄기만 남은 야자수처럼 되고 멸절되고 미래에 다시는 일어나지 않게끔 되어버릴 것이다.

왑빠여, 그와 같이 바르게 마음이 해탈한 비구는 여섯 가지 영원히 머묾을 얻는다. 그는 눈으로 형상을 볼 때 마음이 즐겁거나 괴롭지 않고 평온하고 마음챙기고 알아차리면서 머문다. 귀로 소리를 들을 때 … 코로 냄새를 맡을 때 … 혀로 맛을 볼 때 … 몸으로 감촉을 닿을 때 … 마노로 법을 알 때 마음이 즐겁거나 괴롭지 않고 평온하고 마음챙기고 알아차리면서 머문다.

그는 몸이 무너지는 느낌을 느낄 때 '나는 지금 몸이 무너지는 느낌을 느낀다.'라고 꿰뚫어 안다. 목숨이 끊어지는 느낌을 느낄 때 '나는 지금 목숨이 끊어지는 느낌을 느낀다.'라고 꿰뚫어 안다. 그리고 그는 '지금 곧 이 몸 무너져 목숨이 다하면, 즐길 것이라고는 하나도 없는 이 모든 느낌들도 싸늘하게 식고 말 것이다.'라고 꿰뚫어 안다."

10. 이렇게 말씀하시자 니간타의 제자인 삭까족 왑빠는 세존께 이렇게 말씀드렸다.

"세존이시여, 예를 들면 [말을 팔아서] 수익을 올리고자 하는 사람이 말을 잘 먹여 키우지만[449] [말이 병에 걸리거나 일찍 죽어버려]

수익을 올리기는커녕 그 사람은 지치고 고생만 하는 것과 같습니다. 세존이시여, 그와 같이 저는 번창하고자 하여[450] 어리석은 니간타들을 [네 가지 필수품을 공양올리면서] 섬겼습니다. 그러나 저는 번창하지 못하였을 뿐만 아니라 더욱이 지치고 고생만 하였습니다. 이러한 저는 어리석은 니간타들에게 가졌던 확신을 오늘부터 모두 강한 바람에 날려 보내고 강물의 거센 흐름에 씻어버리겠습니다.

경이롭습니다, 세존이시여. 경이롭습니다, 세존이시여. 마치 넘어진 자를 일으켜 세우시듯, 덮여있는 것을 걷어내 보이시듯, [방향을] 잃어버린 자에게 길을 가리켜주시듯, 눈 있는 자 형상을 보라고 어둠 속에서 등불을 비춰주시듯, 세존께서는 여러 가지 방편으로 법을 설해주셨습니다. 저는 이제 세존께 귀의하옵고 법과 비구승가에 귀의합니다. 세존께서는 저를 재가신자로 받아주소서. 오늘부터 목숨이 붙어 있는 그날까지 귀의하옵니다."

---

449) PTS본에는 assa paṇiyaṁ이 각각의 단어로 되어있지만 육차결집본에는 assapaṇiyaṁ이라는 합성어로 나타난다. 그러나 바로 다음에 나오는 동사인 poseyya(기르다, 양육하다)와 연결할 때 육차결집본이 더 적절하고, 또 주석서에서도 말을 사서 키워서 나중에 팔아서 수익을 올리리라는 생각이지만 어느 날 그 말이 병이 들거나 혹은 죽어서 수익을 올리지도 못하고 오히려 고생만 하는 비유로 설명하고 있어서(AA.iii.180) 역자도 이렇게 옮겼다.

450) 본문에서 수익과 번창은 둘 다 udaya의 역어이고 수익을 올리고자 하는 자와 번창하고자 하는 자는 둘 다 udayatthika의 역어이다. 문맥에 따라서 달리 옮겼다.

살하 경(A4:196)

Sāḷha-sutta

1. 한때 세존께서는 웨살리에서 큰 숲의 중각강당에 머무셨다. 그때 릿차위족 살하와 릿차위족 아바야[451]가 세존께 다가갔다. 가서는 세존께 절을 올리고 한 곁에 앉았다. 한 곁에 앉은 릿차위족 살하는 세존께 이렇게 말씀드렸다.

"세존이시여, 어떤 사문・바라문들은 두 가지로 격류를 건너는 것을 천명합니다. 그것은 계의 청정을 원인으로 하고 고행을 통한 금욕을 원인으로 합니다. 세존이시여, 여기에 대해서 세존께서는 어떻게 말씀하십니까?"

2. "살하여, 계의 청정은 다른 [외도들]과 공통되는 요소라고 나는 말한다. 살하여, 그러나 고행을 통한 금욕을 [격류를 건너는] 원인이라고 주장하고 고행을 통한 금욕을 핵심으로 삼고 고행을 통한 금욕을 의지하여 살아가는 사문・바라문들은 격류[452]를 건널 수가

---

451) 릿차위족 살하(Sāḷha Licchavi)와 릿차위족 아바야(Abhaya Licchavi)에 대해서는 주석서와 복주서에 아무런 언급이 없다. 릿차위 족 살하는 미가라의 손자 살하(A3:66)와 다른 사람이다. 아바야는 본서 제1권 「니간타 경」(A3:74)에서 아난다 존자에게 질문을 하는 아바야와 동일인일 것이다. 『맛지마 니까야』 「아바야 왕자 경」(M58) 등에 나타나는 라자가하의 빔비사라 왕의 아들이었던 아바야 왕자와 구분하기 위해서 릿차위족 아바야라고 부른다.

경들에는 사람은 다르지만 이름이 같은 경우를 구분하기 위해서 누구의 아들, 어디 사람, 큰, 작은 등의 수식어를 붙여서 서로를 구분하고 있다. 예를 들면 여러 깟사빠들을 구분하기 위해서 마하깟사빠(큰 깟사빠), 우루웰라 깟사빠(우루웰라 출신의 깟사빠), 아쩰라 깟사빠(나체수행자 출신 깟사빠) 등으로 구분해서 부르고, 여기서처럼 릿차위족 살하, 미가라의 손자 살하 등으로 부르고 있다.

없다. 살하여, 그리고 몸으로 짓는 행위가 청정하지 못하고 말로 짓는 행위가 청정하지 못하고 마음으로 짓는 행위가 청정하지 못하고 생계수단이 청정하지 못한 사문・바라문들도 지와 견을 얻을 수가 없고 위없는 깨달음을 얻을 수가 없다."

3. "살하여, 예를 들면 강을 건너고자 하는 사람은 날카로운 도끼를 들고 숲에 들어갈 것이다. 그는 그곳에서 야자나무가 크고 곧고 싱싱하며 유용한 것[453]을 볼 것이다. 그는 그것의 뿌리를 자를 것이다. 뿌리를 자르고 꼭대기를 자를 것이다. 꼭대기를 자르고 잔가지와 잎사귀를 깨끗하게 제거할 것이다. 잔가지와 잎사귀를 깨끗하게 제거한 뒤에 도끼로 껍질을 벗길 것이다. 도끼로 껍질을 벗긴 뒤 까뀌로 껍질을 벗길 것이다. 까뀌로 껍질을 벗긴 뒤 문지르는 것으로 문지를 것이다. 문지르는 것으로 문지른 뒤 속돌로 씻어낼 것이다. 속돌로 씻어낸 뒤 강으로 가져갈 것이다. 이를 어떻게 생각하는가, 살하여. 그 사람은 [이런 야자나무로] 강을 건널 수 있겠는가?"

"건널 수 없습니다, 세존이시여."

---

452) '격류(혹은 폭류)'로 옮긴 ogha는 『상윳따 니까야』(S38:11) 등에서 네 가지로 설명한다. 주석서는 이렇게 설명하고 있다.
"윤회(vaṭṭa)에서 중생들을 삼켜버린다, 가라앉게 한다고 해서 격류라 한다. [네 가지 격류가 있다.] 다섯 가닥의 감각적 욕망으로 구성된 욕망이 감각적 욕망의 격류(kām-ogha)이다. 색계와 무색계에 대한 욕탐이 존재의 격류(bhavogha)이다. 禪을 갈망(jhāna-nikanti)하는 상견과 함께하는 욕망과 62가지 견해가 견해의 격류(diṭṭhogha)이다. [그리고 네 번째로 무명의 격류(avijjā-ogha)가 있다.]"(DA.iii.1023)

453) '유용한 것'으로 옮긴 원어는 akukkuccaka-jāta인데 주석서는 "[이 야자나무를 강을 건너는 도구로] 사용할 수 있을까, 사용할 수 없을까 하는 걱정이 전혀 없는(bhaveyya nu kho, na bhaveyyā ti ajanetabba-kukkucca)"(AA.iii.181)으로 설명하고 있어서 역자도 이와 같이 옮겼다.

4. "그것은 무슨 이유 때문인가요? 세존이시여, 참으로 이 야자나무 줄기는 외부는 아주 잘 다듬어졌지만 내부는 깨끗하게 [다듬어지지] 않았기 때문입니다. '야자나무 줄기는 가라앉을 것이고 그 사람은 재앙을 자초할 것이다.'라고 기대됩니다."

"살하여, 그와 같이 고행을 통한 금욕을 [격류를 건너는] 원인이라고 주장하고 고행을 통한 금욕을 핵심으로 삼고 고행을 통한 금욕을 의지하여 살아가는 사문・바라문들은 격류를 건널 수가 없다. 살하여, 그리고 몸으로 짓는 행위가 청정하지 못하고 말로 짓는 행위가 청정하지 못하고 마음으로 짓는 행위가 청정하지 못하고 생계수단이 청정하지 못한 사문・바라문들도 지와 견을 얻지 못하고 위없는 깨달음을 얻을 수가 없다.

살하여, 그러나 고행을 통한 금욕을 [격류를 건너는] 원인이라고 주장하지 않고 고행을 통한 금욕을 핵심으로 삼지 않고 고행을 통한 금욕을 의지하여 살아가지 않는 사문・바라문들은 격류를 건널 수 있다. 살하여, 그리고 몸으로 짓는 행위가 청정하고 말로 짓는 행위가 청정하고 마음으로 짓는 행위가 청정하고 생계수단이 청정한 사문・바라문들도 지와 견을 얻을 수 있고 위없는 깨달음을 얻을 수 있다."

5. "살하여, 예를 들면 강을 건너고자 하는 사람은 날카로운 도끼를 들고 숲에 들어갈 것이다. 그는 그곳에서 야자나무가 크고 곧고 싱싱하며 유용한 것을 볼 것이다. 그는 그것의 뿌리를 자를 것이다. 뿌리를 자르고 꼭대기를 자를 것이다. 꼭대기를 자르고 잔가지와 잎사귀를 깨끗하게 제거할 것이다. 잔가지와 잎사귀를 깨끗하게 제

거한 뒤에 도끼로 껍질을 벗길 것이다. 도끼로 껍질을 벗긴 뒤 까뀌로 껍질을 벗길 것이다. 까뀌로 껍질을 벗긴 뒤 끌을 가지고 안을 아주 깨끗하게 파낼 것이다. 안을 아주 깨끗하게 파낸 뒤 문지르는 것으로 문지를 것이다. 문지르는 것으로 문지른 뒤 속돌로 씻어낼 것이다. 속돌로 씻어낸 뒤 배를 만들고 노와 키를 묶을 것이다. 배를 만들고 노와 키를 묶은 뒤 강으로 가져갈 것이다. 이를 어떻게 생각하는가, 살하여. 그 사람은 [이런 배로] 강을 건널 수 있겠는가?"

"건널 수 있습니다, 세존이시여."

6. "그것은 무슨 이유 때문인가요? 세존이시여, 참으로 이 야자나무 줄기는 외부도 아주 잘 다듬어졌고 내부도 깨끗하게 [다듬어]졌으며 더군다나 배를 만들었기 때문입니다. 그래서 '배는 가라앉지 않을 것이고 그 사람은 안전하게 저 언덕에 도달할 것이다.'라고 기대됩니다."

"살하여, 그와 같이 고행을 통한 금욕을 원인이라고 주장하지 않고 고행을 통한 금욕을 핵심으로 삼지 않고 고행을 통한 금욕을 의지하여 살아가지 않는 사문·바라문들은 격류를 건널 수가 있다. 살하여, 그리고 몸으로 짓는 행위가 청정하고 말로 짓는 행위가 청정하고 마음으로 짓는 행위가 청정하고 생계수단이 청정한 사문·바라문들도 지와 견을 얻을 수 있고 위없는 깨달음을 얻을 수가 있다."

7. "살하여, 예를 들면 여러 종류의 화살을 아는 무사와 같다. 그는 세 가지 경우를 통해서 왕에게 어울리고 왕을 섬길 수 있으며 왕의 수족이라는 이름을 얻게 된다. 무엇이 셋인가?

멀리 쏘고, 전광석화와 같이 꿰뚫고, 큰 몸을 쳐부수는 것이다."

8. "살하여, 마치 무사가 멀리 쏘는 것처럼 성스러운 제자는 바른 삼매를 가진다. 살하여, 바른 삼매를 가진 성스러운 제자는 그것이 어떠한 물질이건, 그것이 과거의 것이건 미래의 것이건 현재의 것이건 안의 것이건 밖의 것이건 거칠건 미세하건 저열하건 수승하건 멀리 있건 가까이 있건 '이것은 내 것이 아니요, 이것은 내가 아니며, 이것은 나의 자아가 아니다.'라고 있는 그대로 바른 통찰지로 본다.

그것이 어떠한 느낌이건 … 그것이 어떠한 인식이건 … 그것이 어떠한 심리현상들이건 … 그것이 어떠한 알음알이건, 그것이 과거의 것이건 미래의 것이건 현재의 것이건 안의 것이건 밖의 것이건 거칠건 미세하건 저열하건 수승하건 멀리 있건 가까이 있건 '이것은 내 것이 아니요, 이것은 내가 아니며, 이것은 나의 자아가 아니다.'라고 있는 그대로 바른 통찰지로 본다."

9. "살하여, 마치 무사가 전광석화와 같이 꿰뚫는 것처럼 성스러운 제자는 바른 견해를 가진다. 살하여, 바른 견해를 가진 성스러운 제자는 '이것이 괴로움이다.'라고 있는 그대로 꿰뚫어 안다. '이것이 괴로움의 일어남이다.'라고 있는 그대로 꿰뚫어 안다. '이것이 괴로움의 소멸이다.'라고 있는 그대로 꿰뚫어 안다. '이것이 괴로움의 소멸로 인도하는 도닦음이다.'라고 있는 그대로 꿰뚫어 안다."

10. "살하여, 마치 무사가 큰 몸을 쳐부수는 것처럼 성스러운 제자는 바른 해탈을 가진다. 살하여, 바른 해탈을 가진 성스러운 제자는 크나큰 무명의 무더기를 쳐부순다."

말리까 경(A4:197)
Mallikā-sutta

1. 한때 세존께서는 사왓티에서 제따 숲의 급고독원에 머무셨다. 그때 말리까 왕비454)가 세존께 다가갔다. 가서는 세존께 절을 올리고 한 곁에 앉았다. 한 곁에 앉은 말리까 왕비는 세존께 이렇게 말씀드렸다.

"세존이시여, 무슨 원인과 무슨 조건 때문에 여기 어떤 여인은 용모가 나쁘고 못생기고 보기에 흉하고 가난하며 게다가 소유물이 적고 재물이 적고 영향력이 적습니까?

세존이시여, 무슨 원인과 무슨 조건 때문에 여기 어떤 여인은 용모가 나쁘고 못생기고 보기에 흉하지만 부유하고 재산이 많고 재물이 많고 영향력이 많습니까?

세존이시여, 무슨 원인과 무슨 조건 때문에 여기 어떤 여인은 용모가 준수하고 잘생기고 호감이 가고 최고의 미모455)를 갖추었지만 가난하고 소유물이 적고 재물이 적고 영향력이 적습니까?

세존이시여, 무슨 원인과 무슨 조건 때문에 여기 어떤 여인은 용모

---

454) 말리까 왕비(Mallikā Devī)는 꼬살라의 왕 빠세나디(Pasenadi)의 아내였다. 문자적으로 mallikā는 재스민 꽃을 뜻한다. 말리까는 꼬살라의 화환 만드는 자(mālā-kāra)의 딸이었으며 16세에 부처님을 뵙고 죽을 공양 올렸는데 세존께서는 그녀가 왕비가 될 것이라고 하셨다고 한다.(J.iii.405; SA.i.140) 바로 그날에 빠세나디 왕은 아자따삿뚜에게 패하여 그곳으로 가게 되었고, 그런 인연으로 그녀는 왕비가 되었다고 한다.(DhpA.iii.119*f*) 이렇게 부처님과 왕을 만난 인연을 가진 그녀는 그 후로 부처님의 변함없는 재가신도였다. 그녀에 관계된 경들이 다수 전해온다.

455) 미모는 vaṇṇa-pokkharatā를 옮긴 것인데 복주서는 pokkharatā를 sundara-bhāva(아름다움)라고 설명하고 있다.(AAṬ.ii.336)

가 준수하고 잘생기고 호감이 가고 최고의 미모를 갖추었고 게다가 부유하고 재산이 많고 재물이 많고 영향력이 많습니까?"

2. "말리까여, 여기 어떤 여인은 성미가 급하고 격렬하다. 사소한 농담에도 노여워하고 화를 내고 분노하고 분개한다. 분노와 성냄과 불만족을 거침없이 드러낸다. 그리고 그녀는 사문이나 바라문에게 음식과 마실 것과 옷과 탈것과 화환과 향과 바르는 것과 침상과 거처와 등불을 보시하지 않는다. 게다가 그녀는 질투심을 가졌다.456) 남들이 이득을 얻고 존경받고 명성을 얻고 존중받고 칭송받고 예배받는 것을 질투하고 시샘하여 질투심에 묶여버린다. 그녀는 거기서 죽어서 현재의 이러한 상태로 다시 오게 되나니 태어나는 곳마다 용모가 나쁘고 못생기고 보기에 흉하고 가난하며 게다가 소유물이 적고 재물이 적고 영향력이 적게 된다."

3. "말리까여, 여기 어떤 여인은 성을 잘 내고 흥분을 잘한다. 그녀는 조금만 비난받아도 [상대를] 모욕하고 화내고 악의를 가지고 분개하고 분노와 성냄과 신랄함을 드러낸다. 그러나 그녀는 사문이나 바라문에게 음식과 마실 것과 옷과 탈것과 화환과 향과 바르는 것과 침상과 거처와 등불을 보시한다. 그리고 그녀는 질투심을 가지지 않았다. 남들이 이득과 존경과 명성을 얻고 존중받고 칭송받고 예경받는 것을 질투하지 않고 시샘하지 않아서 질투심에 묶이지 않는다. 그녀는 거기서 죽어서 현재의 이러한 상태로 다시 오게 되나니 태어나는 곳마다 용모가 나쁘고 못생기고 보기에 흉하게 되지만 부유하

---

456) '질투심을 가진'으로 옮긴 원어는 issā-manikā인데 주석서는 "질투와 함께하는 마음을 가진(issāya sampayutta-cittā)"(AA.iii.184)으로 설명하고 있다.

고 재산이 많고 재물이 많고 영향력이 많게 된다."

4. "말리까여, 여기 어떤 여인은 성을 잘 내지 않고 흥분을 잘 하지 않는다. 그녀는 많이 비난하더라도 [상대를] 모욕하지 않고 화내지 않고 악의를 가지지 않고 분개하지 않고 분노와 성냄과 신랄함을 드러내지 않는다. 그러나 그녀는 사문이나 바라문에게 음식과 마실 것과 옷과 탈것과 화환과 향과 바르는 것과 침상과 거처와 등불을 보시하지 않는다. 게다가 그녀는 질투심을 가졌다. 남들이 이득과 존경과 명성을 얻고 존중받고 칭송받고 예경받는 것을 질투하고 시샘하여 질투심에 묶여버린다. 그녀는 거기서 죽어서 현재의 이러한 상태로 다시 오게 되나니 태어나는 곳마다 용모가 준수하고 잘생기고 호감이 가고 최고의 미모를 갖추지만 가난하고 소유물이 적고 재물이 적고 영향력이 적게 된다."

5. "말리까여, 여기 어떤 여인은 성을 잘 내지 않고 흥분을 잘 하지 않는다. 그녀는 조급하지 않아서 많이 비난받더라도 [상대를] 모욕하지 않고 화내지 않고 악의를 가지지 않고 분개하지 않고 분노와 성냄과 신랄함을 드러내지 않는다. 게다가 그녀는 사문이나 바라문에게 음식과 마실 것과 옷과 탈것과 화환과 향과 바르는 것과 침상과 거처와 등불을 보시한다. 그리고 그녀는 질투심을 가지지 않았다. 남들이 이득과 존경과 명성을 얻고 존중받고 칭송받고 예경받는 것을 질투하지 않고 시샘하지 않아서 질투심에 묶이지 않는다. 그녀는 거기서 죽어서 현재의 이러한 상태로 다시 오게 되나니 태어나는 곳마다 용모가 준수하고 잘생기고 호감이 가고 최고의 미모를 갖추고 게다가 부유하고 재산이 많고 재물이 많고 영향력이 많게 된다."

6. "말리까여, 이러한 원인과 이러한 조건 때문에 여기 어떤 여인은 용모가 나쁘고 못생기고 보기에 흉하고 가난하며 게다가 소유물이 적고 재물이 적고 영향력이 적은 것이다.

말리까여, 이러한 원인과 이러한 조건 때문에 여기 어떤 여인은 용모가 나쁘고 못생기고 보기에 흉하지만 부유하고 재산이 많고 재물이 많고 영향력이 많은 것이다.

말리까여, 이러한 원인과 이러한 조건 때문에 여기 어떤 여인은 용모가 준수하고 잘생기고 호감이 가고 최고의 미모를 갖추었지만 가난하고 소유물이 적고 재물이 적고 영향력이 적은 것이다.

말리까여, 이러한 원인과 이러한 조건 때문에 여기 어떤 여인은 용모가 준수하고 잘생기고 호감이 가고 최고의 미모를 갖추었고 게다가 부유하고 재산이 많고 재물이 많고 영향력이 많은 것이다."

7. 이렇게 말씀하시자 말리까 왕비는 세존께 이렇게 말씀드렸다.

"세존이시여, 참으로 저는 다른 생에서 성을 잘 내고 흥분을 잘하였나 봅니다. 저는 조금만 비난받아도 [상대를] 모욕하고 화내고 악의를 가지고 분개하고 분노와 성냄과 신랄함을 드러내었나 봅니다. 세존이시여, 제가 그러했기 때문에 금생에 저는 용모가 나쁘고 못생기고 보기에 흉한가 봅니다.

세존이시여, 참으로 저는 다른 생에서 사문이나 바라문에게 음식과 마실 것과 옷과 탈것과 화환과 향과 바르는 것과 침상과 거처와 등불을 보시하였나 봅니다. 세존이시여, 제가 그러했기 때문에 금생에 저는 부유하고 재산이 많고 재물이 많나 봅니다.

세존이시여, 참으로 저는 다른 생에서 질투심을 가지지 않았나 봅니다. 남들이 이득과 존경과 명성을 얻고 존중받고 칭송받고 예경받는 것을 질투하지 않고 시샘하지 않아서 질투심에 묶이지 않았나 봅니다. 세존이시여, 제가 그러했기 때문에 금생에 저는 영향력이 많나 봅니다.

세존이시여, 이 왕궁에는 끄샤뜨리야 처녀들과 바라문 처녀들과 장자의 처녀들이 많습니다. 저는 그들에게 지배력을 행사합니다. 세존이시여, 저는 지금부터 성을 잘 내지 않고 흥분을 잘하지 않겠습니다. 저는 많이 비난받더라도 [상대를] 모욕하지 않고 화내지 않고 악의를 가지지 않고 분개하지 않고 분노와 성냄과 신랄함을 드러내지 않겠습니다. 저는 사문이나 바라문에게 음식과 마실 것과 옷과 탈것과 화환과 향과 바르는 것과 침상과 거처와 등불을 보시하겠습니다. 저는 질투심을 가지지 않겠습니다. 남들이 이득과 존경과 명성을 얻고 존중받고 칭송받고 예경받는 것을 질투하지 않고 시샘하지 않아서 질투심에 묶이지 않겠습니다.

경이롭습니다, 세존이시여. 경이롭습니다, 세존이시여. 마치 넘어진 자를 일으켜 세우시듯, 덮여있는 것을 걷어내 보이시듯, [방향을] 잃어버린 자에게 길을 가리켜주시듯, 눈 있는 자 형상을 보라고 어둠 속에서 등불을 비춰주시듯, 세존께서는 여러 가지 방편으로 법을 설해주셨습니다. 저는 이제 세존께 귀의하옵고 법과 비구승가에 귀의합니다. 세존께서는 저를 청신녀로 받아주소서. 오늘부터 목숨이 붙어 있는 그날까지 귀의하옵니다."

자기학대 경(A4:198)457)

Attantapa-sutta

1. "비구들이여, 세상에는 네 부류의 사람이 있다. 무엇이 넷인가?

비구들이여, 여기 어떤 사람은 자신을 학대하여 자신을 학대하는 짓에 몰두한다. 비구들이여, 여기 어떤 사람은 남을 학대하여 남을 학대하는 짓에 몰두한다. 비구들이여, 여기 어떤 사람은 자신을 학대하여 자신을 학대하는 짓에 몰두하고 또 남도 학대하여 남을 학대하는 짓에 몰두한다. 비구들이여, 여기 어떤 사람은 자신을 학대하지 않아서 자신을 학대하는 짓에 몰두하지 않고 또 남도 학대하지 않아서 남을 학대하는 짓에 몰두하지 않는다. 그는 자신도 학대하지 않고 남도 학대하지 않으며 지금 바로 여기서 갈증이 풀리고 [모든 오염원들이] 꺼지고 [안으로 고행의 오염원들이 없어] 시원해지며 [선정과 도와 과와 열반의] 행복을 체득하고 스스로 고결하게 되어 머문다."458)

2. "비구들이여, 그러면 어떻게 인간은 자신을 학대하여 자신을 학대하는 짓에 몰두하는가?

비구들이여, 여기 어떤 사람은 나체수행자이다. 그는 [세상살이에서 행하는 일반적인] 관습을 거부하며 살고, [음식을 먹은 뒤] 손을 핥아서 치우고, '오십시오.'하고 불러서 준 음식은 받지 않고, '서십시오.'라고 말하면서 준 음식은 받지 않으며, 가져온 음식을 받지 않고, [내 몫으로] 지칭된 것을 받지 않으며, 초청하여 주는 음식을 받

---

457) 본경은 『맛지마 니까야』 「깐다라까 경」(M51)과 같은 내용을 담고 있다. 특히 「깐다라까 경」의 §§8~28과 내용이 꼭 같다.

458) 이것은 『디가 니까야』 제3권 「합송경」(D33) §1.11(47)과 같다.

지 않는다. 그는 그릇에서 떠주는 음식, 항아리에서 떠주는 음식, 문지방을 넘어서 주는 것, 막대기를 넘어서 주는 것, 절구공이를 넘어서 주는 것, 두 사람이 먹고 있을 때 주는 것, 임신부가 주는 것, [아이에게 젖을] 먹이는 여자가 주는 것, 성교를 하는 여자가 주는 것, 공동체에서 주는 것, 개가 옆에서 보는 것, 나방이 모여드는 것, 생선과 고기, 술, 과즙주, 발효주를 받지 않는다. 그는 한 집만 가서 음식을 받고 한 덩이의 음식만 먹는 자이다. 두 집만 가서 음식을 받고 두 덩이의 음식만 먹는 자이다. … 일곱 집만 가서 음식을 받고 일곱 덩이의 음식만 먹는 자이다. 한 닷띠[459]의 음식만 구걸하고, 두 닷띠의 음식만 구걸하고, … 일곱 닷띠의 음식만 구걸하며, 하루에 한 번만, 이틀에 한 번만 … 이런 식으로 보름에 한 번만 방편으로 음식을 먹으며 산다.

그는 채소를 먹고, 수수, 니바라 쌀, 가죽 부스러기,[460] 수초, 왕겨, 뜨물, 깻가루, 풀, 소똥을 먹으며, 나무뿌리와 열매를 음식으로 살고, 떨어진 열매를 먹는다.

그는 삼베로 만든 옷을 입고, 마포로 된 거친 옷을 입고, 시체를 싸맨 헝겊으로 만든 옷을 입고, 넝마로 만든 옷을 입고, 나무껍질로 만든 옷을 입고, 영양 가죽을 입고, 영양 가죽으로 만든 외투를 입고, 꾸사 풀[461]로 만든 옷을 입고, 나무껍질로 만든 옷을 입고, 판자로

---

459) "'닷띠(datti)'란 적은 분량의 음식을 넣어서 놓아두는 작은 그릇(pāti)을 말한다."(DA.ii.354)

460) '가죽 부스러기'는 daddula-bhakkha를 옮긴 것이다. 『맛지마 니까야 주석서』에서 daddula는 "대장장이가 가죽을 자르고 남은 부스러기"(MA.ii.45)라고 설명하고 있어서 이렇게 옮겼는데 참으로 고행 중의 고행이라 여겨진다.

만든 옷을 입고, 인간의 머리털로 만든 담요를 두르고, 동물의 꼬리털로 만든 담요를 두르고, 올빼미 털로 만든 옷을 입는다. 머리카락과 수염을 뽑고 머리카락과 수염을 뽑는 수행에 몰두하고, 자리에 앉지 않고 서있으며, 쪼그리고 앉고 쪼그리고 앉는 수행에 몰입하고, 가시로 된 침상에 머물고, 가시로 된 침상에서 잠자며, 하루에 세 번 물에 들어가는데[462] 몰두하며 지낸다. 이와 같이 여러 가지 형태로 몸을 괴롭히고 자학하는데 몰두하며 지낸다.

비구들이여, 이와 같이 인간은 자신을 학대하여 자신을 학대하는 짓에 몰두한다."

3. "비구들이여, 그러면 어떻게 사람이 남을 학대하여 남을 학대하는 짓에 몰두하는가?

비구들이여, 여기 어떤 사람은 양을 도살하고, 돼지를 도살하고, 새를 잡고, 사슴을 죽이고, 사냥을 하고, 물고기를 죽이고, 도둑이고, 도둑을 죽이는 집행관이고, 감옥지기이거나 혹은 다른 잔인한 직업을 가진 자들이다. 비구들이여, 이와 같이 사람은 남을 학대하여 남을 학대하는 짓에 몰두한다."

---

461) '꾸사(kusa) 풀'은 다르바(*Pāli.* dabbhā)라고도 불리는 풀이다. 이 풀은 인도의 제사에서 없어서는 안 되는 중요한 풀이다. 우리나라의 억새풀과 비슷한데 아주 억세고 빳빳해서 꺾을 때 조심하지 않으면 손을 베게 된다. 꾸사 풀을 벤다는 뜻으로부터 파생된 용어가 바로 중국에서 선(善)으로 옮긴 꾸살라(kusala)이며 본서에서는 유익함으로 옮기고 있다. 꾸사 풀을 베기 위해서는 조심해야 하고 능숙한 솜씨가 있어야 한다는 의미이다. 그만큼 꾸사 풀은 억세다.

462) "이른 아침에, 낮에, 밤에 이렇게 하루 세 번씩 죄를 씻으리라고 생각하면서 찬물에 들어가는 수행에 몰두한다는 뜻이다."(MA.ii.46)

4. “비구들이여, 그러면 어떻게 사람이 자신을 학대하여 자신을 학대하는 짓에 몰두하고 남도 학대하여 남을 학대하는 짓에 몰두하는가?463)

비구들이여, 여기 어떤 사람은 관정(灌頂)의 대관식을 거행한 끄샤뜨리야 왕이거나 큰 재력을 가진 바라문이다. 그는 도시의 동쪽에 새로운 사당을 짓게 하고 머리와 수염을 깎고 거친 사슴 가죽을 입고 버터와 기름을 몸에 바르고 사슴뿔로 등을 긁고 그의 큰 왕비와 왕실의 바라문 제관과 함께 사당으로 들어간다.

그는 거기서 맨땅에 짚을 깔고서 앉는다. 같은 색깔의 송아지를 가진 한 마리의 암소의 첫 번째 젖꼭지에서 생긴 젖을 왕이 먹는다.464) 두 번째 젖꼭지에서 생긴 젖을 왕비가 먹는다. 세 번째 젖꼭지에서 생긴 젖을 왕실의 바라문 제관이 먹는다. 네 번째 젖꼭지에서 생긴 젖은 불에 헌식한다. 나머지는 송아지가 먹는다.465)

그는 이렇게 말한다. ‘제사지내기 위해서 이만큼의 황소들을 잡아라. 제사지내기 위해서 이만큼의 소들을 잡아라. 제사지내기 위해서 이만큼의 새끼 낳지 않은 암소들을 잡아라. 제사지내기 위해서 이만큼의 염소들을 잡아라. 제사지내기 위해서 이만큼의 양들을 잡아라. 제사 기둥을 위해서 이만큼의 나무를 베어라.466) 제사풀로 쓰기 위

---

463) 여기서는 제사지내는 것을 예로 들고 있다. 제사와 관계된 설명은 본서 「웃자야 경」(A4:39)의 주해들과 특히 『디가 니까야』 제1권 「꾸따단따 경」(D5)의 주해들을 참조할 것.

464) 원어는 yāpeti로 영양을 보충하다 등의 뜻이다.

465) 제사를 지내는 하나의 절차이다.

466) 인도의 공공제사는 동물희생이 기본이다. 한 제사에는 보통 8마리나 12마리 이상의 동물희생을 한다. 바라문교의 제의서들에 의하면 수백 마리의

해서 이만큼의 다르바 풀을 베어라.'라고. 그러면 그의 하인들이나 전령들이나 일꾼들은 형벌에 떨고 두려움에 떨면서 눈물을 흘리면서 [제사를 지내기 위한 이러한 여러] 준비를 한다.

비구들이여, 이렇게 사람은 자신을 학대하여 자신을 학대하는 짓에 몰두하고 남도 학대하여 남을 학대하는 짓에 몰두한다."

5. "비구들이여, 그러면 어떻게 사람이 자신을 학대하지 않아서 자신을 학대하는 짓에 몰두하지 않고 남도 학대하지 않아서 남을 학대하는 짓에 몰두하지 않는가? 그래서 그는 자신을 학대하지 않고 남을 학대하지 않으며 바로 지금여기에서 갈증이 풀리고 [모든 오염원들이] 꺼지고 [안으로 고행의 오염원들이 없어] 시원해지며 [선정과 도와 과와 열반의] 행복을 체득하고 스스로 고결하게 되어 머무는가?"

6. "비구들이여, 여기 여래가 이 세상에 출현한다. 그는 아라한[應供]이며, 완전히 깨달은 분[正等覺]이며, 영지와 실천이 구족한 분[明行足]이며, 피안으로 잘 가신 분[善逝]이며, 세간을 잘 알고 계신 분[世間解]이며, 가장 높은 분[無上士]이며, 사람을 잘 길들이는 분[調御丈夫]이며, 하늘과 인간의 스승[天人師]이며, 깨달은 분[佛]이며, 세존(世尊)

동물을 희생하는 제사도 많다고 한다. 이 동물들은 그냥 희생하는 것이 아니라 모두 각각 다른 제사 기둥(yūpa)에 묶어서 거행한다. 그래서 100마리의 동물을 희생한다면 100개의 제사 기둥이 필요하다. 제사 기둥은 아무 나무로 준비하는 것이 아니라 엄격한 절차를 거쳐서 그 산에서 제일 좋은 나무들로 만든다. 그러므로 제사는 동물만 죽이는 것이 아니라 많은 나무를 자르게 된다. 그래서 불교와 자이나교에서는 "동물을 죽이고 나무를 자르고 천상에 간다면 지옥에 갈 자가 누가 있겠는가?"라고 강한 비판을 한다.

이다.[467]

그는 신을 포함하고 마라를 포함하고 범천을 포함한 이 세상을 스스로 최상의 지혜로 알고, 실현하여, 드러낸다. 그는 법을 설한다. 그는 시작도 훌륭하고 중간도 훌륭하고 끝도 훌륭하고 의미와 표현을 구족한 법을 설하며, 더할 나위 없이 완벽하고 지극히 청정한 범행(梵行)을 드러낸다. 이런 법을 장자나 장자의 아들이나 다른 가문에 태어난 자가 듣는다. 그는 이 법을 듣고서 여래에게 믿음을 가진다."

7. "그는 이런 믿음을 구족하여 이렇게 숙고한다. '재가의 삶이란 갇혀있고 때가 낀 길이지만 출가의 삶은 열린 허공과 같다. 재가에 살면서 더할 나위 없이 완벽하고 지극히 청정한 소라고동처럼 빛나는 청정범행을 실천하기란 쉽지 않다. 그러니 나는 이제 머리와 수염을 깎고 물들인 옷을 입고 집을 떠나 출가하리라.'라고. 그는 나중에 재산이 적건 많건 간에 모두 다 버리고, 일가친척도 적건 많건 간에 다 버리고, 머리와 수염을 깎고, 물들인 옷을 입고 집을 떠나 출가한다."

8. "그는 이와 같이 출가하여 비구들의 학습[계목]을 받아 지녀 그것과 더불어 생활한다.

그는 생명을 죽이는 것을 버리고 생명을 죽이는 것을 멀리 여읜다. 몽둥이를 내려놓고 칼을 내려놓는다. 양심이 있고 동정심이 있으며 일체 생명의 이익을 위하고 연민하며 머문다. 그는 주지 않은 것을 가지는 것을 버리고 주지 않은 것을 가지는 것을 멀리 여읜다. 준 것

467) 여래 십호에 대해서는 『청정도론』 VII.2 이하에 상세하게 설명되어 있으니 참조할 것.

만을 받고 준 것만을 받으려고 하며 스스로 훔치지 않아 자신을 깨끗하게 하여 머문다. 그는 금욕적이지 못한 삶을 버리고 청정범행을 닦는다. 독신자가 되어 성행위의 저속함을 멀리 여읜다.

그는 거짓말을 버리고 거짓말을 멀리 여읜다. 그는 진실을 말하며 진실에 부합하고 굳건하고 믿음직하여 세상을 속이지 않는다. 그는 중상모략하는 말을 버리고 중상모략하는 말을 멀리 여읜다. 여기서 듣고서 이들을 이간하려고 저기서 말하지 않는다. 저기서 듣고서 저들을 이간하려고 여기서 말하지 않는다. 오히려 그는 이와 같이 이간된 자들을 합치고 우정을 장려하며 화합을 좋아하고 화합을 기뻐하고 화합을 즐기며 화합하게 하는 말을 한다. 그는 욕하는 말을 버리고 욕하는 말을 멀리 여읜다. 그는 유순하고 귀에 즐겁고 사랑스럽고 가슴에 와 닿고 예의바르고 많은 사람들이 좋아하고 많은 사람들의 마음에 드는 그런 말을 한다. 그는 잡담을 버리고 잡담을 멀리 여읜다. 그는 시기에 맞는 말을 하고 사실을 말하고 이익이 있는 것을 말하고 법을 말하고 율을 말하며, 가슴에 담아둘 만한 말을 하고 이유가 분명하고 비유와 함께하고 구분하여 정의를 내리고 이익을 줄 수 있는 말을 시의 적절하게 말한다."

9. "그는 씨앗류와 초목류를 손상시키는 것을 멀리 여읜다. 하루 한 끼만 먹는다. 그는 밤에 [먹는 것을] 여의고 때 아닌 때에 먹는 것을 멀리 여읜다. 춤, 노래, 음악, 연극을 관람하는 것을 멀리 여읜다. 화환을 두르고 향과 화장품을 바르고 장신구로 꾸미는 것을 멀리 여읜다. 높고 큰 침상을 멀리 여읜다. 금과 은을 받는 것을 멀리 여읜다. [요리하지 않은] 날곡식을 받는 것을 멀리 여읜다. 생고기를 받는 것을 멀리 여읜다. 여자나 동녀를 받는 것을 멀리 여읜다. 하인과 하

녀를 받는 것을 멀리 여읜다. 염소와 양을 받는 것을 멀리 여읜다. 닭과 돼지를 받는 것을 멀리 여읜다. 코끼리, 소, 말, 암말을 받는 것을 멀리 여읜다. 농토나 토지를 받는 것을 멀리 여읜다. 심부름꾼이나 전령으로 가는 것을 멀리 여읜다. 사고파는 것을 멀리 여읜다. 저울을 속이고 금속을 속이고 치수를 속이는 것을 멀리 여읜다. 악용하고 속이고 횡령하고 사기하는 것을 멀리 여읜다. 상해, 살해, 포박, 약탈, 노략질, 폭력을 멀리 여읜다."

10. "그는 몸을 보호할 정도의 옷과 위장을 지탱할 정도의 음식으로 만족한다.[468] 그는 어디를 가더라도 그의 필수품을 몸에 지니고 간다. 예를 들면 새가 어디를 날아가더라도 자기 양 날개를 짐으로 하여 날아가는 것과 같다. 그와 마찬가지로 비구는 몸을 보호할 정도의 옷과 위장을 지탱할 정도의 음식으로 만족한다. 어디를 가더라도 그의 필수품을 몸에 지니고 간다. 그는 이러한 성스러운 계의 조목[戒蘊]을 구족하여 안으로 비난받을 일이 없는 행복을 경험한다."

11. "그는 눈으로 형상을 봄에 그 표상[全體相]을 취하지 않으며, 또 그 세세한 부분상[細相]을 취하지도 않는다. 만약 그의 눈의 기능[眼根]이 제어되어 있지 않으면 욕심과 싫어하는 마음이라는 나쁘고 해로운 법[不善法]들이 그에게 [물밀듯이] 흘러들어 올 것이다. 따라서 그는 눈의 감각기능을 잘 단속하기 위해 수행하며, 눈의 감각기능을 잘 방호하고, 눈의 감각기능을 잘 단속한다.

귀로 소리를 들음에…, 코로 냄새를 맡음에…, 혀로 맛을 봄에…,

---

468) "만족(santuṭṭha)이란 어떠한 필수품(paccaya)을 [얻든] 그것으로 만족하는 것을 말한다."(DA.i.204)

몸으로 감촉을 느낌에…, 마노[意]로 법을 지각함에 그 표상을 취하지 않으며, 그 세세한 부분상을 취하지도 않는다. 만약 그의 마노의 기능[意根]이 제어되어 있지 않으면 욕심과 싫어하는 마음이라는 나쁘고 해로운 법[不善法]들이 그에게 [물밀듯이] 흘러들어 올 것이다. 따라서 그는 마노의 감각기능을 잘 단속하기 위해 수행하며, 마노의 감각기능을 잘 방호하고 마노의 감각기능을 잘 단속한다. 그는 이러한 성스러운 감각기능의 단속을 구족하여 안으로 더럽혀지지 않는 행복469)을 경험한다."

12. "그는 나아갈 때도 물러날 때도 [자신의 거동을] 분명히 알면서[正知] 행한다. 앞을 볼 때도 돌아볼 때도 분명히 알면서 행한다. 구부릴 때도 펼 때도 분명히 알면서 행한다. 가사·발우·의복을 지닐 때도 분명히 알면서 행한다. 먹을 때도 마실 때도 씹을 때도 맛볼 때도 분명히 알면서 행한다. 대소변을 볼 때도 분명히 알면서 행한다. 걸으면서 서면서 앉으면서 잠들면서 잠을 깨면서 말하면서 침묵하면서도 분명히 알면서 행한다."

13. "그는 이러한 성스러운 계의 조목을 잘 갖추고 이러한 성스러운 감각기능의 단속을 잘 갖추고 이러한 마음챙김과 알아차림[正念正知]을 잘 갖추어 숲 속이나 나무 아래나 산이나 골짜기나 산속 동굴이나 묘지나 밀림이나 노지나 짚더미와 같은 외딴 처소를 의지한다. 그는 탁발하여 공양을 마치고 돌아와서 가부좌를 틀고 상체를 곧추 세우고 전면에 마음챙김을 확립하여 앉는다.

469) '더럽혀지지 않는 행복'으로 옮긴 원어는 avyāseka-sukha이다. 한편 앞의 계의 구족에서는 비난받을 일이 없는 행복(anavajja-sukha)이라 달리 표현하고 있는데 잘 대비가 된다.

그는 세상470)에 대한 욕심을 제거하여 욕심을 버린 마음으로 머문다. 욕심으로부터 마음을 청정하게 한다. 악의의 오점을 제거하여 악의가 없는 마음으로 머문다. 모든 생명의 이익을 위하여 연민하여 악의의 오점으로부터 마음을 청정하게 한다. 해태와 혼침을 제거하여 해태와 혼침이 없이 머문다. 광명상(光明想)을 가져 마음챙기고 알아차리며 해태와 혼침으로부터 마음을 청정하게 한다. 들뜸과 후회를 제거하여 들뜨지 않고 머문다. 안으로 고요히 가라앉은 마음으로 들뜸과 후회로부터 마음을 청정하게 한다. 의심을 제거하여 의심을 건너서 머문다. 유익한 법들에 아무런 의문이 없어서 의심으로부터 마음을 청정하게 한다."

14. "그는 마음의 오염원이고 통찰지를 무력하게 만드는 이들 다섯 가지 장애를 제거하여 감각적 욕망들을 완전히 떨쳐버리고 해로운 법[不善法]들을 떨쳐버린 뒤, 일으킨 생각[尋]과 지속적인 고찰[伺]이 있고, 떨쳐버렸음에서 생겼으며, 희열[喜]과 행복[樂]이 있는 초선(初禪)을 구족하여 머문다. … 제2선(二禪)을 구족하여 머문다. … 제3선(三禪)을 구족하여 머문다. … 제4선(四禪)을 구족하여 머문다."471)

---

470) 주석서에서는 [나 등으로] 취착하는 다섯 가지 무더기[五取蘊]가 바로 '세상(loka)'이라고 설명한다.(pañcupādānakkhandhā loko — DA.i.211) 여기서 뿐만 아니라 수행의 문맥에서 나타나는 세상(loka)은 항상 몸(kāya)을 위시한 오취온을 뜻한다고 주석서들은 밝히고 있다. 예를 들면 『디가 니까야』 제2권 「대념처경」(D22)에 해당하는 주석서에서도 세상은 몸 혹은 오취온을 뜻한다고 설명하고 있다.(『네 가지 마음챙기는 공부』 228쪽 이하 참조)

471) 초선부터 4선까지의 정형구 속에 나타나는 중요한 술어들에 대한 설명은 『청정도론』 IV.74 이하에 자세하게 설명되어 있으니 참조할 것.

15. “그는 이와 같이 마음이 삼매에 들고, 청정하고, 깨끗하고, 흠이 없고, 오염원이 사라지고, 부드럽고, 활발발하고, 안정되고, 흔들림이 없는 상태에 이르렀을 때 모든 번뇌[472]를 소멸하는 지혜[漏盡通][473]로 마음을 향하게 하고 기울게 한다. 그는 ‘이것이 괴로움이다.’라고 있는 그대로 꿰뚫어 안다.[474] ‘이것이 괴로움의 일어남이다.’라고 있는 그대로 꿰뚫어 안다. ‘이것이 괴로움의 소멸이다.’라고 있는 그대로 꿰뚫어 안다. ‘이것이 괴로움의 소멸로 인도하는 도닦음이다.’

---

472) ‘번뇌’로 옮긴 아사와(āsava)는 ā(향하여)+√sru(*to flow*)에서 파생된 남성명사이다. ‘흐르는 것’이라는 문자적인 뜻에서 원래는 종기에서 흘러나오는 고름이나 오랫동안 발효된 술(madira) 등을 뜻했다고 주석서는 말한다.(DhsA.48) 이것이 우리 마음의 해로운 상태를 나타내는 말로 정착이 된 것이며 중국에서는 煩惱라고 옮겼다. 이런 마음상태들을 아사와(āsava, 흘러나오는 것)라고 부르는 이유는 이것도 흘러나오는 고름이나 악취나는 술과 같기 때문이다. 주석가들이 불교식으로 해석하여 이것을 아사와(흘러나오는 것)라 부르는 이유는 이것이 공간으로서는 최고로 높은 존재 즉 비상비비상처까지 흘러가고, 법(dhamma)으로는 고뜨라부(種姓, 『아비담마 길라잡이』 9장 §34를 참조)의 영역에까지 흘러들기 때문이라고 설명한다.(DhsA.48)

473) “번뇌들의 소멸(āsavānaṁ khayo)이란 도와 과와 열반과 무너짐(bhaṅga)을 말한다. “소멸에 대한 지혜, 일어나지 않음에 대한 지혜”라는 데서 번뇌들의 소멸은 도를 말한다. “번뇌들을 소멸했기 때문에 사문이다.”(M.i.284)라는 데서 번뇌들의 소멸은 과(phala)를 말한다. “남의 허물을 관찰하고 항상 [남의] 잘못을 인식하려 드는 자의 번뇌는 증가하나니 그런 자는 번뇌의 소멸로부터 저 멀리 있다.”(Dhp.253)라는 데서 번뇌들의 소멸은 열반을 말한다. “번뇌들의 소멸, 사그라짐, 부서짐, 무상함, 사라짐”이라는 데서 번뇌들의 소멸은 무너짐을 말한다. 본문에서는 열반을 뜻하며 아라한도를 뜻한다고도 할 수 있다.”(DA.i.224)

474) 여기서 언급되는 사성제의 관통(sacca-abhisamaya)에 대해서는 『청정도론』 XXII.92~103을 참조할 것.

라고 있는 그대로 꿰뚫어 안다.

'이것이 번뇌다.'라고 있는 그대로 꿰뚫어 안다. '이것이 번뇌의 일어남이다.'라고 있는 그대로 꿰뚫어 안다. '이것이 번뇌의 소멸이다.' 라고 있는 그대로 꿰뚫어 안다. '이것이 번뇌의 소멸로 인도하는 도닦음이다.'라고 있는 그대로 꿰뚫어 안다. 이와 같이 알고 이와 같이 보는 그는 감각적 욕망의 번뇌[慾惱]로부터 마음이 해탈한다. 존재의 번뇌[有惱]로부터 마음이 해탈한다. 무명의 번뇌로부터 마음이 해탈한다. 해탈했을 때 해탈했다는 지혜가 있다. '태어남은 다했다. 청정범행은 성취되었다. 할 일을 다 해 마쳤다. 다시는 어떤 존재로도 돌아오지 않을 것이다.'라고 꿰뚫어 안다."

16. "비구들이여, 이렇게 사람은 자신을 학대하지 않아서 자신을 학대하는 짓에 몰두하지 않고 남도 학대하지 않아서 남을 학대하는 짓에 몰두하지 않는다. 그는 자신을 학대하지 않고 남을 학대하지 않으며 바로 지금여기에서 갈증이 풀리고 [모든 오염원들이] 꺼지고 [안으로 고행의 오염원들이 없어] 시원해지며 [선정과 도와 과와 열반의] 행복을 체득하고 스스로 고결하게 되어 머문다.

비구들이여, 세상에는 이러한 네 부류의 사람이 있다."

갈애 경(A4:199)

Taṇhā-sutta

1. "비구들이여, 그대들에게 갈애를 설하리라. 그것은 그물처럼475) [곳곳에] 치달리고 퍼지고 달라붙는다. 이 세상은 이것에 의해

---

475) 그물처럼은 jālini의 역어이다. 주석서는 그물처럼, 그물과 같이(jāla-

서 망가지고 둘러싸이고 실에 꿰어진 구슬처럼 얽히게 되고 베 짜는 사람의 실타래처럼 헝클어지고 문자 풀처럼 엉키며 처참한 곳[苦界], 불행한 곳[惡處], 파멸처, 지옥을 건너지 못한다. 비구들이여, 이제 그 것을 들어라. 듣고 마음에 잘 새겨라. 나는 설할 것이다."

"그렇게 하겠습니다, 세존이시여."라고 비구들은 세존께 응답했다. 세존께서는 다음과 같이 말씀하셨다.

2. "비구들이여, 어떠한 갈애가 그물처럼 [곳곳에] 치달리고 퍼지고 달라붙어서 이 세상은 이것에 의해서 망가지고 둘러싸이고 실에 꿰어진 구슬처럼 얽히게 되고 베 짜는 사람의 실타래처럼 헝클어지고 문자 풀처럼 엉키며 처참한 곳[苦界], 불행한 곳[惡處], 파멸처, 지옥을 건너지 못하는가?

비구들이여, 18가지 안의 [오온]을 취착하여 갈애가 일어나고 18가지 밖의 [오온]을 취착하여 갈애가 일어난다."

3. "비구들이여, 그러면 무엇이 18가지 안의 [오온]을 취착하여 일어나는 갈애인가?

비구들이여, '내가 있다.'476)는 [생각]이 있을 때 '나는 여기에 있다.' '나는 동등하다.'477) '나는 다르다.'478) '나는 영원하다.'479) '나

---

sadisaṁ)로 설명하고 있다.(AA.iii.204)

476) "'내가 있다(asmi)'는 것은 안의 다섯 가지 무더기[五蘊]를 취착하여 갈애와 자만과 사견을 통해서 [오온을 나라고] 무더기로 움켜쥐기(samūha-ggāha) 때문에 내가 있다는 그런 생각이 있게 된다는 뜻이다."(AA.iii.206)

477) "'나는 동등하다(evaṁsmi)'라는 것은 동등하게(samato) 취급하여 [나라고] 움켜쥐는 것이다. 이 사람이 끄샤뜨리야이고 이 사람이 바라문인 것처럼 나도 그러하다고 하는 것을 말한다."(AA.iii.207)

는 영원하지 않다.' '나는 있었으면.'480) '나는 여기에 있었으면.' '나는 동등하게 되었으면.' '나는 다르게 되었으면.' '나는 참으로 있기를.'481) '나는 참으로 여기에 있기를.' '나는 참으로 동등하게 되기를.' '나는 참으로 다르게 되기를.' '나는 있을 것이다.'482) '나는 여기에 있을 것이다.' '나는 동등하게 되어있을 것이다.' '나는 다르게 되어있을 것이다.'라는 [이런 생각이] 일어난다.

이것이 18가지 안의 [오온]을 취착하여 일어나는 갈애이다."

---

478) "'나는 다르다(aññathāsmi)'라는 것은 동등하지 않게(asamato) 취급하여 [나라고] 움켜쥐는 것이다. 이 사람은 끄샤뜨리야이고 이 사람은 바라문이지만 나는 저들과는 다르다. 즉 저열하거나 높다는 뜻이다."(*Ibid*)

479) "'나는 영원하다(asasmi)'와 '나는 영원하지 않다(satasmi)'의 이 둘에 대한 설명은 다음과 같다. 있다(atthi)고 해서 존재함(asa)이다. 이것은 항상함(nicca)과 동의어이다. 가라앉다(sīdati)라고 해서 존재하지 않음(sata)이다. 이것은 무상(anicca)과 동의어이다. 그러므로 상견과 단견(sassat-uccheda)으로써 설한 것이라고 알아야 한다."(*Ibid*)
그런데 우드워드는 asa를 *Sk*. asat로 봐서 무상한 것(존재하지 않는 것)으로 이해하고 있으며 sata를 영원한 것(satata)으로 설명한 뒤 위와 반대로 옮기고 있다. 역자는 주석서를 따라서 옮겼다.

480) '나는 있었으면.'으로 옮긴 원어는 saṁ인데 주석서는 "나는(ahaṁ) 있었으면(siyaṁ)이라는 뜻으로 알아야 한다."(*Ibid*)라고 설명하고 있다. 즉 saṁ을 siyaṁ으로 이해한 것이다. siyaṁ은 √as(*to be*)의 기원법(*Optative*) 현재 일인칭 단수이다. 그래서 이렇게 옮겼다.

481) '나는 참으로 있기를.'로 옮긴 원어는 api ha saṁ인데 주석서는 "참으로(api nāma) 나는 있기를(bhaveyyaṁ)이라고 소망을 이루는 것(patthanā-kappana)으로 말한 것이다."(*Ibid*)라고 설명하고 있다. '나는 있었으면'보다 더 강한 소망을 나타내는 것이다.

482) '나는 있을 것이다(bhavissaṁ)'는 주석서의 설명대로 당연히 미래(anāgata)를 나타낸다.(AA.iii.208)

4. "비구들이여, 그러면 무엇이 18가지 밖의 [오온]을 취착하여 일어나는 갈애인가?

비구들이여, '이것에 의해서[483] 내가 있다.'는 [생각]이 있을 때 '이것에 의해서 나는 여기에 있다.' '이것에 의해서 나는 동등하다.' '이것에 의해서 나는 다르다.' '이것에 의해서 나는 영원하다.' '이것에 의해서 나는 영원하지 않다.' '이것에 의해서 나는 있었으면.' '이것에 의해서 나는 여기에 있었으면.' '이것에 의해서 나는 동등하게 되었으면.' '이것에 의해서 나는 다르게 되었으면.' '이것에 의해서 나는 참으로 있기를.' '이것에 의해서 나는 참으로 여기에 있기를.' '이것에 의해서 나는 참으로 동등하게 되기를.' '이것에 의해서 나는 참으로 다르게 되기를.' '이것에 의해서 나는 있을 것이다.' '이것에 의해서 나는 여기에 있을 것이다.' '이것에 의해서 나는 동등하게 되어 있을 것이다.' '이것에 의해서 나는 다르게 되어 있을 것이다.'라는 [이런 생각이] 일어난다.

이것이 18가지 밖의 [오온]을 취착하여 일어나는 갈애이다."

5. "비구들이여, 이처럼 18가지 안을 취착하여 일어나는 갈애가 있고 18가지 밖을 취착하여 일어나는 갈애가 있다. 비구들이여, 이를 일러 36가지 갈애라 한다. 이처럼 과거에 일어난 36가지 갈애가 있고 미래에 일어날 36가지 갈애가 있고 현재의 36가지 갈애가 있으니, 모두 108가지 갈애가 있다."

---

483) "'이것에 의해서(iminā)'란 이러한 물질에 의해서 … 이러한 알음알이 [즉 오온]에 의해서 라는 뜻이다."(AA.iii.208)

6. "비구들이여, 이러한 갈애가 그물처럼 [곳곳에] 치달리고 퍼지고 달라붙어서 이 세상은 이것에 의해서 망가지고 둘러싸이고 실에 꿰어진 구슬처럼 얽히게 되고 베 짜는 사람의 실타래처럼 헝클어지고 문자 풀처럼 엉키며 처참한 곳, 불행한 곳, 파멸처, 지옥을 건너지 못한다."

애정 경(A4:200)

Pema-sutta

1. "비구들이여, 네 가지가 생긴다. 무엇이 넷인가?

애정(pemā) 때문에 애정이 생긴다. 애정 때문에 성냄이 생긴다. 성냄 때문에 애정이 생긴다. 성냄 때문에 성냄이 생긴다."

2. "비구들이여, 그러면 어떻게 애정 때문에 애정이 생기는가?

비구들이여, 여기 어떤 사람이 어떤 한 사람을 원하고, 좋아하고, 마음에 들어 한다. 다른 사람들도 역시 그 사람을 원하고, 좋아하고, 마음에 들어 하고 있다. 그에게 이런 생각이 든다. '이 사람은 내가 원하고, 좋아하고, 마음에 들어 하는 사람이다. 다른 사람들도 이 사람을 원하고, 좋아하고, 마음에 들어 하고 있구나.'라고. 그는 그들에 대해서 애정이 생긴다. 비구들이여, 이와 같이 애정 때문에 애정이 생긴다."

3. "비구들이여, 그러면 어떻게 애정 때문에 성냄이 생기는가?

비구들이여, 여기 어떤 사람이 어떤 한 사람을 원하고, 좋아하고, 마음에 들어 한다. 다른 사람들은 그 사람을 원하지 않고, 좋아하지 않고, 마음에 들어 하지 않는다. 그에게 이런 생각이 든다. '이 사람은 내가 원하고, 좋아하고, 마음에 들어 하는 사람이다. 다른 사람들은 이 사람을 원하지 않고, 좋아하지 않고, 마음에 들어 하지 않는구나.'라고. 그는 그들에 대해서 성냄이 생긴다. 비구들이여, 이와 같이 애정 때문에 성냄이 생긴다."

4. "비구들이여, 그러면 어떻게 성냄 때문에 애정이 생기는가?

비구들이여, 여기 어떤 사람이 다른 한 사람을 원하지 않고, 좋아하지 않고, 마음에 들어 하지 않는다. 다른 사람들도 그 사람을 원하지 않고, 좋아하지 않고, 마음에 들어 하지 않는다. 그에게 이런 생각이 든다. '이 사람은 내가 원하지 않고, 좋아하지 않고, 마음에 들어 하지 않는 사람이다. 다른 사람들도 이 사람을 원하지 않고, 좋아하지 않고, 마음에 들어 하지 않는다.'라고. 그는 그들에 대해서 애정이 생긴다. 비구들이여, 이와 같이 성냄 때문에 애정이 생긴다."

5. "비구들이여, 그러면 어떻게 성냄 때문에 성냄이 생기는가?

비구들이여, 여기 어떤 사람이 다른 한 사람을 원하지 않고, 좋아하지 않고, 마음에 들어 하지 않는다. 다른 사람들은 그 사람을 원하고, 좋아하고, 마음에 들어 한다. 그에게 이런 생각이 든다. '이 사람은 내가 원하지 않고, 좋아하지 않고, 마음에 들어 하지 않는 사람인데 다른 사람들은 이 사람을 원하고, 좋아하고, 마음에 들어 하는구나.'라고. 그는 그들에 대해서 성냄이 생긴다. 비구들이여, 이와 같이 성냄 때문에 성냄이 생긴다."

6. "비구들이여, 비구가 감각적 욕망들을 완전히 떨쳐버리고 해로운 법[不善法]들을 떨쳐버린 뒤, 일으킨 생각[尋]과 지속적인 고찰

[伺]이 있고, 떨쳐버렸음에서 생겼으며, 희열[喜]과 행복[樂]이 있는 초선(初禪)을 구족하여 머물 때에는 애정 때문에 애정이 생기는 일이 없고 애정 때문에 성냄이 생기는 일도 없다. 성냄 때문에 애정이 생기는 일도 없고 성냄 때문에 성냄이 생기는 일도 없다."

7. "비구들이여, 비구가 … 제2선(二禪)을 … 제3선(三禪)을 … 제4선(四禪)을 구족하여 머물 때에는 애정 때문에 애정이 생기는 일이 없고 애정 때문에 성냄이 생기는 일도 없다. 성냄 때문에 애정이 생기는 일도 없고 성냄 때문에 성냄이 생기는 일도 없다."

8. "비구들이여, 비구가 모든 번뇌가 다하여 아무 번뇌가 없는 마음의 해탈[心解脫]과 통찰지를 통한 해탈[慧解脫]을 바로 지금여기에서 스스로 최상의 지혜로 알고 실현하고 구족하여 머물 때에는 애정 때문에 애정이 생기는 일이 제거되었고 그 뿌리가 잘렸고 줄기만 남은 야자수처럼 되었고 멸절되었고 미래에 다시는 일어나지 않게끔 되었다. 애정 때문에 성냄이 생기는 일도 제거되었고 그 뿌리가 잘렸고 줄기만 남은 야자수처럼 되었고 멸절되었고 미래에 다시는 일어나지 않게끔 되었다. 성냄 때문에 애정이 생기는 일도 제거되었고 그 뿌리가 잘렸고 줄기만 남은 야자수처럼 되었고 멸절되었고 미래에 다시는 일어나지 않게끔 되었다. 성냄 때문에 성냄이 생기는 일도 제거되었고 그 뿌리가 잘렸고 줄기만 남은 야자수처럼 되었고 멸절되었고 미래에 다시는 일어나지 않게끔 되었다.

비구들이여, 이를 일러 비구는 [삿된 견해 때문에] 자신을 움켜쥐지도 않고, 반대를 하면서 싸우지도 않고, [안을 취착하여 갈애의] 연기를 뿜지도 않고, [밖을 취착하여 갈애로] 타오르지도 않고, ['나'라는 자만의] 화염에 휩싸이지도 않는다고 한다."[484]

9. "비구들이여, 그러면 어떻게 비구는 [삿된 견해 때문에] 자신을 움켜쥐는가?

비구들이여, 여기 비구는 물질을 자아라고 관찰하고[隨觀], 물질을 가진 것이 자아라고, 물질이 자아 안에 있다고, 물질 안에 자아가 있다고 관찰한다. 느낌을 … 인식을 … 심리현상들을 … 알음알이를 자아라고 관찰하고, 알음알이를 가진 것이 자아라고, 알음알이가 자아 안에 있다고, 알음알이 안에 자아가 있다고 관찰한다.[485]

비구들이여, 이와 같이 비구는 [사견 때문에] 자신을 움켜쥔다."

10. "비구들이여, 그러면 어떻게 비구는 [삿된 견해 때문에] 자신을 움켜쥐지 않는가?

비구들이여, 여기 비구는 물질을 자아라고 관찰하지 않고, 물질을 가진 것이 자아라고, 물질이 자아 안에 있다고, 물질 안에 자아가 있다고 관찰하지 않는다. 느낌을 … 인식을 … 심리현상들을 … 알음알이를 자아라고 관찰하지 않고, 알음알이를 가진 것이 자아라고, 알음알이가 자아 안에 있다고, 알음알이 안에 자아가 있다고 관찰하지 않는다.

비구들이여, 이와 같이 비구는 [사견 때문에] 자신을 움켜쥐지 않는다."

---

484) 본문의 [ ] 안은 모두 주석서(AA.iii.209)를 참조해서 넣었다.

485) 이 문단은 『맛지마 니까야』 「긴 보름밤 경」(M109/ii.i.18) 등 여러 경들에서 20가지 유신견(有身見, sakkāya-diṭṭhi)의 정형구로 정착되어 있다. 유신견에 대해서는 본서 「사자 경」(A4:33) §2의 주해를 참조할 것.

11. "비구들이여, 그러면 어떻게 비구는 반대를 하면서 싸우는가?

비구들이여, 여기 비구는 모욕을 모욕으로 되갚고 분노를 분노로 되갚고 다툼을 다툼으로 되갚는다.

비구들이여, 이와 같이 비구는 반대를 하면서 싸운다."

12. "비구들이여, 그러면 비구는 어떻게 반대를 하면서 싸우지 않는가?

비구들이여, 여기 비구는 모욕을 모욕으로 되갚지 않고 분노를 분노로 되갚지 않고 다툼을 다툼으로 되갚지 않는다.

비구들이여, 이와 같이 비구는 반대를 하면서 싸우지 않는다."

13. "비구들이여, 그러면 어떻게 비구는 [안을 취착하여 갈애의] 연기를 뿜는가?

비구들이여, '내가 있다.'는 [생각]이 있을 때 '나는 여기에 있다.' '나는 동등하다.' '나는 다르다.' '나는 영원하다.' '나는 영원하지 않다.' '나는 있었으면.' '나는 여기에 있었으면.' '나는 동등하게 되었으면.' '나는 다르게 되었으면.' '나는 참으로 있기를.' '나는 참으로 여기에 있기를.' '나는 참으로 동등하게 되기를.' '나는 참으로 다르게 되기를.' '나는 있을 것이다.' '나는 여기에 있을 것이다.' '나는 동등하게 되어있을 것이다.' '나는 다르게 되어있을 것이다.'라는 [이런 생각이] 일어난다.

비구들이여, 이와 같이 비구는 [안을 취착하여 갈애의] 연기를 뿜는다."

14. "비구들이여, 그러면 어떻게 비구는 [안을 취착하여 갈애의] 연기를 뿜지 않는가?

비구들이여, '내가 있다.'는 [생각]이 없을 때 '나는 여기에 있다.' '나는 동등하다.' '나는 다르다.' '나는 영원하다.' '나는 영원하지 않다.' '나는 있었으면.' '나는 여기에 있었으면.' '나는 동등하게 되었으면.' '나는 다르게 되었으면.' '나는 참으로 있기를.' '나는 참으로 여기에 있기를.' '나는 참으로 동등하게 되기를.' '나는 참으로 다르게 되기를.' '나는 있을 것이다.' '나는 여기에 있을 것이다.' '나는 동등하게 되어있을 것이다.' '나는 다르게 되어있을 것이다.'라는 [이런 생각이] 일어나지 않는다.

비구들이여, 이와 같이 비구는 [안을 취착하여 갈애의] 연기를 뿜지 않는다."

15. "비구들이여, 그러면 어떻게 비구가 [밖을 취착하여 갈애로] 타오르는가?

비구들이여, '이것에 의해서 내가 있다.'는 [생각]이 있을 때 '이것에 의해서 나는 여기에 있다.' '이것에 의해서 나는 동등하다.' '이것에 의해서 나는 다르다.' '이것에 의해서 나는 영원하다.' '이것에 의해서 나는 영원하지 않다.' '이것에 의해서 나는 있었으면.' '이것에 의해서 나는 여기에 있었으면.' '이것에 의해서 나는 동등하게 되었으면.' '이것에 의해서 나는 다르게 되었으면.' '이것에 의해서 나는 참으로 있기를.' '이것에 의해서 나는 참으로 여기에 있기를.' '이것에 의해서 나는 참으로 동등하게 되기를.' '이것에 의해서 나는 참으로 다르게 되기를.' '이것에 의해서 나는 있을 것이다.' '이것에 의해서 나는 여기에 있을 것이다.' '이것에 의해서 나는 동등하게 되어있을 것이다.' '이것에 의해서 나는 다르게 되어있을 것이다.'라는 [이런 생각이] 일어난다.

비구들이여, 이와 같이 비구는 [밖을 취착하여 갈애로] 타오른다."

16. "비구들이여, 그러면 어떻게 비구는 [밖을 취착하여 갈애로] 타오르지 않는가?

비구들이여, '이것에 의해서 내가 있다.'는 [생각]이 없을 때 '이것에 의해서 나는 여기에 있다.' '이것에 의해서 나는 동등하다.' '이것에 의해서 나는 다르다.' '이것에 의해서 나는 영원하다.' '이것에 의해서 나는 영원하지 않다.' '이것에 의해서 나는 있었으면.' '이것에 의해서 나는 여기에 있었으면.' '이것에 의해서 나는 동등하게 되었으면.' '이것에 의해서 나는 다르게 되었으면.' '이것에 의해서 나는 참으로 있기를.' '이것에 의해서 나는 참으로 여기에 있기를.' '이것에 의해서 나는 참으로 동등하게 되기를.' '이것에 의해서 나는 참으로 다르게 되기를.' '이것에 의해서 나는 있을 것이다.' '이것에 의해서 나는 여기에 있을 것이다.' '이것에 의해서 나는 동등하게 되어있을 것이다.' '이것에 의해서 나는 다르게 되어있을 것이다.'라는 [이런 생각이] 일어나지 않는다.

비구들이여, 이와 같이 비구는 [밖을 취착하여 갈애로] 타오르지 않는다."

17. "비구들이여, 그러면 어떻게 비구는 ['나'라는 자만의] 화염에 휩싸이는가?

비구들이여, 비구는 내가 존재한다는 자아의식486)을 제거하지 못했고 뿌리를 자르지 못했고 줄기만 남은 야자수처럼 만들지 못했고 멸절시키지 못했고 미래에 다시는 일어나지 않게끔 만들지 못했다.

비구들이여, 이와 같이 비구는 ['나'라는 자만의] 화염에 휩싸인다."

18. "비구들이여, 그러면 어떻게 비구는 ['나'라는 자만의] 화염에 휩싸이지 않는가?

비구들이여, 비구는 내가 존재한다는 자아의식을 제거하였고 뿌리를 잘랐고 줄기만 남은 야자수처럼 만들었고 멸절시켰고 미래에 다시는 일어나지 않게끔 만들었다.

비구들이여, 이와 같이 비구는 ['나'라는 자만의] 화염에 휩싸이지 않는다."

제20장 대품이 끝났다.

스무 번째 품에 포함된 경들의 목록은 다음과 같다.

① 귀로 들음 ② 조건 ③ 밧디야
④ 사뿌기야, 다섯 번째로 ⑤ 왑빠
⑥ 살하 ⑦ 말리까 ⑧ 자기 학대
⑨ 갈애 ⑩ 애정 — 이러한 열 가지이다.

큰 50개 경들의 묶음이 끝났다.

---

486) "'나라는 자만(asmimāna)'이란 물질[色] 등에 대해서 '나다(asmi)'라고 하는 자만(māna)이다."(DA.iii.1056) 자세한 것은 본서 「초연함 경」(A4:38) §4의 주해를 참조할 것.

V. 다섯 번째 50개 경들의 묶음

Pañcama-paññāsaka

제21장 참된 사람 품

Sappurisa-vagga

학습계목 경(A4:201)

Sikkhāpada-sutta

1. "비구들이여, 그대들에게 참되지 못한 사람과 참되지 못한 사람보다 더 참되지 못한 사람에 대해서 설하리라. 그리고 참된 사람과 참된 사람보다 더 참된 사람에 대해서도 설하리라. 이제 그것을 들어라. 듣고 마음에 잘 새겨라. 나는 설할 것이다."

"그렇게 하겠습니다, 세존이시여."라고 비구들은 세존께 응답했다. 세존께서는 다음과 같이 말씀하셨다.

2. "비구들이여, 그러면 어떤 자가 참되지 못한 사람인가?

비구들이여, 여기 어떤 사람은 생명을 죽이고, 주지 않은 것을 가지고, 삿된 음행을 하고, 거짓말을 하고, 방일하는 근본이 되는 술과 중독성 물질을 섭취한다.

비구들이여, 이를 일러 참되지 못한 사람이라 한다."

3. "비구들이여, 그러면 어떤 자가 참되지 못한 사람보다 더 참되지 못한 사람인가?

비구들이여, 여기 어떤 사람은 자기 스스로도 생명을 죽이고 남에게도 생명을 죽이도록 교사한다. 자기 스스로도 주지 않은 것을 가지고 남에게도 주지 않은 것을 가지도록 교사한다. 자기 스스로도 삿된 음행을 하고 남에게도 삿된 음행을 하도록 교사한다. 자기 스스로도 거짓말을 하고 남에게도 거짓말을 하도록 교사한다. 자기 스스로도 방일하는 근본이 되는 술과 중독성 물질을 섭취하고 남에게도 방일하는 근본이 되는 술과 중독성 물질을 섭취하도록 교사한다.

비구들이여, 이를 일러 참되지 못한 사람보다 더 참되지 못한 사람이라 한다."

4. "비구들이여, 그러면 어떤 자가 참된 사람인가?

비구들이여, 여기 어떤 사람은 생명을 죽이는 것을 멀리 여의고, 주지 않은 것을 가지는 것을 멀리 여의고, 삿된 음행을 멀리 여의고, 거짓말을 멀리 여의고, 방일하는 근본이 되는 술과 중독성 물질을 섭취하는 것을 멀리 여읜다.

비구들이여, 이를 일러 참된 사람이라 한다."

5. "비구들이여, 그러면 어떤 자가 참된 사람보다 더 참된 사람인가?

비구들이여, 여기 어떤 사람은 자기 스스로도 생명을 죽이는 것을 멀리 여의고 남에게도 생명을 죽이는 것을 멀리 여의도록 격려한다. 자기 스스로도 주지 않은 것을 가지는 것을 멀리 여의고 남에게도 주지 않은 것을 가지는 것을 멀리 여의도록 격려한다. 자기 스스로도 삿된 음행을 멀리 여의고 남에게도 삿된 음행을 멀리 여의도록 격려한다. 자기 스스로도 거짓말을 멀리 여의고 남에게도 거짓말을 멀리 여의도록 격려한다. 자기 스스로도 방일하는 근본이 되는 술과 중독성 물질을 섭취하는 것을 멀리 여의고 남에게도 방일하는 근본이 되는 술과 중독성 물질을 섭취하는 것을 멀리 여의도록 격려한다.

비구들이여, 이를 일러 참된 사람보다 더 참된 사람이라 한다."

믿음 없음 경(A4:202)

Asaddha-sutta

1. "비구들이여, 그대들에게 참되지 못한 사람과 참되지 못한 사람보다 더 참되지 못한 사람에 대해서 설하리라. 그리고 참된 사람과 참된 사람보다 더 참된 사람에 대해서도 설하리라. 이제 그것을 들어라. 듣고 마음에 잘 새겨라. 나는 설할 것이다."

"그렇게 하겠습니다, 세존이시여."라고 비구들은 세존께 응답했다. 세존께서는 다음과 같이 말씀하셨다.

2. "비구들이여, 그러면 어떤 자가 참되지 못한 사람인가?

비구들이여, 여기 어떤 사람은 믿음이 없고, 양심이 없고, 수치심이 없고, 배움이 적고, 게으르고, 마음챙김을 놓아버리고, 통찰지가 없다.

비구들이여, 이를 일러 참되지 못한 사람이라 한다."

3. "비구들이여, 그러면 어떤 자가 참되지 못한 사람보다 더

참되지 못한 사람인가?

비구들이여, 여기 어떤 사람은 자기 스스로도 믿음이 없고 남에게도 믿지 않도록 교사한다. 자기 스스로도 양심이 없고 남에게도 양심을 버리도록 교사한다. 자기 스스로도 수치심이 없고 남에게도 수치심을 버리도록 교사한다. 자기 스스로도 배움이 적고 남에게도 배우지 않도록 교사한다. 자기 스스로도 게으르고 남에게도 게으르도록 교사한다. 자기 스스로도 마음챙김을 놓아버리고 남에게도 마음챙김을 놓아버리도록 교사한다. 자기 스스로도 통찰지가 없고 남에게도 통찰지가 없도록 교사한다.

비구들이여, 이를 일러 참되지 못한 사람보다 더 참되지 못한 사람이라 한다."

4. "비구들이여, 그러면 어떤 자가 참된 사람인가?

비구들이여, 여기 어떤 사람은 믿음이 있고, 양심이 있고, 수치심이 있고, 많이 배웠고, 열심히 정진하고, 마음챙김을 가지고, 통찰지가 있다.

비구들이여, 이를 일러 참된 사람이라 한다."

5. "비구들이여, 그러면 어떤 자가 참된 사람보다 더 참된 사람인가?

비구들이여, 여기 어떤 사람은 자기 스스로도 믿음이 있고 남에게도 믿음을 가지도록 격려한다. 자기 스스로도 양심이 있고 남에게도 양심을 지키도록 격려한다. 자기 스스로도 수치심이 있고 남에게도 수치심을 지키도록 격려한다. 자기 스스로도 많이 배웠고 남에게도 많이 배우도록 격려한다. 자기 스스로도 열심히 정진하고 남에게도 열심히 정진하도록 격려한다. 자기 스스로도 마음챙김을 확립하고 남에게도 마음챙김을 확립하도록 격려한다. 자기 스스로도 통찰지가 있고 남에게도 통찰지를 가지도록 격려한다.

비구들이여, 이를 일러 참된 사람보다 더 참된 사람이라 한다."

일곱 가지 업 경(A4:203)

Sattakamma-sutta

1. "비구들이여, 그대들에게 참되지 못한 사람과 참되지 못한 사람보다 더 참되지 못한 사람에 대해서 설하리라. 그리고 참된 사람과 참된 사람보다 더 참된 사람에 대해서도 설하리라. 이제 그것을 들어라. 듣고 마음에 잘 새겨라. 나는 설할 것이다."

"그렇게 하겠습니다, 세존이시여."라고 비구들은 세존께 응답했다. 세존께서는 다음과 같이 말씀하셨다.

2. "비구들이여, 그러면 어떤 자가 참되지 못한 사람인가?

비구들이여, 여기 어떤 사람은 생명을 죽이고, 주지 않은 것을 가지고, 삿된 음행을 하고, 거짓말을 하고, 이간질을 하고, 욕설을 하고, 잡담을 한다.

비구들이여, 이를 일러 참되지 못한 사람이라 한다."

3. "비구들이여, 그러면 어떤 자가 참되지 못한 사람보다 더 참되지 못한 사람인가?

비구들이여, 여기 어떤 사람은 자기 스스로도 생명을 죽이고 남에게도 생명을 죽이도록 교사한다. 자기 스스로도 주지 않은 것을 가지고 남에게도 주지 않은 것을 가지도록 교사한다. 자기 스스로도 삿된 음행을 하고 남에게도 삿된 음행을 하도록 교사한다. 자기 스스로도 거짓말을 하고 남에게도 거짓말을 하도록 교사한다. 자기 스스로도 이간질을 하고 남에게도 이간질을 하도록 교사한다. 자기 스스로도 욕설을 하고 남에게도 욕설을 하도록 교사한다. 자기 스스로도 잡담을 하고 남에게도 잡담을 하도록 교사한다.

비구들이여, 이를 일러 참되지 못한 사람보다 더 참되지 못한 사람이라 한다."

4. "비구들이여, 그러면 어떤 자가 참된 사람인가?

비구들이여, 여기 어떤 사람은 생명을 죽이는 것을 멀리 여의고, 주지 않은 것을 가지는 것을 멀리 여의고, 삿된 음행을 멀리 여의고, 거짓말을 멀리 여의고, 이간질을 멀리 여의고, 욕설을 멀리 여의고, 잡담을 멀리 여읜다.

비구들이여, 이를 일러 참된 사람이라 한다."

5. "비구들이여, 그러면 어떤 자가 참된 사람보다 더 참된 사람인가?

비구들이여, 여기 어떤 사람은 자기 스스로도 생명을 죽이는 것을 멀리 여의고 남에게도 생명을 죽이는 것을 멀리 여의도록 격려한다. 자기 스스로도 주지 않은 것을 가지는 것을 멀리 여의고 남에게도 주지 않은 것을 가지는 것을 멀리 여의도록 격려한다. 자기 스스로도 삿된 음행을 멀리 여의고 남에게도 삿된 음행을 멀리 여의도록 격려한다. 자기 스스로도 거짓말을 멀리 여의고 남에게도 거짓말을 멀리 여의도록 격려한다. 자기 스스로도 이간질을 멀리 여의고 남에게도 이간질을 멀리 여의도록 격려한다. 자기 스스로도 욕설을 멀리 여의고 남에게도 욕설을 멀리 여의도록 격려한다. 자기 스스로도 잡담을 멀리 여의고 남에게도 잡담을 멀리 여의도록 격려한다.

비구들이여, 이를 일러 참된 사람보다 더 참된 사람이라 한다."

열 가지 업 경(A4:204)

Dasakamma-sutta

1. "비구들이여, 그대들에게 참되지 못한 사람과 참되지 못한 사람보다 더 참되지 못한 사람에 대해서 설하리라. 그리고 참된 사람과 참된 사람보다 더 참된 사람에 대해서도 설하리라. 이제 그것을 들어라. 듣고 마음에 잘 새겨라. 나는 설할 것이다."

"그렇게 하겠습니다, 세존이시여."라고 비구들은 세존께 응답했다. 세존께서는 다음과 같이 말씀하셨다.

2. "비구들이여, 그러면 어떤 자가 참되지 못한 사람인가?

비구들이여, 여기 어떤 사람은 생명을 죽이고, 주지 않은 것을 가지고, 삿된 음행을 하고, 거짓말을 하고, 이간질을 하고, 욕설을 하고, 잡담을 하고, 간탐하고, 악의에 찬 마음을 가졌고, 삿된 견해를 가졌다.

비구들이여, 이를 일러 참되지 못한 사람이라 한다."

3. "비구들이여, 그러면 어떤 자가 참되지 못한 사람보다 더 참되지 못한 사람인가?

비구들이여, 여기 어떤 사람은 자기 스스로도 생명을 죽이고 남에게도 생명을 죽이도록 교사한다. 자기 스스로도 주지 않은 것을 가지고 남에게도 주지 않은 것을 가지도록 교사한다. 자기 스스로도 삿된 음행을 하고 남에게도 삿된 음행을 하도록 교사한다. 자기 스스로도 거짓말을 하고 남에게도 거짓말을 하도록 교사한다. 자기 스스로도 이간질을 하고 남에게도 이간질을 하도록 교사한다. 자기 스스로도 욕설을 하고 남에게도 욕설을 하도록 교사한다. 자기 스스로도 잡담을 하고 남에게도 잡담을 하도록 교사한다. 자기 스스로도 간탐하고 남에게도 간탐하도록 교사한다. 자기 스스로도 악의에 찬 마음을 가졌고 남에게도 악의에 찬 마음을 가지도록 교사한다. 자기 스스로도 삿된 견해를 가졌고 남에게도 삿된 견해를 가지도록 교사한다.

비구들이여, 이를 일러 참되지 못한 사람보다 더 참되지 못한 사람이라 한다."

4. "비구들이여, 그러면 어떤 자가 참된 사람인가?

비구들이여, 여기 어떤 사람은 생명을 죽이는 것을 멀리 여의고, 주지 않은 것을 가지는 것을 멀리 여의고, 삿된 음행을 멀리 여의고, 거짓말을 멀리 여의고, 이간질을 멀리 여의고, 욕설을 멀리 여의고, 잡담을 멀리 여의고, 간탐하지 않고, 악의가 없는 마음을 가졌고, 바른 견해를 가졌다.

비구들이여, 이를 일러 참된 사람이라 한다."

5. "비구들이여, 그러면 어떤 자가 참된 사람보다 더 참된 사람인가?

비구들이여, 여기 어떤 사람은 자기 스스로도 생명을 죽이는 것을 멀리 여의고 남에게도 생명을 죽이는 것을 멀리 여의도록 격려한다. 자기 스스로도 주지 않은 것을 가지는 것을 멀리 여의고 남에게도 주지 않은 것을 가지는 것을 멀리 여의도록 격려한다. 자기 스스로도 삿된 음행을 멀리 여의고 남에게도 삿된 음행을 멀리 여의도록 격려한다. 자기 스스로도 거짓말을 멀리 여의고 남에게도 거짓말을 멀리 여의도록 격려한다. 자기 스스로도 이간질을 멀리 여의고 남에게도 이간질을 멀리 여의도록 격려한다. 자기 스스로도 욕설을 멀리 여의고 남에게도 욕설을 멀리 여의도록 격려한다. 자기 스스로도 잡담을 멀리 여의고 남에게도 잡담을 멀리 여의도록 격려한다. 자기 스스로도 간탐하지 않고 남에게도 간탐하지 않도록 격려한다. 자기 스스로도 악의 없는 마음을 가졌고 남에게도 악의 없는 마음을 가지도록 격려한다. 자기 스스로도 바른 견해를 가졌고 남에게도 바른 견해를 가지도록 격려한다.

비구들이여, 이를 일러 참된 사람보다 더 참된 사람이라 한다."

여덟 가지 구성요소 경(A4:205)

Aṭṭhaṅgika-sutta

1. "비구들이여, 그대들에게 참되지 못한 사람과 참되지 못한 사람보다 더 참되지 못한 사람에 대해서 설하리라. 그리고 참된 사람과 참된 사람보다 더 참된 사람에 대해서도 설하리라. 이제 그것을 들어라. 듣고 마음에 잘 새겨라. 나는 설할 것이다."

"그렇게 하겠습니다, 세존이시여."라고 비구들은 세존께 응답했다. 세존께서는 다음과 같이 말씀하셨다.

2. "비구들이여, 그러면 어떤 자가 참되지 못한 사람인가?

비구들이여, 여기 어떤 사람은 삿된 견해, 삿된 사유, 삿된 말, 삿된 행위, 삿된 생계, 삿된 노력, 삿된 마음챙김, 삿된 삼매를 가졌다.

비구들이여, 이를 일러 참되지 못한 사람이라 한다."

3. "비구들이여, 그러면 어떤 자가 참되지 못한 사람보다 더 참되지 못한 사람인가?

비구들이여, 여기 어떤 사람은 자기 스스로도 삿된 견해를 가졌고 남에게도 삿된 견해를 가지도록 교사한다. 자기 스스로도 삿된 사유를 하고 남에게도 삿된 사유를 하도록 교사한다. 자기 스스로도 삿된 말을 하고 남에게도 삿된 말을 하도록 교사한다. 자기 스스로도 삿된 행위를 하고 남에게도 삿된 행위를 하도록 교사한다. 자기 스스로도 삿된 생계를 가졌고 남에게도 삿된 생계를 가지도록 교사한다. 자기 스스로도 삿된 정진을 하고 남에게도 삿된 정진을 하도록 교사한다. 자기 스스로도 삿된 마음챙김을 가졌고 남에게도 삿된 마음챙김을 가지도록 교사한다. 자기 스스로도 삿된 삼매를 가졌고 남에게도 삿된 삼매를 가지도록 교사한다.

비구들이여, 이를 일러 참되지 못한 사람보다 더 참되지 못한 사람이라 한다."

4. "비구들이여, 그러면 어떤 자가 참된 사람인가?

비구들이여, 여기 어떤 사람은 바른 견해, 바른 사유, 바른 말, 바른 행위, 바른 생계, 바른 정진, 바른 마음챙김, 바른 삼매를 가졌다.

비구들이여, 이를 일러 참된 사람이라 한다."

5. "비구들이여, 그러면 어떤 자가 참된 사람보다 더 참된 사람인가?

비구들이여, 여기 어떤 사람은 자기 스스로도 바른 견해를 가졌고 남에게도 바른 견해를 가지도록 격려한다. 자기 스스로도 바른 사유를 하고 남에게도 바른 사유를 하도록 격려한다. 자기 스스로도 바른 말을 하고 남에게도 바른 말을 하도록 격려한다. 자기 스스로도 바른 행위를 하고 남에게도 바른 행위를 하도록 격려한다. 자기 스스로도 바른 생계를 가졌고 남에게도 바른 생계를 가지도록 격려한다. 자기 스스로도 바른 정진을 하고 남에게도 바른 정진을 하도록 격려한다. 자기 스스로도 바른 마음챙김을 가졌고 남에게도 바른 마음챙김을 가지도록 격려한다. 자기 스스로도 바른 삼매를 가졌고 남에게도 바른 삼매를 가지도록 격려한다.

비구들이여, 이를 일러 참된 사람보다 더 참된 사람이라 한다."

열 가지 도 경(A4:206)

Dasamagga-sutta

1. "비구들이여, 그대들에게 참되지 못한 사람과 참되지 못한 사람보다 더 참되지 못한 사람에 대해서 설하리라. 그리고 참된 사람과 참된 사람보다 더 참된 사람에 대해서도 설하리라. 이제 그것을 들어라. 듣고 마음에 잘 새겨라. 나는 설할 것이다."

"그렇게 하겠습니다, 세존이시여."라고 비구들은 세존께 응답했다. 세존께서는 다음과 같이 말씀하셨다.

2. "비구들이여, 그러면 어떤 자가 참되지 못한 사람인가?

비구들이여, 여기 어떤 사람은 삿된 견해, 삿된 사유, 삿된 말, 삿된 행위, 삿된 생계, 삿된 노력, 삿된 마음챙김, 삿된 삼매, 삿된 지혜,

삿된 해탈을 가졌다.

비구들이여, 이를 일러 참되지 못한 사람이라 한다."

3. "비구들이여, 그러면 어떤 자가 참되지 못한 사람보다 더 참되지 못한 사람인가?

비구들이여, 여기 어떤 사람은 자기 스스로도 삿된 견해를 가졌고 남에게도 삿된 견해를 가지도록 교사한다. … 자기 스스로도 삿된 지혜를 가졌고 남에게도 삿된 지혜를 가지도록 교사한다. 자기 스스로도 삿된 해탈을 하고 남에게도 삿된 해탈을 하도록 교사한다.

비구들이여, 이를 일러 참되지 못한 사람보다 더 참되지 못한 사람이라 한다."

4. "비구들이여, 그러면 어떤 자가 참된 사람인가?

비구들이여, 여기 어떤 사람은 바른 견해, 바른 사유, 바른 말, 바른 행위, 바른 생계, 바른 정진, 바른 마음챙김, 바른 삼매, 바른 지혜, 바른 해탈을 가졌다.

비구들이여, 이를 일러 참된 사람이라 한다."

5. "비구들이여, 그러면 어떤 자가 참된 사람보다 더 참된 사람인가?

비구들이여, 여기 어떤 사람은 자기 스스로도 바른 견해를 가졌고 남에게도 바른 견해를 가지도록 격려한다. … 자기 스스로도 바른 지혜를 가졌고 남에게도 바른 지혜를 가지도록 격려한다. 자기 스스로도 바른 해탈을 하였고 남에게도 바른 해탈을 하도록 격려한다.

비구들이여, 이를 일러 참된 사람보다 더 참된 사람이라 한다."

악한 법 경1(A4:207)

Pāpadhamma-sutta

1. "비구들이여, 그대들에게 악한 사람과 악한 사람보다 더 악한 사람에 대해서 설하리라. 그리고 선한 사람과 선한 사람보다 더 선한 사람에 대해서도 설하리라. 이제 그것을 들어라. 듣고 마음에 잘 새겨라. 나는 설할 것이다."

"그렇게 하겠습니다, 세존이시여."라고 비구들은 세존께 응답했다. 세존께서는 다음과 같이 말씀하셨다.

2. "비구들이여, 그러면 누가 악한 사람인가?

비구들이여, 여기 어떤 사람은 생명을 죽이고, 주지 않은 것을 가지고, 삿된 음행을 하고, 거짓말을 하고, 이간질을 하고, 욕설을 하고, 잡담을 하고, 간탐하고, 악의에 찬 마음을 가졌고, 삿된 견해를 가졌다.

비구들이여, 이를 일러 악한 사람이라 한다."

3. "비구들이여, 그러면 누가 악한 사람보다 더 악한 사람인가?

비구들이여, 여기 어떤 사람은 자기 스스로도 생명을 죽이고 남에게도 생명을 죽이도록 교사한다. … 자기 스스로도 삿된 견해를 가졌고 남에게도 삿된 견해를 가지도록 교사한다.

비구들이여, 이를 일러 악한 사람보다 더 악한 사람이라 한다."

4. "비구들이여, 그러면 누가 선한 사람인가?

비구들이여, 여기 어떤 사람은 생명을 죽이는 것을 멀리 여의고, 주지 않은 것을 가지는 것을 멀리 여의고, 삿된 음행을 멀리 여의고,

거짓말을 멀리 여의고, 이간질을 멀리 여의고, 욕설을 멀리 여의고, 잡담을 멀리 여의고, 간탐하지 않고, 악의 없는 마음을 가졌고, 바른 견해를 가졌다.

비구들이여, 이를 일러 선한 사람이라 한다."

5. "비구들이여, 그러면 누가 선한 사람보다 더 선한 사람인가?

비구들이여, 여기 어떤 사람은 자기 스스로도 생명을 죽이는 것을 멀리 여의고 남에게도 생명을 죽이는 것을 멀리 여의도록 격려한다. … 자기 스스로도 바른 견해를 가졌고 남에게도 바른 견해를 가지도록 격려한다.

비구들이여, 이를 일러 선한 사람보다 더 선한 사람이라 한다."

악한 법 경2(A4:208)

1. "비구들이여, 그대들에게 악한 사람과 악한 사람보다 더 악한 사람에 대해서 설하리라. 그리고 선한 사람과 선한 사람보다 더 선한 사람에 대해서도 설하리라. 이제 그것을 들어라. 듣고 마음에 잘 새겨라. 나는 설할 것이다."

"그렇게 하겠습니다, 세존이시여."라고 비구들은 세존께 응답했다. 세존께서는 다음과 같이 말씀하셨다.

2. "비구들이여, 그러면 누가 악한 사람인가?

비구들이여, 여기 어떤 사람은 삿된 견해, 삿된 사유, 삿된 말, 삿된 행위, 삿된 생계, 삿된 노력, 삿된 마음챙김, 삿된 삼매, 삿된 지혜, 삿된 해탈을 가졌다.

비구들이여, 이를 일러 악한 사람이라 한다."

3. "비구들이여, 그러면 누가 악한 사람보다 더 악한 사람인가?

비구들이여, 여기 어떤 사람은 자기 스스로도 삿된 견해를 가졌고 남에게도 삿된 견해를 가지도록 교사한다. … 자기 스스로도 삿된 지혜를 가졌고 남에게도 삿된 지혜를 가지도록 교사한다. 자기 스스로도 삿된 해탈을 하고 남에게도 삿된 해탈을 하도록 교사한다.

비구들이여, 이를 일러 악한 사람보다 더 악한 사람이라 한다."

4. "비구들이여, 그러면 누가 선한 사람인가?

비구들이여, 여기 어떤 사람은 바른 견해, 바른 사유, 바른 말, 바른 행위, 바른 생계, 바른 정진, 바른 마음챙김, 바른 삼매, 바른 지혜, 바른 해탈을 가졌다.

비구들이여, 이를 일러 선한 사람이라 한다."

5. "비구들이여, 그러면 누가 선한 사람보다 더 선한 사람인가?

비구들이여, 여기 어떤 사람은 자기 스스로도 바른 견해를 가졌고 남에게도 바른 견해를 가지도록 격려한다. … 자기 스스로도 바른 지혜를 가졌고 남에게도 바른 지혜를 가지도록 격려한다. 자기 스스로도 바른 해탈을 하였고 남에게도 바른 해탈을 하도록 격려한다.

비구들이여, 이를 일러 선한 사람보다 더 선한 사람이라 한다."

악한 법 경3(A4:209)

1. "비구들이여, 그대들에게 악한 사람과 악한 사람보다 더 악한 사람에 대해서 설하리라. 그리고 선한 사람과 선한 사람보다 더

선한 사람에 대해서도 설하리라. 이제 그것을 들어라. 듣고 마음에 잘 새겨라. 나는 설할 것이다."

"그렇게 하겠습니다, 세존이시여."라고 비구들은 세존께 응답했다. 세존께서는 다음과 같이 말씀하셨다.

2. "비구들이여, 그러면 누가 악한 사람인가?

비구들이여, 여기 어떤 사람은 생명을 죽이고, 주지 않은 것을 가지고, 삿된 음행을 하고, 거짓말을 하고, 이간질을 하고, 욕설을 하고, 잡담을 하고, 간탐하고, 악의에 찬 마음을 가졌고, 삿된 견해를 가졌다.

비구들이여, 이를 일러 악한 사람이라 한다."

3. "비구들이여, 그러면 누가 악한 사람보다 더 악한 사람인가?

비구들이여, 여기 어떤 사람은 자기 스스로도 생명을 죽이고 남에게도 생명을 죽이도록 교사한다. … 자기 스스로도 삿된 견해를 가졌고 남에게도 삿된 견해를 가지도록 교사한다.

비구들이여, 이를 일러 악한 사람보다 더 악한 사람이라 한다."

4. "비구들이여, 그러면 누가 선한 사람인가?

비구들이여, 여기 어떤 사람은 생명을 죽이는 것을 멀리 여의고, 주지 않은 것을 가지는 것을 멀리 여의고, 삿된 음행을 멀리 여의고, 거짓말을 멀리 여의고, 이간질을 멀리 여의고, 욕설을 멀리 여의고, 잡담을 멀리 여의고, 간탐하지 않고, 악의 없는 마음을 가졌고, 바른 견해를 가졌다.

비구들이여, 이를 일러 선한 사람이라 한다."

5. "비구들이여, 그러면 누가 선한 사람보다 더 선한 사람인가?

비구들이여, 여기 어떤 사람은 자기 스스로도 생명을 죽이는 것을 멀리 여의고 남에게도 생명을 죽이는 것을 멀리 여의도록 격려한다. … 자기 스스로도 바른 견해를 가졌고 남에게도 바른 견해를 가지도록 격려한다.

비구들이여, 이를 일러 선한 사람보다 더 선한 사람이라 한다."

악한 법 경4(A4:210)

1. "비구들이여, 그대들에게 악한 사람과 악한 사람보다 더 악한 사람에 대해서 설하리라. 그리고 선한 사람과 선한 사람보다 더 선한 사람에 대해서도 설하리라. 이제 그것을 들어라. 듣고 마음에 잘 새겨라. 나는 설할 것이다."

"그렇게 하겠습니다, 세존이시여."라고 비구들은 세존께 응답했다. 세존께서는 다음과 같이 말씀하셨다.

2. "비구들이여, 그러면 누가 악한 사람인가?

비구들이여, 여기 어떤 사람은 삿된 견해, 삿된 사유, 삿된 말, 삿된 행위, 삿된 생계, 삿된 노력, 삿된 마음챙김, 삿된 삼매, 삿된 지혜, 삿된 해탈을 가졌다.

비구들이여, 이를 일러 악한 사람이라 한다."

3. "비구들이여, 그러면 누가 악한 사람보다 더 악한 사람인가?

비구들이여, 여기 어떤 사람은 자기 스스로도 삿된 견해를 가졌고 남에게도 삿된 견해를 가지도록 교사한다. … 자기 스스로도 삿된 지혜를 가졌고 남에게도 삿된 지혜를 가지도록 교사한다. 자기 스스로도 삿된 해탈을 하고 남에게도 삿된 해탈을 하도록 교사한다.

비구들이여, 이를 일러 악한 사람보다 더 악한 사람이라 한다."

4. "비구들이여, 그러면 누가 선한 사람인가?

비구들이여, 여기 어떤 사람은 바른 견해, 바른 사유, 바른 말, 바른 행위, 바른 생계, 바른 정진, 바른 마음챙김, 바른 삼매, 바른 지혜, 바른 해탈을 가졌다.

비구들이여, 이를 일러 선한 사람이라 한다."

5. "비구들이여, 그러면 누가 선한 사람보다 더 선한 사람인가?

비구들이여, 여기 어떤 사람은 자기 스스로도 바른 견해를 가졌고 남에게도 바른 견해를 가지도록 격려한다. … 자기 스스로도 바른 지혜를 가졌고 남에게도 바른 지혜를 가지도록 격려한다. 자기 스스로도 바른 해탈을 하였고 남에게도 바른 해탈을 하도록 격려한다.

비구들이여, 이를 일러 선한 사람보다 더 선한 사람이라 한다."

제21장 참된 사람 품이 끝났다.

스물한 번째 품에 포함된 경들의 목록은 다음과 같다.

① 학습계목 ② 믿음 없음 ③ 일곱 가지 업
④ 열 가지 업 ⑤ 여덟 가지 구성요소
⑥ 열 가지 도, 두 가지 ⑦~⑧ 악한 법
다시 두 가지 ⑨~⑩ 악한 법 — 이러한 열 가지이다.

제22장 아름다움 품[487)]

Sobhaṇa-vagga

회중 경(A4:211)

Parisā-sutta

1. "비구들이여, 네 부류의 회중을 망가뜨리는 사람이 있다. 무엇이 넷인가?

비구들이여, 여기 계행이 나쁘고 사악한 성품을 가진 비구가 회중을 망가뜨린다. 비구들이여, 여기 계행이 나쁘고 사악한 성품을 가진 비구니가 회중을 망가뜨린다. 비구들이여, 여기 계행이 나쁘고 사악한 성품을 가진 청신사가 회중을 망가뜨린다. 비구들이여, 여기 계행이 나쁘고 사악한 성품을 가진 청신녀가 회중을 망가뜨린다.

비구들이여, 이것이 네 부류의 회중을 망가뜨리는 사람이다."

2. "비구들이여, 네 부류의 회중을 아름답게 하는 사람이 있다. 무엇이 넷인가?

비구들이여, 여기 계행을 구족하고 선한 성품을 가진 비구가 회중을 아름답게 한다. 비구들이여, 여기 계행을 구족하고 선한 성품을 가진 비구니가 회중을 아름답게 한다. 비구들이여, 여기 계행을 구족하고 선한 성품을 가진 청신사가 회중을 아름답게 한다. 비구들이여,

---

487) 육차결집본에는 회중 품(Parisā-vagga)으로 나타난다. PTS본은 「회중 경」(A4:211) §2에 나타나는 아름다움(sobhaṇa)을 품명으로 택한 것이다.

여기 계행을 구족하고 선한 성품을 가진 청신녀가 회중을 아름답게 한다.

비구들이여, 이것이 네 부류의 회중을 아름답게 하는 사람이다."

견해 경(A4:212)

Diṭṭhi-sutta

1. "비구들이여, 네 가지 법을 갖춘 자는 마치 누가 그를 데려가서 놓는 것처럼 [반드시] 지옥에 떨어진다. 무엇이 넷인가?

몸으로 지은 나쁜 행위, 말로 지은 나쁜 행위, 마음으로 지은 나쁜 행위, 삿된 견해를 가지는 것이다.

비구들이여, 이러한 네 가지 법을 갖춘 자는 마치 누가 그를 데려가서 놓는 것처럼 [반드시] 지옥에 떨어진다."

2. "비구들이여, 네 가지 법을 갖춘 자는 누가 그를 데려가서 놓는 것처럼 [반드시] 천상에 태어난다. 무엇이 넷인가?

몸으로 지은 좋은 행위, 말로 지은 좋은 행위, 마음으로 지은 좋은 행위, 바른 견해를 가지는 것이다.

비구들이여, 이러한 네 가지 법을 갖춘 자는 누가 그를 데려가서 놓는 것처럼 [반드시] 천상에 태어난다."

은혜를 모름 경(A4:213)

Akataññutā-sutta

1. "비구들이여, 네 가지 법을 갖춘 자는 마치 누가 그를 데려

가서 놓는 것처럼 [반드시] 지옥에 떨어진다. 무엇이 넷인가?

몸으로 지은 나쁜 행위, 말로 지은 나쁜 행위, 마음으로 지은 나쁜 행위, 은혜를 모르고 은혜에 보답할 줄 모르는 것이다.

비구들이여, 이러한 네 가지 법을 갖춘 자는 마치 누가 그를 데려가서 놓는 것처럼 [반드시] 지옥에 떨어진다."

2. "비구들이여, 네 가지 법을 갖춘 자는 마치 누가 그를 데려가서 놓는 것처럼 [반드시] 천상에 태어난다. 무엇이 넷인가?

몸으로 지은 좋은 행위, 말로 지은 좋은 행위, 마음으로 지은 좋은 행위, 은혜를 알고 은혜에 보답할 줄 아는 것이다.

비구들이여, 이러한 네 가지 법을 갖춘 자는 마치 누가 그를 데려가서 놓는 것처럼 [반드시] 천상에 태어난다."

살생 경(A4:214)

Pāṇātipātā-sutta

1. "비구들이여, … 지옥에 떨어진다. 무엇이 넷인가?

생명을 죽이고, 주지 않은 것을 가지고, 삿된 음행을 하고, 거짓말을 하는 것이다. …"

2. "비구들이여, … 천상에 태어난다. 무엇이 넷인가?

생명을 죽이는 것을 멀리 여의고, 주지 않은 것을 가지는 것을 멀리 여의고, 삿된 음행을 멀리 여의고, 거짓말을 멀리 여의는 것이다. …"

도 경1(A4:215)

Magga-sutta

1. "비구들이여, … 지옥에 떨어진다. 무엇이 넷인가? 삿된 견해, 삿된 사유, 삿된 말, 삿된 행위이다. …"

2. "비구들이여, … 천상에 태어난다. 무엇이 넷인가? 바른 견해, 바른 사유, 바른 말, 바른 행위이다. …"

도 경2(A4:216)

1. "비구들이여, … 지옥에 떨어진다. 무엇이 넷인가? 삿된 생계, 삿된 정진, 삿된 마음챙김, 삿된 삼매이다. …"

2. "비구들이여, … 천상에 태어난다. 무엇이 넷인가? 바른 생계, 바른 정진, 바른 마음챙김, 바른 삼매이다. …"

언어표현 경1(A4:217)

Vohārapatha-sutta

1. "비구들이여, … 지옥에 떨어진다. 무엇이 넷인가? 보지 못한 것을 보았다 하고, 듣지 못한 것을 들었다 하고, 생각하지 않은 것을 생각했다 하고, 알지 못한 것을 알았다 한다. …"

2. "비구들이여, … 천상에 태어난다. 무엇이 넷인가? 보지 못한 것을 보지 못했다 하고, 듣지 못한 것을 듣지 못했다 하고, 생각하지 않은 것을 생각하지 않았다 하고, 알지 못한 것을 알지 못했다 한다. …"

언어표현 경2(A4:218)

1. "비구들이여, … 지옥에 떨어진다. 무엇이 넷인가? 본 것을 보지 못했다 하고, 들은 것을 듣지 못했다 하고, 생각한 것을 생각하지 않았다 하고, 안 것을 알지 못했다 한다. …"

2. "비구들이여, … 천상에 태어난다. 무엇이 넷인가? 본 것을 보았다 하고, 들은 것을 들었다 하고, 생각한 것을 생각했다 하고, 안 것을 알았다 한다. …"

양심 없음 경(A4:219)

Ahirika-sutta

1. "비구들이여, … 지옥에 떨어진다. 무엇이 넷인가? 믿음 없음, 나쁜 계행, 양심 없음, 수치심 없음이다. …"

2. "비구들이여, … 천상에 태어난다. 무엇이 넷인가? 믿음, 계의 구족, 양심, 수치심이다. …"

나쁜 통찰지 경(A4:220)[488)]

Duppañña-sutta

1. "비구들이여, … 지옥에 떨어진다. 무엇이 넷인가? 믿음 없음, 나쁜 계행, 게으름, 나쁜 통찰지이다. …"

---

488) 육차결집본의 경 이름은 나쁜 계행(Dussīla-sutta)이다.

2. "비구들이여, … 천상에 태어난다. 무엇이 넷인가? 믿음, 계의 구족, 열심히 정진함, 통찰지를 가짐이다. …"

제22장 아름다움 품이 끝났다.

스물두 번째 품에 포함된 경들의 목록은 다음과 같다.

① 회중 ② 견해 ③ 은혜를 모름
④ 살생, 두 가지 ⑤~⑥ 도
두 가지 ⑦~⑧ 언어표현
⑨ 양심 없음 ⑩ 나쁜 통찰지 — 이러한 열 가지이다.

제23장 좋은 행위 품[489)]

Succarita-vagga

나쁜 행위 경(A4:221)

Duccarita-sutta

1. "비구들이여, 네 가지 말로 지은 나쁜 행위가 있다. 무엇이 넷인가?

거짓말, 이간질, 욕설, 잡담이다. 비구들이여, 이것이 네 가지 말로 지은 못된 행위이다."

2. "비구들이여, 네 가지 말로 지은 좋은 행위가 있다. 무엇이 넷인가?

진실한 말, 이간질 하지 않음, 부드러운 말, 진지한 말이다. 비구들이여, 이것이 네 가지 말로 지은 좋은 행위이다."

견해 경(A4:222)

Diṭṭhi-sutta

1. "비구들이여, 네 가지 법을 가진 어리석고 영민하지 못하고 참되지 못한 사람은 자신을 파서 엎어버리고 파멸시킨다. 그는 비난받아 마땅하고 지자들의 비난을 받으며 많은 악덕(惡德)을 쌓는다. 무엇이 넷인가?

---

489) 육차결집본의 품의 이름은 못된 행위 품(Duccarita-vagga)이다.

몸으로 지은 나쁜 행위, 말로 지은 나쁜 행위, 마음으로 지은 나쁜 행위, 삿된 견해이다.

비구들이여, 이러한 네 가지 법을 가진 어리석고 영민하지 못하고 참되지 못한 사람은 자신을 파서 엎어버리고 파멸시킨다. 그는 비난 받아 마땅하고 지자들의 비난을 받으며 많은 악덕을 쌓는다."

2. "비구들이여, 네 가지 법을 가진 현명하고 영민하고 참된 사람은 자신을 파서 엎지 않고 파멸시키지 않는다. 그는 비난받을 일이 없고 지자들에게 비난받지 않고 많은 공덕을 쌓는다. 무엇이 넷인가?

몸으로 지은 좋은 행위, 말로 지은 좋은 행위, 마음으로 지은 좋은 행위, 바른 견해이다.

비구들이여, 이러한 네 가지 법을 가진 … 많은 공덕을 쌓는다."

은혜를 모름 경(A4:223)
Akataññutā-sutta

1. "비구들이여, … 많은 악덕(惡德)을 쌓는다. 무엇이 넷인가?

몸으로 지은 나쁜 행위, 말로 지은 나쁜 행위, 마음으로 지은 나쁜 행위, 은혜를 모르고 은혜에 보답할 줄 모르는 것이다. …"

2. "비구들이여, … 많은 공덕을 쌓는다. 무엇이 넷인가?

몸으로 지은 좋은 행위, 말로 지은 좋은 행위, 마음으로 지은 좋은 행위, 은혜를 알고 은혜에 보답할 줄 아는 것이다. …"

살생 경(A4:224)

Pāṇātipātā-sutta

1. "비구들이여, … 많은 악덕을 쌓게 된다. 무엇이 넷인가? 생명을 죽이고, 주지 않은 것을 가지고, 삿된 음행을 하고, 거짓말을 하는 것이다. …"

2. "비구들이여, … 많은 공덕을 쌓게 된다. 무엇이 넷인가? 생명을 죽이는 것을 멀리 여의고, 주지 않은 것을 가지는 것을 멀리 여의고, 삿된 음행을 멀리 여의고, 거짓말을 멀리 여의는 것이다. …"

도 경(A4:225)

Magga-sutta

1. "비구들이여, … 많은 악덕을 쌓게 된다. 무엇이 넷인가? 삿된 생계, 삿된 정진, 삿된 마음챙김, 삿된 삼매이다. …"

2. "비구들이여, … 많은 공덕을 쌓게 된다. 무엇이 넷인가? 바른 생계, 바른 정진, 바른 마음챙김, 바른 삼매이다. …"

언어표현 경1(A4:226)

Vohārapatha-sutta

1. "비구들이여, … 많은 악덕을 쌓게 된다. 무엇이 넷인가? 보지 못한 것을 보았다 하고, 듣지 못한 것을 들었다 하고, 생각하지 않은 것을 생각했다 하고, 알지 못한 것을 알았다 한다. …"

2. "비구들이여, … 많은 공덕을 쌓게 된다. 무엇이 넷인가? 보지 못한 것을 보지 못했다 하고, 듣지 못한 것을 듣지 못했다 하고, 생각하지 않은 것을 생각하지 않았다 하고, 알지 못한 것을 알지 못했다 한다. …"

언어표현 경2(A4:227)

1. "비구들이여, … 많은 악덕을 쌓게 된다. 무엇이 넷인가? 본 것을 보지 못했다 하고, 들은 것을 듣지 못했다 하고, 생각한 것을 생각하지 않았다 하고, 안 것을 알지 못했다 한다. …"

2. "비구들이여, … 많은 공덕을 쌓게 된다. 무엇이 넷인가? 본 것을 보았다 하고, 들은 것을 들었다 하고, 생각한 것을 생각했다 하고, 안 것을 알았다 한다. …"

양심 없음 경(A4:228)

Ahirika-sutta

1. "비구들이여, … 많은 악덕을 쌓게 된다. 무엇이 넷인가? 믿음 없음, 나쁜 계행, 양심 없음, 수치심 없음이다. …"

2. "비구들이여, … 많은 공덕을 쌓게 된다. 무엇이 넷인가? 믿음, 계의 구족, 양심, 수치심이다. …"

나쁜 통찰지 경(A4:229)

Duppañña-sutta

1. "비구들이여, … 많은 악덕을 쌓는다. 무엇이 넷인가? 무엇이 넷인가? 믿음 없음, 나쁜 계행, 게으름, 나쁜 통찰지이다. …"

2. "비구들이여, … 많은 공덕을 쌓는다. 무엇이 넷인가? 믿음, 계의 구족, 열심히 정진함, 통찰지를 가짐이다. …"

시인 경(A4:230)

Kavi-sutta

"비구들이여, 네 부류의 시인이 있다. 무엇이 넷인가?

생각한 것으로 [시를 짓는] 시인, 들은 것으로 [시를 짓는] 시인, 의미로 [시를 짓는] 시인, 영감으로 [시를 짓는] 시인이다.490) 비구들이여, 이것이 네 가지 시인이다."

제23장 좋은 행위 품이 끝났다.

---

490) "이야기의 주제와 그것의 나열(vatthu-anusandhi) 둘 다를 오래 생각한 뒤에 시를 짓는 사람이 '생각한 것으로 [시를 짓는] 시인(cintā-kavi)'이다. 무엇인가를 듣고 들은 것으로 듣지 않은 것을 나열하여 시를 짓는 사람이 '들은 것으로 [시를 짓는] 시인(suta-kavi)'이다. 어떤 뜻을 제기하여 그것을 간략하거나 상세한 등의 방법으로 시를 짓는 사람이 '의미로 [시를 짓는] 시인(attha-kavi)'이다. 남이 지은 시(kabba)나 희곡(nāṭaka) 등을 본 뒤 그와 비슷한 다른 것을 자신의 영감을 동원해서 시를 짓는 사람이 '영감으로 [시를 짓는] 시인(paṭibhāna-kavi)'이다." (AAṬ.ii.353)

스물세 번째 품에 포함된 경들의 목록은 다음과 같다.

① 나쁜 행위 ② 견해 ③ 은혜를 모름
④ 살생, 다섯 번째로 ⑤ 도
두 가지 ⑥~⑦ 언어표현 ⑧ 양심 없음
⑨ 나쁜 통찰지 ⑩ 시인 — 이러한 열 가지이다.

제24장 업 품

Kamma-vagga

간략하게 경(A4:231)

Saṁkhitta-sutta

"비구들이여, 네 가지 업이 있나니 이것은 내가 스스로 최상의 지혜로 알고 실현하여 드러낸 것이다. 무엇이 넷인가?

비구들이여, 검은 과보를 가져오는 검은 업이 있다. 비구들이여, 흰 과보를 가져오는 흰 업이 있다. 비구들이여, 검고 흰 과보를 가져오는 검고 흰 업이 있다. 비구들이여, 검은 과보도 흰 과보도 가져오지 않고 업의 소멸로 인도하는 검지도 희지도 않은 업이 있다.491)

비구들이여, 이러한 네 가지 업이 있나니 이것은 내가 스스로 최상의 지혜로 알고 실현하여 드러낸 것이다."

---

491) "검은 업은 열 가지 불선업도의 업을 말하고, 검은 과보는 지옥에 태어나기 때문에 검은 과보라 한다. 흰 업은 열 가지 선업도의 업을 말하고, 흰 과보는 천상에 태어나기 때문에 흰 과보라 한다. 검고 흰 업은 섞인 업을 말하고, 검고 흰 과보는 행복과 고통의 과보를 말한다. 섞인 업을 지은 뒤 불선업에 의해서 축생계 가운데 좋은 말 등으로 태어난 자는 선업에 의해서는 삶의 과정에서 행복을 느낀다. 선업에 의해서 왕의 가문에 태어난 자는 불선업에 의해서 삶의 과정에서 고통을 느낀다. 검지도 희지도 않은 것은 업을 소멸하는 네 가지 도의 지혜를 뜻한다. 만약 그것이 검은 것이라면 검은 과보를 낼 것이고 흰 것이라면 흰 과보를 낼 것이지만, 두 가지 과보 모두 내지 않기 때문에 검지도 희지도 않은 것이라고 알아야 한다." (AA.iii.211~212)

상세하게 경(A4:232)[492)]

Vitthāra-sutta

1. "비구들이여, 네 가지 업이 있나니 이것은 내가 스스로 최상의 지혜로 알고 실현하여 드러낸 것이다. 무엇이 넷인가?

비구들이여, 검은 과보를 가져오는 검은 업이 있다. 비구들이여, 흰 과보를 가져오는 흰 업이 있다. 비구들이여, 검고 흰 과보를 가져오는 검고 흰 업이 있다. 비구들이여, 검은 과보도 흰 과보도 가져오지 않고 업의 소멸로 인도하는 검지도 희지도 않은 업이 있다.

비구들이여, 이러한 네 가지 업이 있나니 이것은 내가 스스로 최상의 지혜로 알고 실현하여 드러낸 것이다."

2. "비구들이여, 그러면 어떤 것이 검은 과보를 가져오는 검은 업인가?

비구들이여, 여기 어떤 자는 악의에 찬[493)] 몸의 의도적 행위[身行][494)]를 짓고 악의에 찬 말의 의도적 행위[口行]를 짓고 악의에 찬 마음의 의도적 행위[意行]를 짓는다. 그는 악의에 찬 몸의 의도적 행위를 하고 악의에 찬 말의 의도적 행위를 하고 악의에 찬 마음의 의도적 행위를 한 뒤 고통스러운 세상[495)]에 태어난다. 그는 이런 고통

---

492) 본경은 『맛지마 니까야』 「견서계 경」(M57) §§7～11과 같은 내용이다.

493) '악의에 찬'은 savyāpajjha를 옮긴 것인데 주석서는 성냄을 가진(sa-dosa)으로 설명하고 있다.(AA.iii.212)

494) '몸의 의도적 행위'로 옮긴 원어는 kāya-saṅkhāra이다. 주석서는 몸의 문을 통한 의도(kāya-dvāra-cetanā)라고 설명하고 있다.(*Ibid*)

495) '고통스런 세상'은 savyāpajjha loka인데 악의에 찬 세상이라 직역할 수 있다. 주석서는 괴로움이 있는 세상(sadukkha loka)이라고 설명하고 있

스러운 세상에 태어나서 고통스러운 감각접촉[觸]을 겪는다. 고통스러운 감각접촉을 겪은 뒤 고통스럽고 전적으로 괴로움뿐인 느낌을 느낀다. 예를 들면 지옥 중생들처럼.

비구들이여, 이를 일러 검은 과보를 가져오는 검은 업이라 한다."

3. "비구들이여, 그러면 어떤 것이 흰 과보를 가져오는 흰 업인가?

비구들이여, 여기 어떤 자는 악의 없는 몸의 의도적 행위[身行]를 짓고 악의 없는 말의 의도적 행위[口行]를 짓고 악의 없는 마음의 의도적 행위[意行]를 짓는다. 그는 악의 없는 몸의 의도적 행위를 하고 악의 없는 말의 의도적 행위를 하고 악의 없는 마음의 의도적 행위를 한 뒤 고통스럽지 않은 세상에 태어난다. 그는 이런 고통스럽지 않은 세상에 태어나서 고통스럽지 않은 감각접촉[觸]을 겪는다. 고통스럽지 않은 감각접촉을 겪은 뒤 고통이 없고 전적으로 즐거움뿐인 느낌을 느낀다. 예를 들면 변정천[496]의 신들처럼.

비구들이여, 이를 일러 흰 과보를 가져오는 흰 업이라 한다."

4. "비구들이여, 그러면 어떤 것이 검고 흰 과보를 가져오는 검고 흰 업인가?

비구들이여, 여기 어떤 자는 악의가 있기도 하고 없기도 한 몸의 의도적 행위[身行]를 짓고, 악의가 있기도 하고 없기도 한 말의 의도적 행위[口行]를 짓고, 악의가 있기도 하고 없기도 한 마음의 의도적

어서 이렇게 옮겼다.(*Ibid*)

496) 변정천(遍淨天)에 대해서는 본서 「다른 점 경」 1(A4:123) §3의 주해를 참조할 것.

행위[意行]를 짓는다. 그는 악의가 있기도 하고 없기도 한 몸의 의도적 행위를 하고, 악의가 있기도 하고 없기도 한 말의 의도적 행위를 하고, 악의가 있기도 하고 없기도 한 마음의 의도적 행위를 한 뒤 악의가 있기도 하고 없기도 한 세상에 태어난다. 그는 이런 고통스럽기도 하고 고통스럽지 않기도 한 세상에 태어나서 고통스럽기도 하고 고통스럽지 않기도 한 감각접촉[觸]을 겪는다. 고통스럽기도 하고 고통스럽지 않기도 한 감각접촉을 겪은 뒤 고통스럽기도 하고 고통스럽지 않기도 한 즐거움과 괴로움이 혼합되고 섞인 느낌을 느낀다. 예를 들면 인간들과 일부 신들497)과 일부 악처에 떨어진 자들498)처럼.

비구들이여, 이를 일러 검고 흰 과보를 가져오는 검고 흰 업이라 한다."

5. "비구들이여, 그러면 어떤 것이 검은 과보도 흰 과보도 가져오지 않고 업의 소멸로 인도하는 검지도 희지도 않은 업인 가?

비구들이여, 여기서 ① 검은 과보를 가져오는 검은 업을 제거하려는 의도499)와 ② 흰 과보를 가져오는 흰 업을 제거하려는 의도와 ③

---

497) "여기서 '일부 신들'이란 욕계의 신들이라고 알아야 한다. 그들은 위력이 더 강한 신들을 보면 앉은 자리에서 일어나고 윗옷을 길게 늘어뜨리고 합장하여 손을 들어 올리는 등을 통해서 때로는 괴로움이 생기기도 하며 천상의 복락(dibba-sampatti)을 누리기 때문에 때로는 행복하기도 하다." (AA.iii.213)

498) "여기서 '일부 악처에 떨어진 자들'이란 천궁의 아귀들(vemānika-petā)이라고 알아야 한다. 그들은 쉼 없이(nirantaraṁ) 어떤 때는 즐거움을 느끼고 어떤 때는 괴로움을 느낀다. 용과 가루다(supaṇṇa)와 코끼리와 말 등은 인간들처럼 즐거움과 괴로움이 섞여(vokiṇṇa) 있다."(*Ibid*)

499) "여기서 제거하려는 의도(pahānāya cetanā)란 윤회를 거슬러 가는 (vivaṭṭa-gāmini) 도의 의도(magga-cetanā)라고 알아야 한다. 이것이

검고 흰 과보를 가져오는 검고 흰 업을 제거하려는 의도를 일러 검은 과보도 흰 과보도 가져오지 않고 업의 소멸로 인도하는 검지도 희지도 않은 업이라고 한다.

비구들이여, 이러한 네 가지 업이 있나니 이것은 내가 스스로 최상의 지혜로 알고 실현하여 드러낸 것이다."

소나까야나 경(A4:233)

Soṇakāyana-sutta

1. 그때 머리에 터번을 두른 목갈라나 바라문[500]이 세존께 다가갔다. 가서는 세존과 함께 환담을 나누었다. 유쾌하고 기억할 만한 이야기로 서로 담소를 한 뒤 한 곁에 앉았다. 한 곁에 앉아서 머리에 터번을 두른 목갈라나 바라문은 세존께 이렇게 말씀드렸다.

"고따마 존자시여, 며칠 전 혹은 더 이전에 소나까야나 바라문 학도가 나에게 다가와서 이렇게 말하였습니다. '사문 고따마는 모든 업들의 지음 없음[501]을 천명합니다. 그는 모든 업들의 지음 없음을 천

참으로 업의 소멸(kamma-kkhaya)로 인도한다."(*Ibid*)

500) 주석서는 머리에 터번을 두른 목갈라나 바라문(Sikha Moggallāna brāhmaṇa)에 대해서 목갈라나 족성을 가졌고 머리에 큰 터번(sikhā)을 두른 자라는 것 외에는 다른 설명이 없다.(*Ibid*)

501) '지음 없음'으로 옮긴 akiriya는 a(부정접두어)+√kṛ(*to do*)에서 파생된 명사로 '행위 없음'이란 일차적인 뜻을 가진다. 『디가 니까야 주석서』에 의하면 나쁘거나 공덕이 되는 업지음(행위, kiriya, kamma)과 그 과보(vipāka)를 부정하는(paṭikkhipati) 것(DA.i.160; DAṬ.i.287)으로 설명되어 있다. 그래서 이런 사상은 도덕부정론이라고 정리된다. 『디가 니까야』 제1권의 「사문과경」(D2) §17 등에는 뿌라나 깟사빠의 도덕부정론이 정리되어 있으니 참조할 것.

명하면서 세상의 단멸을 말합니다. 존자여, 그러나 이 세상은 업을 진리로 하며[502] 업의 적집으로 유지되는 것[503]입니다.'라고."

"바라문이여, 나는 소나까야나 바라문 학도를 본적도 없는데 어떻게 [내가] 이런 이야기를 하였겠는가?"

2. "바라문이여, 네 가지 업이 있나니[504] 이것은 내가 스스로 최상의 지혜로 알고 실현하여 드러낸 것이다. 무엇이 넷인가?

바라문이여, 검은 과보를 가져오는 검은 업이 있다. 바라문이여, 흰 과보를 가져오는 흰 업이 있다. 바라문이여, 검고 흰 과보를 가져오는 검고 흰 업이 있다. 바라문이여, 검은 과보도 흰 과보도 가져오지 않고 업의 소멸로 인도하는 검지도 희지도 않은 업이 있다.

바라문이여, 이러한 네 가지 업이 있나니 이것은 내가 스스로 최상의 지혜로 알고 실현하여 드러낸 것이다."

3. "바라문이여, 그러면 어떤 것이 검은 과보를 가져오는 검은 업인가?

바라문이여, 여기 어떤 자는 악의에 찬 몸의 의도적 행위[身行]를 짓고 … 오직 괴로운 느낌만을 느낀다. 예를 들면 지옥 중생들처럼.

바라문이여, 이를 일러 검은 과보를 가져오는 검은 업이라 한다."

---

502) "'세상은 업을 진리로 하며(kammasacca)'라는 것은 세상은 업을 고유성질로 가진 것(kamma-sabhāva)이라는 말이다."(AA.iii.213)

503) "'업의 적집으로 유지되는 것(kamma-samārambha-ṭṭhāyī)'이란 것은 업의 적집에 의해서 유지된다는 말이다. 업을 적집하면서(āyūhanto) 유지되고 업을 적집하지 않으면 단멸한다는 뜻이다."(*Ibid*)

504) 이하 본경은 앞의 「상세하게 경」(A4:232)과 같은 내용이다.

4. "바라문이여, 그러면 어떤 것이 흰 과보를 가져오는 흰 업인가?

바라문이여, 여기 어떤 자는 악의 없는 몸의 의도적 행위[身行]를 짓고 … 오직 즐거운 느낌만을 느낀다. 예를 들면 변정천의 신들처럼.

바라문이여, 이를 일러 흰 과보를 가져오는 흰 업이라 한다."

5. "바라문이여, 그러면 어떤 것이 검고 흰 과보를 가져오는 검고 흰 업인가?

바라문이여, 여기 어떤 자는 악의가 있기도 하고 없기도 한 몸의 의도적 행위[身行]를 짓고 … 즐거움과 괴로움이 혼합되고 섞인 느낌을 느낀다. 예를 들면 인간들과 일부 신들과 일부 악처에 떨어진 자들처럼.

바라문이여, 이를 일러 검고 흰 과보를 가져오는 검고 흰 업이라 한다."

6. "바라문이여, 그러면 어떤 것이 검은 과보도 흰 과보도 가져오지 않고 업의 소멸로 인도하는 검지도 희지도 않은 업인가?

바라문이여, 여기서 ① 검은 과보를 가져오는 검은 업을 제거하려는 의도와 ② 흰 과보를 가져오는 흰 업을 제거하려는 의도와 ③ 검고 흰 과보를 가져오는 검고 흰 업을 제거하려는 의도를 일러 검은 과보도 흰 과보도 가져오지 않고 업의 소멸로 인도하는 검지도 희지도 않은 업이라고 한다.

바라문이여, 이러한 네 가지 업이 있나니 이것은 내가 스스로 최상의 지혜로 알고 실현하여 드러낸 것이다."

학습계목 경(A4:234)

Sikkhāpada-sutta

1. "비구들이여, 네 가지 업이 있나니 이것은 내가 스스로 최상의 지혜로 알고 실현하여 드러낸 것이다. 무엇이 넷인가?

비구들이여, 검은 과보를 가져오는 검은 업이 있다. …

비구들이여, 이러한 네 가지 업이 있나니 이것은 내가 스스로 최상의 지혜로 알고 실현하여 드러낸 것이다."

2. "비구들이여, 그러면 어떤 것이 검은 과보를 가져오는 검은 업인가?

비구들이여, 여기 어떤 자는 생명을 죽이고, 주지 않은 것을 가지고, 삿된 음행을 하고, 거짓말을 하고, 방일하는 근본이 되는 술과 중독성 물질을 섭취한다.

비구들이여, 이를 일러 검은 과보를 가져오는 검은 업이라 한다."

3. "비구들이여, 그러면 어떤 것이 흰 과보를 가져오는 흰 업인가?

비구들이여, 여기 어떤 자는 생명을 죽이는 것을 멀리 여의고, 주지 않은 것을 가지는 것을 멀리 여의고, 삿된 음행을 멀리 여의고, 거짓말을 멀리 여의고, 이간질을 멀리 여의고, 욕설을 멀리 여의고, 잡담을 멀리 여읜다.

비구들이여, 이를 일러 흰 과보를 가져오는 흰 업이라 한다."

4. "비구들이여, 그러면 어떤 것이 검고 흰 과보를 가져오는

검고 흰 업인가?

비구들이여, 여기 어떤 자는 악의가 있기도 하고 없기도 한 몸의 의도적 행위[身行]를 짓고 … 즐거움과 괴로움이 혼합되고 섞인 느낌을 느낀다. 예를 들면 인간들과 일부 신들과 일부 악처에 떨어진 자들처럼.

비구들이여, 이를 일러 검고 흰 과보를 가져오는 검고 흰 업이라 한다."

5. "비구들이여, 그러면 어떤 것이 검은 과보도 흰 과보도 가져오지 않고 업의 소멸로 인도하는 검지도 희지도 않은 업인가?

비구들이여, 여기서 ① 검은 과보를 가져오는 검은 업을 제거하려는 의도와 ② 흰 과보를 가져오는 흰 업을 제거하려는 의도와 ③ 검고 흰 과보를 가져오는 검고 흰 업을 제거하려는 의도를 일러 검은 과보도 흰 과보도 가져오지 않고 업의 소멸로 인도하는 검지도 희지도 않은 업이라고 한다.

비구들이여, 이러한 네 가지 업이 있나니 이것은 내가 스스로 최상의 지혜로 알고 실현하여 드러낸 것이다."

6. "비구들이여, 네 가지 업이 있나니 이것은 내가 스스로 최상의 지혜로 알고 실현하여 드러낸 것이다. 무엇이 넷인가?

비구들이여, 검은 과보를 가져오는 검은 업이 있다. …

비구들이여, 이러한 네 가지 업이 있나니 이것은 내가 스스로 최상의 지혜로 알고 실현하여 드러낸 것이다."

7. "비구들이여, 그러면 어떤 것이 검은 과보를 가져오는 검은

업인가?

비구들이여, 여기 어떤 자는 ① 어머니의 목숨을 빼앗고 ② 아버지의 목숨을 빼앗고 ③ 아라한의 목숨을 빼앗고 ④ 타락한 마음으로 여래의 몸에 피를 낸다.505)

비구들이여, 이를 일러 검은 과보를 가져오는 검은 업이라 한다."

8. "비구들이여, 그러면 어떤 것이 흰 과보를 가져오는 흰 업인가?

비구들이여, 여기 어떤 자는 생명을 죽이는 것을 멀리 여의고, 주지 않은 것을 가지는 것을 멀리 여의고, 삿된 음행을 멀리 여의고, 거짓말을 멀리 여의고, 이간질을 멀리 여의고, 욕설을 멀리 여의고, 잡담을 멀리 여읜다.

비구들이여, 이를 일러 흰 과보를 가져오는 흰 업이라 한다."

9. "비구들이여, 그러면 어떤 것이 검고 흰 과보를 가져오는 검고 흰 업인가?

비구들이여, 여기 어떤 자는 악의가 있기도 하고 없기도 한 몸의 의도적 행위[身行]를 짓고 … 즐거움과 괴로움이 혼합되고 섞인 느낌을 느낀다. 예를 들면 인간들과 일부 신들과 일부 악처에 떨어진 자들처럼.

비구들이여, 이를 일러 검고 흰 과보를 가져오는 검고 흰 업이라 한다."

---

505) 이것은 다섯 가지 무간업(無間業, ānantariya-kamma) 가운데 승가를 분열하게 하는 것을 제외한 나머지 네 가지이다.

10. "비구들이여, 그러면 어떤 것이 검은 과보도 흰 과보도 가져오지 않고 업의 소멸로 인도하는 검지도 희지도 않은 업인가?

비구들이여, 여기서 ① 검은 과보를 가져오는 검은 업을 제거하려는 의도와 ② 흰 과보를 가져오는 흰 업을 제거하려는 의도와 ③ 검고 흰 과보를 가져오는 검고 흰 업을 제거하려는 의도를 일러 검은 과보도 흰 과보도 가져오지 않고 업의 소멸로 인도하는 검지도 희지도 않은 업이라고 한다.

비구들이여, 이러한 네 가지 업이 있나니 이것은 내가 스스로 최상의 지혜로 알고 실현하여 드러낸 것이다."

성스러운 도 경(A4:235)

Ariyamagga-sutta

1. "비구들이여, 네 가지 업이 있나니 이것은 내가 스스로 최상의 지혜로 알고 실현하여 드러낸 것이다. 무엇이 넷인가?

비구들이여, 검은 과보를 가져오는 검은 업이 있다. …

비구들이여, 이러한 네 가지 업이 있나니 이것은 내가 스스로 최상의 지혜로 알고 실현하여 드러낸 것이다."

2. "비구들이여, 그러면 어떤 것이 검은 과보를 가져오는 검은 업인가?

비구들이여, 여기 어떤 자는 악의에 찬 몸의 의도적 행위[身行]를 짓고 … 전적으로 괴로움뿐인 느낌을 느낀다. 예를 들면 지옥 중생들처럼.

비구들이여, 이를 일러 검은 과보를 가져오는 검은 업이라 한다."

3. "비구들이여, 그러면 어떤 것이 흰 과보를 가져오는 흰 업인가?

비구들이여, 여기 어떤 자는 악의 없는 몸의 의도적 행위[身行]를 짓고 … 전적으로 즐거움뿐인 느낌을 느낀다. 예를 들면 변정천의 신들처럼.

비구들이여, 이를 일러 흰 과보를 가져오는 흰 업이라 한다."

4. "비구들이여, 그러면 어떤 것이 검고 흰 과보를 가져오는 검고 흰 업인가?

비구들이여, 여기 어떤 자는 악의가 있기도 하고 없기도 한 몸의 의도적 행위[身行]를 짓고 … 즐거움과 괴로움이 혼합되고 섞인 느낌을 느낀다. 예를 들면 인간들과 일부 신들과 일부 악처에 떨어진 자들처럼.

비구들이여, 이를 일러 검고 흰 과보를 가져오는 검고 흰 업이라 한다."

5. "비구들이여, 그러면 어떤 것이 검은 과보도 흰 과보도 가져오지 않고 업의 소멸로 인도하는 검지도 희지도 않은 업인가?

그것은 바른 견해, 바른 사유, 바른 말, 바른 행위, 바른 생계, 바른 정진, 바른 마음챙김, 바른 삼매이다.

비구들이여, 이를 일러 검은 과보도 흰 과보도 가져오지 않고 업의 소멸로 인도하는 검지도 희지도 않은 업이라고 한다.

비구들이여, 이러한 네 가지 업이 있나니 이것은 내가 스스로 최상의 지혜로 알고 실현하여 드러낸 것이다."

깨달음의 구성요소[覺支] **경**(A4:236)

Bojjhaṅga-sutta

1. "비구들이여, 네 가지 업이 있나니 이것은 내가 스스로 최상의 지혜로 알고 실현하여 드러낸 것이다. 무엇이 넷인가?

비구들이여, 검은 과보를 가져오는 검은 업이 있다. …

비구들이여, 이러한 네 가지 업이 있나니 이것은 내가 스스로 최상의 지혜로 알고 실현하여 드러낸 것이다."

2. "비구들이여, 그러면 어떤 것이 검은 과보를 가져오는 검은 업인가?

비구들이여, 여기 어떤 자는 악의에 찬 몸의 의도적 행위[身行]를 짓고 … 전적으로 괴로움뿐인 느낌을 느낀다. 예를 들면 지옥 중생들처럼.

비구들이여, 이를 일러 검은 과보를 가져오는 검은 업이라 한다."

3. "비구들이여, 그러면 어떤 것이 흰 과보를 가져오는 흰 업인가?

비구들이여, 여기 어떤 자는 악의 없는 몸의 의도적 행위[身行]를 짓고 … 전적으로 즐거움뿐인 느낌을 느낀다. 예를 들면 변정천의 신들처럼.

비구들이여, 이를 일러 흰 과보를 가져오는 흰 업이라 한다."

4. "비구들이여, 그러면 어떤 것이 검고 흰 과보를 가져오는 검고 흰 업인가?

비구들이여, 여기 어떤 자는 악의가 있기도 하고 없기도 한 몸의 의도적 행위[身行]를 짓고 … 즐거움과 괴로움이 혼합되고 섞인 느낌을 느낀다. 예를 들면 인간들과 일부 신들과 일부 악처에 떨어진 자들처럼.

비구들이여, 이를 일러 검고 흰 과보를 가져오는 검고 흰 업이라 한다."

5. "비구들이여, 그러면 어떤 것이 검은 과보도 흰 과보도 가져오지 않고 업의 소멸로 인도하는 검지도 희지도 않은 업인가?

그것은 마음챙김의 깨달음의 구성요소, 법을 간택하는 깨달음의 구성요소, 정진의 깨달음의 구성요소, 희열의 깨달음의 구성요소, 편안함의 깨달음의 구성요소, 삼매의 깨달음의 구성요소, 평온의 깨달음의 구성요소이다.

비구들이여, 이를 일러 검은 과보도 흰 과보도 가져오지 않고 업의 소멸로 인도하는 검지도 희지도 않은 업이라고 한다.

비구들이여, 이러한 네 가지 업이 있나니 이것은 내가 스스로 최상의 지혜로 알고 실현하여 드러낸 것이다."

비난받아 마땅함 경(A4:237)

Sāvajja-sutta

1. "비구들이여, 네 가지 법을 갖춘 자는 마치 누가 그를 데려

가서 놓는 것처럼 [반드시] 지옥에 떨어진다. 무엇이 넷인가?

몸으로 지은 비난받아 마땅한 업, 말로 지은 비난받아 마땅한 업, 마음으로 지은 비난받아 마땅한 업, 비난받아 마땅한 견해이다.

비구들이여, 이러한 네 가지 법을 갖춘 자는 마치 누가 그를 데려가서 놓는 것처럼 [반드시] 지옥에 떨어진다."

2. "비구들이여, 네 가지 법을 갖춘 자는 마치 누가 그를 데려가서 놓는 것처럼 [반드시] 천상에 태어난다. 무엇이 넷인가?

몸으로 지은 비난받을 일이 없는 업, 말로 지은 비난받을 일이 없는 업, 마음으로 지은 비난받을 일이 없는 업, 비난받을 일이 없는 견해이다.

비구들이여, 이러한 네 가지 법을 갖춘 자는 마치 누가 그를 데려가서 놓는 것처럼 [반드시] 천상에 태어난다."

악의 없음 경(A4:238)

Abyābajjha-sutta

1. "비구들이여, 네 가지 법을 갖춘 자는 마치 누가 그를 데려가서 놓는 것처럼 [반드시] 지옥에 떨어진다. 무엇이 넷인가?

악의에 차서 몸으로 지은 업, 악의에 차서 말로 지은 업, 악의에 차서 마음으로 지은 업, 악의에 찬 견해이다.

비구들이여, 이러한 네 가지 법을 갖춘 자는 마치 누가 그를 데려가서 놓는 것처럼 [반드시] 지옥에 떨어진다."

2. "비구들이여, 네 가지 법을 갖춘 자는 마치 누가 그를 데려

가서 놓는 것처럼 [반드시] 천상에 태어난다. 무엇이 넷인가?

악의 없이 몸으로 지은 업, 악의 없이 말로 지은 업, 악의 없이 마음으로 지은 업, 악의 없는 견해이다.

비구들이여, 이러한 네 가지 법을 갖춘 자는 마치 누가 그를 데려가서 놓는 것처럼 [반드시] 천상에 태어난다."

사문 경(A4:239)

Samaṇa-sutta

1. "비구들이여, 오직 여기에만 사문이 있다. 여기에만 두 번째 사문이 있다. 여기에만 세 번째 사문이 있다. 여기에만 네 번째 사문이 있다. 다른 교설들에는 사문들이 텅 비어 있다.506) 비구들이여, 그대들은 이와 같이 바르게 사자후를 토하라."

2. "비구들이여, 그러면 어떤 자가 사문인가? 비구들이여, 여기 비구는 세 가지 족쇄를 완전히 없애고 흐름에 든 자[預流者]가 되어, [악취에] 떨어지지 않는 법을 가지고 [해탈이] 확실하며 정등각으로 나아가는 자이다. 비구들이여, 이 [비구가] 사문이다."

3. "비구들이여, 그러면 어떤 자가 두 번째 사문인가? 비구들이여, 여기 비구는 세 가지 족쇄를 완전히 없애고 탐욕과 성냄과 미혹이 엷어져서 한 번만 더 돌아올 자[一來者]가 되어, 한 번만 이 세상에 와서 괴로움의 끝을 만들 것이다. 비구들이여, 이 [비구가] 두 번째 사문이다."

---

506) 이것은 『디가 니까야』 제2권 「대반열반경」(D16) §5.27에서 세존의 반열반 직전에 마지막 제자가 된 유행승 수밧다에게 하신 말씀이기도 하다.

4. "비구들이여, 그러면 어떤 자가 세 번째 사문인가? 비구들이여, 여기 비구는 다섯 가지 낮은 단계의 족쇄를 완전히 없애고 [정거천에] 화생하여 그 세계로부터 다시 돌아올 가능성이 없고[不還者] 그곳에서 완전히 열반에 들 것이다. 비구들이여, 이 [비구가] 세 번째 사문이다."

5. "비구들이여, 그러면 어떤 자가 네 번째 사문인가? 비구들이여, 여기 비구는 모든 번뇌가 다하여 아무 번뇌가 없는 마음의 해탈[心解脫]과 통찰지를 통한 해탈[慧解脫]을 바로 지금여기에서 스스로 최상의 지혜로 알고 실현하고 구족하여 머물렀다.[阿羅漢] 비구들이여, 이 [비구가] 네 번째 사문이다.

비구들이여, 오직 여기에만 사문이 있다. 여기에만 두 번째 사문이 있다. 여기에만 세 번째 사문이 있다. 여기에만 네 번째 사문이 있다. 다른 교설들에는 사문들이 텅 비어 있다. 비구들이여, 그대들은 이와 같이 바르게 사자후를 토하라."

참된 사람의 이익 경(A4:240)

Sappurisānisaṁsa-sutta

"비구들이여, 참된 사람을 통해서 네 가지 이익이 기대된다. 무엇이 넷인가?

성스러운 계가 증장한다. 성스러운 삼매가 증장한다. 성스러운 통찰지가 증장한다. 성스러운 해탈이 증장한다. 비구들이여, 참된 사람을 통해서 이러한 네 가지 이익이 기대된다."

제24장 업 품이 끝났다.

스물네 번째 품에 포함된 경들의 목록은 다음과 같다.

① 간략하게 ② 상세하게 ③ 소나까야나
④ 학습계목, 다섯 번째로 ⑤ 성스러운 도
⑥ 깨달음의 구성요소 ⑦ 비난받아 마땅함 ⑧ 악의 없음
⑨ 사문 ⑩ 참된 사람의 이익 — 이러한 열 가지이다.

제25장 범계에 대한 두려움 품

Āpattibhaya-vagga

범계(犯戒) **경**1(A4:241)[507]

Āpatti-sutta

1. 한때 세존께서는 꼬삼비에서 고시따 원림에 머무셨다. 그때 아난다 존자가 세존께 다가갔다. 가서는 세존께 절을 올리고 한 곁에 앉았다. 한 곁에 앉은 아난다 존자에게 세존께서는 이렇게 말씀하셨다.

"아난다여, 대중공사[508]는 해결되었는가?"

"세존이시여, 어떻게 대중공사가 해결되겠습니까? 세존이시여, 아누룻다 존자와 함께 사는 그의 제자 바히야[509]가 오직 승가의 분열을 꾀하면서 머물고 있고, 그런 가운데서도 아누룻다 존자는 단 한 마디도 말할 생각조차 하지 않고 있습니다."

"아난다여, 그런데 언제 아누룻다가 승가 내부에서 일어난 그런 대중공사에 끼어든 적이 있었던가? 아난다여, 이런저런 대중공사가

---

507) 육차결집본의 경 이름은 승가의 분열을 조장함(Saṅghabhedaka-sutta)이다.

508) 대중공사[諍事, adhikaraṇa]에 대해서는 본서 제1권「대중공사 경」(A2:2:5)의 주해를 참조할 것.

509) 주석서는 바히야(Bāhiya)에 대해서 아무런 설명이 없다. 그러나 본서 제1권「하나의 모음」(A1:14:3-8)에서 초월지(신통지)를 얻는데 있어서 으뜸이라고 세존께서 칭송하신 나무껍질로 만든 옷을 입는 바히야(Bāhiyo Dārucīriya) 존자도 아니고 『상윳따 니까야』(S.iv.63*f*)에서 12가지 감각장소[處]의 무상에 대한 세존의 법문을 듣고 정진하여 아라한이 된 바히야 존자도 아닌 것은 분명하다.

생기면 그것은 모두 그대와 사리뿟따와 목갈라나가 해결해야 하는 것이 아닌가?"

2. "아난다여, 네 가지 목적을 보기 때문에 사악한 비구는 승가의 분열을 기뻐한다. 무엇이 넷인가?

아난다여, 여기 악한 비구는 계행이 나쁘고 사악한 성품을 지녔고 불결하고 의심하는 습관을 가졌고 비밀스럽게 행하고 사문이 아니면서 사문이라 자처하고 청정범행을 닦지 않으면서 청정범행을 닦는다고 떠벌리며 안이 썩었고 번뇌가 흐르며 오물처럼 된다. 그에게 이런 생각이 든다. '만일 비구들이 내가 계행이 나쁘고 … 오물처럼 되었다라고 알 때 만일 그들이 화합하면 나를 파멸시킬 것이지만 분열하면 나를 파멸시키지 못할 것이다.'라고. 아난다여, 이것이 사악한 비구가 승가의 분열을 기뻐하는 첫 번째 목적이다."

3. "다시 아난다여, 사악한 비구는 삿된 견해를 가져 [상견 혹은 단견의] 극단적인 견해를 가지고 있다. 그에게 이런 생각이 든다. '만일 비구들이 내가 삿된 견해를 가져 [상견 혹은 단견의] 극단적인 견해를 가지고 있는 것을 알 때 그들이 화합하면 나를 파멸시킬 것이지만 분열하면 나를 파멸시키지 못할 것이다.'라고. 아난다여, 이것이 사악한 비구가 승가의 분열을 기뻐하는 두 번째 목적이다."

4. "다시 아난다여, 사악한 비구는 삿된 생계를 가져 삿된 생계수단으로 목숨을 영위한다. 그에게 이런 생각이 든다. '만일 비구들이 내가 삿된 생계를 가져 삿된 생계수단으로 목숨을 영위한다는 것을 알 때 그들이 화합하면 나를 파멸시킬 것이지만 분열하면 나를

파멸시키지 못할 것이다.'라고. 아난다여, 이것이 사악한 비구가 승가의 분열을 기뻐하는 세 번째 목적이다."

5. "다시 아난다여, 사악한 비구는 이득을 탐하고 존경을 탐하고 멸시받지 않는 것을 탐한다. 그에게 이런 생각이 든다. '만일 비구들이 내가 이득을 탐하고 존경을 탐하고 멸시받지 않는 것을 탐한다는 것을 알 때 그들이 화합하면 나를 파멸시킬 것이지만 분열하면 나를 파멸시키지 못할 것이다.'라고. 아난다여, 이것이 사악한 비구가 승가의 분열을 기뻐하는 네 번째 목적이다.

아난다여, 이러한 네 가지 목적을 보기 때문에 사악한 비구는 승가의 분열을 기뻐한다."

범계 경2(A4:242)

1. "비구들이여, 네 가지 범계[510]에 대한 두려움이 있다. 무엇이 넷인가?

비구들이여, 예를 들면 죄를 지은 도둑을 붙잡아 '폐하, 이 자는 죄를 지은 도둑입니다. 폐하께서 원하시는 처벌을 내리십시오.'라고 하면서 대령하는 것과 같다. 그러면 왕은 이렇게 말할 것이다. '여봐라, 그렇다면 이 사람을 단단한 밧줄로 손을 뒤로 한 채 꽁꽁 묶어서 머리를 깎고 요란한 북소리와 함께 이 골목 저 골목 이 거리 저 거리로 끌고 다니다가 남쪽 문으로 데리고 가서 도시의 남쪽에서 머리를 잘라버려라.'라고.

---

510) 여러 가지 범계(犯戒, 계를 범함, āpatti)에 대해서는 본서 제 1권 「하나의 모음」(A1:12:1)의 주해를 참조할 것.

그러면 왕의 사람들은 그 사람을 단단한 밧줄로 손을 뒤로 한 채 꽁꽁 묶어서 머리를 깎고 요란한 북소리와 함께 이 골목 저 골목 이 거리 저 거리로 끌고 다니다가 남쪽 문으로 데리고 가서 도시의 남쪽에서 머리를 자를 것이다.

그러면 거기 한 곳에 서있는 어떤 사람에게 이런 생각이 들 것이다. '참으로 이 사람은 단두형에 처해질 만큼 비난받아 마땅한 악한 업을 지었구나. 참으로 왕의 사람들이 이 사람을 단단한 밧줄로 손을 뒤로 한 채 꽁꽁 묶어서 머리를 깎고 요란한 북소리와 함께 이 골목 저 골목 이 거리 저 거리로 끌고 다니다가 남쪽 문으로 데리고 가서 도시의 남쪽에서 머리를 자르는구나. 그러니 참으로 나는 머리가 잘릴 만큼 비난받아 마땅한 이러한 악한 업을 짓지 않으리라.'라고.

비구들이여, 그와 같이 비구나 비구니나 누구든지 이와 같이 무시무시한 두려움의 인식을 일으키는 자는 바라이죄(波羅夷罪, pārājika)에 대해서 '아직 바라이죄를 범하지 않은 자는 범하지 않을 것이고, 이미 바라이죄를 범한 자는 법답게 참회할 것이다.'라는 것이 기대된다."

2. "비구들이여, 예를 들면 어떤 사람이 검은 옷을 입고 머리칼을 늘어뜨리고 절굿공이를 어깨에 메고 많은 사람들이 모인 곳에 가서 이렇게 말하는 것과 같다. '존자들이여, 저는 비난받아 마땅하고 절굿공이로 호되게 맞아도 싼 악한 업을 지었습니다. 그러니 존자들께서 원하시는 것은 무엇이건 다 하겠습니다.'라고.

그러면 거기 한 곳에 서있는 어떤 사람에게 이런 생각이 들 것이다. '참으로 이 사람은 비난받아 마땅하고 절굿공이로 호되게 맞아도 싼 악한 업을 지었구나. 그래서 그는 검은 옷을 입고 머리칼을 늘어뜨리고 절굿공이를 어깨에 메고 많은 사람들이 모인 곳에 와서 '존자들이여, 저는 비난받아 마땅하고 절굿공이로 호되게 맞아도 싼 악한 업을 지었습니다. 그러니 존자들께서 원하시는 대로 제게 하십시오.' 라고 말하는구나. 그러니 참으로 나는 비난받아 마땅하고 절굿공이로 호되게 맞아 마땅한 악한 업을 짓지 않으리라.'라고.

비구들이여, 그와 같이 비구나 비구니나 누구든지 이와 같이 무시무시한 두려움의 인식을 일으키는 자는 승잔죄(僧殘罪, saṅghādisesa)에 대해서 '아직 승잔죄를 범하지 않은 자는 범하지 않을 것이고 이미 승잔죄를 범한 자는 법답게 참회할 것이다.'라는 것이 기대된다."

3. "비구들이여, 예를 들면 어떤 사람이 검은 옷을 입고 머리칼을 늘어뜨리고 재가 든 자루를 어깨에 메고[511] 많은 사람들이 모인 곳에 가서 이렇게 말하는 것과 같다. '존자들이여, 저는 비난받아 마땅하고 재가 든 자루로 [이마를 맞아도 싼][512] 악한 업을 지었습니다. 그러니 존자들께서 원하시는 것은 무엇이건 다 하겠습니다.'라고.

그러면 거기 한 곳에 서있는 어떤 사람에게 이런 생각이 들 것이

511) '재가 든 자루'는 bhasmapuṭa를 옮긴 것이다. PTS본에는 assapuṭaṁ으로 나타나지만 주석서에서 이것을 재의 무더기(chārikā-bhaṇḍika)라고 밝히고 있어서 육차결집본을 따라 옮겼다.(AA.iii.216)

512) '재가 든 자루로 [이마를 맞아도 싸다]'는 gārayhaṁ assapuṭaṁ을 옮긴 것이다. 주석서는 "재가 든 자루로 이마(matthaka)를 때려야 마땅한 것(abhighātāraha)"(*Ibid*)이라고 설명하고 있어서 이렇게 옮겼다.
우드워드는 『디가 니까야』 제1권 「소나단다 경」(D4) §7 등에 나타나는 puṭaṁsa(도시락을 어깨에 메고)와 연결 지어서 설명을 시도하고 있다. 즉 이것은 도시락을 어깨에 메어주고 추방하는 것이라고 그는 생각하고 있다. 그러나 본경의 assapuṭa는 단타죄에 대한 비유인데 추방으로 이해하는 것은 단타죄의 죄질의 비유로는 너무 과하다. 주석서의 설명대로 여러 사람들 앞에서 재가 든 자루로 이마를 때려 머리에 잿가루를 뒤집어쓰게 하여 부끄럽게 만드는 정도의 처벌로 봐야 한다.

다. '참으로 이 사람은 비난받아 마땅하고 재가 든 자루로 [이마를 맞아도 싼] 악한 업을 지었구나. 그래서 그는 검은 옷을 입고 머리칼을 늘어뜨리고 재가 든 자루를 어깨에 메고 많은 사람들이 모인 곳에 와서 '존자들이여, 저는 비난받아 마땅하고 재가 든 자루로 [이마를 맞아도 싼] 악한 업을 지었습니다. 그러니 존자들께서 원하시는 것은 무엇이건 다 하겠습니다.'라고 말하는구나. 그러니 참으로 나는 비난받아 마땅하고 재가 든 자루로 [이마를 맞아도 싼] 악한 업을 짓지 않으리라.'라고.

비구들이여, 그와 같이 비구나 비구니나 누구든지 이와 같이 무시무시한 두려움의 인식을 일으키는 자는 단타죄(單墮罪, pācittiya)에 대해서 '아직 단타죄를 범하지 않은 자는 범하지 않을 것이고 이미 단타죄를 범한 자는 법답게 참회할 것이다.'라는 이런 것이 기대된다."

4. "비구들이여, 예를 들면 어떤 사람이 검은 옷을 입고 머리칼을 늘어뜨리고 많은 사람들이 모인 곳에 가서 이렇게 말하는 것과 같다. '존자들이여, 저는 비난받아 마땅하고 책망받아 마땅한 악한 업을 지었습니다. 그러니 존자들께서 원하시는 것은 무엇이건 다 하겠습니다.'라고.

그러면 거기 한 곳에 서있는 어떤 사람에게 이런 생각이 들 것이다. '참으로 이 사람은 비난받아 마땅하고 책망받아 마땅한 악한 업을 지었구나. 그래서 그는 검은 옷을 입고 머리칼을 늘어뜨리고 많은 사람들이 모인 곳에 와서 '존자들이여, 저는 비난받아 마땅하고 책망받아 마땅한 악한 업을 지었습니다. 그러니 존자들께서 원하시는 것은 무엇이건 다 하겠습니다.'라고 말하는구나. 그러니 참으로 나는 비난받아 마땅하고 책망받아 마땅한 악한 업을 짓지 않으리라.'라고.

비구들이여, 그와 같이 비구나 비구니나 누구든지 이와 같이 무시무시한 두려움의 인식을 일으키는 자는 회과죄(悔過罪, pāṭidesanīya)에 대해서 '아직 회과죄를 범하지 않은 자는 범하지 않을 것이고 이미 회과죄를 범한 자는 법답게 참회할 것이다.'라는 이런 것이 기대된다.

비구들이여, 이러한 네 가지 범계에 대한 두려움이 있다."

공부지음의 이익 경(A4:243)

Sikkhānisaṁsa-sutta

1. "비구들이여, 공부지음의 이익, 더 높은 통찰지, 해탈의 정수, 마음챙김의 통달을 위해서 청정범행을 닦는다.

비구들이여, 그러면 어떤 것이 공부지음의 이익인가?

비구들이여, 여기 나는 제자들에게 선행(善行)에 관한 공부지음513)을 천명하였나니 청정한 믿음을 내지 못한 자들에게 청정한 믿음을 내게 하고 청정한 믿음이 있는 자들에게는 더 수행하게 하기 위해서

513) 『청정도론』에서는 계를 여러 가지로 분류하고 있는데 그중의 한 방법이 '선행에 관한 계(abhisamācārika)'와 '청정범행의 시작(ādibrahmacariyaka)'의 둘로 분류하는 것이다.(Vis.I.25) 『청정도론』은 이 둘을 이렇게 설명한다.
"선행(善行)에 관한 계는 생계가 여덟 번째인 계(세 가지 몸의 업(身業)과 네 가지 말의 업(口業)과 바른 생계의 8가지)를 말한다. 혹은, 사소한 것[小小, khudda-anukhuddaka]이라 불리는 학습계율은 선행이고, 나머지는 청정범행의 시작이다. 혹은 [비구와 비구니의] 두 계본에 포함된 것은 청정범행의 시작이고, [율장의] 「칸다까」(犍度, Khandhaka)에서 설한 소임에 포함된 것은 선행이다. 이것을 성취하여서 청정범행의 시작이 성취된다. 그래서 말씀하셨다. "비구들이여, 비구가 선행의 법을 원만하게 갖추지 않고 청정범행의 시작인 법을 원만하게 갖춘다는 것은 있을 수 없다.(A.iii.14~15)" 이와 같이 선행과 청정범행의 시작으로 두 가지이다."(Vis.I.27)

이다. 비구들이여, 내가 청정한 믿음을 내지 못한 자들에게 청정한 믿음을 내게 하고 청정한 믿음이 있는 자들에게는 더 수행하게 하기 위해서 선행에 관한 공부지음을 천명한 대로 공부짓는 나의 제자들은 그 공부지음 때문에 훼손된 행동[514]을 하지 않고, 뚫어진 행동을 하지 않고, 오점이 있는 행동을 하지 않고, 얼룩이 있는 행동을 하지 않는다. 이렇게 하여 그는 학습계목들 안에서 공부짓는다.

다시 비구들이여, 여기 나는 제자들에게 청정범행의 시작에 관한 공부지음[515]을 천명하였나니 모든 곳에서 바르게 괴로움을 소멸하기 위해서이다. 비구들이여, 내가 모든 곳에서 바르게 괴로움을 소멸하기 위해서 청정범행의 시작에 관한 공부지음을 천명한 대로 공부짓는 나의 제자들은 그 공부지음 때문에 훼손된 행동을 하지 않고, 뚫어진 행동을 하지 않고, 오점이 있는 행동을 하지 않고, 얼룩이 있는 행동을 하지 않는다. 이렇게 하여 그들은 학습계목들 안에서 공부짓는다.

비구들이여, 이와 같이 공부지음의 이익이 있다."

2. "비구들이여, 그러면 어떤 것이 더 높은 통찰지인가?

비구들이여, 여기 나는 제자들에게 법을 설하였나니 모든 곳에서 바르게 괴로움을 소멸하기 위해서이다. 비구들이여, 내가 모든 곳에서 바르게 괴로움을 소멸하기 위해서 제자들에게 설한 법들[516]은 통

---

514) 계행의 훼손, 뚫어짐, 오점, 얼룩에 대해서는 본서 「경우 경」(A4:192)과 『청정도론』 I.143 이하의 설명을 참조할 것.

515) '청정범행의 시작(ādibrahmacariyaka)'은 위 주해를 참조할 것.

516) "여기서 법들은 네 가지 진리[四聖諦]의 법들(catu-sacca-dhammā)이다."(AA.iii.217)

찰지로 잘 검증된다.517)

비구들이여, 이와 같이 더 높은 통찰지가 있다."

3. "비구들이여, 그러면 어떤 것이 해탈의 정수인가?

비구들이여, 여기 나는 제자들에게 법을 설하였나니 모든 곳에서 바르게 괴로움을 소멸하기 위해서이다. 비구들이여, 내가 모든 곳에서 바르게 괴로움을 소멸하기 위해서 제자들에게 설한 법들은 해탈에 의해서 체득된다.

비구들이여, 이와 같이 해탈의 정수가 있다."

4. "비구들이여, 그러면 어떤 것이 마음챙김의 통달인가?

'아직 성취되지 않은 선행에 관한 공부지음을 성취하리라. 이미 성취된 선행에 관한 공부지음을 모든 곳에서 통찰지로써 증장하리라.'라고 안으로 마음챙김이 잘 확립된다. '아직 성취되지 않은 청정범행의 시작에 관한 공부지음을 완성하리라. 이미 성취된 청정범행의 시작에 관한 공부지음을 모든 곳에서 통찰지로써 증장하리라.'라고 안으로 마음챙김이 잘 확립된다. '아직 바르게 검증하지 못한 법을 통찰지로써 잘 검증하리라. 이미 바르게 검증한 법을 모든 곳에서 통찰지로써 증장하리라.'라고 안으로 마음챙김이 잘 확립된다. '아직 체득하지 못한 법을 해탈로써 체득하리라. 이미 체득한 법을 모든 곳에서 통찰지로써 증장하리라.'라고 안으로 마음챙김이 잘 확립된다.

비구들이여, 이와 같이 마음챙김의 통달이 있다.

'비구들이여, 공부지음의 이익, 더 높은 통찰지, 해탈의 정수, 마음

---

517) "'통찰지로 잘 검증된다(paññāya samavekkhitā honti)'는 것은 위빳사나와 함께한 도의 통찰지로 잘 보아진다(sudiṭṭhā)는 말이다."(*Ibid*)

챙김의 통달을 위해서 청정범행을 닦는다.'라고 말한 것은 바로 이것을 반연하여 한 것이다."

자는 자세 경(A4:244)

Seyyā-sutta

1. "비구들이여, 네 가지 자는 자세가 있다. 무엇이 넷인가?

아귀가 자는 자세, 감각적 욕망을 즐기는 자가 자는 자세, 사자가 자는 자세, 여래가 자는 자세이다."

2. "비구들이여, 그러면 어떤 것이 아귀가 자는 자세인가? 비구들이여, 대부분 아귀는 위로 보고 누워서 잔다. 비구들이여, 이를 일러 아귀가 자는 자세라 한다.

비구들이여, 그러면 어떤 것이 감각적 욕망을 즐기는 자가 자는 자세인가? 비구들이여, 대부분 감각적 욕망을 즐기는 자는 왼쪽 옆구리를 대고 잔다. 비구들이여, 이를 일러 감각적 욕망을 즐기는 자가 자는 자세라 한다.

비구들이여, 그러면 어떤 것이 사자가 자는 자세인가? 비구들이여, 동물의 왕인 사자는 발로써 발을 포개고 넓적다리 사이에 꼬리를 접고 오른쪽 옆구리를 땅에 대고 잔다. 그는 잠에서 깨어서는 몸의 앞부분을 구부려서 몸의 뒷부분을 살펴본다. 비구들이여, 만일 동물의 왕인 사자가 자기 몸에서 흩어지거나 잘못된 부분을 보게 되면 마음이 언짢아진다. 비구들이여, 만일 동물의 왕인 사자가 자기 몸에서 흩어지거나 잘못된 부분을 보지 못하면 마음이 흐뭇해진다. 비구들이여, 이를 일러 사자가 자는 자세라 한다.

비구들이여, 그러면 어떤 것이 여래가 자는 자세인가? 비구들이여, 여기 비구는 감각적 욕망들을 완전히 떨쳐버리고 해로운 법[不善法]들을 떨쳐버린 뒤, 일으킨 생각[尋]과 지속적인 고찰[伺]이 있고, 떨쳐버렸음에서 생겼으며, 희열[喜]과 행복[樂]이 있는 초선(初禪)을 구족하여 머문다. … 제2선(二禪)을 … 제3선(三禪)을 … 제4선(四禪)을 구족하여 머문다. 비구들이여, 이를 일러 여래가 자는 자세라 한다.

비구들이여, 이러한 네 가지 자는 자세가 있다."

탑을 세울 만함 경(A4:245)

Thūpāraha-sutta

"비구들이여, 네 부류의 사람의 탑은 세울 만하다. 무엇이 넷인가?

여래 · 아라한 · 정등각의 탑은 세울 만하다. 벽지불의 탑은 세울 만하다. 여래의 제자의 탑은 세울 만하다. 전륜성왕의 탑은 세울 만하다.[518)]

비구들이여, 이러한 네 부류의 사람의 탑은 세울 만하다."

통찰지의 증장 경(A4:246)

Paññāvuddhi-sutta

1. "비구들이여, 네 가지 법은 통찰지의 증장으로 인도한다. 무엇이 넷인가?

---

518) 본서 제1권 「탑을 세울 만함 경」(A2:6:4)에서는 두 부류라고 간략하게 설하였는데 여기서는 좀 더 구체적으로 네 부류의 사람이라고 설하고 있다. 한편 『디가 니까야』 제2권 「대반열반경」(D16) §5.12에도 나타나고 있다.

참된 사람을 섬김, 정법을 배움, 지혜로운 주의[519], [출세간]법에 이르게 하는 법을 닦음이다. 비구들이여, 이러한 네 가지 법은 통찰지의 증장으로 인도한다."

2. "비구들이여, 네 가지 법은 인간으로 태어난 자에게 많은 이익을 준다. 무엇이 넷인가? 참된 사람을 섬김, 정법을 경청함, 지혜로운 주의, [출세간]법에 이르게 하는 법을 닦음이다. 비구들이여, 이러한 네 가지 법은 인간으로 태어난 자에게 많은 이익을 준다."

---

519) "'지혜로운 주의[[如理作意], yoniso manasikāra]'란 무상한 [것]에서 무상이라는 등의 방법으로 생겨나는 마음에 잡도리함이다."(DA.iii. 888) 『디가 니까야 복주서』에서는 "지혜로운 주의(yoniso manasikāra, 如理作意)란 무상(無常) 등을 통해서 마음에 잡도리함이다."(DAṬ.iii.307)라고 설명하고 있다.

지혜로운 주의는 초기경들에서도 강조되고 있는 덕목이다. 그래서 "지혜로운 주의를 기울이기 때문에 아직 생겨나지 않은 번뇌들은 생겨나지 않고 이미 생겨난 번뇌들은 버려진다."(M2/i.7)고도 설하셨고 "연기에 대한 지혜로운 주의를 통하여 해탈을 성취한다."(S12/ii.65 등)고도 하셨고 "지혜로운 주의를 연(緣)하여(paccaya) 정견(正見)이 생겨난다."(M43/i/294)라고도 하셨다.

한편 지혜로운 주의[如理作意]로 옮긴 원어 요니소 마나시까라(yoniso manasikāra)를 본서나 초기불전연구원의 다른 번역서에서는 문맥에 따라 '근원적으로 마음에 잡도리함'이나 '지혜롭게 마음에 잡도리함'으로 옮겼다. 그리고 manasikāra가 단독으로 나타날 때는 주로 '마음에 잡도리함'으로 옮겼으며, 동사 manasikaroti는 대부분 '마음에 잘 새기다'로 옮겼다. 그리고 지혜로운 주의와 반대되는 ayoniso manasikāra는 '지혜롭지 못한 주의[非如理作意]'나 '지혜 없이 마음에 잡도리함'으로 옮겼다.

언어표현 경1(A4:247)

Vohāra-sutta

"비구들이여, 네 가지 성스럽지 못한 언어표현이 있다. 무엇이 넷인가?

보지 못한 것을 보았다 하고, 듣지 못한 것을 들었다 하고, 생각하지 않은 것을 생각했다 하고, 알지 못한 것을 알았다 하는 것이다. 비구들이여, 이것이 네 가지 성스럽지 못한 언어표현이다."

언어표현 경2(A4:248)

"비구들이여, 네 가지 성스러운 언어표현이 있다. 무엇이 넷인가?

보지 못한 것을 보지 못했다 하고, 듣지 못한 것을 듣지 못했다 하고, 생각하지 않은 것을 생각하지 않았다 하고, 알지 못한 것을 알지 못했다 하는 것이다. 비구들이여, 이것이 네 가지 성스러운 언어표현이다."

언어표현 경3(A4:249)

"비구들이여, 네 가지 성스럽지 못한 언어표현이 있다. 무엇이 넷인가?

본 것을 보지 못했다 하고, 들은 것을 듣지 못했다 하고, 생각한 것을 생각하지 않았다 하고, 안 것을 알지 못했다 하는 것이다. 비구들이여, 이것이 네 가지 성스럽지 못한 언어표현이다."

언어표현 경4(A4:250)

"비구들이여, 네 가지 성스러운 언어표현이 있다. 무엇이 넷인가?
본 것을 보았다 하고, 들은 것을 들었다 하고, 생각한 것을 생각했다 하고, 안 것을 알았다 하는 것이다. 비구들이여, 이것이 네 가지 성스러운 언어표현이다."

제25장 범계에 대한 두려움 품이 끝났다.

스물다섯 번째 품에 포함된 경들의 목록은 다음과 같다.

두 가지 ①~② 범계 ③ 공부지음의 이익
④ 자는 자세 ⑤ 탑을 세울 만한 경우
⑥ 통찰지의 증장 ⑦~⑧ 언어표현
다시 두 가지 ⑨~⑩ 언어표현 — 이러한 열 가지이다.

제26장 최상의 지혜 품

Abhiññā-vagga

최상의 지혜 경(A4:251)

Abhiññā-sutta

1. "비구들이여, 네 가지 법이 있다. 무엇이 넷인가?

비구들이여, 최상의 지혜로 철저하게 알아야 할 법들이 있다. 비구들이여, 최상의 지혜로 버려야 할 법들이 있다. 비구들이여, 최상의 지혜로 수행해야 할 법들이 있다. 비구들이여, 최상의 지혜로 알고 실현해야 할 법들이 있다.520)

비구들이여, 그러면 무엇이 최상의 지혜로 철저하게 알아야 할 법들인가?

[나 등으로] 취착하는 다섯 가지 무더기들[五取蘊]이다. 비구들이여, 이를 일러 최상의 지혜로 철저하게 알아야 할는 법들이라 한다."

2. "비구들이여, 그러면 무엇이 최상의 지혜로 버려야 할 법들인가?

무명과 존재에 대한 갈애[有愛]이다. 비구들이여, 이를 일러 최상의 지혜로 버려야 할 법들이라 한다."

---

520) 철저하게 알아야 하고(pariññeyya) 버려야 하고(pahātabba) 실현해야 하고(sacchikātabba) 수행해야 하는 것(bhāvetabba)은 각각 괴로움의 진리와 일어남의 진리와 소멸의 진리와 괴로움의 소멸로 인도하는 도닦음의 진리에 해당된다. 본서 「세상 경」(A4:23) §1의 주해를 참조할 것.

3. "비구들이여, 그러면 무엇이 최상의 지혜로 수행해야 할 법들인가?

사마타[止]와 위빳사나[觀]이다. 비구들이여, 이를 일러 최상의 지혜로 수행해야 할 법들이라 한다."

4. "비구들이여, 그러면 무엇이 최상의 지혜로 알고 실현해야 할 법들인가?

영지(靈知)와 해탈이다. 비구들이여, 이를 일러 최상의 지혜로 알고 실현해야 할 법들이라 한다.

비구들이여, 이러한 네 가지 법이 있다."

추구 경(A4:252)

Pariyesanā-sutta

1. "비구들이여, 네 가지 성스럽지 못한 추구가 있다. 무엇이 넷인가?

비구들이여, 여기 어떤 자는 자신이 태어나기 마련이면서 오직 태어나기 마련인 법을 추구한다. 자신이 늙기 마련이면서 늙기 마련인 법을 추구한다. 자신이 병들기 마련이면서 병들기 마련인 법을 추구한다. 자신이 죽기 마련이면서 죽기 마련인 법을 추구한다. 자신이 오염되기 마련이면서 오염되기 마련인 법을 추구한다. 비구들이여, 이것이 네 가지 성스럽지 못한 추구이다."

2. "비구들이여, 네 가지 성스러운 추구가 있다. 무엇이 넷인가? 비구들이여, 여기 어떤 자는 자신이 늙기 마련이기에 늙기 마련

인 법에서 위험을 빠져리게 체험한 뒤 늙음이 없는 위없는 유가안은[521]인 열반을 참구한다. 자신이 병들기 마련이기에 병들기 마련인 법에서 위험을 빠져리게 체험한 뒤 병이 없는 위없는 유가안은인 열반을 참구한다. 자신이 죽기 마련이기에 죽기 마련인 법에서 위험을 빠져리게 체험한 뒤 죽음이 없는 위없는 유가안은인 열반을 참구한다. 자신이 오염되기 마련이기에 오염되기 마련인 법에서 위험을 빠져리게 체험한 뒤 오염이 없는 위없는 유가안은인 열반을 참구한다.

비구들이여, 이러한 네 가지 성스러운 추구가 있다."

섭수 경(A4:253)

Saṅgaha-sutta

"비구들이여, 네 가지 섭수하는 행위[四攝事]가 있다. 무엇이 넷인가?

보시, 사랑스런 말[愛語], 이로운 행위[利行], 함께 함[同事]이다. 비구들이여, 이것이 네 가지 섭수하는 행위이다."

말룽꺄뿟따 경(A4:254)

Māluṅkyaputta-sutta

1. 그때 말룽꺄뿟따 존자[522]가 세존께 다가갔다. 가서는 세존

---

521) 유가안은에 대해서는 본서 「속박 경」(A4:10) §2의 주해를 참조할 것.

522) 말룽꺄뿟따(Māluṅkyaputta) 존자는 우리에게 한역 『중아함』의 「전유경」(箭喩經, 독화살 비유경)을 통해서 잘 알려진 분이다. 그는 세존께서 세상은 유한한가 하는 등의 열 가지 문제에 대해서 명확한 답변을 해주시지 않는다고 환속하려고 했던 사람이다. 『맛지마 니까야』의 「짧은 말룽꺄뿟따 경」(M63)이 한역 「전유경」에 해당한다. 「긴 말룽꺄뿟따 경」

께 절을 올린 뒤 한 곁에 앉았다. 한 곁에 앉은 말룽꺄뿟따 존자는 세존께 이렇게 말씀드렸다.

"세존이시여, 세존께서 간략하게 법을 설해주시면 감사하겠습니다. 그러면 저는 세존으로부터 법을 들은 뒤 혼자 은둔하여 방일하지 않고 열심히 스스로 독려하며 지내고자 합니다."

"말룽꺄뿟따여, 이제 늙어서 나이 들고 노후한 그대가 여래에게 법을 간략하게 설해줄 것을 요청하니, 참으로 내가 젊은 비구들에게 무엇을 설하겠는가?"

"선서시여, 간략하게 법을 설해주소서. 참으로 저는 세존께서 말씀하신 뜻을 잘 이해할 것입니다. 참으로 저는 세존께서 해주신 말씀의 상속자가 될 것입니다."

2. "말룽꺄뿟따여, 비구에게 갈애가 일어날 때에는 네 가지 갈애의 일어남이 있다. 무엇이 넷인가?

말룽꺄뿟따여, 옷을 원인으로 하여 비구에게 갈애가 일어난다. 말룽꺄뿟따여, 탁발 음식을 원인으로 하여 비구에게 갈애가 일어난다. 말룽꺄뿟따여, 거처를 원인으로 하여 비구에게 갈애가 일어난다. 말룽꺄뿟따여, 그 외의 이런저런 것[523]을 원인으로 하여 비구에게 갈애가 일어난다.[524] 말룽꺄뿟따여, 비구에게 갈애가 일어날 때에는

(M64)도 그를 두고 설하신 경이다.
그는 꼬살라 왕의 보좌관의 아들이었으며 말룽꺄는 어머니 이름이다. 나이가 들어서 외도 유행승(paribbājaka)이 되었다가 세존의 가르침을 듣고 출가해서 늦은 나이에 본경을 듣고 발심해서 아라한이 되었다고 한다.

523) '그 외의 이런저런 것(itibhavābhava)에 대해서는 본서 「갈애 경」(A4:9) §1의 주해를 참조할 것.

524) 본서 「갈애 경」(A4:9) §1과 『디가 니까야』 제3권 「합송경」(D33) §1.

이러한 네 가지 갈애의 일어남이 있다.

말룽꺄뿟따여, 비구의 갈애가 제거되었고 그 뿌리가 잘렸고 줄기만 남은 야자수처럼 되었고 멸절되었고 미래에 다시는 일어나지 않게끔 되었을 때 이를 일러 '비구는 갈애를 잘라버렸다. 족쇄를 풀어버렸다. 자만을 바르게 관통하여 마침내 괴로움을 끝내어버렸다.'라고 한다."

3. 그러자 말룽꺄뿟따 존자는 세존의 교계를 받고 자리에서 일어나 세존께 절을 올리고 오른쪽으로 [세 번] 돌아 [경의를 표한] 뒤 물러갔다.

그때 말룽꺄뿟따 존자는 혼자 은둔하여 방일하지 않고 열심히 스스로 독려하며 지냈다. 그는 오래지 않아 좋은 가문의 아들들이 성취하고자 집에서 나와 출가하는 그 위없는 청정범행의 완성을 지금여기에서 최상의 지혜로 알고 실현하고 구족하여 머물렀다. '태어남은 다했다. 청정범행은 성취되었다. 할 일을 다 해 마쳤다. 다시는 어떤 존재로도 돌아오지 않을 것이다.'라고 최상의 지혜로 알았다. 말룽꺄뿟따 존자는 아라한들 중의 한 분이 되었다.

가문 경(A4:255)525)

Atthakula-sutta

1. "비구들이여, 재물을 많이 모은 가문은 어떤 가문이건 네 가지 이유 모두 때문에 혹은 이들 가운데 어떤 하나 때문에 오래 유

11(20)과 같다.

525) 육차결집본의 경 이름은 Kula-sutta이다. DPPN에는 본서처럼 Atthakula Sutta로 나타난다.

지되지 못한다. 무엇이 넷인가?

잃어버린 것을 찾지 않고, 낡은 것을 수선하지 않고, 절제 없이 먹고 마시고, 계행이 나쁜 여자나 남자를 요직에 앉힌다.

비구들이여, 재물을 많이 모은 가문은 어떤 가문이건 이러한 네 가지 이유 모두 때문에 혹은 이들 가운데 어떤 하나 때문에 오래 유지되지 못한다."

2. "비구들이여, 재물을 많이 모은 가문은 어떤 가문이건 네 가지 이유 모두 때문에 혹은 이들 가운데 어떤 하나 때문에 오래 유지된다. 무엇이 넷인가?

잃어버린 것을 찾고, 낡은 것을 수선하고, 먹고 마시는데 절제가 있고, 계행을 갖춘 여자나 남자를 요직에 앉힌다.

비구들이여, 재물을 많이 모은 가문은 어떤 가문이건 이러한 네 가지 이유 모두 때문에 혹은 이들 가운데 어떤 하나 때문에 오래 유지된다."

좋은 혈통 경1(A4:256)

Ājānīya-sutta

1. "비구들이여, 네 가지 요소를 구족한 혈통 좋은 멋진 말은 왕에게 어울리고 왕을 섬길 수 있으며 왕의 수족이라는 이름을 얻게 된다. 무엇이 넷인가?

비구들이여, 여기 왕의 혈통 좋은 멋진 말은 용모를 구족하고 힘을 구족하고 속력을 구족하고 균형 잡힌 몸매를 구족하였다.

비구들이여, 이러한 네 가지 요소를 구족한 혈통 좋은 멋진 말은 왕에게 어울리고 왕을 섬길 수 있으며 왕의 수족이라는 이름을 얻게 된다.

비구들이여, 그와 같이 네 가지 요소를 구족한 비구는 공양받아 마땅하고, 선사받아 마땅하고, 보시받아 마땅하고, 합장받아 마땅하며, 세상의 위없는 복밭[福田]이다. 무엇이 넷인가?"

2. "비구들이여, 여기 비구는 용모를 구족하고 힘을 구족하고 속력을 구족하고 균형 잡힌 몸매를 구족하였다.

비구들이여, 그러면 어떻게 비구는 용모를 구족하는가? 비구들이여, 여기 비구는 계를 잘 지킨다. 그는 빠띠목카(계목)의 단속으로 단속하면서 머문다. 바른 행실과 행동의 영역을 갖추고, 작은 허물에 대해서도 두려움을 보며, 학습계목을 받아 지녀 공부짓는다. 비구들이여, 이와 같이 비구는 용모를 구족한다.

비구들이여, 그러면 어떻게 비구는 힘을 구족하는가? 비구들이여, 여기 비구는 해로운 법[不善法]들을 제거하고 유익한 법[善法]들을 두루 갖추기 위해서 열심히 정진하며 머문다. 그는 굳세고 분투하고 유익한 법들에 대한 짐을 내팽개치지 않는다. 비구들이여, 이와 같이 비구는 힘을 구족한다.

비구들이여, 그러면 어떻게 비구는 속력을 구족하는가? 비구들이여, 여기 비구는 '이것이 괴로움이다.'라고 있는 그대로 꿰뚫어 안다. '이것이 괴로움의 일어남이다.'라고 있는 그대로 꿰뚫어 안다. '이것이 괴로움의 소멸이다.'라고 있는 그대로 꿰뚫어 안다. '이것이 괴로움의 소멸로 인도하는 도닦음이다.'라고 있는 그대로 꿰뚫어 안다. 비구들이여, 이와 같이 비구는 속력을 구족한다.

비구들이여, 그러면 어떻게 비구는 균형 잡힌 몸매를 구족하는가? 비구들이여, 여기 비구는 [적당한] 의복과 음식과 거처와 병구완을 위한 약품을 얻는다. 비구들이여, 이와 같이 비구는 균형 잡힌 몸매를 구족한다.

비구들이여, 이러한 네 가지 요소를 구족한 비구는 공양받아 마땅하고, 선사받아 마땅하고, 보시받아 마땅하고, 합장받아 마땅하며, 세상의 위없는 복밭[福田]이다."

좋은 혈통 경2(A4:257)

1. "비구들이여, 네 가지 요소를 구족한 혈통 좋은 멋진 말은 왕에게 어울리고 왕을 섬길 수 있으며 왕의 수족이라는 이름을 얻게 된다. 무엇이 넷인가?

비구들이여, 여기 왕의 혈통 좋은 멋진 말은 용모를 구족하고 힘을 구족하고 속력을 구족하고 균형 잡힌 몸매를 구족하였다.

비구들이여, 이러한 네 가지 요소를 구족한 혈통 좋은 멋진 말은 왕에게 어울리고 왕을 섬길 수 있으며 왕의 수족이라는 이름을 얻게 된다.

비구들이여, 그와 같이 네 가지 요소를 구족한 비구는 공양받아 마땅하고, 선사받아 마땅하고, 보시받아 마땅하고, 합장받아 마땅하며, 세상의 위없는 복밭[福田]이다. 무엇이 넷인가?"

2. "비구들이여, 여기 비구는 용모를 구족하고 힘을 구족하고 속력을 구족하고 균형 잡힌 몸매를 구족하였다.

비구들이여, 그러면 어떻게 비구는 용모를 구족하는가? 비구들이여, 여기 비구는 계를 잘 지킨다. 그는 빠띠목카의 단속으로 단속하면서 머문다. 바른 행실과 행동의 영역을 갖추고, 작은 허물에 대해서도 두려움을 보며, 학습계목을 받아 지녀 공부짓는다. 비구들이여, 이와 같이 비구는 용모를 구족한다.

비구들이여, 그러면 어떻게 비구는 힘을 구족하는가? 비구들이여, 여기 비구는 해로운 법들을 제거하고 유익한 법들을 두루 갖추기 위해서 열심히 정진하며 머문다. 그는 굳세고 분투하고 유익한 법들에 대한 짐을 내팽개치지 않는다. 비구들이여, 이와 같이 비구는 힘을 구족한다.

비구들이여, 그러면 어떻게 비구는 속력을 구족하는가? 비구들이여, 여기 비구는 모든 번뇌가 다하여 아무 번뇌가 없는 마음의 해탈[心解脫]과 통찰지를 통한 해탈[慧解脫]을 바로 지금여기에서 스스로 최상의 지혜로 알고 실현하고 구족하여 머문다.526) 비구들이여, 이와 같이 비구는 속력을 구족한다.

비구들이여, 그러면 어떻게 비구는 균형 잡힌 몸매를 구족하는가? 비구들이여, 여기 비구는 [적당한] 의복과 음식과 거처와 병구완을 위한 약품을 얻는다. 비구들이여, 이와 같이 비구는 균형 잡힌 몸매를 구족한다.

비구들이여, 이러한 네 가지 요소를 구족한 비구는 공양받아 마땅하고, 선사받아 마땅하고, 보시받아 마땅하고, 합장받아 마땅하며, 세상의 위없는 복밭[福田]이다."

힘 경(A4:258)

Bala-sutta

"비구들이여, 네 가지 힘이 있다. 무엇이 넷인가?

---

526) 이 부분만이 위 「좋은 혈통 경」1(A4:256)과 다르다.

정진의 힘, 마음챙김의 힘, 삼매의 힘, 통찰지의 힘이다. 비구들이여, 이러한 네 가지 힘이 있다."

숲 경(A4:259)
Arañña-sutta

1. "비구들이여, 네 가지를 갖춘 비구는 숲이나 밀림 속에 있는 외딴 처소들을 수용할 수 없다. 무엇이 넷인가?

감각적 욕망에 대한 생각, 악의에 대한 생각, 해코지에 대한 생각을 가지고 있거나, 통찰지가 없고 어리석고 귀머거리와 벙어리인 경우이다. 비구들이여, 이러한 네 가지를 갖춘 비구는 숲이나 밀림 속에 있는 외딴 처소들을 수용할 수 없다."

2. "비구들이여, 네 가지를 갖춘 비구는 숲이나 밀림 속에 있는 외딴 처소들을 수용할 수 있다. 무엇이 넷인가? 출리에 대한 생각, 악의 없음에 대한 생각, 해코지 않음에 대한 생각을 가지고 있거나, 통찰지가 있고 어리석지 않고 귀머거리와 벙어리가 아닌 경우이다. 비구들이여, 이러한 네 가지를 갖춘 비구는 숲이나 밀림 속에 있는 외딴 처소들을 수용할 수 있다."

업 경(A4:260)
Kamma-sutta

1. "비구들이여, 네 가지 법을 가진 어리석고 영민하지 못하고 참되지 못한 사람은 자신을 파서 엎어버리고 파멸시킨다. 그는 비난

받아 마땅하고 지자들의 비난을 받으며 많은 악덕을 쌓는다. 무엇이 넷인가?

비난받기 마련인 몸의 업, 비난받기 마련인 말의 업, 비난받기 마련인 마음의 업, 삿된 견해이다.

비구들이여, 이러한 네 가지 법을 구족한 어리석고 영민하지 못하고 참되지 못한 사람은 자신을 파서 엎어버리고 파멸시킨다. 그는 비난받아 마땅하고 지자들의 비난을 받으며 많은 악덕을 쌓는다."

2. "비구들이여, 네 가지 법을 가진 현명하고 영민하고 참된 사람은 자신을 파서 엎지 않고 파멸시키지 않는다. 그는 비난받을 일이 없고 지자들에게 비난받지 않고 많은 공덕을 쌓는다. 무엇이 넷인가?

비난받을 일이 없는 몸의 업, 비난받을 일이 없는 말의 업, 비난받을 일이 없는 마음의 업, 바른 견해이다.

비구들이여, 이러한 네 가지 법을 가진 … 많은 공덕을 쌓는다."

제26장 최상의 지혜 품이 끝났다.

스물여섯 번째 품에 포함된 경들의 목록은 다음과 같다.

① 최상의 지혜 ② 추구 ③ 섭수
④ 말룽꺄뿟따, 다섯 번째로 ⑤ 가문
두 가지 ⑥~⑦ 좋은 혈통 ⑧ 힘
⑨ 숲 ⑩ 업 — 이러한 열 가지이다.

제27장 업의 길 품527)

Kammapatha-vagga

생명을 죽임 경(A4:261)

Pāṇātipātī-sutta

1. "비구들이여, 네 가지 법을 갖춘 자는 마치 누가 그를 데려가서 놓는 것처럼 [반드시] 지옥에 떨어진다. 무엇이 넷인가?

비구들이여, 여기 어떤 사람은 자기 스스로도 생명을 죽이고, 남에게도 생명을 죽이도록 교사하고, 생명을 죽이는 것에 동의하고, 생명을 죽이는 것을 칭송한다. 비구들이여, 이러한 네 가지 법을 갖춘 자는 마치 누가 그를 데려가서 놓는 것처럼 [반드시] 지옥에 떨어진다."

2. "비구들이여, 네 가지 법을 갖춘 자는 마치 누가 그를 데려가서 놓는 것처럼 [반드시] 천상에 태어난다. 무엇이 넷인가?

비구들이여, 여기 어떤 사람은 자기 스스로도 생명을 죽이는 것을 멀리 여의고, 남에게도 생명을 죽이는 것을 멀리 여의도록 격려하고, 생명을 죽이는 것을 멀리 여의는 것에 동의하고, 생명을 죽이는 것을 멀리 여의는 것을 칭송한다. 비구들이여, 이러한 네 가지 법을 갖춘 자는 마치 누가 그를 데려가서 놓는 것처럼 [반드시] 천상에 태어난다."

---

527) PTS본에는 품의 이름 없이 그냥 Vaggo(품)로만 나타나고 본 품의 마지막에 품의 목록(uddāna)도 나타나지 않는다. 본 품의 명칭과 본 품에 나타나는 경의 이름은 육차결집본을 사용했다.

주지 않은 것을 가짐 경(A4:262)

Adinnādāyī-sutta

1. "… 자기 스스로도 주지 않은 것을 가지고, 남에게도 주지 않은 것을 가지도록 교사하고, 주지 않은 것을 가지는 것에 동의하고, 주지 않은 것을 가지는 것을 칭송한다. …"

2. "… 자기 스스로도 주지 않은 것을 가지는 것을 멀리 여의고, 남에게도 주지 않은 것을 가지는 것을 멀리 여의도록 격려하고, 주지 않은 것을 가지는 것을 멀리 여의는 것에 동의하고, 주지 않은 것을 가지는 것을 멀리 여의는 것을 칭송한다. …"

삿된 음행 경(A4:263)

Micchācārī-sutta

1. "… 자기 스스로도 삿된 음행을 하고, 남에게도 삿된 음행을 하도록 교사하고, 삿된 음행하는 것에 동의하고, 삿된 음행하는 것을 칭송한다. …"

2. "… 자기 스스로도 삿된 음행을 멀리 여의고, 남에게도 삿된 음행을 멀리 여의도록 격려하고, 삿된 음행을 멀리 여의는 것에 동의하고, 삿된 음행을 멀리 여의는 것을 칭송한다. …"

거짓말 경(A4:264)
Musāvādī-sutta

1. "… 자기 스스로도 거짓말을 하고, 남에게도 거짓말을 하도록 교사하고, 거짓말하는 것에 동의하고, 거짓말하는 것을 칭송한다. …"

2. "… 자기 스스로도 거짓말하는 것을 멀리 여의고, 남에게도 거짓말하는 것을 멀리 여의도록 격려하고, 거짓말하는 것을 멀리 여의는 것에 동의하고, 거짓말하는 것을 멀리 여의는 것을 칭송한다. …"

이간질 경(A4:265)
Pisuṇavācā-sutta

1. "… 자기 스스로도 이간질을 하고, 남에게도 이간질을 하도록 교사하고, 이간질하는 것에 동의하고, 이간질하는 것을 칭송한다. …"

2. "… 자기 스스로도 이간질하는 것을 멀리 여의고, 남에게도 이간질하는 것을 멀리 여의도록 격려하고, 이간질하는 것을 멀리 여의는 것에 동의하고, 이간질하는 것을 멀리 여의는 것을 칭송한다. …"

욕설 경(A4:266)
Pharusavācā-sutta

1. "… 자기 스스로도 욕설을 하고, 남에게도 욕설을 하도록 교사하고, 욕설하는 것에 동의하고, 욕설하는 것을 칭송한다. …"

2. "… 자기 스스로도 욕설하는 것을 멀리 여의고, 남에게도 욕설하는 것을 멀리 여의도록 격려하고, 욕설하는 것을 멀리 여의는 것에 동의하고, 욕설하는 것을 멀리 여의는 것을 칭송한다. …"

잡담 경(A4:267)

Samphappalāpa-sutta

1. "… 자기 스스로도 잡담을 하고, 남에게도 잡담을 하도록 교사하고, 잡담하는 것에 동의하고, 잡담하는 것을 칭송한다. …"

2. "… 자기 스스로도 잡담하는 것을 멀리 여의고, 남에게도 잡담하는 것을 멀리 여의도록 격려하고, 잡담하는 것을 멀리 여의는 것에 동의하고, 잡담하는 것을 멀리 여의는 것을 칭송한다. …"

간탐 경(A4:268)

Abhijjhālu-sutta

1. "… 자기 스스로도 간탐하고, 남에게도 간탐하도록 교사하고, 간탐하는 것에 동의하고, 간탐하는 것을 칭송한다. …"

2. "… 자기 스스로도 간탐하는 것을 멀리 여의고, 남에게도 간탐하는 것을 멀리 여의도록 격려하고, 간탐하는 것을 멀리 여의는 것에 동의하고, 간탐하는 것을 멀리 여의는 것을 칭송한다. …"

악의에 찬 마음 경(A4:269)

Vyāpannacitta-sutta

1. "… 자기 스스로도 악의에 찬 마음을 가지고, 남에게도 악의에 찬 마음을 가지도록 교사하고, 악의에 찬 마음에 동의하고, 악의에 찬 마음을 칭송한다. …"

2. "… 자기 스스로도 악의 없는 마음을 가지고, 남에게도 악의 없는 마음을 가지도록 격려하고, 악의 없는 마음에 동의하고, 악의 없는 마음을 칭송한다. …"

삿된 견해 경(A4:270)

Micchādiṭṭhi-sutta

1. "… 자기 스스로도 삿된 견해를 가지고, 남에게도 삿된 견해를 가지도록 교사하고, 삿된 견해에 동의하고, 삿된 견해를 칭송한다. …"

2. "… 자기 스스로도 바른 견해를 가지고, 남에게도 바른 견해를 가지도록 격려하고, 바른 견해에 동의하고, 바른 견해를 칭송한다. …"

제27장 업의 길 품이 끝났다.[528]

528) PTS본에는 품의 목록이 나타나지 않는다.

제28장 탐욕의 반복 품[529)]

Rāga-peyyāla

마음챙김의 확립 등 경(A4:271)[530)]

Satipaṭṭhānādi-sutta

1. "비구들이여, 탐욕을 최상의 지혜로 알기 위해서는 네 가지 법을 수행해야 한다. 무엇이 넷인가?

비구들이여, 여기 비구는 몸에서 몸을 관찰하며[身隨觀] 머문다. 세상에 대한 욕심과 싫어하는 마음을 버리고 근면하게, 분명히 알아차리고 마음챙기면서 머문다. 느낌에서 느낌을 관찰하며[受隨觀] 머문다. … 마음에서 마음을 관찰하며[心隨觀] 머문다. … 법에서 법을 관

---

529) PTS본에는 본 품의 이름이 나타나지 않는다. 육차결집본을 따라서 이렇게 붙였다.

530) 육차결집본과 싱할리본 등에는 본경을 모두 4개의 경으로 나누어서 편성하고 있다. 본경의 §1을 마음챙김의 확립(Satipaṭṭhāna-sutta)으로, §2를 바른 노력(Sammappadhāna-sutta)으로, §3을 성취수단(Iddhipāda-sutta)으로, §4를 통달지 등(Pariññādi-suttāni, 4부터 510까지)으로 각각 다른 경으로 편성하고 있다. 그러나 PTS본은 하나의 경으로 묶어버렸다.
이렇게 하여 육차결집본에는 기본적으로 4개의 경을 포함하고 있고 이를 반복 확장하여 모두 510개의 경이 있는 것으로 소개하고 있다.(아래 주해 참조) 그래서 본 품을 탐욕의 반복(Rāga-peyyāla)이라고 이름 짓고 있다.
『디가 니까야 주석서』(DA) 서문 등에 의하면 『앙굿따라 니까야』는 모두 9557개의 경들이 있다고 적고 있는데 이런 방법으로 확장한 경들까지 모두 계산하면 9557개의 경들이 된다고 여겨진다. 참고로 현존하는 육차결집본에 의하면 『앙굿따라 니까야』는 모두 9241개의 경으로 계산이 된다. 자세한 것은 본서 제1권 역자서문 §6을 참조할 것.

찰하며[法隨觀] 머문다. 세상에 대한 욕심과 싫어하는 마음을 버리고 근면하게, 분명히 알아차리고 마음챙기면서 머문다.

비구들이여, 탐욕을 최상의 지혜로 알기 위해서는 이러한 네 가지 법을 수행해야 한다."

2. "비구들이여, 탐욕을 최상의 지혜로 알기 위해서는 네 가지 법을 수행해야 한다. 무엇이 넷인가?

비구들이여, 여기 비구는 아직 일어나지 않은 나쁘고 해로운 법들은 일어나지 못하도록 하기 위해서 의욕을 일으키고 정진하고 힘을 내고 마음을 다잡고 애를 쓴다. 이미 일어난 나쁘고 해로운 법들은 제거하기 위하여 의욕을 일으키고 정진하고 힘을 내고 마음을 다잡고 애를 쓴다. 아직 일어나지 않은 유익한 법들은 일어나도록 하기 위해서 의욕을 일으키고 정진하고 힘을 내고 마음을 다잡고 애를 쓴다. 이미 일어난 유익한 법들은 지속하게 하고 사라지지 않게 하고 증장하게 하고 충만하게 하고 닦기 위해서 의욕을 일으키고 정진하고 힘을 내고 마음을 다잡고 애를 쓴다.

비구들이여, 탐욕을 최상의 지혜로 알기 위해서는 이러한 네 가지 법을 수행해야 한다."

3. "비구들이여, 탐욕을 최상의 지혜로 알기 위해서는 네 가지 법을 수행해야 한다. 무엇이 넷인가?

비구들이여, 여기 비구는 열의를 [주로 한] 삼매와 정근의 의도적 행위[行]를 갖춘 성취수단을 닦는다. 정진을 [주로 한] 삼매와 정근의 의도적 행위를 갖춘 성취수단을 닦는다. 마음을 [주로 한] 삼매와 정근의 의도적 행위를 갖춘 성취수단을 닦는다. 검증을 [주로 한] 삼매와 정근의 의도적 행위를 갖춘 성취수단을 닦는다.

비구들이여, 탐욕을 최상의 지혜로 알기 위해서는 이러한 네 가지 법을 수행해야 한다."

4. 비구들이여, 탐욕을 철저히 알기 위해서는 … 완전히 없애기 위해서는 … 버리기 위해서는 … 부수기 위해서는 … 사그라지게 하기 위해서는 … 빛바래게 하기 위해서는 … 소멸하기 위해서는 … 포기하기 위해서는 … 놓아버리기 위해서는 네 가지 법을 수행해야 한다. …

성냄을 … 어리석음을 … 분노를 … 원한을 … 위선을 … 앙심을 … 질투를 … 인색을 … 속임을 … 사기를 … 완고를 … 성마름을 … 자만을 … 거만을 … 교만을 … 방일을 최상의 지혜로 알기 위해서는 … 철저히 알기 위해서는 … 완전히 없애기 위해서는 … 버리기 위해서는 … 부수기 위해서는 … 사그라지게 하기 위해서는 … 빛바래게 하기 위해서는 … 소멸하기 위해서는 … 떨어지게 하기 위해서는 … 놓아버리기 위해서는 네 가지 법을 수행해야 한다. …

비구들이여, … 이러한 네 가지 법을 수행해야 한다."[531)]

제28장 탐욕의 반복 품이 끝났다.

다섯 번째 50개 경들의 묶음이 끝났다.

넷의 모음이 끝났다.

---

531) 육차결집본에서는 이렇게 3(사념처+사정근+사여의족) × 17(탐, 진, 치, 분노 등) × 10(최상의 지혜로 앎, 철저히 앎 등) = 510 개의 경들이 탐욕의 반복(Rāga-peyyāla) 품에 포함되어 있는 것으로 편집하고 있다. 그러나 역자가 저본으로 한 PTS본에는 하나의 경으로 묶여있다.

앙굿따라 니까야

찾아보기

찾아보기

【가】

가난 (dalidda) A4:52 §2.
가는 속력 (vegāyitatta) A4:192 §5.
가는 자 (gantā) A4:114 §1.
가능한 (ṭhāna) A1:15:1～28.
가득함, 드세어짐 (vepullatā) A3:20 §1; A4:31 §1; A4:158 §1.
가라앉음 (모든 형성된 것들이～) (samatha) A3:32 §1; A4:114 §10. 참 **사마타**
가라앉음 ☞ **고요함**
가르쳐 주는 자 (dassetā) A2:4:2; A3:31 §1:A4:63 §2.
가르침의 기적[敎誡神變] (anusāsanī-pāṭihāriya)A3:60 §6; A3:140 §2.
가린 (무명에～) (nivuta) A4:50 §3.
가문 (kula) A3:13; A3:31; A4:63 §1.
가문에게 청정한 믿음을 가지게 하는 자 (kulappasādaka) A1:14:4(7).
가문의 후손 (좋은～) (kolaputti) A1:20:1.
가벼운(lahuka) A4:45 §2; A4:46 §1.
가벼운 범계 (lahukā āpatti) A1:12:3 [설명].
가부좌를 틀다 (pallaṅkaṁ ābhujati) A3:63 §5～7; A4:36 §2; A4:198 §13.
가사 (saṅghāti) A4:103 §3; A4:105; A4:198 §12.
가슴 [치는] (uratthala) A4:184 §2.
가슴 치는 (urattāḷi) A4:192 §4.
가슴에 와 닿는 (hadayaṅgama) A3:28 §4; A4:198 §8.
가시게 하다, 없애다 (paṭivinodeti) A2:5:6 §2; A3:20 §2.
가장 세련된 사문 (samaṇa-sukhumāla) A4:87 §1[설명] §5.
가장 탁월한 (pavara) A4:95 §3.
가장(家長) (kula-pati) A3:48 §1.
가져온 음식을 받음(abhihaṭa) A4:198 §2.
가족 (antojana) A3:29.
가지 (sākhā) A3:48; A3:93 §3; A4:178 §1; A4:196 §3.
가진 성질대로 된다 (yathā dhammā tathā santā) A4:66 §2[설명].
가파른1 (ukkūla) A1:19:1.
가파른2 (vikūla) A1:19:1.
각양각색 (aññathābhāva) A4:9 §2[설명].
각양각색(itthabhāva) A4:9 §2[설명].

간곡한 당부 ☞ **교계**(敎誡)
간다라 (16**국의 하나**) (Gandhāra) A3:70 §17.
간답바 (Gandhabba) A4:36 §2[설명]; A4:187 §6.
간략한 가르침으로 이해하는 자 (ugghaṭitaññū) A4:133 §1[설명].
간병인 (upaṭṭhāka) A3:22 §1.
간청 (ajjhesana) A4:21 §4.
간탐 ☞ **욕심 많음**
간탐하지 않음, 욕심 없음 (anabhijjhālu) A3:115 §6; A3:118 §2; A3:160; A4:29 §2; A4:204 §4; A4:234 §8; A4:268.
갈마(羯磨) (kamma) A2:17:2 §96~100[설명].
갈애[愛] (taṇhā) A2:4:5; A3:32 §1; A4:9 등.
갈애에 묶여있다 (sanettikā) A4:50 §3[설명].
갈애에서 생긴 (taṇhā-cambhūta) A4:159 §3.
갈애의 노예 (taṇhā-ādāsa) A4:50 §3.
갈애의 일어남 (**네 가지**~) (taṇhuppāda) A4:9 §1; A4:254 §2.
감 (gamana) A2:5:5; A4:17~19; A4:45 §2; A4:46 §1.
감각기능 ☞ **기능**[根]
감각기능들의 문을 보호함 (indriye-su guttadvāratā) A1:14:4; A2:15:7; A3:16; A4:37 §3 등.
감각기능들이 고요한 (santindriya) A2:4:5 §6; A4:36 §2.
감각기능들이 안정된 (samāhitindriya) A4:5 §3.
감각장소 ☞ **장소**[處]
감각적 욕망1 (kāma) A1:7:2; A2:2:1; A2:4:7; A4:10 §1; A4:33 §2; A4:198 §15 등.
감각적 욕망2 (kāmacchanda) A1:2:1 [설명]; A1:2:6; A3:57 §1; A3:119 §4.
감각적 욕망3 (kāmaguṇa) A4:122.§5.
감각적 욕망4 (kāma-rāga) A2:4:6; A3:127 §2; A4:10, 1.
감각적 욕망에 대한 생각 (kāma-vitakka) A2:4:7; A3:40 §2; A3:122; A4:11 §1; A4:14 §2; A4:114 §8; A4:138 §2; A4:164 §5; A4:259 §1.
감각적 욕망을 즐기는 (kāmakāmī) A3:48 §2; A4:53 §7; A4:54 §7.
감각적 욕망을 즐기는 자 (kāmabhogī) A3:29 §5; A4:5 §2; A4:15; A4:62 §2; A4:244 §2.
감각적 욕망을 즐기는 자의 잠자는 자세 (kāmabhogī-seyyā)A4:244 §2.
감각적 욕망의 번뇌[慾惱] (kāmāsava) A3:58 §5; A3:66 §13; A4:198 §15.
감각적 욕망의 속박 (kāma-yoga) A4:10 §1[설명].
감각적 쾌락 ☞ **집착**(ālaya)
감각적 쾌락 없음(anālāya)A4:128 §1
감각접촉[觸] (phassa) A3:23; A3:61 등.
감각접촉의 장소 (phassāyatana) A3:61 §5; A4:174.
감내 (khama) A4:114 §4.
감내 ☞ **인욕**
감내하는 (adhivāsikajāta) A4:114 §9; A4:157 §3; A4:165 §3.
감내하는 자 (khantā) A4:114 §9.
감내하지 못하는 자 (anadhivāsika-jāta) A4:165 §2.

감미로운 목소리 (mañjussara) A1:14:1.
감옥 (bandhana) A3:99 §5; A4:198 §3.
감촉[觸] (phoṭṭhabba) A1:1:5; A3:61 §8; A4:14.
감흥어(感興語) (udāna) A4:6 §1; A4:186 §2 등.
강 (nadī) A1:18:4; A1:19:1; A4:295 §9.
강가 강 (Gaṅgā) A3:70 §17.
강한 바람 (mahāvāta) A4:195 §9.
갖가지 인식 (nānattasaññā) A1:20:58; A3:114 §1; A4:190 §5.
개 (sunakha) A2:1:1.
개발 ☞ **수행**
개종시키는 요술 (āvaṭṭani māya) A4:193 §1[설명].
객으로 온 것들 (āgantukehi) A1:5:9 [설명].
거들먹거리는 (unnala) A2:5:1 §1; A3:113 §1; A4:26 §1.
거듭하다 (āsevati) A4:170 §2[설명].
거리 (siṅghāṭaka) A4:242 §1.
거만 (atimāna) A2:17:5; A3:163 §2; A4:271 §4.
거부되지 않은 (asaṅkiṇṇa) A4:28~30.
거역 (aticaritā) A4:55 §2.
거울 (ādāsa) A3:70 §6.
거주자 (āvāsika) A3:90 §1.
거짓말 (musā-vāda) A3:70 §12; A3:156; A4:54 §2; A4:99 §2~5 등.
거짓을 말하는 자 (abhūta-vādī) A3:69 §4; A4:22 §2.
거처[**와 관련된 오염원들을**] **멀리 여읨** (senāsana-paviveka) A3:92 §1.
거처1 (āvāsa) A4:180 §4.
거처2 (senāsana) A2:3:9; A4:9 등.
거친 도닦음 (āgāḷhā paṭipadā) A3:151 §1[설명].
거친1 (khara) A4:165 §2.
거친2 (oḷārika) A4:181 §4.
건강 (ārogya) A3:38 §2; A4:157.
건강에 대한 자부심 (ārogya-mada) A3:39 §1.
건너는 (samatikkama) A3:74 §1 [설명].
건넘 (**격류를**~) (nittharaṇa) A4:196 §1.
건포도 (badara) A3:30 §3.
걸음걸이가 큰 (pada-vītihāra) A4:45 §2; A4:46 §1.
검고 흰 [**업**] (kaṇha-sukka) A4:231 ~ 236.
검고 흰 과보 (kaṇha-sukka-vipāka) A4:231~237.
검은 과보도 흰 과보도 없는 (akaṇhamasukka-vipāka) A4:231~237.
검은 머리칼 (kāḷa-kesa) A2:4:7; A4:22 §2.
검은1 (kāḷaka) A4:242 §2.
검은2 (kaṇha) A2:1:7; A4:231~237.
검증 (vīmaṁsā) A1:20:21; A3:152 §2; A4:35 §2; A4:271 §3.
검증하다 (pariyogāheti) A2:12:5~6; A4:3; A4:83.
검지도 희지도 않은 [**업**] (akaṇhamasukka) A4:231~237.
검푸른 것의 인식 (vinīlaka-saññā) A1:20:90; A4:14 §4.
겁(劫) (kappa) A4:156.
게걸스러움 (odarikatta) A4:122 §4.

게송(偈頌) (gāthā) A4:6 §1; A4:102 §3~7.
게으르지 않은 (analasa) A4:28 §1; A4:35 §2.
게으르지 않은 (atandita) A4:37 §6.
게으른 (kusīta) A4:11.
게으름 (kosajja) A1:6:10; A1:9:4~5; A1:10:3; A4:202 §3.
겨우 몸을 가리는 천 (ghāsacchāda) A3:13 §1; A4:85 §2.
격려하다 (samādapeti) A3:11 §2; A3:65 §12; A4:48 §1.
겪는 자 (upagāmī) A4:5 §2.
견고한1, **단단한** (daḷha) A4:33 §2; A4:242 §1.
견고한2 (dhuva) A4:33 §2.
견해 (diṭṭhi) A1:17:9; A2:6:12; A4:38 §5; A4:191 §1.
견해를 본받음, 이어받음 (diṭṭhānugati) A3:27 §2; A3:90 §5; A3:97 §2; A4:160 §6.
견해를 얻은 자 (diṭṭhippatta) A2:5:7 §1[설명]; A3:21.
견해의 결함 (diṭṭhi-vipatti) A2:15:11; A3:115 §1; A3:116.
견해의 구족 (diṭṭhi-sampadā) A2:15:12; A3:115 §5; A3:116 §4; A3:117 §4.
견해의 속박 (diṭṭhi-yoga) A4:10 §1 [설명].
견해의 전도 (diṭṭhi-vipallāsa) A4:49 §1.
견해의 청정1 (diṭṭhi-parisuddhi) A4:194 §4.
견해의 청정2 (diṭṭhi-visuddhi) A2:15:13.
결론에 도달함 (바른~) (niṭṭhaṅgata) A4:184 §9.
결정된 (niyāmatā) A3:134.
결핍됨이 전혀 없는 (apahānadhamma) A4:5 §3[설명].
결핍됨이 전혀 없는 (aparihīna-sabhāva) A4:5 §3[설명].
결함 (vipatti) A3:115; A3:116; A3:117.
겹쳐서 생긴 것(sannipātika)A4:87 §5.
경(經)1 (sutta) A4:102 §3~6; A4:186 §2; A4:191 §1.
경(經)2 (suttanta) A2:3:5~6; A2:4:10; A2:5:6; A4:160 §3.
경멸 (opapakkhi) A3:65 §2.
경안(輕安) (passaddhi) A2:2:2.
경안한 (passaddha) A3:93 §4; A4:38 §3.
경우, 조건 (ṭhāna) A3:42 §1; A4:192 §1 등.
경의를 표함, 존경을 표함 (sāmīci-kamma) A3:24; A4:187 §6.
경이로운 (abhikkanta) A4:100 §3; A4:198; A2:2:6 등.
경행1 (caṅkama) A3:16; A3:63 §6; A4:37 §5.
경행2 (jaṅghāvihāra) A3:34 §1.
계(戒) (sīla) A2:4:2; A3:48; A3:70 §6; A3:73 §3~6; A3:85 §2; A3:86 §1~4; A4:1 §2~4; A4:21 §1 등.
계곡 (padara) A3:93 §5; A4:147 §2.
계를 계속해서 생각함 (sīlānussati) A1:16:4.
계를 지키지 않는 (dummaṅku) A2:17:1.
계목의 암송 (pātimokkhuddesā) A2:17:2.
계박 ☞ **얽매임**

계보라고 알려진 (vaṁsañña) A4:28 §1[설명]; A4:29 §1; A4:30 §2.
계속해서 생각함[隨念] (anussati) A1:16:1~10; A1:20:93~98; A3:70 §4[설명].
계에 관한 이야기 (sīlakathā) A3:26 §3.
계와 서계 (sīlabbata) A3:78 §1[설명].
계의 구족 (sīla-sampadā) A2:15:12; A3:115 §5; A3:116; A3:117; A3:136; A4:61 §5.
계의 몰락 (sīla-vipatti) A2:15:11; A3:115; A3:116.
계의 무더기[戒蘊], **계의 조목** (sīla-kkhandha) A3:57 §3; A3:140 §1; A4:198 §10.
계의 완성 (sīlagga) A4:75 §1[설명].
계의 정수 (sīla-sāra) A4:150[설명].
계의 증장 (sīla-vuddhi) A3:136.
계의 청정 (sīla-pārisuddhi) A4:194 §2.
계의 청정 (sīla-visuddhi) A2:15:13; A4:196 §1~2.
계절의 변화 (utu-pariṇāma) A3:91 §1; A4:87 §5.
계행이 나쁜 (dussīla) A3:13 §2; A4:53 §3; A4:78 §2.
고귀한 가문 출신인 자 (uccākulika) A1:14:1(6).
고기 (maṁsa) A2:1:5; A3:38; A3:151 §2; A4:113 §2; A4:198 §9.
고대의 신 (pubbadevatā) A4:63 §2.
고대의 신과 함께 사는 [가문] (sapubbadevata) A4:63 §1[설명].
고따마까 탑묘 (Gotamaka) A3:123 §1.
고름 (pubba) A1:18:16.
고막가 (Gomagga) A3:34 §1[설명].
고백을 행함 (paṭiññāta-karaṇa) A2:17:2.
고시따 원림 (Ghositārāma) A3:72 §1; A4:80 §1[설명]; A4:159 §1; A4:170 §1; A4:241 §1.
고약한 (durutta) A4:114 §9; A4:157 §3; A4:165 §2.
고요하지 않음(anupasama)A4:128 §3
고요하지 않음 (avūpasama) A1:2:4.
고요한 ☞ **꺼진**
고요한 ☞ **성취한**(paripasaddha)
고요한 마음 (santamānasa) A2:4:5 §6; A4:36 §2.
고요함 (samā) A4:164 §5.
고요함 (upasama) A1:16:1~10.
고요함, 가라앉음, 적멸 (vūpasama) A1:2:9; A2:2:3; A4:174 §3.
고요함으로 인도하는 (opasamika) A4:128 §3.
고요함을 계속해서 생각함 (upasamānussati) A1:16:10.
고요해지다 (paṭippassaddhā) A4:38 §2[설명].
고통 (anutappā) A2:6:3.
고통 없는, 괴로움 없는 (anīgha) A4:23 §4; A4:41 §6.
고통스런 세상 (savyāpajjha loka) A4:232 §2[설명].
고함소리 (ninnāda) A4:114 §4.
고행을 통한 금욕 (tapojigucchā) A4:196 §2.
곡식 (dhañña) A4:31 §2; A4:85 §4.
곤봉 (addha-daṇḍa) A2:1:1; A4:121 §4.
곤혹스러운 ☞ **속상하는**
곧은 (sama) A2:5:8; A3:143; A3:147.

곧은 행위 (samacariyā) A2:2:6.
골목 (rathiya) A4:242 §1.
골풀로 만든 집 (naḷāgāra) A3:1.
곪은 종기 (duṭṭhāruka) A3:25 §2; A3:27 §3.
곪은 종기와 같은 마음을 가진 사람 (arukūpamacitta) A3:25.
공격 (sañjambhari) A3:64 §6.
공격하기 어려운 (durāsada) A4:42 §2.
공경 ☞ **예배**
공경하여 받아들이는 (padakkhiṇaggāhī) A4:160 §4.
공경하여 받아들이지 않음 (appadakkhiṇaggāhī) A4:160 §4.
공덕 (puñña) A2:12:5~8; A3:41; A3:57 §1.
공덕을 닦음 (puñña-paṭipadā) A3:60 §1.
공덕을 지음 (kata-puññatā) A4:31.
공덕을 지음 (puñña-kata) A4:31 §2.
공덕이 넘쳐흐름 (puñña-abhisanda) A4:51 §1; A4:52 §1.
공동묘지 (kaṭasi) A4:50 §3.
공동묘지 (susāna) A3:92 §1; A4:198 §13.
공무변처 (ākāsānañcāyatana) A1:20:58; A4:190 §5.
공박하다 (paṭikkosati) A4:30 §4; A4:35 §2.
공부지음 (sikkhā) A3:87 §1; A3:88; A3:90 §5.
공부지음의 이익 (sikkhānisaṁsa) A4:243 §1.
공양 ☞ **음식**(bhatta)
공양받아 마땅한 (āhuneyya) A2:4:4; A3:70 §6; A4:34; A4:52 §2; A4:63 §1.
공양의 약속을 하다 (pavāreti) A4:79.
공작 보호구역 (mora-nivāpa) A3:140 §1[설명].
공포, 두려움 (bhaya) A2:17:1; A4:17~19; A4:22 §3; A4:119; A4:120.
공함과 관련된 것 (suññatā-paṭisaṁyutta) A2:5:6 §1[설명].
과거 (abbhatīta) A4:21 §3.
과보, 결과[異熟] (vipāka) A2:1:1; A2:2:1; A3:33; A3:35 §1~3; A4:10 §1; A4:34 등.
과보를 가져오는 [업] (vepakka) A3:76 §1~3; A3:77 §1~3.
관계된 ☞ **사로잡힌**
관습을 거부함 (muttācāra) A3:151 §2; A4:198 §2.
관심 (ussāha) A4:93 §4; A4:194 §2.
관정식 (abhiseka) A3:13; A4:87 §2.
관정의 대관식을 거행한 (muddhāvasitta) A3:12; A4:87 §2[설명].
관통 (abhisamaya) A4:38 §5.
관통하다 (무상/고/무아를~) (abhisameti) A3:134 §1~3.
광란 (sammoha) A4:184 §2; A4:192 §4.
광명 (āloka) A4:143.
광명상[光明想] (āloka-saññā) A4:41 §3; A4:198 §13.
광선 ☞ **빛**
광음천 (Ābhassarā) A4:123 §2[설명].
광채 (pajjota) A4:145.
광활한 통찰지 (puthupañña) A1:21:35; A3:30; A4:61 §8.
광휘로움, 빛 (obhāsa) A4:127. 4:144.
괭이(kuddāla) A3:69 §11; A4:195 §9.

괴로운 과보를 가져오는 (dukkha-vipāka) A3:107 §2; A4:10 §1; A4:182 §4.
괴로운 느낌 (dukkha-vedaniya) A4:195 §1.
괴로움, 고통[苦] (dukkha) A2:1:6; A2:2:9; A2:5:4; A3:40 §1; A3:61 §9~13; A3:74 §1; A3:87 §3; A4:1 §5; A4:122 §3~6; A4:161~163; A4:185 §4.
괴로움을 가져오는 법 (dukkhudraya dhamma) A2:16:71~75.
괴로움을 익게 하는 법 (dukkha-vipāka dhamma) A2:16:81~85.
괴로움의 소멸 (dukkha-nirodha) A3:12; A3:24; A3:61 §12.
괴로움의 일어남 (dukkha-samudaya) A3:61 §11.
괴로움의 진리[苦諦] (dukkha-sacca) A3:61 §10; A4:45 §3[설명].
교계(敎誡), **간곡한 당부** (anusāsanī) A3:123 §2; A4:160 §4.
교만 (mada) A2:17:5; A3:163 §2; A4:34 §2; A4:61 §13; A4:271 §4.
교법을 행하는 자 (sāsanakārī) A4:25 §2.
교사(敎唆), **고무, 선동, 유도하다** (samādapeti) A1:18:5; A3:11 §1~2; A3:65 §4; A4:48 §1 등.
교설을 가진 (vādi) A2:4:3; A3:135 §1;.
교제 (sannivāsa) A2:6:11.
교제하다 (saṁsandati) A3:130 §3.
교활한 (siṅgī) A4:26 §1.
구경의 목적 (accanta-pariyosāna) A3:140 §1~3.
구경의 완성 (accanta-niṭṭha) A3:140 §1~3.
구경의 유가안은 (accanta-yoga-kkhemī) A3:140 §1~3.
구경의 진리 (parama-sacca) A4:113 §5.
구경의 청정범행 (accanta-brahmacārī) A3:140 §1~3.
구름 (abbha) A4:50 §1.
구름, 비구름 (valāhaka) A3:92 §4; A4:101~102.
구멍 (gādha) A4:107 §1.
구애받다 (paṭihaññati) A4:27 §2[설명].
구제할 수 없는 범계 (anavasesāpatti) A1:12:7~8.
구제할 수 있는 범계 (sāvasesā āpatti) A1:12:7; A1:12:17.
구족 (sampadā) A3:115 §5; A3:116 §3; A3:117 §4; A3:136; A4:61 §3; A4:193 §11.
구족계 (upasampadā) A2:17:2.
구족하는 ☞ **증득한**
구참(久參) (rattaññū) A1:14:1(1).
구함, 추구 (esanā) A2:14:3; A4:38 §5.
군다 숲 (Gundāvana) A2:4:7.
군대 (bala-kāya) A3:14.
굳건한 (theta) A4:198 §8.
굳센 (thāmavā) A3:20 §2; A3:89 §2; A3:94~96 §4; A4:256~257 §2.
굴 (sippi) A1:5:5~6.
굴(거처) (āsaya) A4:33 §1.
굴복시키기 어려운 (duppadhaṁsiya) A4:42 §2.
굴하지 않는 (appaṭivānitā) A2:1:5[설

명].
궁수 (dhanuggaha) A4:45 §2; A4:46 §1.
귀로 들은 (sotānugata) A4:191 §1.
귀머거리 (jaḷa) A4:259 §1.
귀에 즐거운 (kaṇṇa-sukha) A3:28 §4; A4:198 §8.
귀의 (saraṇa) A1:14:6(7); A2:2:6; A3:24 §51; A4:23 §4 등.
균형 잡힌 (āroha) A3:137 §1~3; A3:138; A4:256 §1.
그 외의 이런저런 것 (itibhavābhava) A4:9 §1[설명]; A4:254 §2[설명].
그곳에서 완전히 열반에 드는 자 (tatthaparinibbāyī) A3:85 §4; A3:95 §5; A3:138 §3; A4:5 §1; A4:88 §4; A4:239.
그늘, 그림자 (chāyā) A4:113; A4:121 §4; A4:195 §9.
그대로 설하는 자 (tathāvādī) A4:23 §3.
그대로 행하는 자 (tathākārī) A4:23 §3.
그러한 분 (tādi) A4:24 §2[설명]; A4:33 §3.
그렇다 하더라 (itikirā) A3:65 §3; A4:193 §6.
그릇에서 손을 뗌 (onītapattapāṇī) A4:57 §1.
그물 (khipa) A1:18:4; A3:135 §5.
그물처럼 (jālini) A4:199 §1.
극단적인 견해 (antagāhika diṭṭhi) A4:241 §3.
근교 (upavattana) A4:76 §1.
근력, 힘 (thāma) A2:1:5; A4:115 §3; A4:192 §1.
근면한 (ātāpī) A1:20:10; A3:39 §2; A4:11 §1; A4:69 §6 등.
근면한 (ātappa) A3:49.
근본물질[四大] (mahā-bhūta) A3:75 §3.
근심 (soka) A2:1:6; A3:74 §2 등.
근심을 없앰 (sokanāsana) A4:21 §3.
근절, 뿌리 뽑힘 (samugghāta) A1:21:17; A4:34 §5.
금 (jātarūpa) A3:70 §8; A3:100 §1; A4:50 §2; A4:198 §9.
금강석과 같은 마음을 가진 (vajirūpama-citta) A3:25.
금생에 [과보를] 받는 (diṭṭha-dhammika) A2:1:1 §1 [설명].
금생에 ☞ **지금여기에서**
금세공인 (suvaṇṇa-kāra) A3:100 §2.
급고독(給孤獨) 장자 (Anāthapiṇḍika) A1:1:1; A1:14:6; A2:1:1; A2:4:5; A3:1; A3:21; A3:51 §1; A3:105; A3:106; A3:125; A4:21 §1; A4:45 §1; A4:58 §1[설명]; A4:60; A4:61 §1; A4:62 §1 참 **수닷따**.
기근 (dubbhikkha) A3:56 §2.
기껏 단어의 [뜻만] 아는 자 (padaparama) A4:133 §1[설명].
기능[根], **감각기능** (indriya) A1:20:22~26; A1:20:103~107; A1:20:173~6; A4:14; A4:151 §1[설명]; A4:162 §2.
기대되는 (pāṭikaṅkha) A2:1:1 §3[설명]; A4:191 §1; A4:240.
기름, 참기름 (tela) A2:1:1; A3:70 §7; A3:125 §1; A4:121 §4.
기름등불 (telappadīpa) A3:34 §2.
기반 (vatthu) A4:171 §5[설명].
기뻐함 (ārāmatā) A4:28 §1.

기쁘게 하다 (sampahaṁseti) A3:90 §1; A4:48 §1; A4:97 §2.
기쁨 (somanassa) A2:2:3; A3:58 §2; A3:123 §2; A4:38 §3; A4:54 §6.
기쁨의 행복 (sātasukha) A2:7:9.
기쁨이 없다는 인식을 가진 자 (세상을~) (anabhirata-saññī) A1:20:76; A4:163 §2; A4:169 §2.
기쁨이 있는 禪을 대상으로 한 행복 (sātārammaṇa-sukha) A2:7:12.
기억하는 (saritā) A4:35 §2.
기억하는 것(범계한 사실이 없다고~) (sati-vinaya) A2:17:2.
기억할 만한 (saraṇīya) A3:12.
기울임 (귀를~) (ohita) A4:114 §2.
기원 ☞ **일어남**
기적[神變] (pāṭihāriya) A3:60 §4~6.
기적을 갖추다 (sappāṭihāriya) A3:123 §1[설명].
기적을 갖춘 (해탈을 성취하는) (sappāṭihāriya) A3:123 §1[설명].
기지개를 켜다 (vijambhati) A4:33 §1.
기초, 원인, 모태 (yoni) A1:19:2; A2:3:7; A3:16 §1[설명]; A4:71 §3 [설명].
기형 (okoṭimaka) A3:13 §1; A4:85 §2.
길들임 (dama) A4:164 §4; A4:165 §4.
길들임, 조련 (damma) A4:111.
깃발 (dhaja) A4:48 §2.
깊이 들어감 (ogadha) A4:25 §2.
까뀌 (vāsi) A4:196 §3.
까띠야니 (Kātiyānī) A1:14:7(8)[설명].
까삘라왓투 (Kappilavatthu) A3:73 §1; A3:124 §1; A4:195 §1.
까시 (16국의 하나) (Kāsi) A3:15 §1 [설명]; A3:70 §17.
까시(바라나시)에서 만든 (kāsika) A3:38 §1; A3:98.
까시나 (kasiṇa) A1:20:63~72.
깐다라야나 바라문 (Kaṇḍarāyana) A2:4:7 §1.
깔개 (thara) A3:63 §3~4.
깔라까 원림 (Kāḷakārāma) A4:24 §1.
깔라마 (Kālāmā) A3:65 §1.
깔루다이 존자 (Kāḷudāyī) A1:14:4(7)[설명].
깔리 (꾸라라가라의~) (Kālī Kuraragharikā) A1:14:7.
깜보자 (16국의 하나) (Kamboja) A3:70 §17.
깟다마다하 (Kaddamadaha) A2:4:6 §1.
깟사빠곳따 비구 (Kassapagotta) A3:90 §1[설명].
깡카레와따 존자 (Kaṅkhā-Revata) A1:14:2(7)[설명].
깨 (tila) A3:30.
깨끗하다는 인식을 가진 자 (subha-saññī) A4:49 §3.
깨끗한 (suci) A3:70 §10; A3:144 §2; A3:148 §2; A4:57 §3; A4:198 §8.
깨끗함1 (soceyya) A2:15:5; A3:118; A3:119; A4:192 §3.
깨끗함2 (subha) A4:49 §1.
깨닫지 못한(ananubodha) A4:1.§2~3.
깨달음 (bodhi) A4:61 §4.
깨달음 (sambodhi) A4:11 §3.
깨달음의 구성요소[七覺支] (bojjhaṅga) A1:8:4~5; A4:236.
깨달음의 구성요소[七覺支] (sambojjhaṅga) A1:20:32~38;

A2:2:2; A4:14 §3; A4:236 §5.
깨어있음 (jāgariya) A3:16; A4:37 §5.
꺼끄러기 (sūka) A1:5:1~2.
꺼끄러기 (yava-sūka) A1:5:1~2.
꺼진, 소멸된, 고요한 (nibbuta) A3:57 §4; A3:66 §13; A4:198 §5.
껍질 (taca) A3:48.
께사뿟따 (Kesaputta) A3:65 §1.
께시 (Kesi) A4:111 §1.
꼬리 (naṅguttha) A4:244.
꼬마라밧짜 ☞ **지와까 꼬마라밧짜** A1:14:6(9).
꼬부라진 (kuṇḍa/koṇḍa) A1:14:3(3) [설명].
꼬사따끼 넝쿨 (kosātaki) A1:17:9.
꼬살라 (16국의 하나) (Kosala) A3:63 §1[설명]; A3:65 §1; A3:70 §17; A3:91; A3:124 §1.
꼬삼비 (Kosambī) A3:72 §1; A4:80 §1[설명]; A4:159 §1; A4:170 §1; A4:241.
꼴리야 (Koliya) A4:57 §1[설명]; A4:194 §1.
꽃과 같은 말을 하는 자 (pupphabhānī) A3:28.
꾸루 (16국의 하나, Kuru) A3:70 §17.
꾸마라깟사빠 존자 (Kumārakassapa) A1:14:3(9)[설명].
꾸밈, 장식 (vibhūsana) A3:16 §3; A3:70 §15; A4:37 §4; A4:159 §4; A4:198 §9.
꾸사 (kusa) A4:198 §2[설명].
꾸시나라 (Kusināra) A3:121.
꿀과 같은 말을 하는 자 (madhubhāṇi) A3:28.
꿰뚫음, 통찰 (paṭivedha) A1:13:6; A1:21:24.
꿰뚫음에 동참하는 [인식] (nibbedha-bhāgiya) A4:179 §1.
끄샤뜨리야 (khattiya) A2:4:6; A3:12; A3:13; A4:85 §4; A4:87; A4:193 §13.
끊어지는 (목숨이~) (pariyantika) A4:195 §8.
끊어진 것의 인식 (vicchiddakasaññā) A1:20:91; A4:14.
끝 (세상의~) (anta) A4:45 §1[설명].
끝을 만듦 (괴로움의~), 끝장 냄, 종식 시킴 (antakiriyā) A3:40; A3:49 §2; A3:99 §1; A4:45 §3; A4:46 §3; A4:122 §3.
끝장 냄 (괴로움을~), 종식 (antakara) A3:30 §5; A4:1 §5; A4:175 §1[설명].
끼사고따미 장로니 (Kisāgotamī) A1:14:5(12)[설명].
낀나라, 낌뿌리사 (kimpurisa) A2:6:9.

【나】

나꿀라마따 (Nakulamātā) A1:14:7 (9); A4:55 §1~2[설명].
나꿀라삐따 (Nakulapitā) A1:14:6(10); A4:55 §1~2[설명].
나누어 가짐1 (bhāgī) A4:57 §2[설명]; A4:58 §2; A4:59 §1; A4:195 §10.
나누어 가짐2 (saṁvibhāga) A2:13:7; A3:42 §1; A3:79 §2; A4:61 §6.
나는 다르다 (aññathāsmi) A4:199 §3 [설명].
나는 동등하다 (evaṁsmi) A4:199 §3 [설명].
나는 영원하다 (asasmi) A4:199 §3[설명].

나는 영원하지 않다 (satasmi) A4:199 §3[설명].
나는 있었으면 (saṁ) A4:199 §3[설명].
나는 있을 것이다 (bhavissaṁ) A4:199 §3[설명].
나는 참으로 있기를 (api ha saṁ) A4:199 §3[설명].
나라 ☞ **지방**
나라는 생각 (ahaṅkāra) A3:32 §1.
나무 꼬챙이, 장작 (kaṭṭha) A3:25 §2; A4:95 §2.
나무 숲 (rukkha-gahaṇa) A3:50.
나무 침상 (mañcaka) A3:70 §16; A4:159 §2.
나무1 (dāru) A3:15 §4.
나무2 (rukkha) A3:34; A4:109.
나무껍질로 만든 옷 (potthaka) A3:97.
나무둥지 (thūnā) A4:195 §9.
나무찌 (Namuci) A4:13 §2[설명].
나무찌 (Nauci) A4:13 §2[설명].
나무토막 (alāta) A4:95 §2.
나쁜 ☞ **악한**
나쁜 견해에 빠진 (vādānupāta) A3:57 §1; A4:30 §4[설명]; A4:193 §1.
나쁜 도 (kummagga) A4:11 §3.
나쁜 습성을 가졌다고 [선언하는 것] (tassapāpiyyasika) A2:17:2.
나쁜 짓을 한 자 (āgucārī) A2:1:1 §2; A4:121 §4; A4:242 §1.
나쁜 행위 (duccarita) A1:15:17; A2:1:1; A3:2; A4:85 §2; A4:121 §2 등.
나아가는 (정등각으로~), 가는 (parāyana) A3:85 §2; A4:76 §6; A4:85 §1; A4:88 §2; A4:239 §2.
나윈다끼 (Navindaki) A4:187 §6.
나의 제자들 (māmakā) A4:26 §1[설명].
나이, 수명 (vassa) A2:4:2; A3:35 §1; A4:22 §2 등.
나체수행자 (acelaka) A3:151 §2.
나태한 ☞ **방일한**
낙엽 (paṇṇa) A3:63 §5~7.
난다 장로니(Nandā) A1:14:5(6)[설명].
난다 존자 (Nanda) A1:14:4(12)[설명].
난다까 존자 (Nandaka) A1:14:4(11); A3:66 §1[설명].
난다마따 (Nandamatā) ☞ **웃따라 난다마따**, ☞ **웰루깐따끼 마을의 난다마따**.
난행고행 (lūkha) A4:65 §1.
날 것 (āmaka) A4:198 §9.
날카로운 (tippa) A4:113 §8.
날파리 (ḍaṁsa) A4:114 §9; A4:165 §2.
남루한 옷을 입는 자 (lūkhacīvaradhara) A1:14:4(16).
남을 학대함 (parantapa) A4:198 §1.
남의 소리 (parato ghosa) A2:11:9.
남자신도[淸信士] (upāsaka) A1:16:6; A2:2:6; A4:129 §3; A4:130 §7.
남편1 (bhattā) A3:70 §3.
남편2 (pati) A4:53 §7; A4:54 §6.
남편3 (sāmika) A4:53 §3; A4:54 §2; A4:74 §1.
낮고 낮은 자 (지금도 미래에도~) (oṇatoṇata) A4:86 §5[설명].
낮은 단계의 족쇄[下分結] (orambhāgiya) A4:5 §1; A4:88 §4; A4:131.
낮은 삶으로 되돌아가다 (hīnāya āvattati) A4:122 §3[설명].
낮은 침상 (nīcaseyya) A3:70 §16.
낮이다라는 인식 (divā-saññā) A4:41

§3[설명].
내 것이라는 생각 (mamaṅkāra) A3:32 §1.
내가 있다 (asmi) A4:199 §3[설명].
내가 존재한다는 자아의식 (asmimāna) A1:21:17~21[설명]; A4:38 §4[설명]; A4:200 §17[설명].
내림 (비가~), 흐름 (dhārā) A3:33; A4:51 §4; A4:178 §3.
내팽개쳐버리고 (paccakkhāya) A4:30 §3[설명].
내팽개쳐버린 뒤 (paccakkhāya) A4:30 §3[설명].
냄새 ☞ 향기
너그러움 (pariccāga) A2:13:4.
너무 많이 가짐 (bāhulika) A4:160 §6.
넌더리 ☞ 염오
넓적다리 (satthi) A4:244 §2.
넘쳐흐름 (abhisanda) A4:51 §1; A4:52 §1.
넝마주이 가문 (pukkusakula) A3:13 §1; A4:85 §2.
네 가지 예류자의 구성요소 (cattari sotāpattiyaṅgāni) A4:52 §1[설명].
네란자라 강 (Nerañjarā) A4:21 §1; A4:22 §1.
노래 (gīta) A3:70 §15; A3:103; A4:198 §9.
노력 ☞ 정진(vīriya)
노력, 정진, ☞ 바른 정진 (vāyāma) A3:70 §4; A4:93 §4; A4:194 §2.
노력1, **정근** (padhāna) A2:1:2; A4:14; A4:271 §3.
노력2 (paggāha) A2:9:2**설명**].
노력의 결과로 삶을 영위하는 자 (uṭṭhāna-phalūpajīvī) A4:134.
노력의 구성요소 (padhāniyaṅga) A4:194 §1.
노예가 된 (vinivesa) A2:4:6 §2.
노와 키 (piya-aritta) A4:196 §5.
노지 (abbhokāsa) A4:198 §13.
녹야원 (Migadāya) A3:126.
논리 (takka) A3:65 §3; A3:66 §2; A4:193 §2.
논모 (mātika) A4:160 §5[설명].
논모(論母, **마띠까**) (mātikā) A3:20 §2[설명].
논모를 호지한 자 (mātikadhara) A3:20; A4:160 §5; A4:180 §8.
논사 (네 가지~) (vādi) A4:140.
논의 (saññatti) A2:5:10.
논쟁에서 벗어남 (itivādappamokkha) A4:25 §1.
논쟁을 좋아함 (vivādāpanna) A2:5:2 §1; A3:93 §2; A3:122 §1.
농사짓는 사람 (kassaka) A3:82 §1; A3:91 §1; A3:92 §3.
높고 낮은 (parovara) A3:32 §1; A4:5 §3[설명]; A4:41 §6.
높고 낮은 자 (uṇṇatoṇata) A4:86.
높은 계 (adhisīla) A3:81 §1; A3:82 §1.
높은 마음 (adhicitta) A3:100 §3[설명].
높은 자 (uṇṇata) A4:86 §5[설명].
높은 침상 (uccāsayana) A3:63 §3; A3:70 §16; A4:198 §9.
높은 통찰지 (adhipaññā) A3:81 §1; A3:82 §2; A4:92.
놓아버림 (vavassagga) A1:19:1[설명].
놓아버림 ☞ 포기(paṭinissagga)
누각을 가진 저택 (kūṭāgāra) A3:1; A3:34; A3:105.

누운 (sayana) A4:12 §1.
누이, 자매 (bhaginī) A3:35 §1~3; A4:159 §3.
눈 내리는 시기 (himapātasamaya) A3:34 §1.
눈[眼] (cakkhu) A3:16.
눈물 (assu) A4:5 §1.
눈이 먼 자 (kāṇa) A4:85 §2.
느낌[受] (vedanā) A1:20:11; A2:8:7; A3:16 §3[설명]; A3:23; A3:35 §4; A3:49; A3:74 §1; A3:124 §4; A4:16; A4:113 §8; A4:159 §4 등.
늙음 (jarā) A2:1:6; A3:35 §1; A4:182 §1.
능력 ☞ **힘**
능숙한 (daḷhadhamma) A4:45 §2; A4:46 §2.
능숙한 (katahattha) A4:45 §2; A4:46 §2.
능숙한 ☞ **유익한**[善]
니간타 (Nigaṇṭha) A3:70 §1; A3:74 §1; A4:195 §1.
니간타 나타뿟따 (Nigaṇṭha Nāthaputta) A3:74 §1[설명].
니간타의 포살 (nigaṇṭhūposatha) A3:70 §1.
니그로다 원림 (Nigrodhārāma) A3:73 §1; A4:195 §1.
니랍부다 (nirabbuda) A4:3 §3[설명].

【다】

다람쥐 보호구역 (Kalandakanivāpa) A4:35 §1; A4:183 §1; A4:187 §1.
다루기 힘든(akammaniya) A1:3:1.
다르바 풀 (dabbha) A4:198 §4.
다른 교설 (parappavāda) A4:239 §1.
다른 자의 종속 하에 두는 갈마 (niyassakamma) A2:17:2.
다리 (pāda) A2:1:1.
다리[橋]**를 부숨** (setu-ghāta) A3:74 §1[설명]; A3:103 §3[설명]; A4:159.
다수결 (yebhuyyasika) A2:17:2.
다스리는, 지배하는, 통치하는 (issarādhipacca) A2:4:2; A3:70 §17; A4:197 §7.
다시 [윤회로] 오는 (punarāgatā) A4:2 §3[설명].
다시 돌아오는 자 (āgantā) A4:172 §3.
다시 돌아오지 않는 법 (anāvattidhamma) A4:5 §1; A4:88 §4.
다시 돌아오지 않는 자 (anāgantā) A4:172 §3.
다시 존재함 (punabbhava) A3:76 §1 [설명].
다시 태어남[再生]**을 가져옴** (ponobhavika) A4:10 §1; A4:182 §4.
다시는 일어나지 않게끔 된 (anuppādadhamma) A3:33 §2; A3:34 §3; A4:36 §3; A4:38 §4 등.
다양하게 설법하는 자 (cittakathika) A1:14:3(9).
다와 나무 (dhava) A3:69 §5.
다음 생 (abhisamparāya) A4:121 §5 [설명].
다한 ☞ **막힌**
다함 ☞ **소진**
닦다 (bhāveti) A4:116 §1[설명]; A4:170 §2[설명].
단두형 ☞ **머리를 자름**
단속 (saṁvara) A2:4:5; A4:14; A4:159 §8 등.

단어 (pada) A4:188 §2 등.
단어와 문장, 문구 (pada-vyañjana) A2:2:10; A3:5 §1; A4:160 §3; A4:180 §2.
단언적으로 설명해야 하는 (ekaṁsa-vyākaraṇīya) A3:67 §2; A4:42 §1[설명].
단언적인 말 (ekaṁsa-vacana) A4:42.
단일한 상태 (ekodibhāva) A2:2:3; A3:58 §2; A4:123 §2.
닫힌 (pihita) A4:103 §1~3.
달 사이에 끼어있는 8일 (antaraṭṭhaka) A3:34 §1[설명].
달1 (canda) A3:80 §3.
달2 (candimā) A3:80 §3; A4:17~19; A4:50 §1.
달라붙은 (visatta) A4:199 §2.
달콤함 (assāda) A2:1:6; A3:101 §1; A4:10 §1.
닭 (kukkuṭa) A4:39 §2; A4:40 §2; A4:198 §9.
닭이 날아가서 앉을 수 있을 만큼 가까운 (kukkuṭa-sampātika) A3:56.
담대함[四無畏] (vesārajja) A4:8 §2.
담론 (sākaccha) A4:146; A4:147; A4:192 §1.
담마딘나 장로니 (Dhammadinnā) A1:14:5(5)[설명].
담아둘만한 (nidānavatī) A4:22 §2.
담아둘만한 [말] (nidhānavatī) A4:22 §2; A4:198 §8.
담즙(膽汁) (pitta) A4:87 §5.
답바 (말라의 후예~) 존자 (Dabba Mallaputta) A1:14:3(6)[설명].
닷띠 (datti) A3:151 §2[설명]; A4:198 §2.
당나귀 (gadrabha) A3:81 §2.
닿음1 (phuṭa) A1:21:1[설명].
닿음2 (samphassa) A4:114 §9; A4:157 §3; A4:165 §2.
대담한 (visārada) A4:7 §1; A4:8 §2.
대대로 전승되어 온 (parampara) A3:65 §3; A3:66 §2; A4:193 §11.
대도(大盜) (mahācora) A3:50.
대를 이어가는 제사 (anukula-yañña) A4:39 §2; A4:40 §2.
대선인, 위대한 선인 (mahesi) A4:25 §2; A4:39 §3.
대소변 (muttakarīsa) A2:4:2; A3:35 §2; A4:33 §1.
대소변보는 것 (uccārapassāva-kamma) A4:45 §2; A4:46 §2; A4:198 §12.
대신 (mahāmatta) A4:35 §1.
대왕 (mahārājā) A3:36.
대웅 (āsabha) A4:8.
대웅의 위치 (āsabha ṭhāna) A4:8 §1 [설명].
대인상(大人相) (mahā-purisa-lakkhaṇa) A3:58 §1; A3:59 §1.
대중 ☞ **회중**
대중공사(大衆公事) (adhikaraṇa) A2:2:5 §1[설명]; A2:5:10; A2:6:12; A4:241 §1.
대홍수 (mahāmegha) A3:62 §2.
대홍수 (udaka-vāhaka) A3:62 §2.
대화, 이야기(kathā-sallāpa) (sallāpa) A3:21 §5; A4:188 §3; A4:195 §3; A4:233 §1.
더 높은 세계로 재생하는 (uddhaṁsota) A3:86 §3; A3:87 §3; A4:131 §3.

더 이상 희망을 갖지 않는 (vigatāsa) A3:13.
더디게 최상의 지혜를 얻는 (dandhābhiññā) A4:161; A4:162; A4:163 §1; A4:166; A4:167.
더러움 (mala) A3:10; A4:53 §3.
더러움[不淨] ☞ **부정**(不淨)**한 것**
더럽혀지지 않는 행복 (abyāseka-sukha) A4:198 §11[설명].
더불어 기뻐함[喜] (muditā) A1:20:49, 163; A4:190 §4.
더세어짐 ☞ **충만**
덮여있는 (paṭicchanna) A2:2:6; A3:60 §8 등.
데와닷따 (Devadatta) A4:68 §1[설명].
덮을 것 (attharaṇa) A4:51 §4.
도 (팔정도) (magga (aṭṭhaṅgika)) A3:71 §3.
도(道) (magga) A2:2:6; A4:25 §2; A4:76 §2[설명]; A4:170 §2.
도끼 (pharasu) A4:114 §4.
도나 바라문 (Doṇa) A4:36 §1[설명].
도닦음 (paṭipadā) A2:5:4; A3:12; A3:16; A3:24; A3:60 §1; A4:23 §1; A4:76 §2[설명]; A4:102 §6; A4:107; A4:161; A4:162; A4:163; A4:164; A4:165; A4:166; A4:167.
도닦음 (paṭipatti/ paṭipāda) A4:14 §1[설명].
도덕부정론자 (akiriyavādī) A2:4:3.
도둑 (cora) A2:1:1; A2:4:8; A3:50; A4:119; A4:120.
도둑질[偸盜], **주지 않은 것을 가짐** (adinnādāna) A3:70 §10; A3:154.
도로를 매복함 (paripantha) A2:50 §1.
도솔천(兜率天) (Tusitā) A3:70 §8 [설명].
도시 (nagara) A2:4:6; A3:56; A3:62 §1.
도시락 (puṭa) A4:190 §1.
도움 (saṅgaha) A2:13:8.
도적 (saṅkhopa/saṅkhepa) A3:62 §3.
도피안 품 (숫따니빠따 제5장) (Pārāyana) A3:32 §2; A4:41 §5.
독단적 진리를 버림 (panuṇṇapaccekasacca) A4:38 §4.
독단적인 진리 (pacceka-sacca) A4:38 §1[설명].
독수리봉 (Gijjhakūṭa) A3:64 §1; A3:90 §3; A4:30 §1; A4:185 §1; A4:188 §1.
독을 가진 (āgatavisa) A4:110.
독이 오래감 (ghoravisa) A4:110.
독존 ☞ **오로지하는 자**
돌아보는 (vilokita) A4:103 §3; A4:198 §12.
돌아온, 물러나는 (paṭikkanta) A3:63, 5; A3:64 §2; A3:126 §2; A4:103 §3; A4:198 §12.
동굴 (guhā) A4:198 §13.
동기, 원인, 조건 (nidāna) A2:8:2; A3:33 §1~2; A3:107~110.
동기가 없는, 조건을 갖추지 않는 (anidāna) A2:8:2; A3:123 §1.
동녀 (kumārika) A4:198 §9.
동등한 계행 (samasīla) A4:55 §2.
동등한 계행과 동등한 서계 (samasīlabbata) A4:53 §7; A4:54 §7; A4:55 §3; A4:56 §2.
동등한 계행을 가진 (samasīlī) A4:53 §7; A4:54 §7.

동등한 믿음 (samasaddha) A4:55 §2.
동등한 통찰지 (samapañña) A4:55 §2.
동료 수행자 (sabrahmacārī) A2:4:5 §6; A3:40 §3; A4:87 §5; A4:97 §2; A4:111 §4.
동물의 왕 (migarājā) A4:33 §1.
동요 없는 (asāraddha) A3:40 §1; A3:128 §1; A4:12.
동요하지 않는 사문 (samaṇamacala) A4:87 §1.
동의 (samanuñña) A4:262 §2.
동전 (kahāpaṇa) A3:99 §5.
동정 (anuddayā) A3:26 §2; A3:70 §3; A4:185 §3.
동정, 동정심 ☞ **연민, 연민심** (anukampā)
동쪽 원림(東園林) (Pubbārāma) A2:4:6; A3:66 §1; A3:70 §1; A4:190 §1.
돼지 (sūkara) A2:1:9; A4:39 §9; A4:40 §2; A4:198 §9.
되돌아오는 자 (āgāmī) A2:4:5; A4:172 §3.
되물어서 설명해야 하는 (paṭipucchā-vyākaraṇīya) A3:67 §2; A4:42 §1[설명].
두 가지 부분 (ubho bhāga) A4:62 §7 [설명].
두 개의 눈을 가진 자 (dvicakkhu) A3:29.
두려운 (sadara) A4:10 §1; A4:182 §4.
두려움 (bherava) A4:51 §4.
두려움 ☞ **공포**
두려움 때문에 감 (bhayāgati) A2:5:5; A4:17~20.
두려움의 피난처 (bhīruttāṇa) A4:184 §4.
두렵게 하는 자 (ubbejetā) A4:108 §4.
두루 갖춘 (upasampada) A3:94 §4; A4:193 §13; A4:256~257 §2.
두타행을 하는 자 (dhuta-vāda) A1:14:1.
둥근 달 (candamaṇḍala) A3:129 §2.
둥근 태양 (suriyamaṇḍala) A3:129 §2.
뒤덮인 (onaddha) A4:50 §3.
드러난 ☞ **공개적인**
드러난, 열린 (vivaṭa) A2:5:6; A3:129 §1; A4:41 §3; A4:103.
드러내는 기적 (남의 마음을 알아~) (ādesanā-pāṭihāriya) A3:60 §5; A3:140 §2.
듣는 자 (sotā) A4:114 §2.
듣지 못한 (asuta) A4:217; A4:226; A4:247~250.
듣지 못했다 말하는 자 (asuta-vādī) A4:217; A4:226; A4:247~250.
들뜬 (uddhata) A4:22 §4.
들뜬 회중 (uttānā parisā) A2:5:1.
들뜸[掉擧] (uddhacca) A3:128 §2.
들뜸과 후회 (uddhacca-kukkucca) A1:2:4, 9; A3:57 §3; A3:119 §7; A4:12; A4:61 §7; A4:198 §13.
들러붙지 않는 (성취한 것에~) (aparāmaṭṭha) A4:52 §1.
들숨날숨에 대한 마음챙김 (ānāpānasati) A1:16:7.
들었다고 말하는 자 (sutavādī) A4:217; A4:226 A4:247~250.
들은 것을 [시로 만드는] 시인 (suta-kavi) A4:230 §1[설명].
들음 (귀로~) (anugata) A4:191 §1.
들음, 배움 (savana) A3:22 §2;

A4:146; A4:147.
들판 (khetta) A3:57 §4; A3:76 §1[설명]; A3:77 §1; A3:82 §1; A3:91 §1; A4:40 §3; A4:44 §3.
등불1 (padīpeyya) A4:197 §2.
등불2 (telapajjota) A2:2:6; A3:53 §3 등.
등불의 꺼짐 (pajjotassa nibbāna) A3:89 §2[설명].
따로 머물게 하는 갈마[別住羯磨] (parivāsadāna) A2:17:2.
따르는 (anuyāta) A4:25 §2.
따빳수 (Tapassu) A1:14:6.
땀으로 획득한 (sedāvakkhitta) A4:61 §9; A4:62 §3.
땅1 (bhūmi) A1:19:1.
땅2 (paṭhavī) A4:47 §1.
땅3 (puthuvī) A2:4:6; A4:21 §2.
땅의 요소[地大] (paṭhavidhātu) A3:61 §6; A4:177 §1.
때 아닌 때에 먹는 것 (vikāla-bhojana) A3:70 §14; A4:198 §9.
떠들지 않음 (nippalāpa) A4:190 §1.
떨어진 열매를 먹는 자 (pavattaphalabhojī) A3:92 §1; A3:151 §2; A4:198 §2.
떨어짐 (cāga) A2:17:5; A3:163 §2; A4:271 §4.
떨쳐버림 (viveka) A2:2:2 §2; A3:58 §2; A4:14 §3.
또데야 바라문 (Todeyya) A4:187 §6 [설명].
똥 (gūtha) A1:18:13.
똥과 같은 말을 하는 자 (gūthabhāṇī) A3:28 §1.
뙤약볕 (ātapa) A4:114 §9; A4:165 §2.
뚫어지지 않은 [**계**] (acchidda) A4:52 §1.
뚫어지지 않은 행동 (acchidda-kārī) A4:192 §2; A4:243 §1.
뚫어진 행동을 하는 자 (chiddakāri) A4:192 §2[설명]; A4:243 §1.
뛰어난 보시를 하는 자 (paṇītadāyika) A1:14:6.
뜨물을 먹는 자 (ācāmabhakkha) A3:92 §1; A3.151; A4:198.
뜻 ☞ **이익**(attha)
뜻을 잘 체득한 자 (attha-paṭisaṁvedī) A3:44.
뜻을 잘 체득함 (attha-ppaṭisaṁvedi) A3:43 §2[설명].
뜻의 맛 (attha-rasa) A1:19:1[설명].
띠깐나 바라문 (Tikaṇṇa) A3:58 §1 [설명].

【라】

라꾼따까 밧디야 존자 (Lakuṇṭaka Bhaddiya) A1:14:1(7)[설명].
라다 존자 (Rādha) A1:14:4(15)[설명].
라마뿟따 (**사문~**) (Rāmaputta) A4:187 §6[설명].
라자가하 (Rājagaha) A3:64 §1; A3:90 §2; A4:30 §1; A4:35 §1; A4:183 §1; A4:185 §1; A4:187 §1; A4:188 §1.
라후 (Rāhu) A2:1:1 §2[설명]; A4:15 §1[설명]; A4:50 §1.
라후의 입 (rāhu-mukha) A2:1:1 §2 [설명]; A4:121 §4.
라훌라 존자 (Rāhula) A1:14:3(1)[설명]; A4:177 §1.
랏타빨라 존자 (Raṭṭhapāla)

A1:14:3(2)[설명].
레와따 (아카시아 숲에 머무는~) 존자 (Revata Khadiravaniya) A1:14:2(6) **설명**.
로하나 (뻬쿠니야의 손자~) (Rohaṇa Pekhuṇiyanattā) A3:66 §1.
로히땃사 (신의 아들~) (Rohitassa) A4:45 §1; A4:46 §1.
리터 (āḷhaka) A4:51 §3[설명].
릿차위 (Licchavi) A3:74 §1; A4:193 §1[설명]; A4:196 §1.

【마】

마가다 (Magadha) A3:70 §17; A4:35 §1; A4:183 §1; A4:187 §1.
마가다의 (Māgadha) A4:188 §3.
마노[意], **마음** (mano) A4:14; A4:195 §8.
마두라 (Madhurā) A2:4:7; A4:53 §1.
마라 (Māra) A4:13 §2[설명]; A4:15; A4:16; A4:24 §2; A4:127 §1.
마부 (rathika) A4:114 §3.
마실 것(pāna) A3:13; A3:104; A4:27 §2; A4:50 §2; A4:51 §4; A4:197 §2.
마을 (gāma) A3:46; A3:56; A3:62 §1; A3:70 §9.
마을의 못 (jambālī) A4:178 §3.
마음 (citta) A1:2:9; A1:3:1[설명]~10; A1:4:1~10; A1:5:1~10; A1:6:1.
마음 ☞ **마노**[意, mano]
마음과 더불은 (samanaka) A4:45 §3; A4:46 §3.
마음에 잡도리함[作意], **주의를 기울임** (manasikāra) A1:7:6~7; A2:9:10; A4:192.
마음에 잡도리함에 대한 능숙함 (manasikāra-kusalatā) A2:9:10 §2[설명].
마음에 흡족한 공양을 올리는 자 (manāpadāyaka) A1:14:6.
마음으로 짓는 업[意業] (mano-kamma) A1:17:9; A2:4:5; A3:6~9; A3:50 §2; A3:141~150; A4:62 §6; A4:87 §5; A4:135 §2; A4:237 §1; A4:260 §1.
마음을 기울임 (abhinīhāra) A4:192 §5[설명].
마음의 ☞ **정신적**(cetasika)
마음의 구족 (citta-sampadā) A3:115 §5:116; A3:117.
마음의 몰락 (citta-vipatti) A3:115; A3:116; A3:117;.
마음의 사마타 (cetosamatha) A4:12; A4:92[설명]; A4:94.
마음의 삼매 (cetosamādhi) A4:51 §1.
마음의 움직임 (18**가지**~) (mano-pavicāra) A3:61 §5[설명].
마음의 의도적 행위 (mano-sañcetanā) A4:171 §1.
마음의 의도적 행위[意行] (mano-saṅkhāra) A3:23; A4:171 §4; A4:232 §2.
마음의 자유자재를 얻음 (cetovasippatta) A4:5 §3; A4:35 §3; A4:191 §2~4.
마음의 전개에 능숙한 (ceto-vivaṭṭa-kusala) A1:14:2.
마음의 전도 (cittavipallāsa) A4:49 §1.
마음의 해탈[心解脫] (ceto-vimutti) A1:2:7; A1:20:7; A2:3:10; A2:4:5;

A2:9:1; A4:5 §1[설명]; A4:22 §3; A4:87 §3; A4:159 §5; A4:178 §1.
마음이 괴로움 ☞ **상심**
마음이 빠져나온 (nikaṭṭhacitta) A4:138 §3.
마음이 산란한 (vibhanta-citta) A4:30 §3.
마음이 선행하다 (manopubbaṅgamā) A1:6:6[설명].
마음이 혼란한 (khittacitta) A4:49 §3.
마음챙기는 (patissata) A3:65 §15[설명]; A3:66 §13; A4:28 §1.
마음챙기는 자 (satimā) A1:14:4; A4:35 §2.
마음챙김 (sati) A1:20:99; A4:5 §2; A4:14; A4:194 §2 등.
마음챙김과 알아차림[正念正知] (sati-sampajañña) A4:198 §13.
마음챙김을 놓아버린1 (muṭṭhassati) A4:30 §3; A4:191 §1[설명]; A4:202.
마음챙김을 놓아버린2 (satisammosa) A3:30 §3.
마음챙김을 놓아버림 (muṭṭhasacca) A2:15:16; A4:202 §3.
마음챙김을 확립한 (upaṭṭhitasati) A2:5:1 §2; A3:113 §2; A4:202 §5.
마음챙김의 기능[念根] (satindriya) A4:162 §2.
마음챙김의 통달 (satādhipateyya) A4:243 §1.
마음챙김의 확립[四念處] (sati-paṭṭhāna) A4:202 §5.
마음챙김의 힘[念力] (sati-bala) A2:15:9; A4:258.
마음챙김이 일어나는 (satuppāda) A4:191 §1[설명].
마지막 몸을 가진 (antimasarīra) A4:16 §2; A4:35 §6.
마지막, 끝 (pariyosāna) A3:30 §2; A3:63 §1; A4:22 §3; A4:160 §2; A4:198 §6.
마차 (ratha) A4:114 §3.
마차공 (rathakāra) A3:13 §1; A3:15 §1~4; A4:85 §2.
마포 (masāṇa) A3:92 §1, A3:151 §2; A4:198 §2.
마하깝삐나 존자 (Mahā-Kappina) A1:14:4(14)[설명].
마하깟사빠 존자 (Mahā-Kassapa) A1:14:1(4)[설명]; A3:90 §1[설명] §4~8.
마하깟짜나/마하깟짜야나 존자 (Mahā-Kaccāna/Kaccāyana) A1:14:1(10)[설명]; A2:4:6 §1.
마하꼿티따 존자 (Mahā-Koṭṭhita) A1:14:3(10); A3:21 §1; A4:174 §1[설명].
마하나마 (삭까족의~) (Mahānāma Sakka) A1:14:6; A3:73 §1[설명]; A3:124.
마하목갈라나 존자 (Mahā-Moggallāna) A1:14:1(3)[설명]; A4:167.§1; A4:168.§1; A4:176.§1; A4:195 §1.
마하빠자빠띠 고따미 장로니 (Mahāpajāpatī Gotamī) A1:14:5(1)[설명].
마하빤타까 존자 (Mahāpanthaka) A1:14:2(3)[설명].
막칼리 (Makkhali) A1:18:4[설명]; A3:135.
막힌, 다한 (pariyādāna) A4:140; A4:195 §8.

만남 (**비난을** ~) (anupāta) A3:57 §1; A4:193 §1.
만다따 왕 (Mandhāta) A4:15[설명].
만디까뿟따 ☞ **우빠까 만디까뿟따** A4:188 §1[설명].
만뜨라 ☞ **주문**(mantā)
만뜨라를 호지하는 자 (manta-dhara) A3:58 §1; A3:59 §1.
만족 (titti) A3:104.
만족을 주는 자 (tappetā) A2:11:3.
만족하는 (titta) A2:11:3.
만족하지 않음 (asantuṭṭhitā) A1:7:4; A1:9:8; A1:10:7; A2:15:15.
만족함[知足] (santuṭṭhitā) A1:7:5; A1:9:9.
만족해하는 (vedajāta) A4:57 §3[설명].
많은 (bhahud eva) A3:99 §1[설명].
많은 (pahūta) A2:4:2; A4:85 §4.
많은 살생이 있는 [**제사**] (mahārambha) A4:39 §3.
많은 지지자를 거느림 (mahāparivāratā) A1:20:1.
많이 [**공부**]**짓다** (bahulīkaroti) A4:170 §2[설명].
많이 공부짓지 않는 (abahulīkata) A1:3:7[설명].
많이 들은, 많이 배운 (bahussuta) A1:14:4(1, 7); A4:22 §3; A4:160 §5; A4:180 §8; A4:186 §2.
많이 머묾 (**여기에**~) (tabbahula-vihārī) A3:114 §1; A4:123 §1; A4:125 §1; A4:172 §4.
말 조련사 (assadammāsārathi) A4:111 §2.
말 털로 만든 솔 (vālaṇḍuka) A3:70 §7.
말1 (assa) A4:198 §9.
말2 (vākya) A4:33 §3.
말3 (**무엇을 두고 한**~) (adhivacana) A4:63 §2; A4:122 §3.
말다툼 (kalaha) A2:5:2.
말들 (vacana-patha) A4:114 §9; A4:157 §3; A4:165 §2.
말뚝을 던지는 제사 (sammāpāsa) A4:39 §3[설명].
말라 (16**국의 하나**) (Malla) A3:70 §17.
말로 짓는 나쁜 행위 (vacī-duccarita) A1:15:18; A2:1:1; §3; A3:2 §1; A4:148 등.
말로 짓는 업 (vacī-kamma) A3:6; A3:9; A3:11; A3:14; A3:105; A3:141~148; A4:62 §6; A4:87 §5; A4:237 §1; A4:260 §1.
말로 짓는 좋은 행위 (vacī-sucarita) A1:15:21; A2:1:1: §3; A3:2 §2; A4:149; A4:221 등.
말룽꺄뿟따 존자 (Māluṅkyaputta) A4:254 §1[설명].
말리까 왕비 (Mallikā) A4:197 §1[설명].
말을 길들임 (assadamma) A4:111 §1; A4:113 §1.
말을 희생하는 제사 (assamedha) A4:39 §3.
말의 뜻을 아는 (vadaññū) A4:53 §7; A4:54 §6; A4:55 §3; A4:56 §2.
말의 올가미 (vādapāsa) A4:188 §2.
말의 의도적 행위 (vacī-sañcetanā) A4:171 §1.
말의 의도적 행위[口行] (vacī-saṅkhāra) A3:23; A4:171 §3; A4:232 §2[설명].

말하는 자 (vādi) A3:69 §4; A4:30 §5; A4:90 §5.
말한 (bhāsita) A2:3:3; A4:100 §2.
말한 (lapita) A2:3:3.
말해진 ☞ **설해진**
맛 (rasa) A1:19:1[설명].
맛차 (**16국의 하나**) (Maccha) A3:70 §17.
망가뜨림 (dussana) A4:211 §1.
망가진, 휘감긴 (uddhasta) A3:69 §5; A4:199 §2.
망가짐 ☞ **패망**
망고 (āma) A4:106 §1.
망고 (amba) A4:106.
망아지 (assakhaḷuṅka) A3:137.
매듭 (gantha) A4:23 §4.
매혹적인, 탐하기 마련인 (rajanīya) A4:66 §2; A4:117 §1; A4:194 §5 [설명].
머리를 깎은 (khuramuṇḍa) A4:242 §1.
머리를 자름, 단두형 (sīsacchejja) A4:242 §1.
머리카락과 수염 (kesamassu) A3:12 §2; A3:151 §2; A4:198 §2.
머리카락과 수염을 뽑음 (kesamassulocana) A3:151 §2.
머리털, 머리카락 (kesa) A2:4:7; A3:35 §1.
머리털로 만든 담요 (kesakambala) A3:92 §1; A3:135 §1; A3:151 §2.
머묾, 지속 (ṭhiti) A1:10:18; A1:20:17; A2:2:10; A2:17:1; A3:152 §2; A4:13 등.
먹여줌 (posaka) A2:4:2; A3:31 §1; A4:63 §2.
먹을거리 (bhakkha) A3:92 §1; A3:151 §2; A4:198, 2.
먼 (**네 가지~**) (vidūra) A4:47.
먼저 닦는 ☞ **선행하는**
먼저 도움을 주는 자 (pubbakārī) A2:11:2.
먼지 (dhūmaraja) A4:50 §1.
먼지 (rajo) A3:38 §1.
먼지 닦기 (rajo-haraṇa) A1:14:2(1) [설명].
멀리 쏨 (dūrepātī) A3:131 §3; A4:181 §4; A4:196 §7.
멋있음 (abhirūpa) A4:85 §4; A4:197 §1.
면밀히 조사하는 (upaparikkha) A1:19:1; A4:97 §2.
멸려차(蔑戾車) (milakkha) A1:19:1 [설명].
멸시받지 않음 (anavaññatti) A4:157 §; A4:241 §5.
멸절, 뿌리 뽑음 (upaccheda) A2:17:1; A4:34.
멸절됨 (anabhāva-kata) A3:33 §2; A4:38 §4 등.
명성1 (kitti) A2:2:8 §2; A3:27; A4:31 §2.
명성2(yaso) A1:8:10; A1:9:1; A3:18.
명성을 얻음 (yasopaṭilābhinī) A4:60.
명칭, 이름 (saṅkhā) A2:4:7; A3:94 §1; A4:22 §2; A4:114 §4 등.
명확하게 하다 (uttānī-karoti) A2:5:6; A3:20 §2; A3:134; A4:173 §1; A4:192 §5;.
명확한 (vissaṭṭha) A4:48 §1; A4:97 §2.
모가라자 존자 (Mogharājā) A1:14:4(16)[설명].
모기 (makasa) A4:114 §9; A4:157.

모든 것을 보는 자 (aññadatthudasa) A4:23 §3.
모든 게 다 있다. (sabbam atthi) A1:1:1[설명].
모든 곳에서 일으키지 못할 때 (sabbo so na upapādeti) A4:188 §1[설명].
모든 면에서 청정한 믿음을 내게 하는 자 (samanta-pāsādika) A1:14:3(5).
모든 악을 가라앉힌 (samitāvī) A4:45 §4; A4:46 §2.
모래(vālikā) A3:100 §1; A3:125 §1.
모은 (paricita) A4:61 §9; A4:62 §2; A4:191 §1.
모자 (veṭhana) A3:38 §1.
모자라는 (paritta) A3:99 §2[설명].
모태 (**축생의**~) (yoni) A1:19:2; A2:3:7 등.
목갈라 (Moggalla) A4:187 §6.
목갈라나 바라문 (Moggallāna) A4:233 §1[설명].
목동의 포살 (gopālakūposatha) A3:70 §1~2.
목숨이 끊어지는 느낌 (jīvitapariyantika) A4:195 §8.
목욕 (nahāpana) A2:4:2; A3:31.
목욕 (nhāpana) A3:31 §2; A4:63 §3.
목표 (parāyana) A3:39 §2.
몰두함 (rati) A4:28 §1.
몸 털 (loma) A4:113 §2.
몸1 (deha) A4:16.
몸2 (kāya) A1:20:10; A2:2:5; A4:159.§2; A4:171,§1[설명]; A4:198.§9.
몸3 (sarīra) A2:1:5; A3:58 §6; A4:35 §6; A4:38 §1.
몸4 ☞ **자기 존재**(atta-bhāva)
몸뚱이 (kaḷebara) A4:45 §3; A4:46 §3.
몸매 (ārohapariṇāha) A3:137~139; A4:256~257.
몸에 대한 마음챙김 (kāyagatāsati) A1:16:9; A1:21:1 §70.
몸으로 짓는 업 (kāya-kamma) A3:6; A3:9; A3:11; A3:14; A3:105; A3:141~148; A4:62 §6; A4:87 §5; A4:237 §1; A4:260 §1.
몸으로 체험한 자 (kāyasakkhi) A2:5:7 §1[설명]; A3:21.
몸을 깨끗이 함 (kāya-soceyya) A3:118, 119.
몸의 관찰[身隨觀] (kāya-anupassī) A3:151 §3.
몸의 암시 (kāya-viññatti) A4:171 §1[설명].
몸의 의도적 행위 (kāya-sañcetanā) A4:171 §1.
몸의 의도적 행위[身行] (kāya-saṅkhāra) A3:23; A4:171 §2; A4:232 §2[설명].
몸이 무너지는 (kāya-pariyantika) A4:195 §8.
몸이 빠져나온 (nikaṭṭhakāya) A4:138 §4.
몸짓 (nimitta) A3:60 §5[설명].
못(沼) (sobbha) A3:93 §5; A4:147 §2.
못생긴 (durūpa) A4:197 §1.
못생긴, 흉한, 용모가 나쁜 (dubbaṇṇa) A1:20:47; A3:13 §1; A3:58 §4; A3:97 §1; A4:85; A4:197 §1.
몽둥이 (daṇḍa) A3:35 §1; A3:70 §3; A4:198 §2.
무간지옥 (avīci) A3:56.

무거운 범계 (garukā āpatti) A1:12:3 [설명].
무관심 (ajjhupekkhitabba) A3:27.
무관심 (upekhā) A4:100 §3[설명].
무릎을 꿇고 (오른 쪽~) (jānumaṇḍala) A2:4:6; A4:21 §2.
무리 (gaṇa) A4:34; A4:51.
무리지어 사는 (sannivāsa) A3:40 §2; A4:192 §4.
무명(無明) (avijjā) A2:3:10; A3:58 §5; A3:59 §4; A4:178 §3 등.
무명의 번뇌 (avijjā-āsava) A4:198 §15.
무명의 속박 (avijjā-yoga) A4:10 §1 [설명].
무사 (yodhājīva) A3:131 §1; A4:181 §1; A4:196 §7.
무상(無常) (anicca) A4:49 §1~3.
무상의 관찰 (anicca-anupassī) A4:163 §2; A4:169 §2.
무색계 (arūpadhātu) A3:76 §3; A3:77 §3.
무소유처 (ākiñcaññāyatana) A1:20:60; A4:190 §5.
무아 (anattā) A4:49 §1.
무애해[無碍解] (paṭisambhidā) A1:14:3(10); A1:21:24~6; A4:171 §1; A4:140 §1[설명].
뜻에 대한~(義無碍解, attha-paṭisambhidā) A4:173 §1.
법에 대한~(法無碍解, dhamma-aṭisambhidā) A4:173 §2.
언어에 대한~(詞無碍解, nirutti-paṭisambhidā) A4:173 §2.
영감에 대한~(辯無碍解, paṭibhāna-paṭisambhidā) A4:173 §2.
무엇을 말하는 자 (kimakkhāyī) A2:4:3.
무인론자 (ahetuvādī) A4:30 §5.
무지 ☞ 알지 못함
무학(無學) (asekha) A2:4:4; A3:73 §3~6; A3:140.
무한한 것 (anantavā) A4:38 §1.
묶인 (gathita) A4:28 §1.
묶인 (vinibandha) A2:4:6.
문구 ☞ 단어와 문장
문답[方等] (vedalla) A4:6 §1; A4:102 §3 등.
문드러진 것의 인식 (vipubbaka-saññā) A4:14 §4.
문을 보호함 (감각기능들의~) (guttadvāra) A1:14:4; A2:4:5; A2:15:6~7; A3:16; A4:5 §3 등.
문장 (atthapada) A4:192 §5.
문제제기 (ummagga) A4:192 §5[설명].
문지름1 (parimaddana) A2:4:2.
문지름2 (sambāhana) A2:4:2.
문지름3 (몸을~) (ucchādana) A2:4:2; A3:31 §2; A4:63 §3.
물1 (daka) A4:33 §1.
물3 (pāniya) A3:70 §2.
물4 (toya) A4:36 §4.
물5 (udaka) A3:30 §2; A3:70 §6; A3:91 §1; A4:36 §3; A4:51 §3; A4:61 §11; A4:105 §1~6.
물결을 일으킴 (ūmi-ghāta) A4:192 §5.
물고기 (maccha) A1:18:4; A3:135 §4; A3:151 §2; A4:192 §5; A4:198 §5.
물고기 떼(macchagumba) A1:5:5~6.
물든 (애욕에~) (anuddhasta) A4:122 §6.
물러나는 ☞ 돌아온

물리지 않음 (appaṭivāna) A2:6:10; A3:125 §2.
물리치다 (오래된 느낌을~) (paṭihaṅkhati) A3:16 §3; A4:37 §4; A4:159 §4.
물살이 센 (sīgha-sota) A4:195 §9.
물에 들어감 (udakorohana) A3:151 §2; A4:198 §2.
물에 쓴 것과 같은 사람 (udaka-lekhūpama puggala) A3:130 §3.
물을 품고 감 (vārivaha) A4:51 §4.
물의 맛 (āpo-rasa) A1:17:9.
물의 요소[火大] (āpo-dhātu) A3:61 §6; A4:177 §2.
물잔 (udaka-mallaka) A3:99 §2.
물질, 색깔[色] (rūpa) A1:20:47~54; A2:8:6; A3:124 §4; A4:16 등.
물질을 가지지 않은 자 (arūpī) A4:34.
물질을 가진 (rūpī) A4:34 §1.
물질을 대상으로 한 행복 (rūpārammaṇa sukha) A2:7:13 [설명].
물질을 통한 완성 (rūpagga) A4:75 §2[설명].
물질이 있는 (sarūpa (dhamma)) A2:8:6.
미가라마따 ☞ 위사카 미가라마따 A1:14:7(2); A2:4:1 §1[설명]; A3:70 §1; A4:190 §1.
미래 (anāgata) A4:36 §2 등.
미세한 (sukhuma) A4:181 §4.
미세한 특징을 [통찰함] (sokhumma) A4:16 §1[설명].
미소짓는 통찰지 (hāsu-paññatā) A1:21:31[설명].
미증유법(未曾有法) (abbhutadhamma) A4:6 §1; A4:127 §2; A4:186 §2.
믿음 ☞ 청정한 믿음
믿음 없음 (asaddha) A4:202 §2.
믿음, 신심[信] (saddhā) A2:4:2; A3:48; A3:70 §8 등.
믿음으로 출가한 자 (saddhāpabbajita) A1:14:3(2).
믿음으로 해탈한 자 (saddhāvimutta) A2:5:7[설명]; A3:21.
믿음을 주는, 믿을만한 (pasādanīya) A4:36 §2; A4:83 §1.
믿음의 구족 (saddhāsampadā) A3:136; A4:61 §4.
믿음의 기능[信根] (saddhindriya) A4:162 §2.
믿음의 증장 (saddhāvuddhi) A3:136.
믿음의 힘 (saddhābala) A4:163 §2.
믿음직한 (paccayika) A3:70 §12; A4:198 §8.
밀림1 (gedha) A3:50.
밀림2 (vana-panta) A3:92 §1.
밀림3 (vana-pattha) A2:3:9; A4:138 §2; A4:198 §13; A259 §1.

【바】

바구니 (piṭaka) A3:69 §11; A4:195 §9.
바다1 (odadhi) A4:51 §4.
바다2 (sāgara) A4:51 §4.
바다3 (samudda) A1:21:1; A4:45 §2; A4:46 §1; A4:47 §1.
바라나시 (Bārāṇasī) A3:15 §1[설명]; A3:126 §1.
바라다 (nikāmeti) A4:123 §1; A4:125 §1.

바라문 (brāhmaṇa) A2:2:6; A2:4:2; A4:5 §1[설명] 등.
바라문 장자들 (brāhmaṇa-gahapatikā) A3:63 §1[설명].
바라문을 존경함 (brahmañña) A3:36 §1; A3:35 §1.
바라문의 진리 (brāhmaṇa-sacca) A4:185 §1.
바라이죄 (pārājikā) A4:242 §1.
바란두 깔라마 (Bharaṇḍu Kālāma) A3:124 §2[설명].
바람[風] (vāta) A3:33 §2; A3:69 §11; A4:87 §5.
바람막이 (nivāta) A3:34 §2.
바람막이 (vātāpāna) A3:1 §1.
바람의 까시나 (vāyo-kasiṇa) A1:20:63.
바람의 요소[風界] (vāyodhātu) A3:61 §6; A4:177 §4.
바로 다음 (ānantariya) A4:162 §2; A4:163 §3.
바르게 (sammā) A3:67 §6[설명].
바르게 검증하다 (samavekkhati) A4:32 §2; A4:243 §4.
바르게 구성된 (sunikkhitta) A4:160 §7.
바르게 도를 닦는 (ujupaṭipanna) A3:70 §6; A4:52 §1.
바르게 보는 (sammaddasa) A4:16 §2.
바르게 전달 안됨 (dunnaya) A2:2:10; A4:160 §3.
바르게 전달되는 (sunnaya) A4:160 §7.
바르는 것, 화장품 (vilepana) A3:13 §1; A3:70 §15; A4:85 §2; A4:197 §2; A4:198 §9.
바른 견해[正見] (sammā-diṭṭhi(ka)) A1:17:2; A2:3:8; A3:58 §4; A4:49 §3 등.
바른 결론에 도달하지 못함 (aniṭṭhaṅgata) A4:184 §5.
바른 길을 가는 (sammaggata) A4:39 §3; A4:60 §2.
바른 깨달음1 (abhisambuddha) A3:101 §4; A4:8; A4:23 §1.
바른 깨달음2 (sambodha) A3:101 §1; A4:196 §2.
바른 깨달음을 성취하지 못한 (an-abhisambuddha) A3:101 §1[설명].
바른 노력[四正勤] (sammappadhāna) A4:13.
바른 도닦음(samāpaṭipatti)A2:4:9 §2.
바른 마음챙김[正念] (sammā-sati) A1:20:45; A3:61 §13; A4:29 §1; A4:89 §2 등.
바른 방법(upakkama) A3:70 §4[설명].
바른 방법으로 (yoniso) A1:19:1[설명].
바른 법 (sata dhamma) A4:47 §1[설명].
바른 법, 정법 (saddhamma) A2:2:10; A4:43; A4:44 §2; A4:160 §3.
바른 법을 중시하는, 정법을 공경하는 (saddhammagaru) A2:5:7; A4:21 §2; A4:44.
바른 사유[正思惟] (sammā-saṅkappa) A1:20:40; A3:61 §13; A4:89 §2 등.
바른 삼매[正定] (sammā-samādhi) A1:20:46; A3:61 §13; A4:89 §2 등.
바른 정진[正精進] (sammā-vāyāma) A1:20:44; A3:61 §13; A4:89 §2 등.
바른 지혜 (sammā-ñāṇa) A3:140 §3.
바른 지혜 가진 자 (sammā-ñāṇī) A4:89; A4:206 §4.

바른 해탈 (sammā-vimutti) A3:140 §3; A4:89; A4:194 §5; A4:206 §5.
바른 행위[正業] (sammākammanta) A1:20:42; A3:61 §13; A4:89 §2 등.
바른 행을 하는 (sammā-paṭipajja-māna) A4:4 §2.
바위에 새긴 것과 같은 (pāsāṇalekhūpama puggala) A3:130 §1.
바퀴 (cakka) A3:15 §1~4 §14; A4:31 §1; A4:36 §1.
바히야 (나무껍질로 만든 옷을 입은) (Bāhiya Dārucīriya) A1:14:3(8) [설명].
바히야 (Bāhiya) A4:241 §1[설명].
박가 (Bhaggā) A4:55 §1[설명].
박꿀라 존자 (Bakkula) A1:14:4(8) [설명].
밖에 있는 것(bāhirā) A4:177 §1[설명].
밖의 족쇄 (bahiddhāsaṁyojana) A2:4:5 §1[설명].
반냐 (Bhañña) A4:30 §5.
반다가마 (Bhaṇḍagāma) A4:1 §1 [설명].
반대하면서 싸우다 (paṭisseneti) A4:200 §8.
반야 ☞ **통찰지**[慧, **반야**]
반열반(般涅槃) ☞ **완전한 열반**
반열반하다 (parinibbāyati) A4:23 §2.
받들어 행하는 ☞ **섬겨야 하는**
받들어 행함, 따라 행함 (samādinna) A1:17:9~10; A3:65 §3; A3:66 §2; A4:193 §2.
받음 (금 은 등을~) (paṭiggahaṇa) A4:50 §2; A4:198 §9.
발리까 (상인) (Bhallika) A1:14:6(1) [설명].
발원 (āyācana) A2:12:1~4.
발효주 (thusodaka) A3:151 §2; A4:198 §2.
밝은 곳으로 가는 자 (joti-parāyana) A4:85.
밤 (ratti) A3:34 §1.
밤에 [먹는 것을] 여읨 (rattūparata) A3:70 §14; A4:198 §9.
밥 (odana) A3:38 §1.
밥 ☞ **음식**(bhatta)
밧다 (곱슬머리~ = 꾼달라께사) 장로니 (Bhaddā Kuṇḍalakesā) A1:14:5(9)[설명].
밧다 까삘라니 장로니 (Bhaddā Kapilānī) A1:14:5(10)[설명].
밧다 깟짜나 장로니 (Bhaddā Kaccānā) A1:14:5(11)[설명].
밧디야 (깔라고다야의 아들~) 존자 (Bhaddiya Kāligodhāyaputta) A1:14:1(6)[설명].
밧디야 (릿차위~) (Bhaddiya) A4:193 §1.
밧줄 (bandhana) A4:33 §1; 4:242 §1.
밧줄 (rajju) A4:242 §1.
밧줄에 걸린 (마라의~) (yoga-yutta) A4:49 §3.
방기 ☞ **놓아버림**(paṭinissagga)
방기, 놓아버림 (paṭinissagga) A2:1:2; A2:17:5; A3:32; A3:163 §2; A4:271 §4.
방만한, 게으른 (sāthalika) A2:5:3; A3:93; A4:160 §6.
방법 (naya) A4:187.§6.
방일 (pamāda) A1:6:8[설명]; A2:17:5; A3:163 §2; A4:53.§3; ; A4:271 §4.
방일(放逸)**하지 않음** (appamāda)

A1:6:9; A1:9:3; A1:10:2; A4:37 §6.
방일하는 근본 (pamādaṭṭhāna) A3:70 §13; A4:53 §5; A4:61 §5; A4:99 §2 등.
방일한, 게으른 (pamatta) A3:35 §1; A3:40 §3; A3:121 §1.
방편, 방법 (pariyāya) A2:2:6; A3:60 §8; A4:100 §5 등.
방편으로 음식을 먹음 (pariyāya-bhatta-bhojana) A3:151 §2; A4:198 §2.
방해 (antarāyakara) A3:57 §1.
배 (nāvā) A4:196 §5.
배고픔 (jigacchā) A4:114 §9.
배우기를 좋아하는 (sikkhākāma) A1:14:3(1).
배우지 못한 (assutavā) A4:123 §1.
배운 것을 잘 정리하는 (sutasannicaya) A4:22 §3.
배운 것을 잘 호지하는 (sutadhara) A4:22 §3.
백련 (puṇḍarīka) A3:38 §1; A4:36 §3~4.
백련과 같은 사문 (samaṇa-puṇḍarīka) A4:87 §3.
백목질(白木質) (pheggu) A4:109.
백사갈마(白四羯磨) (ñatti-catuttha-kamma) A2:17:2[설명].
백성들이 주는 공양 (raṭṭha-piṇḍa) A1:6:3[설명]; A1:20:2~182.
백이갈마(白二羯磨) (ñatti-dutiya-kamma) A2:17:2 [설명].
뱀의 독 (āsīvisa) A4:110.
버림, 제거 (pahāna) A2:17:5; A3:163 §2; A4:25 §2; A4:271 §4.
버팀목 (parāyana) A3:51 §3; A3:52 §3.
번갯불과 같은 마음을 가진 사람 (vijjūpamacitta) A3:25.
번뇌[漏] (āsava) A2:10:11~20; A3:16; A3:25 §4; A3:58 §5; A4:5 §1; A4:159 §5; A4:198 §15[설명].
번뇌를 여읜 행복 (anāsava-sukha) A2:7:4.
번뇌에 물들기 쉬운 행복 (sāsava sukha) A2:7:4.
번창하고자 하는 자 (udayatthika) A4:195 §10[설명].
벌레가 버글거리는 것의 인식 (puḷavakasaññā) A1:20:88; A4:14.
범계(犯戒) (āpatti) A1:12:1[설명]; A2:9:11 §2[설명]; A4:242.
범계(犯戒)**라는 생각** (āpatti-saññī) A2:10:5.
범계(犯戒)**의 두려움** (āpattibhaya) A4:242.
범계가 아니라고 생각하는 자 (anāpatti-saññī) A2:10:5.
범계가 아님 (anāpatti) A1:12:2; A2:10:5.
범계에서 벗어남에 대한 능숙함 (āpatti-vuṭṭhāna-kusalatā) A2:9:11.
범부 (puthujjana) A1:6:1; A4:125 §1; A4:175 §3 등.
범속한 [사문/바라문](puthu)A4:38 §1.
범위 내에서 훈련된 (yāvatā-vinīta) A3:132[설명].
범천 (Brahmā) A4:8 §1[설명]; A4:63; A4:182 §1.

범천의 경지를 얻음 (brahmappatta) A4:190 §4.
범천의 세상(brahma-loka) A3:80 §1; A4:8 §1[설명]; A4:123 §1[설명].
범천이 함께하는 [가문](sabrahmaka) A4:63 §1.
법 (dhamma) A1:10:33[설명]; A1:11:2; A2:1:6~8; A2:3:10; A2:4:10[설명]; A2:12:9~11; A2:13:3~10; A2:15:1; A3:14 §1 [설명]; A3:32 §2; A3:40 §3; A3:43; A3:44; A3:53~55; A3:64 §1~5; A3:70 §5; A4:97 §2; A4:180 §2; A4:251 등.
법(경장)을 호지하는 자 (dhamma-dhara) A3:20 §2; A4:7; A4:160 §5; A4:180 §6; A4:186 §2.
법과 율(dhamma-vinaya) A1:18:5~12; A3:22; A3:64 §1; A3:129 §2; A4:2 §1; A4:26 §1; A4:181 §2.
법다운 삶을 사는 자 (dhamma-jīvī) A4:53 §7; A4:54 §7.
법다운 왕 (dhamma-rājā) A3:14.
법다움 (dhammatā) A4:21 §3.
법답지 못한 (adhammika) A2:5:9; A4:20 §3; A4:70 §1.
법답지 못한 일 (adhamma-kamma) A2:5:8.
법답지 못한 행위 (adhamma-cariyā) A2:2:6 §1[설명].
법답지 않게 논의 하는 회중 (adhamma-vādinī parisā) A2:5:10.
법륜 (dhamma-cakka) A3:14; A4:8; A4:33 §3; A4:118.
법사(法師) (dhamma-kathika) A4:139.
법에 대한 생각 (dhamma-vitakka) A3:100 §3[설명].
법에 맞게, 법을 따라 (anudhamma) A1:19:1; A3:30 §5; A3:40 §4; A4:193 §1.
법에 어긋나게 말하는 자 (adhamma-vādī) A3:69 §4; A4:22 §2.
법을 계속해서 생각함 (dhamma-anussati) A1:16:2.
법을 관찰함[法隨觀] (dhamma-anupassī) A3:151 §3.
법을 깃발로 여김 (dhamma-ketu) A3:14 §1.
법을 들음, 법을 배움 (dhamma-savana) A3:30 §2; A4:146~147.
법을 따라 행하는 자 (anudhamma-cārī) A4:7.
법을 따르는 자 (dhamma-anusāri) A2:5:7 §1.
법을 말하는 자 (dhammavādī) A3:69 §9; A4:22 §2; A4:198 §8.
법을 설하다 (dhammaṁ deseti) A3:43[설명].
법을 최고로 여기는 (dhammādhipa) A3:40 §4.
법의 깃발 (dhammaddhaja) A3:14.
법의 맛 (dhamma-rasa) A1:19:1[설명].
법의 부분 (dhamma-pada) A4:29 §1 §3[설명]; A4:30 §4; A4:191 §1.
법이 아니라는 생각 (adhamma-saññī) A2:10:7.
벗어나는 요소 (nikkama-dhātu) A1:2:8[설명].
벗어난, 해탈한 (vippamutta)

A1:5:10[설명]; A1:6:2; A3:102 §2; A4:33 §3.
벗어남 (논쟁에서) (pamokkha) A4:25 §1.
벗어남 (nissaraṇa) A2:5:7; A3:66 §13; A3:101 §1; A3:102; A4:10 §1; A4:28 §1.
벗어남 ☞ **패망, 망가짐**
벗어남, 풀림 (pamocana) A4:23 §4; A4:35 §6; A4:45 §4; A4:46 §4.
벗어남에 대한 통찰지 (nissaraṇa-pañña) A2:5:7; A4:28 §1.
벙어리 (eḷamūga) A1:19:1; A4:259.
베 짜는 사람의 실타래처럼 헝클어진 (guḷaguṇḍikajāta) A4:199.
베다(veda) A3:58 §1[설명]; A3:59 §1.
베다를 공부하는 자 (ajjhāyaka) A3:58 §1; A3:59 §1.
베사깔라 숲 (Bhesakaḷāvana) A4:55 §1[설명].
베풂 ☞ **보시**
벼, 쌀 (sāli) A1:5:1~2; A1:17:10; A3:92 §1.
벽 (bhitti) A3:105 §2; A3:106 §2.
벽지불(獨覺) (pacceka-buddha) A2:6:5[설명]; A4:245.
변정천 (Subhakiṇhā) A3:23 §2[설명]; A4:123 §3[설명]; A4:232 §2; A4:233 §4.
변하기 마련인 법 (vipariṇāmadhamma) A3:101 §1; A4:185 §4.
변화 (aññathatta) A3:47 §1[설명]; A3:75 §3.
병 없음, 병이 적음 (appabādha) A1:14:4(8); A1:20:1; A4:70 §2; A4:87 §5.
병1 (ābādha) A3:22.
병2 (roga) A4:115 §7.
병3 (rogātaṅka) A4:184 §2.
병4 (vyādhi) A3:35 §2; A3:38 §2; A3:51 등.
병들기 마련인 법 (vyādhi-dhamma) A3:35 §2; A3:38 §2; A4:182 §2; A4:252 §1.
병약한 (bavhābādha) A4:70 §1; A4:85 §2.
병에 대한 두려움 (vyādhibhaya) A3:62 §5; A4:119; A4:119.
병자, 환자 (gilāna) A1:14:7; A3:22; A3:73 §1.
병자를 돌보는 자 (gilānupaṭṭhāka) A1:14:7(7).
병환 (gelañña) A3:73 §1.
보가나가라(Bhoganagara) A4:180 §1.
보게 하는 자 (sandassaka) A4:97 §2.
보는 자 (dassāvī) A2:1:1; A3:74 §1; A4:12 §1 등.
보다 높은 마음 (abhicetasika/ābhi-) A4:22 §3; A4:35 §3; A4:87 §5.
보배1 (maṇi) A3:116 §2.
보배2 (ratana) A2:4:2; A2:14:10; A4:51 §4.
보병 (pattika) A4:114 §3.
보살 (bodhisatta) A4:127 §1.
보시 받을 자 (paṭiggāhaka) A1:18: 7~8; A3:57 §2; A4:57 §2; A4:58 §2; A4:78.
보시, 베품1, **관대함** (cāga) A2:4:2; A3:70 §8; A4:61 §6.
보시, 베품2 (dakkhiṇā) A4:57 §3; A4:78.
보시(공양) (anuppādāna) A2:1:2.
보시1, **공양** (dāna) A2:4:4; A2:12:1;

A3:45; A3:57 §1; A4:32.
보시2 (yañña) A4:57 §3[설명].
보시를 계속해서 생각함 (cāgānussati) A1:16:5.
보시를 드려 마땅한 (dakkhiṇeyya) A1:14:2; A2:4:4; A3:70 §6; A4:34; A4:52 §2.
보시자 (dāyaka) A1:18:7~8; A3:57 §1; A4:51 §4; A4:78.
보시하고 나누어주는 것 (dāna-saṁvibhāga) A3:42 §1; A3:79 §2; A4:61 §6.
보시한 (dinna) A3:121 §2.
보시한, 준 (datta) A4:58 §3; A4:59 §2.
보시할 물건(deyya-dhamma) A3:41; A3:59 §1.
보았다고 말함 (diṭṭhavādi) A4:217; A4:226; A4:247~250.
보증 (pāṭibhoga) A4:182 §1.
보지 못한 것 (adiṭṭha) A4:217.
보지 못했다고 함 (adiṭṭha-vādī) A4:217.
보호1(ārakkha) A3:61 §2; A4:117 §1.
보호1 (leṇa) A3:51 §3.
보호2 (anurakkhana) A4:14, 1; A4:69 §1.
보호2 (paṭighāta) A2:17:1.
보호3 (tāṇa) A3:51 §2.
보호주(保護呪) (rakkha) A4:67 §4[설명].
복밭[福田] (puññakkhetta) A3:70 §6; A4:34 등.
본생담(本生譚) (jātaka) A4:6 §1.
봄[見] (dassana) A3:22 §2; A4:52 §2; A4:198 §9.
봉양 (paricariyā) A3:31 §2; A4:63 §3.
봉양, 시중듦 (upaṭṭhāna) A3:45 §1; A3:78 §1; A3:125 §3.
부는 관 (nāḷika) A3:70 §8.
부드러움 (maddava) A2:15:2.
부딪힘의 인식 (paṭigha-saññā) A1:20:58; A3:114 §1; A4:190 §5.
부분 (bhāga) A4:62 §7[설명].
부서지기 마련인 (paloka) A4:124 §1.
부서짐 ☞ **소진**
부숨 (**오염원을**~) (nijjarā) A4:195 §4[설명].
부양 (bhata) A4:61 §15.
부유한 (mahāsāla) A3:56 §1; A4:85 §4; A4:198 §4.
부인 (pajāpati) A3:34 §2.
부적절한 시기에 말하는 자 (akālavādī) A3:69 §4; A4:22 §2.
부정(不淨)**한 것, 더러움**[不淨] (asubha) A4:49 §1~2.
부정의 관찰[不淨觀] (asubha-anupassī) A4:163 §2; A4:169 §2.
부정의 표상 (asubha-nimitta) A1:2:6; A3:68 §5.
부정의 표상 (asubhanimitta) A1:2:6 [설명].
부지런히 정진함 (vīriyārambha) A1:7:1[설명].
부처님 (buddha) **두 가지**(A2:6:5); **네 가지**(A1:13:5**의 주해**).
부처님들을 계속해서 생각함[佛隨念] (buddhānussati) A1:16:1.
부푼 것의 인식 (uddhumātaka-saññā) A1:20:92; A4:14 §4.
북 (paṇava) A4:114 §4; A4:242 §2.
분노 (kodha) A2:12:10; A2:16:1;

A2:17:5; A3:163 §2; A4:43; A4:44; A4:84; A4:271 §4.
분노 ☞ **화**
분노를 길들임 (kodha-vinaya) A2:12:11.
분리하는 갈마 (승가로부터~) (ukkhepanīyakamma) A2:17:2.
분명하게 안 (viditā) A4:41 §4[설명].
분명하게 알면서 행함 (sampajānakāri) A4:198 §11.
분명한 (의미가~) (pariyantavatī) A4:22 §2; A4:198 §8.
분명한 시계(視界)**를 가짐** (āpāthadasa) A4:61 §8.
분발 (parakkama) A2:1:5; A4:115 §3~4.
분발 (ussoḷhi) A4:93 §4; A4:194 §2.
분발하게 하다 (samuttejeti) A3:90 §1; A4:48 §1; A4:97 §2.
분발하는 요소 (parakkama-dhātu) A1:2:8[설명].
분석해서 말함 (vibhajja-vacana) A4:42 §2.
분소의 (paṁsukūla) A3:92 §1; A4:27 §1.
분소의를 입음 (paṁsukūlikatta) A1:20:1.
분쇄 (허영심의~) (nimmadana) A4:34 §2.
분열하다 (vagga) A4:241 §2.
분투하는 (daḷhaparakkama) A3:20 §2; A3:94 §4; A4:256 §2.
불 (aggi) A3:1; A3:33 §2; A3:69 §11; A4:61 §11; A4:143; A4:195 §9.
불, 열기, 열병 (pariḷāha) A2:4:7; A3:34 §3[설명]; A3:69 §5; A4:10 §1; A4:184 §2; A4:195 §5.
불가능한 일, 있을 수 없는 일 (anavakāsa) A1:15:1~28; A3:64 §5; A4:140; A4:187 §1.
불결한 (asuci) A3:27; A3:144.
불굴의 (appaṭivāna) A2:1:5.
불굴의 (asallīna) A3:40 §1; A3:128 §2; A4:12 §1.
불만스러움, 불쾌함 (appaccaya) A2:6:12[설명]; A3:25 §2; A3:64 §5; A3:90 §1; A4:197 §2.
불사(不死)**, 죽음 없음** (amata) A1:21:47~48[설명]; A3:128 §2; A4:48 §2; A4:252 §2.
불선법(不善法)**, 해로운 법** (akusala dhamma) A1:6:6[설명]; A2:16:5 1~55; A3:3; A3:141 등.
불순물을 제거 하는 자 (paṁsudhovaka) A3:100 §1.
불신 ☞ **믿음 없음**
불어남, 증장, 향상 (vuddhi) A1:8:7; A1:9:1; A1:21:31; A3:90 §4; A3:136; A4:26 §1; A4:159 §9.
불의 요소[火界] (tejo-dhātu) A3:61 §6; A4:177 §3.
불의 요소에 능숙한 자 (tejo-dhātu-kusala) A1:14:4(14).
불이 난 (aggi-dāha) A3:62 §1.
불쾌함 ☞ **불만스러움**
불타는 (paditta) A4:95 §2.
불퇴전 (appaṭivānī) A4:93 §4; A4:194 §2.
불행한 곳 (duggati) A1:5:3[설명]; A4:85 등.
불환자(不還者) (anāgāmī) A1:21:29; A2:4:5; A3:21; A4:172 §3.
붙들린 (viggahīta) A4:170 §5.
비가 오는 것 (vassitā) A4:101~102.

비견할 수 없는 통찰지 (asāmantapaññatā) A1:21:31.
비구 (bhikkhu) A2:12:1; codaka ~ A2:5; khīṇāsava ~ A2:6:6~8.
비구 승가(bhikkhusaṅgha) A3:60 §7.
비구니 (bhikkhunī) A2:12:2.
비구니를 교계하는 자 (bhikkhunī-ovādaka) A1:14:4.
비구니의 거처 (bhikkhunī-passaya) A4:159 §1.
비구를 교계하는 자 (bhikkhu-ovādaka) A1:14:4.
비난 받을 일이 없는 (anavajja) A2:16:66~70; A3:7; A3:142; A3:146; A4:3 §2; A4:4 §2; A4:27 §1; A4:193 §7.
비난 받을 일이 없는 행복 (anavajja-sukha) A4:62 §2.
비난 받을 일이 없음 (anavajjatā) A4:37 §4; A4:159 §4.
비난 받지 않는 (appaṭikuṭṭha) A3:61 §5; A4:28 §1; A4:29 §1; A4:30 §2.
비난1 (nindā) A4:45 §2; A4:46 §1; A4:194 §5.
비난2 (upārambha) A3:67 §7; A4:30 §5; A4:187 §6; A4:188 §1.
비난받아 마땅한 (sāvajja) A2:16:61~65; A3:7; A3:142; A3:146; A4:3 §1; A4:4 §1; A4:135.
비난을 많이 받는 (vajjabahula) A4:135 §2.
비난하는 갈마 (범계자를~) (tajjaniya-kamma) A2:17:2.
비녀장 (āṇi) A4:32 §2.
비뚤어진 (visama) A2:5:8; A3:143; A3:147; A4:61 §7; A4:87 §5.
비뚤어진 행위 (visamacari) A2:2:6 §1[설명].
비린내 (āmagandha) A3:126 §3.
비물질을 대상으로 한 행복 (arūpārammaṇa sukha) A2:7:13 §2[설명].
비밀리 (paṭicchanna) A3:129 §1:.
비방 (paribhāsaka) A4:53 §3.
비법(非法) (adhamma) A1:10:33[설명]; A2:10:7; A4:20.
비상비비상처 (nevasaññānāsaññāyatana) A1:20:61 §62; A4:192 §5; A4:179 §3.
비율(非律) (avinaya) A2:5:8; A2:10:9; A2:10:19~20; A3:69 §4; A4:22 §2.
비존재에 대한 견해 (vibhava-diṭṭhi) A2:9:5 §2[설명].
비천한 회중 (anaggavatī parisā) A2:5:3.
빗장 (aggaḷa) A3:1; A3:34.
빚 없는 즐거움 (anaṇasukha) A4:62 §2.
빛 (pabhā) A4:50 §3; A4:142.
빛, 광선 (ābhā) A4:127 §1; A4:141.
빛나는 (jala) A4:15 §2.
빛남 (마음이~), 빛 (금의~) (pabhassara) A1:5:9~10[설명]; A1:6:1~2; A3:100 §2.
빛바램 (virāga) A2:2:2; A2:4:5; A2:17:5; A3:163 §2; A4:114 §10; A4:185 §4; A4:271 §4.
빛을 가진 (마음) (sappabhāsa) A4:41 §3.
빠따짜라 장로니 (Paṭācārā) A1:14:5(4)[설명].
빠띠목카 (pātimokkha) A2:4:5; A2:17:2 §96~100[설명]; A3:73 §4;

A4:12 §1[설명].
빠띠목카의 단속 (pātimokkha-saṁvara) A4:12 §1[설명].
빠르게 최상의 지혜를 얻는 (khippābhiññā) A1:14:3; A4:161; A4:163; A4:166; A4:167.
빠름 (java) A4:45 §2; A4:112; A4:256.
빠진 (욕망에~) (paligedha) A2:4:6.
빠찟띠야 (pācittiya) A4:242 §3.
빤디따꾸마라 (릿차위 사람~) (Paṇḍita-Kumāraka) A3:74 §1.
빤짤라 (17국의 하나) (Pañcāla) A3:70 §17.
빨간 분필 가루 (geruka) A3:70 §8.
빨간색의 까시나 (lohita-kasiṇa) A1:20:63.
빨리 변하는 것 (lahuparivatta) A1:5:8[설명].
빨리 빛바램 (khippavirāgī) A3:68 §1.
빨리 응답하는 (muttapaṭibhāna) A4:132[설명].
빵까다 (Paṅkadhā) A3:90 §1.
뻔뻔한 (pagabbha) A4:188 §3.
빼쿠니야의 손자 ☞ **로하나** A3:66 §1.
뼈 (aṭṭhi) A1:20:97; A2:1:5.
뼈를 파고 듦 (aṭṭhivedha) A4:113 §4.
뽀딸리야 유행승 (Potaliya) A4:100 §1[설명].
뿌리 (mūla) A4:195 §9.
뿌리 뽑아버리다 (samussaya) A4:38 §5.
뿌리 뽑음 ☞ **멸절**
뿌리 뽑힘 ☞ **근절**
뿌리가 잘린 (ucchinna-mūla) A3:33 §2; A3:34; A4:36 §3; A4:38 §4 등.
뿌리가 잘린 [經] (chinnamūlaka) A4:160.5.
뿐나 (만따니의 아들~) 존자 (Puṇṇa Mantāniputta) A1:14:1(9)[설명].
뿐나까의 질문 (Puṇṇaka-paṇha) A3:31 §1; A4:41 §5.
뿝바위데하 (Pubbavideha) A3:80 §3.
삔돌라 바라드와자 존자 (Piṇḍola Bhāradvāja) A1:14:1(8)[설명].
삘린다왓차 존자 (Pilindavaccha) A1:14:3(7)[설명].

【사】

사가따 존자 (Sāgata) A1:14:4(14)[설명].
사귀는 ☞ **섬겨야 하는**
사그라짐 (vaya) A2:17:5; A3:47; A3:163 §2; A4:271 §4.
사금 (suvaṇṇa-sikata) A3:100 §2.
사기 (nikati) A4:198 §9.
사기 (sāciyoga) A4:198 §9.
사기 (sāṭheyya) A2:16:4.
사기 치지 않음 (amāyā) A2:15:9.
사께따 (Sāketa) A4:24 §1[설명].
사꿀라 장로니 (Sakulā) A1:14:5(8)[설명].
사꿀루다이 유행승 (Sakuludāyi) A4:30 §1; A4:185 §1.
사냥꾼의 가문 (nesāda-kula) A3:13 §1; A4:85 §2.
사는 것[買] (kaya) A4:198 §9.
사는 것[買] (kīta) A3:20 §1.
사는 자 (vasitā) A4:107.
사대왕천 (Cātummahārājikā) A3:70 §8[설명].
사라바 유행승 (Sarabha) A3:64 §1

[설명].
사라짐 (antaradhāna) A1:10:17; A2:2:10; A4:160 §3.
사람1 (jana) A4:25 §1.
사람2 (purisa) A3:35 §1 등.
사람3 (purisa-puggala) A1:17:9; A3:27 §2; A4:34 §2 등.
사람4 (**하인과 일꾼**) (porisa) A3:38 §1; A3:70 §3; A4:61 §10.
사람5, **인간** (puggala) A2:11:2; A2:11:4; A2:11:5; 등 등.
사람들을 신뢰하는 (puggalappasanna) A1:14:6.
사람을 길들이는 (purisadamma) A4:111 §2.
사람을 희생하는 제사 (purisa-medha) A4:39 §3[설명].
사랑스러운 (pemanīya) A3:28 §4; A4:198 §8.
사랑스런 말 (piyaṁvada) A4:53 §7; A4:54 §7.
사랑스런 말[愛語] (peyya-vajja) A4:32; A4:253.
사량분별 (papañca) A4:174 §3.
사량분별의 가라앉음 (papañca-vūpasama) A4:174 §3[설명].
사량분별의 소멸 (papañca-nirodha) A4:174 §3[설명].
사량분별할 수 없는 것 (appapañca) A4:174 §3[설명].
사로잡힌 (pariyuṭṭhāna) A2:4:6;.
사로잡힌 (pariyuṭṭhita) A3:127 §2; A4:53 §3; A4:54 §2.
사리뿟따 존자 (Sāriputta) A1:14:1(2)[설명]; A2:4:5; A4:79; A4:167 §1; A4:168 §1; A4:173 §1; A4:174 §1; A4:175 §1; A4:176 §1.
사마와띠(Sāmavatī)A1:14:7(4)[설명].
사마타 (samatha) A2:3:10[설명]; A2:15:10; A2:17:3 §5; A4:36 §2; A4:146.
사마타를 먼저 닦는 (samatha-pubbaṅgama) A4:170 §2[설명].
사문 (samaṇa) A2:4:7; A4:87 §1; A4:239 등.
사문됨 ☞ **출가생활**
사문이 해야 할 일 (**세 가지**~) (samaṇakaraṇīya) A3:81 §1.
사문이라 주장함 (samaṇavāda) A3:61 §2~4.
사뿌가 (Sāpugā) A4:194 §1.
사상 (dassana) A4:38 §1[설명].
사색 (nijjhāna) A4:193 §11.
사소한 계[小小戒] (khuddānukhuddakāni sikkhāpa) A3:85 §2[설명].
사슴, 짐승 (miga) A4:33 §3.
사실이 아닌 것을 말하는 자 (abhūta-vādī) A4:22 §2.
사왓티 (Sāvatthi) A1:1:1; A3:1; A3:21; A3:66 §1; A3:125; A4:21 §1; A4:45 §1; A4:48 §1; A4:190 §1; A4:197 §1.
사용함 (**화환 등을**~) (dhāraṇa) A3:70 §15; A4:198 §9.
사윗타 존자 (Savittha) A3:21 §1 [설명].
사유(思惟) (saṅkappa) A4:30 §3; A4:35 §3.
사유의 영역을 넘어선 (atakkāvacara) A4:192 §5.
사자(獅子) (sīha) A4:23 §3; A4:33 §1.A4:244.
사자가 자는 자세, 사자처럼 누움

(sīhaseyya) A3:16 §4; A4:37 §5; A4:244.
사자후 (sīha-nāda) A1:14:1; A3:63 §6; A4:33 §1.
사탕 (modaka) A3:30 §3.
사탕수수 (ucchu) A1:17:10.
삭까(석가족) (Sakka) A3:73 §1; A3:124; A4:195 §1.
삭까(인드라) (Sakka) A3:37.
산1 (giri) A4:198 §13.
산2 (pabbata) A1:19:1; A4:147 §2.
산란하지 않음 (avikkhepa) A2:9:2 §2[설명].
산산조각 (sakalika) A4:195 §9.
산의 왕 (pabbata-rajā) A3:48.
살라 나무1 (sāla) A3:69 §5.
살라 나무2 (sāla-laṭṭhi) A4:196 §3.
살생 ☞ **생명을 죽이는 것**
살생이 없는 [제사] (nirārambha) A4:39 §2; A4:40 §2~3.
살아 있다 (jīvati) A1:14:6~9[설명].
살점을 파고 들어감 (maṁsa-vedha) A4:113 §3.
살하 (릿차위 사람~) (Sāḷha Licchavi) A4:196 §1[설명].
살하 (미가라의 손자~) (Sāḷha Migāranattā) A3:66 §1[설명].
살해1 (saṅghāta) A4:39 §2; A4:40 §2.
살해2 (vadha) A4:111 §4; A4:198 §9.
삼, 삼베 (sāṇa) A3:92 §1; A3:151 §2.
삼매 (samādhi) A1:19:1; A1:20:18; A2:2:2; A3:70 §3~6; A3:73 §1; A3:163 §1[설명]; A4:1 §3; A4:2 §1; A4:21 §1; A4:114.
삼매 수행 (samādhi-bhāvanā) A4:41 §1~5.
삼매를 얻음 (samādhi-paṭilābha) A3:32 §1.
삼매에 도움이 되는 (samādhi-saṁvattanika) A4:52 §1.
삼매에 든 ☞ **집주**(集注)**된**(samāhita)
삼매와 연결되지 않은 행복 (asamādhi-sukha) A2:7:10.
삼매의 기능[定根] (samādhindriya) A4:162 §2.
삼매의 무더기[定蘊] (samādhi-kkhandha) A3:57 §3; A3:140 §1.
삼매의 행복 (samādhi-sukha) A2:7:10.
삼매의 힘 (samādhi-bala) A2:15:9; A4:258.
삼명(三明) (tevijja) A3:58 §1[설명]; A3:59 §1.
삼십삼천 (Tāvatiṁsā) A3:70 §8[설명].
삼의만 수용함 (tecīvarakatta) A1:20:1.
삼장, 성전 (pāḷi) A3:43[설명].
삼재(心材) (sāra) A4:109; A4:150; A4:190 §1.
삽삐니 강 (Sappinī/-nikā) A3:64 §2; A4:30 §1; A4:185 §1.
삿된 [음]행 (micchācāra) A3:155; A4:53 §3; A4:81.
삿된 견해 (micchā-diṭṭhi) A1:17:1; A4:49 §3; A4:116 §1; A4:270.
삿된 견해를 가져 대항하는 (diṭṭhi-paḷāsa) A2:6:12.
삿된 도닦음 (micchāpaṭipatti) A2:4:9.
삿된 방법으로 구함 (anesana) A4:28

§1.
삿된 생계 (micchājīva) A4:50 §2.
삿된 지혜 (micchāñāṇī) A4:206 §2.
삿된 짓거리를 하는 (micchā-paṭipajjamāna) A4:4 §1[설명].
삿자넬라 (Sajjanela) A4:57 §1.
상가라와 바라문 (Saṅgārava) A3:60 §1.
상세한 설명[記別, 授記] (veyyākaraṇa) A3:58 §1; A3:59 §1; A4:173 §2등.
상속자 (dāyāda) A4:61 §11; A4:254 §1.
상실, 재앙, 재난 (vyasana) A3:69 §5; A3:135 §5; A4:192 §4; A4:196 §4.
상심, 마음이 괴로움 (dummana) A4:53 §7; A4:54 §7; A4:195 §8.
상어 (susukā) A4:122 §1.
상의 (uttarāsaṅga) A2:4:6; A4:21 §2.
상인 (pāpaṇika) A3:19; A3:20.
상카라 ☞ **형성된 것**, ☞ **심리현상**, ☞ **의도**
상품 (paṇiya) A3:20; A4:195 §10.
상해 (chedana) A4:198 §9.
상해(傷害)**에 의해서 생긴** (opakkamika) A4:87 §5.
상현 (sukka-pakkha) A4:18~19.
상현/하현 (pakkha) A3:36 §37.
새 (sakuṇa) A4:198 §14.
새 잡는 자 (sākuntika) A4:192 §3.
새로운 느낌 (navā vedanā) A3:16 §3 [설명].
색계 (rūpa-dhātu) A3:76 §2; A3:77 §2.
색구경천(色究竟天)**에 이르는 자** (akaniṭṭhagāmī) A3:86 §3; A3:87 §3; A4:131 §3.
색깔 (vaṇṇa) A3:57 §4; A3:81 §2; A3:98 §1.
색깔(rūpa) A1:20:47~54.
생 버터 (navanīta) A4:95 §4.
생각 (parivitakka) A65 §3; A66 §2; A4:21 §1; A4:193 §11.
생각 일으킴 (vitakka-patha) A4:35 §3.
생각을 일으키다 (vitakketi) A4:35 §1.
생각하지 않았다고 말하는 자 (amuta-vādī) A4:217.
생각하지 않은 것 (amuta) A4:217.
생각한 (muta) A4:23 §2; A4:24; A4:183 §1.
생각한 것을 [시로 만드는] 시인 (cintā-kavi) A4:230 §1[설명].
생계의 결함 (ājīva-vipatti) A3:117 §2.
생계의 구족 (ājīva-sampadā) A3:117 §5.
생긴 (samuṭṭhāna) A4:87 §5.
생명 ☞ **수명**
생명1 (jīva) A4:38 §1.
생명2 (pāṇa) A3:57 §1; A4:185 §3.
생명에 대한 희구 (jīvitāsā) A2:11:1.
생명을 앗아가는/위협하는 (pāṇahara(na)) A4:113 §8; A4:157 §3; A4:165 §3.
생명을 죽이는 것, 살생 (pāṇātipāta) A3:70 §9; A3:153; A4:53 §3.
서까래 (gopāṇasī) A3:35 §1; A3:106.
서로 먼 것 (suvidūra-vidūra) A4:47 §1.
서있는 (**땅에**~) (thalaṭṭha) A4:242 §1.
선(禪) (jhāna) A1:20:2~9; A3:103 §133; A2:2:3; A3:58 §2; A3:63

§5~6; A3:73 §5; A3:74 §2; A4:22 §3; A4:38 §3; A4:41 §2; A4:115 §1.
선(禪)이 헛되지 않은 (arittajjhāna) A1:6:3~5; A1:20:2~192.
선법(善法), 유익한 법 (kusala dhamma) A1:6:6[설명]; A2:16:5 5~60 등.
선사받아 마땅한 (pāhuneyya) A2:4:4; A3:70 §6; A4:34; A4:52 §2.
선서(善逝) (sugata) A4:111 §4; A4:160 §1 등.
선우(善友)를 가짐 (kalyāṇa-mittatā) A1:8:1[설명]; A1:8:8; A1:9:15; A2:9:9.
선인(仙人) (isi) A4:23 §3; A4:48 §2.
선한 말 (kalyāṇa-vāca) A4:97 §2.
선한 법 (kalyāṇa-dhamma) A4:35 §3; A4:209 §1; A4:210.
선한 성품을 가진 (kalyāṇa-dhamma) A2:5:7; A3:13 §2; A4:53 §4 등.
선한, 선행, 좋은 (kalyāṇa) A1:10:33 [설명]; A2:5:7; A4:209 §1; A4:210; A4:97 §2; A4:207 §1.
선행에 관한 계 (abhisamācārika) A4:243 §1[설명].
선행하는, 앞장서는, 먼저 닦는 (pubbaṅgama) A1:6:6; A2:5:3; A3:93 §1; A4:160 §6; A4:170 §1 (**사마타를 먼저 닦는**).
설명 (네 가지~) (vyākaraṇa) A4:42 §1.
설명 ☞ **이야기**(kathā)
설하는 대로 (yathāvādī) A4:23 §3.
설한 그대로 말하는 자 (vuttavādī) A3:57 §1; A4:193 §1.
설해진, 말해진 (akkhāta) A2:2:8; A2:4:7; A4:194 §1.
섬 (dīpa) A3:51.
섬겨야 하는 (bhajitabba) A3:26; A3:27.
섬겨야 하는, 받들어 행하는, 사귀는 (sevitabba) A3:14 §2; A3:26 §1; A3:27 §1; A3:133.
섬기는 (payirupāsita) A3:26; A3:27; A3:35 §5; A3:97 §2; A3:98, 2.
섬김 (saṁseva) A4:246.
섭수하는 행위[四攝法] (saṅgahavatthu) A4:32; A4:253.
성내기 마련인 (dosaniya) A4:117 §1.
성냄 없음 (akkodha) A2:16:6.
성냄 없음[不嗔] (adosa) A3:33 §2; A3:65 §11; A3:66 §9.
성냄[嗔] (dosa) A2:2:1; A2:3:3; A2:17:5; A3:25; A3:27; A3:33 §1; A3:163 §2; A4:17~19; A4:183 §1; A4:193 §12; A4:271 §4.
성마름 (sārambha) A2:17:5; A3:163 §2; A4:39 §2; A4:40 §2; A4:193 §12; A2:A4:271 §4.
성스러운 가문에 태어나는 자 (kolaṅkola) A3:86 §2.
성스러운 방법 (ariya ñāya) A4:35 §3 [설명].
성스러운 법, 성스러운 교법 (ariya-dhamma) A3:61 §6; A4:61 §15.
성스러운 언어표현 (ariya-vohāra) A4:248; A4:250.
성스러운 제자 (ariya-sāvaka) A3:70 §4.
성스러운 진리[四聖諦] (ariya-sacca) A3:61 §5.
성스러운 행복 (ariya-sukha) A2:7:6.

성스러운 회중 (ariyā parisā) A2:5:4.
성스럽지 못한 (anariya) A4:247; A4:249; A4:252 §1.
성스럽지 못한 행복 (anariya-sukha) A2:7:6.
성을 냄 (āghāta) A2:6:12.
성읍 (nigama) A3:46; A3:56; A3:62 §1; A4:33 §1.
성자들에게 적합한 지와 견의 특별함 (alamariyañāṇadassanavisesa) A1:5:5[설명].
성자들의 계보 (ariya-vaṁsa) A4:28 §1.
성자들이 좋아하는 [계] (ariya-kanta) A4:52 §1.
성자의 포살 (ariyūposatha) A3:70 §1.
성전과 일치함 (piṭaka-sampadāna) A3:65 §3; A3:66 §2; A4:193 §2.
성취 (iddhi) A2:14:8 §2[설명]; A3:38 §2; A3:60 §7; A3:105 §5.
성취수단[如意足] (iddhi-pāda) A1:20:18~21; A3:152; A4:271 §3.
성취한 (adhiggahīta) A4:27 §2.
성취한, 고요한 (paṭippassaddha) A3:13 §1; A3:100 §4.
성행위1 (methuna) A2:6:10; A4:50 §2; A4:159 §2; A4:198 §8.
성행위2 (methunadhamma-samāpatti) A2:6:10; A3:104.
세계 (소천/중천/삼천대천~) (lokadhātu) A3:80 §1~5.
세금 ☞ **헌공**
세금을 내는 자 (suṅkadāyika) A2:2:5 §2[설명].
세따뱌 (Setabbya/Setavya) A4:36 §1.
세상1 (jagat) A4:12 §2; A4:15 §2.
세상2 (loka) A2:A1:9; A2:4:4; A3:23; A3:56; A3:101 §1[설명]; A3:102; A3:115 §3; A4:23 §1[설명]; A4:45 §1~3; A4:46 §1; A4:196 §1; A4:198 §13[설명].
세상에 대한 사색 (lokacintā) A4:77 §1[설명].
세상에 대한 연민 (lokānukampaka) A4:160 §1.
세상에 삶 (lokasannivāsa) A3:40 §2; A4:194 §4.
세상을 아는 자[世間解] (lokavidū) A3:40 §4; A3:60 §1; A4:33 §1; A4:45 §4; A4:46 §2 등.
세상을 우선한 것 (lokādhipateyya) A3:40 §1.
세상의 끝 (lokassa anta) A4:45 §1 [설명].
세상의 끝에 도달한 자 (lokantagū) A4:5 §3; A4:45 §2; A4:46 §2.
세세한 부분상[細相] (anuvyañjana) A3:16 §2; A4:14 §2[설명] 등.
세속인 (anariya) A3:67 §7.
세속적인 것 (āmisa) A2:5:7 §1[설명].
세속적인 행복 (sāmisa-sukha) A2:7:5 §2[설명].
세속적인 회중 (anariyā parisā) A2:5:4.
세존 (Bhagavā) A1:1:1[설명] 등.
셀 수 없이 많은 (aparimāṇa) A4:188 §2.
소1 (go) A4:198 §9.
소2 (usabha) A3:64 §6; A4:198 §4.
소금 덩이 (loṇa-phala) A3:99 §2.
소금(기를 함유한 흙) (loṇa) A3:70 §8.
소금장사의 아들 (loṇakaradaraka)

A4:188 §3.
소나 꼴리위사 존자 (Soṇa Koḷivīsa) A1:14:2(8)[설명].
소나 꾸띠깐나 존자 (Soṇa Kuṭikaṇṇa) A1:14:2(9)[설명].
소나 장로니 (Soṇā) A1:14:5(7)[설명].
소녀 (kaññā) A4:197 §7.
소떼에게 사나운 (gavacaṇḍa) A4:108.
소똥 (gomaya) A3:70 §6.
소라 고동 (saṅkha) A4:191 §3.
소를 매매하는 장소인 무화과나무 (Goyogapilakkha) A3:126 §1.
소리 (ghosa) A4:65 §1.
소마즙을 바치는 제사 (vācapeyya/vājapeyya) A4:39 §4.
소멸[滅] (nirodha) A2:4:5; A2:5:4; A2:17:5; A3:61 §12~13; A3:163 §2; A4:14; A4:114 §10; A4:174; A4:271 §4.
소멸된 ☞ **꺼진**
소문으로 들음 (anussavena) A3:65 §3[설명]; A4:193 §6.
소문을 통해서도 청정한 믿음을 내는 자 (anussavappasanna) A1:14:7.
소비따 존자 (Sobhita) A1:14:4(9)[설명].
소욕 (appicchatā) A1:7:3[설명]; A1:9:7; A1:20:1.
소용돌이 (āvaṭṭa) A4:122 §1.
소유물이 적음 (appassaka) A3:99 §5; A4:197 §1.
소의 무리 (go-gaṇa) A3:81 §2.
소진, 파괴, 부서짐, 다함 (khaya) A2:4:5; A2:17:5; A3:74 §1; A3:163 §2; A4:271 §4.
속돌 (sotti) A3:70 §5.
속력을 구족함 (javasampanna) A3:94 §5; A3:95 §5; A3:96 §5; A3:137 §1; A4:256 §1.
속박1 (bandhana) A4:66 §2.
속박2 (**네 가지**~) (yoga) A4:10.
속박에서 벗어남 (visaṁyoga) A4:10 §2[설명].
속박으로부터 벗어나지 못한 (ayogakkhemī) A4:10 §1[설명]; A4:49 §3.
속박으로부터 벗어난 자 (yogakkhemi) A4:10 §2[설명].
속박을 넘어선 자 (yoga-atigāmi) A4:10 §3.
속상함, 곤혹스러움 (vighāta) A3:69 §4; A3:71, 2; A3:126 §4; A4:195 §4; A4:66 §2; A4:157 §2; A4:195 §4.
속성 (dhamma) A2:12:5~6.
속이지 않는 (nikkuha) A4:26 §1.
속이지 않는 자 (avisaṁvādaka) A3:70 §12; A4:198 §8.
속임1 (kuha) A4:26 §1.
속임2 (kuhana) A4:25 §1.
속임3 (kūṭa) A4:198 §9.
속임4 (māyā) A2:16:4; A2:17:5; A3:163 §2; A4:271 §4.
속임5 (vañcana) A4:198 §9.
속임수 없음 (asāṭheyya) A2:16:9.
손가락 (accharā) A1:6:3~5; A1:18:13~17; A1:20:2.
손님 (atithi) A4:61 §12.
손님을 환대함 (ātitheyya) A2:14:7.
손상 ☞ **폭력**
손수 (sakkacca) A4:58 §3[설명].
손이 깨끗함 (payatapāṇi) A3:42[설명]; A4:67 §6.

손해 (ahita) A1:10:33[설명]; A2:2:9; A3:11 §1 등.
송곳 끝 (āraggakoṭi) A2:4:6.
쇠말뚝 (ayo-khīla) A3:35 §4.
수다스러운 (lapa) A4:26 §1.
수다스러운 (mukhara) A2:5:1; A3:113 §1; A4:188 §3.
수다스럽지 않은 (nillapa) A4:26 §1.
수닷따 (급고독) 장자 (Sudatta) A1:14:6(2); A4:58 §1[설명] 참 **급고독 장자**.
수도 (rājadhānī) A3:56; A4:33 §1.
수드라 (sudda) A3:57 §2; A4:193 §13.
수라 암밧타 (Sūra Ambaṭṭha) A1:14:6(8)[설명].
수라세나 (16**국의 하나**) (Surasena) A3:70 §17.
수면 (niddā) A4:45 §2; A4:46 §1.
수명 ☞ **나이**
수명, 생명 (āyu) A3:18; A4:57 §2; A4:58 §2; A4:59 §1.
수명을 주는 자 (āyu-dāyī) A4:58 §3; A4:59 §2.
수명의 중반쯤에 이르러 완전한 열반에 든 (antarā-parinibbāyī) A4:131 §4[설명].
수명의 한계 (āyu-ppamāṇa) A3:70 §18~23; A3:114 §1; A4:123 §1.
수명이 긴 자 ☞ **장수하는 자**
수부띠(수보리) 존자 (Subhūti) A1:14:2(4)[설명].
수분 (sineha) A3:76 §1; A3:77 §1.
수승함에 동참하는 (visesabhāgiya) A4:179 §1.
수익 (udaya) A3:20 §1; A4:195 § 10.
수입 (upakaraṇa) A4:85 §4.
수자따 (세나니의 딸~) (Sujātā Senānidhītā) A1:14:7(1)[설명].
수증기 (ūsa) A3:70 §6.
수축하는 겁[壞劫] (saṁvaṭṭa-kappa) A3:58 §3; A3:100 §8; A4:156.
수치심 (ottappa) A2:1:8 §2[설명]; A4:163 §2.
수치심 없음[無愧] (anottappa) A2:1:7; A2:9:6; A2:16:5; A4:202 §3.
수행 (yoga) A4:93 §2~3.
수행, 개발 (bhāvanā) A1:6:1; A1:21:9~12; A4:13~14; A4:28 §1 등.
수행의 힘 (bhāvanā-bala) A2:2:1; A2:15:8.
수행하다 (paṭipajjati) A4:14 §1[설명].
숙고의 힘 (paṭisaṅkhānabala) A2:2:1~3; A2:15 §8[설명]; A4:145; A4:155.
숙고하는 (anupekkhita) A4:22 §3; A4:191 §1.
숙달된 (dakkha) A4:28 §1; A4:35 §2.
숙련된 (katupāsana) A4:45 §2; A4:46 §1.
숙소 (āvasatha) A3:13; A3:124 §1; A4:197 §2.
순결하지 못한 삶 (abrahma-cariya) A3:119 §2[설명].
순응하지 않음 (appatissa) A4:21 §5.
술 (meraya) A3:70 §13; A3:104; A3:151 §2; A4:50 §2; A4:53 §3; A4:99 §2.
술과 중독성 물질 (surā-meraya-majja) A3:70 §13; A3:104; A3:151 §2; A4:50 §2; A4:53 §3 등.
숨겨진 곳 ☞ **집착**(ālaya)
숨수마라기리 (Suṁsumāragira) A4:55 §1.

숩빠와사 (꼴리야의 딸~) (Suppavāsā Koliyadhitā) A1:14:7(6); A4:57 §1[설명].
숩삐야 (Suppiyā) A1:14:7(7)[설명].
숫자 ☞ **계산**
숲 속에 머무는 자 (āraññika) A1:14:2(6).
숲1 (arañña) A2:3:9.
숲2 (vana) A1:19:1; A4:33 §1.
숲에 머묾 (āraññakatta) A1:20:1.
숲에 사는 도적 (aṭavi-saṅkopa) A3:62 §3[설명].
쉬운 도닦음 (sukhā patipadā) A4:161; A4:162.
스스로 보아 알 수 있는 (sandiṭṭhika) A3:40 §3; A3:70 §5; A3:75 §2; A4:52 §1; A4:195 §4.
스스로를 독려하는 (pahitatta) A3:58 §3; A3:128 §3; A4:11 §2; A4:113 §5; A4:254 §1.
스승 ☞ **은사**
스승1 (ācariya) A3:56.
스승2 (garu) A3:65 §3.
스승3 (satthā) A1:20:2; A2:4:4; A3:60 §1; A4:1 §4 등.
스승들의 스승 (ācariya-pācariya) A3:56 §1.
스승의 가문 (ācariyakula) A4:111 §2.
슬기로운 (sumedha) A4:45 §4; A4:46 §2; A4:62 §7.
슬기로운 자 (medhāvī) A3:67 §7; A4:34 §3; A4:39 §3; A4:40 §3; A4:52 §2.
슬퍼함 ☞ **고통**
승가 (saṅgha) A2:2:6; A2:9:6 §8; A3:24; A3:70 §6; A4:7; A4:190 §1 등.
승가가 미덕을 갖춤 (saṅgha-suṭṭhutā) A2:17:1.
승가가 편안하게 머묾 (saṅgha-phāsutā) A2:17:1.
승가를 계속해서 생각함 (saṅgha-anussati) A1:16:3.
승가를 시봉하는 자 (saṅghupaṭṭhāka) A1:14:6(7).
승가의 분열 (saṅghabheda) A4:241 §1~5.
승랍이 높음 (thāvareyya) A1:20:1.
승잔죄(僧殘罪) (saṅghādisesa) A4:242 §2.
시간과 태어날 곳을 넘어선 (vītivatta-kalaṅ-gati) A4:40 §3.
시간이 걸리지 않음 (akālika) A3:40 §3; A3:53 §1; A4:52 §1; A4:195 §4 등.
시갈라마따 장로니 (Sigālamātā) A1:14:5(13)[설명].
시궁창 (candanikā) A3:57 §2.
시기 (바른~) (samaya) A3:91 §1.
시기에 맞는 말을 하는 자 (kālavādī) A3:69 §4; A4:22 §2; A4:198 §8.
시왈리 존자 (Sīvali) A1:14:2 (10) [설명].
시인 (kavi) A4:230.
시자 (upaṭṭhāka) A1:14:4.
시작 (āraddha) A3:16.
시작하는 요소 (ārambha-dhātu) A1:2:8[설명].
시종일관되게 머무는 (santata-vutti) A4:192 §2.
시종일관된 행을 하는 (santata-kārī) A4:192 §2.
시중 듦 ☞ **봉양**
시집 온 (ānīta) A4:55 §2.

시체 (chava) A3:92 §1; A4:53; A4:95 §2.
시카(Sikha) ☞ **목갈라나 바라문** A4:233.
시큼한 죽과 함께 (bilaṅgadutiya) A3:38 §1.
시키 부처님 (Sikhi) A3:80 §1[설명].
식곤증 (bhattasammada) A1:2:3.
식권 (salāka) A1:14:3(3)[설명].
식무변처 (viññāṇañcāyatana) A1:20:59; A3:114 §2; A4:190 §5.
신1 (deva) A1:19:2; A3:33; A3:35 §1~3; A3:37; A3:70 §8; A4:33 §2; A4:36 §2[설명]; A4:172 §3.
신2 (devatā) A2:4:6; A3:40 §2; A3:70 §8.
신들을 계속해서 생각함 (devatānussati) A1:16:6; A1:20:98; A3:70 §8.
신들의 무리 (devanikāya) A2:4:5; A4:191 §1.
신들의 세상 (devaloka) A3:18.
신들의 회중 (deva-parisā) A4:191 §2.
신뢰 ☞ **청정한 믿음**
신성한 결말을 가져오는 (sovaggika) A4:51 §1; A4:61 §13.
신성한 바퀴[梵輪] (brahma-cakka) A4:8 §1; A4:23 §3.
신심을 따르는 자 (saddhānusārī) A2:5:7 §1[설명].
신의 경지를 얻음 (devappatta) A4:190 §2[설명].
신의 아들 (devaputta) A3:125 §2; A4:45 §1; A4:46 §1; A4:191 §3.
신이 창조한 (issara-nimmāna) A3:61 §1~3.
신참 비구 (nava bhikkhu) A2:6:11.
신통을 가진 (iddhimā) A1:14:1; A1:14:5; A4:191 §2.
신통의 기적 (iddhi-pāṭihāriya) A3:60 §4; A3:140 §2.
신하 (amacca) A3:36; A3:48; A3:75 §1.
신하 (pārisajjā) A3:36 §1.
실에 꿰어진 구슬처럼 얽히게 된 (tantākulaka-jāta) A4:199 §1.
실천 (caraṇa) A4:175 §1[설명].
실패로 돌아감 (chedagāminī) A4:79.
실행하는 (āsevita) A1:21:59.
실현 (sacchikiriyā) A1:13:6; A1:21:1; A2:5:3; A3:74 §2; A3:100 §4; A4:160 §6; A4:194 §4.
실현해야 하는 (sacchikaraṇīya) A3:100 §4; A4:189.
싫어하는 마음 (domanassa) A1:20:10; A3:16,2; A4:14[설명]; A4:37 §3;.
싫어함 (arati) A4:28 §2[설명].
심리현상[行] (saṅkhāra) A1:17:9~10; A3:131 §3; A4:16 §1~2; A4:41 §5; A4:90 §3; A4:124 등.
심부름 꾼 (dūteyya) A4:198 §9.
심사빠 숲 (Siṁsapāvana) A3:34.
심한, 크게, 깊이 (tibba) A4:30 §3; A4:162 §2.
싸움 (bhaṇḍana) A2:5:2; A3:93 §2; A3:122 §1; A4:164 §2; A4:200 §11.
싹싹한 말씨 (sākhalya) A2:15:4.
쌀 (taṇḍula) A3:30 §3.
쌀 ☞ **벼**
쌍으로 닦다 (yuganaddhaṁ bhāveti) A4:170 §4[설명].

쌍의 인간 (네~) (4쌍8배) (purisa-yuga) A3:70 §6; A4:34; A4:52 §1.
썩은 오줌[으로 만든 약] (pūtimuttā) A4:27 §1.
쓰는 (재물을~) (parikkhaya) A4:61 §14.
쓰레기, 청정치 못함 (kasambujāta) A3:13 §2; A3:27 §2; A4:241 §2.
쓴 (kaṭuka) A4:113 §8; A4:114 §10; A4:157 §3; A4:165 §2.
쓸데없는 말 (sampha) A4:22 §4.
씨앗 (bīja) A1:17:9 §10; A3:33 §1; A3:76 §1[설명].
씨앗류 (bījagāma) A4:198 §9.
씹어 먹는 것 (khādaniya) A3:121.
씻음 (dhovana) A3:31; A3:57 §1; A3:124 §2; A4:63 §3.

【아】

아귀가 자는 자세 (petaseyyā) A4:244.
아귀계 (pittivisaya) A4:123 §1; A4:125 §2.
아귀계, 아귀의 세계 (pettivisaya) A1:19:2; A3:75 §3; A3:114; A4:111 §3.
아낌없는 마음 (mutta cetaso) A4:40 §3[설명].
아낌없이 보시함 (muttacāga) A3:42; A3:79 §2; A4:61 §6.
아난다 (Ānanda) A1:14:4(1)[설명]; A2:2:8; A3:32; A3:60 §2; A3:71 §1; A3:72 §1; A3:73 §2; A3:74 ~ 80 §1; A4:129; A4:170; A4:174 §4; A4:179~180 §1; A4:194 §1.
아내1 (bhariyā) A4:53 §3.
아내2 (dāra) A4:61 §10.
아누룻다 (Anuruddha) A1:14:1(5); A3:127[설명]; A3:128; A4:241 §1.
아들 (putta) A3:31; A3:34; A3:62 §1;; A4:61 §10 등.
아들을 양육하는 (puttakāraṇa) A4:32 §2.
아라마단다 바라문 (Ārāmadaṇḍa) A2:4:6 §1.
아라한 (arahā) A2:6:1~5; A4:39 §2.
아라한과 (arahatta) A1:21:30; A3:21; A4:170 §1.
아라한도 (arahamagga) A4:39 §2; A4:40 §2.
아름다운 (vaggu) A4:36 §4.
아름다운 모습 즐김 (piyarūpa-abhinandī) A4:50 §3; A4:66 §2.
아름다운 시어 (citta-vyañjana) A2:5:6.
아름다운 표상 (subha-nimitta) A1:2:1[설명]; A2:11:6; A3:68 §1.
아름다움 (sobhana) A4:7; A4:211 §2.
아름다움 ☞ **용모**
아름다움을 주는 (vaṇṇada) A4:58 §3; A4:59 §2.
아무 것도 없음(무소유) (ākiñcañña) A4:185 §6.
아바야 (릿차위 사람~) (Abhaya) A3:74; A4:196 §1[설명].
아버지 (pitā) A2:4:2; A3:31; A3:35 §1~3.
아비담마 (abhidhamma) A3:137 §2 [설명].
아비부 (시키 불의 제자) (Abhibhū) A3:80 §1~2.

아비위나야[對律] (abhivinaya) A3:137 §3.
아수라 (asura) A3:36; A4:91.
아수라의 왕 (asurindā) A4:50 §1.
아쉬람 (assama) A3:124 §2.
아완띠 (16**국의 하나**) (Avanti) A3:79 §17.
아자따삿뚜 (**마가다의 왕~**) (Ajātasattu) A4:188 §3[설명].
아자빨라 ☞ **염소치기의 니그로다 나무**
아주 강함 (adhimattatta) A4:162 §5; A4:163 §3; A4:169 §2.
아주 많은 ☞ **여러 가지**
아지와까 (Ājīvaka) A3:72 §1[설명].
아지와까의 제자 (ājīvaka-sāvaka) A3:72 §1.
아직 오지 않은 짐을 지다 (anāgataṁ bhāraṁ vahati) A2:10:1 §2[설명].
아픈 [여]자 (ābādhikinī) A4:159 §1.
악기웻사 (Aggivessa) A4:187 §6.
악덕 (apuñña) A2:12:5~8; A4:3 §1; A4:4 §1; A4:222.
악독한 (kibbisa) A4:184 §4.
악사 (turiya) A3:38 §1.
악어 (kumbhīla) A4:122 §1.
악용 (ukkoṭana) A4:198 §9.
악의 (vyāpāda/byā-) A1:2:2; A4:11; A4:12; A4:14.
악의 없는, 호의적인 (avyāpajjha) A2:16:96~100; A3:23; A4:39 §3; A4:40 §3; A4:232 §3.
악의 없음 (avyāpāda) A4:29 §1.
악의 없음에 대한 사유 (avyāpāda-vitakka) A3:122 §2; A4:72; A4:138 §3; A4:259 §2.
악의에 대한 생각 (vyāpāda-vitakka) A3:40 §2; A3:100 §3; A3:121~122 §1; A4:11 §1; A4:144 §8 등.
악의에 찬 (savyāpajjha) A3:8 §23; A2:16:91~95; A4:232 §2[설명].
악의에 찬 (vyāpajjha) A2:16:91; A3:8 §1; A4:232~236 §2; A4:238 §1.
악의에 찬 마음 (vyāpanna-citta) A3:61 §2; A4:30 §1; A4:54 §2 등.
악처(惡處) ☞ **비참한 곳**
악처로 향하는 자 (āpāyika) A3:111.
악처에 떨어진 자들 (vinipātika) A3:23 §3; A4:232 §4; A4:233 §5.
악처에 떨어지지 않는 법 (avinipāta-dhamma) A3:85 §2; A4:76 §6; A4:88 §2; A4:239 §2.
악한 친구를 가짐 (pāpamittatā) A1:7:10[설명]; A1:9:14; A2:9:8.
악한, 사악한, 나쁜 (pāpa) A1:10:33 [설명]; A2:2:1; A2:4:8; A2:5:7;.
악함 (pāpiya) A4:39 §3.
안 것 (viññāta) A4:23 §2; A4:24; A4:183 §1; A4:217 등.
안개 (mahiyā) A4:50 §1.
안거에 들어감 (vassūpanāyika) A2:1:10.
안나바라 유행승 (Annabhāra) A4:30 §1; A4:185 §1.
안냐꼰단냐 존자 (Aññā-Koṇḍañña) A1:14:1(1)[설명].
안달복달하다 (paritassati) A4:28 §1.
안에 있는 것 (ajjhattikā) A4:177 §1 [설명].
안은(安隱) (khema) A4:8; A4:37 §6.
안의 (ajjhattikaṁ) A1:10:1[설명].
안의 족쇄 (ajjhatta-saṁyojana) A2:4:5 §1[설명].
안정시키다 (sannisādeti) A4:94 §3~4.

알라위 (Āḷavī) A3:34 §1[설명].
알라위의 (Āḷavaka) A1:14:6; A2:12:3; A3:34 §1[설명]; A4:176 §3.
알려진 것 (paññatti) A4:15.
알아내어야 하는 가르침 (숨은 뜻을~) (neyyattha suttanta) A2:3:5[설명].
알아차리지 못함 (asampajañña) A1:7:8[설명]; A1:9:12; A2:15:16.
알아차림[正知] (sampajañña) A1:7:9; A1:9:93; A2:15:17; A4:93; A4:194 §2 등.
알음알이[識] (viññāṇa) A1:20:59; A2:8:9; A3:76 §2; A3:77 §; A4:41 §5; A4:190 §5 등.
알음알이를 가진 몸 (saviññāṇaka kāya) A3:32 §1.
알음알이의 까시나 (viññāṇa-kasiṇa) A1:20:63~72[설명].
알음알이의 요소[識界] (viññāṇa-dhātu) A3:61 §6.
알지 못함, 무지 (aññāṇa) A3:71 §2; A4:10 §1.
앎 (재빠르게~) (nisanti) A4:97 §2~4[설명].
앎 (aññāṇa2) A3:67 §7.
암말 (vaḷavā) A4:198 §9.
암탉 (segālaka) A3:63 §6.
압도된 (괴로움에~) (pareta) A4:122 §3.
압부다 (abbuda) A4:3 §3[설명].
압수 (재산의~) (jāni) A3:69 §1.
앗사까 (16국의 하나) (Assaka) A3:70 §17.
앙가 (16국의 하나)(Aṅga) A3:70.§17.
앙심 (paḷāsa) A2:16:2; A2:17:5; A3:163 §2; A4:271 §4.
앙심을 품지 않음 (apaḷāsa) A2:16:7.
앞을 봄 (ālokita) A4:100 §3; A4:198 §12.
앞장서는 ☞ **선행하는**
애민 ☞ **연민, 연민심**(anukampā)
애써 구함 (pariyeṭṭhi) A2:14:5.
애쓰다 (padahati) A3:152; A4:271.
애욕 ☞ **욕망**(rāga)
애정 어린 눈 (piya-cakkhu) A2:5:2; A3:93 §3; A3:122 §2.
애정1 (pema) A4:184.§2; A4:200.§1.
애정2 (sneha) A4:10 §1.
액체가 묻은 (lasagata) A4:178 §1.
야마까 (Yamaka) A4:187 §6.
야마천 (Yāmā) A3:70 §8[설명].
야유를 퍼붓는 (sannitodaka) A3:64 §6.
야자 (tāla-pakka) A3:62 §3.
야자나무의 그늘 (tālacchāti) A4:45 §2; A4:46 §2.
약 (bhesajja) A3:22; A4:27 §1.
약카 (yakkha) A3:56; A4:36 §2[설명].
약탈1 (nillopa) A3:50.
약탈2 (viparāmosa) A4:198 §9.
약한(여린) (mudu/mudutta) A4:162 §2 §4.
양 (urabbha) A3:99 §7; A4:198 §4.
양 날개만을 짐으로 한 (sapattabhāra) A4:198 §10.
양고기 장사, 양을 도살 하는 자 (orabbhika) A3:99 §7; A4:198 §3.
양면으로 해탈한 (ubhato-bhāga-vimutta) A2:5:7 §1[설명].
양면해탈 (ubhato-bhāga-vimutti)

A2:5:7 §1[설명].
양심 (hirī) A2:1:8 §2[설명]; A4:163 §2; A4:210; A4:219.
양심 없음 (ahirika) A2:1:7; A2:9:6; A2:16:5.
양심 있는 (lajji) A3:70 §9[설명]; A4:198 §8.
양을 잡는 사람 (urabbha-ghātaka) A3:99 §7.
양잿물 (khāra) A3:70 §6; A4:157 §3.
얕은1 (obhāsa) A4:105 §1~6.
얕은2 (uttāna) A4:104; A4:105 §1~5.
어긋나는 (가르침에~) (ananulomika) A3:11.
어깨 (aṁsa) A2:4:2; A4:190 §1.
어두움 (andhakāra) A2:2:6.
어둠 (tamo) A3:58 §3; A3:59 §2; A4:85 §1.
어둠에서 어둠으로 가는 자 (tamo tamaparāyaṇa) A4:85 §1[설명].
어둠으로 가는 자 (tamaparāyaṇa) A4:85 §1[설명].
어디서도 두려움 없는 [열반] (akutobhaya) A4:23 §3.
어떤 교설을 가진 자 (kiṁvādī) A2:4:3.
어렵지 않게 얻는 (akasiralābhī) A3:63 §3; A4:22 §3; A4:35 §3; A4:87 §5.
어리석기 마련인 (mohanīya) A4:117.
어리석은 (aviddasū) A4:50 §3.
어리석은 자1 (bāla) A2:3:1; A2:4:7; A2:10:1; A3:3; A4:48 §2; A4:187 §6.
어리석은 자2 (maga) A4:22 §3; A4:35 §1.
어리석음 때문에 감 (mohāgati) A2:5:5.
어리석음 없음[不痴] (amoha) A3:65 §6; A3:66 §10.
어리석음[痴] (moha) A2:1:6; A2:2:1; A2:17:5; A3:33; A3:53~55; A3:65 §6; A3:66 §5; A3:69 §3; A3:71 §2; A3:72 §1~3; A3:163 §2; A4:96; A4:193 §12; A4:271 §4.
어린, 젊은 (dahara) A2:4:7; A4:22 §2; A4:55 §2.
어머니 (mātā) A2:4:2; A3:31; A3:35 §1~3; A3:62; A3:70 §3.
어원 (akkhara-ppabheda) A3:58 §1 [설명]; A3:59 §1.
어지럽히는, 혼란스럽게 하는 (sammosa) A1:10:17; A2:2:10; A4:160 §3.
어휘 (nighaṇḍu) A3:58 §1; A3:59 §1.
억수같은 (thūla-phussitaka) A4:147 §2.
언덕 (tīra) A4:30 §1; A4:47 §1.
언어1 (akkhara) A2:5:6.
언어2 (padaka) A3:58.§1; A3:59.§1.
언어표현1 (vohāra) A4:247~250.
언어표현2 (vohāra-patha) A4:217~218; A4:226~227.
언짢은 (durāgata) A4:114 §9; A4:157 §3; A4:165 §2.
얻음1 (ārādhaka) A2:4:9.
얻음2 (paṭilābha) A1;21:6; A3:32 §1; A4:41 §1; A4:93 §4; A4:131 §1; A4:157 §2.
얻음3 (patti) A2:5:3[설명]; A3:93 §1; A4:160 §6.
얻음4 ☞ **증득**(adhigama)
얻음5, **이익**, **이득** (lābha) A1:14:2

(10); A2:5:7; A2:11:1; A4:43; A4:44; A4:84; A4:85 등.
얼룩이 없는 [계] (akammāsa) 52 §1.
얼룩이 없는 행동 (akammāsa-kārī) A4:192 §2; A4:243 §1.
얼룩이 있는 행동 (**계에**~) (kammāsa-kārī) A4:192 §2.
얽매임, 계박 (ajjhosāna) A2:4:6; A4:10 §1.
업, 업지음 (kamma) A3:33 §1; A4:135 등.
업신여기다 (vambheti) A3:65 §2; A4:28 §1.
업을 끊어버림 (kamma-viyākata) A4:28 §3[설명].
업을 설함(kamma-vāda) A3:135.§3.
업의 결과로 삶을 사는 자 (kamma-phalūpajīvī) A4:134 §1.
업의 적집으로 유지되는 것 (kamma-samārambha-ṭṭhāyī) A4:233 §1 [설명].
업이 진리인 (kamma-sacca) A4:233 §1[설명].
업지음을 설함 (kiriya-vāda) A2:4:3 §1[설명]; A3:135 §3.
없애다 ☞**가시게 하다**
없앤, 완전히 없앤 (parikkhaya) A2:17:4; A3:85~86 §2; A3:87 §3; A3:95 §5; A3:138 §3; A3:163 §1; A4:5 §1; A4:239 §3; A4:271 §4.
없앰 (nāsana) A4:21 §3.
없지 않음 (anabhāva) A4:11 §1; A4:14 §2; A4:164 §5.
에워싸인 (parivāra) A4:91; A4:109 §1.
엘레야 (Eḷeyya) A4:187 §6.
여래 (Tathāgata) A4:4 §1~2; A4:23 §1; A4:24; A4:33 §2 등.
여래가 자는 자세 (Tathāgata-seyyā) A4:244.
여러 가지 교리 (vādapatha) A4:8,§2.
여러 가지, 아주 많은 (sampacura) A4:53 §7; A4:54 §7.
여러 종류의 화살 (kaṇḍa-cittaka) A4:196 §7.
여섯 가지 감각장소[六入] (saḷāyatana) A3:61 §9.
여섯 가지 위없는 것 (anuttariya) A1:13:6[설명].
여시어(如是語) (itivuttaka) A4:6 §1; A4:102 §2.
여신 (devī) A4:53 §2.
여자 하인 (dāsī) A4:198 §9.
여자1 (itthi) A3:35 §1; A4:198 §9.
여자2 (mātugāma) A2:6:10; A3:127 §1; A4:80; A4:197 §1.
여자신도[淸信女] (upāsikā) A1:14:7; A2:12:4.
여제자 (sāvikā) A1:14:5; A2:12:2.
역겨워하는 통찰지 (nibbedhika-paññā) A1:21:31; A4:186 §3.
역겨워함 ☞ **염오**
역경 ☞ **재난**
역사(歷史) (itihāsa) A3:58 §1; A3:59 §1.
역정, 성냄 (kodhana) A4:80; A4:197 §2.
연극 관람 (visūka-dassanā) A3:70 §15; A4:198 §9.
연기(煙氣) **없는** (vidhūma) A3:32 §1; A4:41 §6.
연기를 뿜다 (dhūpāyati) A4:200 §8.
연못 (pokkharaṇī) A1:19:1; A3:38

§1.
연민, 연민심, 애민, 동정, 동정심 (anukampā) A1:13:1; A2:3:9; A2:4:6; A2:13:10; A2:17:1; A3:26 §2; A3:31 §2; A3:70 §3; A4:63 §4; A4:159 §1; A4:185 §3.
연민[悲] (karuṇā) A1:20:8; A4:125 §2; A4:190 §4.
연민을 가진 (anukampī) A4:8 §2; A4:198 §8.
연속적으로 행하는 [**포살**] (pāṭihāriya-pakkha) A3:37 §1[설명].
열기, 열병 ☞ **불**(pariḷāha)
열린 ☞ **공개적인**
열망 (chanda) A3:109 §1[설명].
열망, 열의[欲], **의욕** (chanda) A1:20:14~18; A3:81 §1; A3:109 §1[설명]; A4:13; A4:17~20; A4:93 §4; A4:194 §2.
열반 (nibbāna) A3:33 §1; A3:55; A4:25 §2; A4:34; A4:37 §1; A4:114 §10; A4:194 §1.
열반의 요소 (nibbāna-dhātu) A4:118.
열심히 (payutta) A4:79 §1.
열심히 정진함 (viriyārambha) A1:9:5; A1:10:4.
열심히 정진함 ☞ **정진을 시작한 자**
열심히 하다, 종사하다 (payojeti) A4:79 §2~5; A4:80 §1.
열의 때문에 감 (chandāgati) A2:5:5.
엷어짐 (tanutta) A3:85~88 §3; A4:158 §2; A239 §3.
염라대왕 (Yamarāja) A3:35 §1[설명].
염소 (aja) A4:198 §4.
염소와 양 (ajeḷaka) A4:39 §2; A4:40 §2; A4:198 §9.
염소치기의 니그로다 나무 (Ajapāla-nigrodha) A4:21 §1[설명]; A4:22 §1.
염오, 역겨워함, 넌더리 (nibbidā) A2:1:6; A2:4:5; A4:198 §2.
염원, 원함 (paṇidhi) A1:17:9; A3:150 §2; A4:31 §2.
영감 (paṭibhāna) A1:14 §3; A4:22 §4; A4:173 §2; A4:186 §1.
영감으로 [**시를 만드는**] **시인** (paṭibhāna-kavi)A4:230 §1[설명].
영감을 일으키게 하는 자 (paṭibhāneyya) A1:14:4(15)[설명].
영양 가죽 (ajina) A3:92 §1; A3:151 §2; A4:198 §2.
영원하다는 인식을 가진 자 (niccasaññī) A4:49 §3.
영원하지 않은 (asassata) A4:33 §2; A4:38 §1.
영원한 (sassata) A4:33 §2; A4:38 §1.
영원함 (nicca) A4:33 §2.
영원히 머묾 (satata-vihāra) A4:195 §8.
영지(靈知) (vijjā) A1:5:1[설명]; A1:21:8; A2:9:4 §2[설명]; A3:58 §5; A3:59 §4 등.
영지가 일어남 (vijjuppāda) A4:195 §1.
영지로 [**괴로움을**] **종식시키는** (vijjāyantakara) A4:175 §1[설명].
영지와 실천 (vijjā-caraṇa) A4:175 §1[설명].
영지와 실천을 구족한 자[明行足] (vijjā-caraṇa-sampanna) A3:60 §1; A4:33 §2 등.
영향력이 적음 (appesakkha) A4:197 §1.

예류 (sotāpatti) A1:13:6; A1:21:27.
예류자(預流者) (sotāpanna) A3:85 §2; A4:76 §6; A4:88 §1; A4:239 §2.
예리한 통찰지 (tikkha-paññatā) A1:21:31.
예배1 (pūjana) A4:197 §2.
예배2 (vandana) A3:149; A4:197 §2.
예배3, **공경**(pūjā) A2:14:6; A4:32 §2;.
예의바른 (porī) A4:48 §1; A4:97 §2; A4:198 §8.
오라하면 가는 자 (음식을 위해서~) (ehibhadantika) A3:151 §2; A4:198 §2.
오락 (dava) A4:37 §4; A4:159 §4.
오래 감 (ciraṭṭhitika) A3:130 §1; A4:33 §2; A4:255 §1.
오래 끔 (dīghatta) A2:2:5; A2:6:12.
오래된 느낌 (purāṇā vedanā) A3:16 §3[설명].
오랜 세월 동안 유지되어 온 (rattañña) A4:28 §1; A4:29 §1; A4:30 §2.
오로지하는 자, 독존 (kevali) A3:57 §4; A4:8; A4:22 §3.
오염 없는 (vītasārada) A4:23 §3.
오염되기 마련인 법 (saṅkilesika-dhamma) A4:252 §1.
오염된1 (paṭikkiṭṭha) A4:50 §3.
오염된2 (upakkiliṭṭha) A1:5:9; A1:6:1; A2:3:10; A3:70, 4; A4:50 §1.
오염원 (정신적~) (saṅkilesa/-sika) A4:10 §1; A4:182 §4.
오염원 (upakkilesa) A1:5:9[설명]; A1:6:1; A3:70 §4; A3:100 §1; A4:50 §1; A4:61 §8.
오점이 없는 [계] (asabala) A4:52 §1.
오점이 없는 행동 (asabala-kārī) A4:192 §2; A4:243 §1.
오점이 있는 행동 (계에~) (sabala-kārī) A4:192 §2.
오직 이 향기 (ekagandha) A1:1:3; A1:1:8.
온 짐을 지지 않는 자 (āgataṁ bhāraṁ na vahati) A2:10:1[설명].
온화함 (soracca) A2:15:3; A4:61 §13; A4:112.
올가미 (pāsa) A4:188 §2.
올곧은 (ujubhūta) A4:52 §2.
올바르고 유익한 법 (ñāya dhamma kusala) A2:4:9 §1[설명].
옳은 방법 (ñāya) A4:35 §3; A4:113 §7; A4:194 §1.
옳음, 진실 (taccha) A3:69 §9; A4:100 §2.
옷 (cela) A3:70 §3.
옷(가사) ☞ **의복**
와라나 (Varaṇa) A2:4:6 §1[설명].
와라다라 유행승 (Varadhara) A4:30 §1; A4:185 §1.
와서 보라는 것 (ehipassika) A3:40 §3; A3:70 §5; A3:75 §2; A4:52 §1; A4:195 §4.
와이샤 (vessa) A3:57 §2; A4:193 §13 등.
왁깔리 존자 (Vakkali) A1:14:2(11) [설명].
완강한 (āgāḷhā) A3:151; A3:152.
완고1 (thaddha) A4:26 §2.
완고2 (thambha) A2:17:5; A3:163 §2; A4:271 §4.
완비한 (samaṅgibhūta) A4:122 §5.
완성 (moneyya) A3:120 §1[설명].
완성 (pariyosāna) A2:1:5; A3:128 §3; A3:140 §1; A4:254 §3.

완성한 자 (paripūrakārī) A3:85~87 §2; A4:136.
완전한 열반, 반열반(般涅槃) (parinibbāna) A1:21:22~3; A4:76 §1.
완전한 열반에 든 자, 반열반한 자 (parinibbāyī) A3:29; A3:86 §3; A3:87.
완전한 열반으로 인도하다 (parinibbāpeti) A3:60 §1; A4:61 §13.
완전히 안 (abhiññāta) A1:21:65~66 [설명].
왑빠 (삭까족) (Vappa) A4:195 §1[설명].
왓사까라 바라문 (Vassakāra) A4:35 §1; A4:183 §1; A4:187 §1.
왓사와 반냐 사람 (Vassa-Bhañña) A4:30 §5[설명].
왓지 (16국의 하나) (Vajji) A3:70 §17; A4:1 §1[설명].
왓차곳따 바라문 (Vacchagotta) A3:63 §2.
왓차곳따 유행승 (Vacchagotta) A3:57 §1[설명].
왕 (rāja) A2:6:1; A3:28 등.
왕가(16**국의 하나**, Vaṅga) A3:70 §17
왕기사 존자 (Vaṅgīsa) A1:14:3(4)[설명].
왕위 (rajja) A2:4:2; A3:70 §17.
왕의 대신 (rāja-mahāmatta) A3:50 §2.
왕자 (kumāra) A3:34.
외도 (tittha) A3:61 §1[설명].
외도(外道) (añña-titthiya) A2:4:6; A3:18; A3:68 §1; A3:92 §1; A4:185 §1; A4:193 §1[설명].
외도의 주장 (titthāyatana) A3:61 §1 [설명].
외딴 (panta) A2:3:9; A4:138 §2.
외모 (rūpa) A4:65 §1[설명].
외모에 청정한 믿음을 가지는 (rūpa-ppasanna) A4:65 §1.
외투 (cīra) A3:151 §2.
외투 (kañcuka) A3:38 §1.
요구에 반드시 부응함 (yāca-yoga) A3:42; A3:79 §2; A4:61 §6.
요소[界] (dhātu) A1:13:6[설명]; A1:21:24; A2:9:10 §2[설명]; A3:61 §6; A3:75 §3; A3:100 §6; A3:134 §1~3; A4:177 §5.
요술 (māya) A4:193 §1.
요술쟁이 (māyāvī) A4:193 §13.
요직 (ādhipacca) A4:255 §1.
욕계 (kāma-dhātu) A3:76 §1; A3:77 §1.
욕망, 애욕 (rāga) A2:1:6; A2:2:1; A2:3:10; A2:4:6; A2:17:3; A3:68 §1; A3:71 §1~2; A3:72 §1~5; A3:163; A4:96 §2.
욕망, 욕탐 (chanda-rāga) A3:109; A3:110.
욕망이 없는 (aneja) A4:13.
욕설 (akkosaka) A4:53 §3; A4:54 §2.
욕설 (pharusāvācā) A3:28 §4; A3:158; A4:54 §2; A4:79 등.
욕심 많음, 간탐 (abhijjhālū) A3:160; A4:30 §3; A4:54 §2; A4:204 §2 등.
욕심 없음 (anabhijjhā) A3:66 §8; A4:29 §1; A4:30 §4.
욕심 없음 ☞**간탐하지 않음**
욕심, 간탐 (abhijjhā) A1:20:10; A4:12; A4:14.
욕심과 싫어하는 마음 (abhijjhā-domanassa) A4:14 §2

[설명].
욕탐을 몰아냄 (chandarāga-vinaya) A3:101 §1[설명].
욕탐의 원인이 되는 (chandarāgaṭṭhāniya) A3:109 §1 [설명].
용 (nāga) A4:33 §2; A4:36 §2; A4:114.
용광로 (ukkā) A3:70.
용모, 아름다움 (vaṇṇa) A1:20:1; A3:18; A3:94~96 §1; A3:137~139; A4:33 §2; A4:34 §3:A3:70, 2; A4:85 §4; A4:197 §1; A4:256~257.
용모가 나쁜 ☞ **못생긴**
용모가 준수함 (vaṇṇa-pokkharatā) A1:20:1; A4:85 §4; A4:197 §1.
용모를 구족함 (vaṇṇa-sampanna) A3:94~96 §1; A3:137~139; A4:256~257.
용서를 구하도록 강요하는 갈마 (paṭisāraṇiyakamma) A2:17:2.
용솟음 (ummagga) A4:186 §1[설명]; A4:189 §4.
우다야의 질문 (Udaya-paṇha) A3:32 §2.
우다이 바라문 (Udāyī) A4:40 §1.
우다이 존자 (Udāyī) A3:80 §5[설명] = **랄루다이**(Lāḷudāyi) **존자**.
우렁찬 소리를 내는 자 (ambakamaddari) A3:64 §6.
우루웰라 (Uruvela) A4:21 §1; A4:22 §1.
우루웰라깟사빠 존자 (Uruvela-Kassapa) A1:14:4(6) [설명].
우빠까 만디까뿟따 (Upaka Maṇḍikaputta) A4:188 §1[설명].
우빠세나 (왕간따의 아들~) 존자 (Upasena Vaṅgantaputta) A1:14:3(5)[설명].
우빠와나 존자 (Upavāṇa) A4:175 §1 [설명].
우빨리 존자(Upāli) A1:14:4(10)[설명].
우선한 것 ☞ **지배력**
우유, 소젖(khīra)A4:95 §4; A4:198 §4
우주의 사이에 있는 (lokantarika) A4:127 §1.
욱가 (웨살리의~) 장자 (Ugga Vesālika) A1:14:6(6)[설명].
욱가 (Ugga) A4:187 §6.
욱가따 장자 (Uggata) A1:14:6(7)[설명].
욱깔라 (Ukkalā) A4:30 §5[설명].
욱깟타 (Ukkaṭṭha) A4:36 §1.
움직이지 않는 (acala) A4:52 §2.
웁빨라완나 장로니 (Uppalavaṇṇā) A1:14:5(3)[설명]; A2:12:2; A4:176 §2.
웃따라 난다마따 (Uttarāa Nandamātā) A1:14:7(5)[설명].
웃따라꾸루 (Uttarakuru) A3:80 §3:6.
웃자야 바라문 (Ujjaya) A4:39 §1.
원림(園林) (ārāma) A1:19:1; A4:28 §1; A4:185 §1.
원상복귀 하는 것 (vosāraṇiya) A2:17:2.
원인 (hetu) A2:8:3; A3:65 §3.
원인 ☞ **근거**
원하는 대로 얻음 (nikamalābhī) A4:22 §3; A4:35 §3.
원한, 증오 (upanāha) A2:12:10; A2:16:1; A2:17:5; A3:163 §2; A4:271 §4.

원한을 길들임 (upanāha-vinaya) A2:12:11.
원함 ☞ **염원**
웨나가뿌라 (Venāgapura) A3:63 §1.
웨데히뿟따 (Vedehiputta) ☞ **아자따삿뚜 마가다의 왕.**
웨란자 (Verañja) A4:53 §1[설명].
웨람바 바람 (verambha-vāta) A3:34 §1[설명].
웨살리 (Vesāli) A3:74 §1; A3:123; A4:193 §1[설명]; A4:196 §1.
웰루깐따끼 마을의 난다마따 (Veḷukaṇṭakiyā Nandamātā) A2:12:4; A4:176 §4; A1:14:7(5)[설명] **참조.**
위로 솟아오르는 [물고기] (ummujjamānaka) A4:188 §2; A4:192 §5.
위로 향한 (uttāna) A4:244 §1.
위빳사나[觀] (vipassanā) A2:3:10[설명]; A2:15:10; A2:17:3; A4:92; A4:170 §3; A4:251.
위빳사나를 먼저 닦는 (vipassanā-pubbaṅgama) A4:170 §3.
위사카 (빤짤리의 아들~) (Visākha Pañcāliputta) A4:48 §1[설명].
위사카 미가라마따 (Visākhā Migāramātā) A1:14:7(2); A2:4:1 §1[설명]; A3:70 §1; A4:190 §1.
위선 (makkha) A2:16:2; A2:17:5; A3:163 §2; A4:43~44; A4:271 §4.
위선 없음 (amakkha) A2:16:7.
위안(慰安) (assāsa) A3:65 §15~17.
위장 (kucchi) A4:198 §10.
위험 (ādīnava) A2:2:8; A3:101 §1~4[설명]; A3:102.
위험 (upasagga) A3:1.
유가안은(瑜伽安隱) (yogakkhema) A1:21:4[설명]; A2:1:5; A4:37 §6; A4:87 §2; A4:252.
유력한 사람이 한 말 (bhavya-rūpatā) A4:193 §11.
유명한 (ñāṭaka) A3:11.
유명한 [스승] (pāmokkha) A4:180 §4.
유발하는 (samudaya) A3:33 §1.
유순한 1(neḷa) A4:198 §8.
유순한 2(kammaniya) A1:3:2.
유신견 ☞ **자기 존재가 있다는 견해**
유용한 것 (akukkuccakajāta) A4:196 §3[설명].
유위(有爲) ☞ **형성된 것**(saṅkhata)
유익한 법 ☞ **선법**(善法)
유익한[善], **능숙한** (kusala) A1:6:6[설명]; A2:2:9; A3:6; A3:66 §13[설명]; A3:141; A3:145; A4:184 §4.
유익함의 뿌리[善根] (kusala-mūla) A3:69 §6.
유익함이 넘쳐흐름 (kusalābhisanda) A4:51; A4:52 §1.
유일한 (adutiyo) A1:13:5[설명].
유지함 (몸을~) (yāpana) A3:16 §3; A4:37 §4; A4:159 §4.
유학(有學) (sekha) A2:2:1; A2:4:4; A3:73 §3~6; A3:84 등.
유학의 계 (sekha sīla) A3:73 §3[설명].
유학의 힘 (sekha bala) A2:2:1 §2[설명]; A4:163.
유한함 (antavā) A4:38 §1.
유행승(遊行僧) (paribbājaka) A2:4:6; A3:18 §1[설명]; A3:54; A3:57 §1; A3:64 §1; A3:68 §1; A3:71 §1; A4:30 §1; A4:185 §1.

육체적 고통 (dukkha) A2:1:6; A3:37 §4; A3:40 §1; A3:53~55; A3:61 §10; A3:71 §2; A4:122 §3~6; A4:194 §1.
육체적 행복 (kāyika sukha) A2:7:7.
윤회 (saṁsāra) A4:9; A4:49 §3.
윤회의 멸절 (vaṭṭūpaccheda) A4:34 §2.
윤회하는 (saṁsarita/saṁsāritvā) A3:86 §2; A3:87 §3; A4:1 §2~3.
율 (vinaya) A1:10:35~36; A2:10:9; A4:2 §1; A4:24; A4:96; A4:111; A4:159 §9; A4:160 §1 등.
율[장]을 호지하는 자 (vinaya-dhara) A1:14:4; A1:20:1; A4:180 §8.
율을 말하는 자 (vinaya-vādī) A3:69 §9; A4:22 §2; A4:198 §8.
율을 호지함 (vinaya-anuggaha) A2:17:1.
율이라고 생각하는 자 (vinaya-saññī) A2:10:9.
으뜸 (agga) A1:14; A4:15; A4:196 §5.
으뜸가는 청정한 믿음 (aggappasāda) A4:34.
으뜸가는 회중, 훌륭한 회중 (aggavatī parisā) A2:5:3; A3:93 §1.
으뜸이라고 알려진 것 (aggapaññatti) A4:15.
은 (rajata) A4:50 §1; A4:198 §1.
은사, 스승 (upajjhāya) A4:61 §2; A4:74 §2.
은혜를 모르는 (akataññu) A2:4:1; A4:213; A4:223.
은혜를 아는 (kataññu) A2:11:1; A4:213.
은혜에 보답하는 (suppaṭikāra) A3:24 §3.
은혜에 보답할 줄 모르는 (akataveditā) A2:4:2; A4:213.
음식 덩이 (탁발한~) (ālopa) A3:151 §2; A4:198 §9.
음식 소임자 (bhattuddesaka) A4:20.
음식1 (āhāra) A3:16 §3; A4:37 §4; A4:159 §2[설명] 등.
음식2 (anna) A1:19:1; A3:13; A3:31; A4:197 §7.
음식3 (bhojana) A3:13; A3:22; A4:27 §1; A4:85.
음식4 (bhojī) A3:92 §1; A4:58 §3; A4:59 §2.
음식5, **공양, 밥** (bhatta) A3:22; A3:121 §1.
음식6, **탁발 음식** (piṇḍapāta) A4:28 §1; A4:51 §1; A4:87 §5.
음식에 적당한 양을 모름 (bhojane amattaññutā) A2:15:6.
음식에 적당한 양을 암 (bhojane mattaññutā) A2:15:7; A3:16; A4:37 §1.
음식에 혐오하는 인식 (āhāre paṭikkūla-saññi) A1:20:775; A4:163 §3[설명].
음식에서 생긴 (āhāra-sambhūta) A4:159 §2~4.
음식을 구걸하는 자 (ālopika) A4:198 §2.
음식을 보시함 (paradattabhojī) A4:58 §3; A4:59 §2.
음식을 주는 (anna-da) A4:51 §4.
음악 (vādita) A3:70 §15; A4:198 §9.
음운과 어원 (sākkharappabheda) A3:58 §1[설명]; A3:59 §1.
응답 (paṭibhāna) A4:132[설명].

응송(應頌) (geyya) A4:6 §1; A4:10 §2 등.
응유, 커드 (dadhi) A4:95 §4.
의도1 (cetanā) A3:77.§1; A4:232.§5.
의도2 (sañcetanā) A4:171 §1; A4:172 §1.
의도적 행위1[行] (saṅkhāra) A1:20:18~21; A2:8:4; A3:23; A3:61 §11; A4:38 §1 등.
의도적 행위2 (abhisaṅkhāra) A4:232 §3.
의도적으로 행하다 (abhisaṅkharoti) A3:69 §1~3.
의미 (attha-vasa) A2:3:9; A2:6:9; A2:17:1; A3:43[설명].
의미 ☞ **이익**(attha)
의미를 [시로 만드는] 시인 (atthakavi) A4:230.
의복 (cīvara) A4:27 §1; A4:28 §1; A4:51 §1.
의복, 옷(가사) (vattha) A3:12, 2; A3:13; A3:31 §2; A3:34 §1; A3:70 §6; A3:98; A3:135 §1; A4:85 §2.
의복[과 관련된 오염원을] 멀리 여읨 (cīvara-paviveka)A3:92 §1[설명].
의복을 주는 (vatthada) A4:51 §4.
의심1 (kaṅkhā) A4:173.
의심2 (saṁsaya) A4:23 §3.
의심3[疑] (vicikicchā) A1:2:5; A3:57 §3; A3:65 §2; A3:92 §4; A3:119 §8; A4:12 §1; A4:61 §7; A4:184 §5; A4:198 §13.
의심하는 습관을 가진 (saṅkassarasamācāra) A3:13 §2; A3:27 §2; A4:241 §2.
의심하지 않음 (avecikicchī) A4:184 §5.
의욕 ☞ **열망, 열의**[欲]
의지 (upassaya) A4:31 §1.
의지처를 가진 (sappaṭisaraṇa) A4:160 §9.
의지처를 잃음(appaṭisaraṇa) A4:160 §5.
의지하는 자 (bhacca) A4:61 §15.
의지하지 않고 (anissita) A4:48 §1[설명].
의지함 (allīna) A4:196 §6.
의회 (sabhā) A3:36 §2.
이간질, 헐뜯는 말 (pisuṇāvācā) A3:61 §2; A3:157; A4:54 §2; A4:82 등.
이끌다 (parikissati) A4:186 §1.
이러한 상태 (itthatta) A2:4:5 §2; A3:58 §5; A4:79 §2; A4:172 §3; A4:197 §2.
이런 주장을 가진 자 (evaṁ-vādī) A3:61 §1; A3:111; A4:183 §1; A4:193 §13 등.
이로운 행위 (attha-cariyā) A4:32; A4:253.
이빨 (danta) A3:35 §1; A4:23 §3.
이빨을 드러내고 웃는 것 (dantavidaṁsaka) A3:42.
이상 ☞ **이익**(attha)
이슬 (ussāva) A3:38 §1.
이시빠따나 (Isipatana) A3:126.
이야기 ☞ **대화**
이야기, 설명 (kathā) A2:2:6; A3:44; A3:60 §3; A3:67 §6.
이야기의 토대 (kathāvatthu) A3:67 §1.
이와 같이 (evaṁ) A1:1:1[설명].
이유 (adhikaraṇa) A4:171 §5[설명].
이유가 분명하지 못한 (anapadesa)

A4:22 §2.
이유가 분명한 [말] (sāpadesa) A4:22 §2; A4:198 §8.
이유가 있는 (sanidāna (dhamma)) A2:8:2.
이유가 적절하다고 해서 (ākāraparivitakka) A3:65 §3; A3:66 §2; A4:193 §2.
이익1 (ānisaṁsa) A2:2:8; A3:60 §2; A4:191 §1 등.
이익2 (hita) A2:2:9; A4:96; A4:97; A4:98; A4:186 §4.
이익3, 뜻, 이치, 이상, 의미 (attha) A2:2:7; A2:4:10 §1[설명]; A4:6 §1 [설명]; A4:42 §2; A4:97 §2; A4:172 §2; A4:186 §4.
이익4, 이득 ☞ **얻음**
이익을 깊이 따져보는 자 (alam-atthadasatara) A4:187 §6.
이익이 없는 것을 말하는 자 (anattha-vādī) A3:69 §4; A4:22 §2.
이익이 있는 것을 말하는 자 (attha-vādī) A3:69 §9; A4:22 §2; A4:198 §8.
익어 보이는 망고 (āma-vaṇṇi) A4:106.
익은 (pakka) A4:106.
익지 않은 (아직~) (avipakka) A4:195 §1.
인간 ☞ **사람**
인간의 법을 초월했고 (uttariṁ manussadhammā) A1:5:5[설명].
인도 중원의 16국 이름 (mahā-janapada) A3:70 §17.
인도되는 자 (가르침을 통해서~) (neyya) A4:133[설명].
인도하는 (saṁvattanika) A3:70 §7; A3:71 §2; A4:52 §1.
인드라, 기능 (Indra) A4:151[설명].
인색 (macchariya) A2:16:3 §13; A2:17:5; A3:163 §2; A4:271 §4.
인색하지 않음 (amacchariya) A2:16:8.
인색함1 (kadariya) A4:53 §7.
인색함2 (macchara) A4:53 §7.
인색함3 (macchera) A3:10; A3:42; A4:53 §3; A4:54 §2; A4:57 §3.
인색함을 건넌 (vīta-macchara) A4:53 §7; A4:54 §6.
인색함의 때를 여읜 (vigata-mala-macchera) A3:42 §1[설명]; A3:79 §2; A4:53 §4; A4:54 §4.
인식[想] (saññā) A1:20:62; A4:41 §4; A4:90; A4:181 §4; A4:190 §5 등.
인식의 전개에 능숙한 자 (saññā-vivaṭṭa-kusala) A1:14:2(3).
인식의 전도 (saññā-vippallāsa) A4:49 §1.
인식이 없는 자 (asaññī) A4:34.
인식이 전도된 자 (visaññī) A4:49 §3.
인식하는 자 (saññī) A4:34; A4:45 §3; A4:46 §1.
인식하다 (sañjāyati) A4:170 §2[설명].
인욕, 감내 (khanti) A2:15:3; A4:61 §13; A4:112; A4:193 §11.
인욕하지 못함 (akkhama) A4:160 §4; A4:164 §1; A4:165.
인정할 만한 (anuññeyya) A4:195 §3.
일1 (kammanta) A2:4:8; A3:19.
일2 (samārambha) A3:60 §2.
일관되지 않은 (asahita) A4:139.
일관된 (sahita) A4:139; A4:198 §8.
일꾼 (kammakara) A3:38 §1; A3:70 §3; A4:61; A4:10; A4:198 §4.

일래자(一來者), **일래과** (sakadāgāmī) A1:21:28; A3:21; A4:88 §3; A4:131 §2; A4:239.
일시적이지 않은 (avyāyika) A4:47 §2.
일어나고 사라짐 (udayabbaya/-vyaya) A4:12 §2; A4:41 §5; A4:90 §3;.
일어남1 (samudaya) A2:5:4; A3:12 §2; A4:10 §1 등.
일어남2 (uppāda) A1:20:14; A2:11:6; A3:47; A3:119 §4; A4:9; A4:69 §4 등.
일어남3, **기원** (sambhava) A4:9 §2; A4:16 §2.
일으킨 생각[尋] (vitakka) A2:2:3; A3:122; A4:35 §3[설명]; A4:41 §4 등.
일으킨 생각과 지속적 고찰 (vitakka-vicāra) A1:21 §9; A2:2:3; A3:58 §2; A4:123 §2.
일을 시키다 (kāraṇa* kāreti) A4:113 §1～4.
잃어버린 (naṭṭha) A4:255 §1.
잃음 (parihāni) A1:8:6; A1:8:10.
임산부 (gabbinī) A4:198 §2.
임종 ☞ **죽음**
입방아 (lapana) A4:25 §1.
있는 것을 말하는 자 (bhūtavādī) A3:69 §9; A4:22 §2; A4:198 §8.
있을 수 없는 일 (aṭṭhāna) A1:15:1.
잎사귀 (palāsa) A4:196 §3.

【자】

자갈 (sakkhara) A1:5:5～6; A3:100 §1.
자구(字句), **단어** (vyañjana) A2:2:10; A2:4:10 §1; A4:140; A4:188 §2.
자극 없이 열반에 든 자 (asaṅkhāra-parinibbāyī) A4:169 §1.
자극받은 (sasaṅkhāra) A3:100 §4.
자극을 통해서 완전한 열반에 드는 자 (sasaṅkhāra-parinibbāyī) A3:86, 3[설명]; A3:87 §3; A4:169 §1.
자기 마음이 깨끗한 것 (sacitta-vodāna) A2:12:9 §2[설명].
자기 존재, 몸, 자신 (atta-bhāva) A3:33 §1; A125 §2; A4:15.
자기 존재[有身] (sakkāya) A4:33 §2 [설명]; A4:178 §1.
자기 존재가 있다는 견해, 유신견(有身見) (sakkāya-diṭṭhi) A3:92 §4.
자기 존재의 소멸 (sakkāya-nirodha) A4:178 §1[설명].
자기 존재의 획득 (atta-bhāva-paṭilābha) A4:172 §1; A4:192 §4.
자기를 우선한 것 (attādhipateyya) A3:40 §1.
자기를 해침 (attavyābādha) A3:17; A3:53; A4:186.
자눗소니 바라문 (Jāṇussoṇi) A2:2:7; A3:55; A3:59 §1; A4:184 §1[설명].
자는 자세 (네 가지) (seyyā) A4:244.
자르다 (sañchindati) A4:33 §1.
자리 (santhara) A3:124 §2.
자리에 앉지 않음 (āsanapaṭikkhitta) A3:151 §2; A4:198 §2.
자리에서 일어나 맞이함 (paccuṭṭhāna) A4:187 §6.
자만[慢] (māna) A2:17:5; A3:32 §1; A3:163 §2; A4:159 §2 §6; A4:271 §4.
자만에서 생긴 (māna-sambhūta)

A4:159 §2.
자만을 관통함 (māna-abhisamaya) A3:32 §2; A4:38 §5; A4:177 §5; A4:254 §2.
자매 ☞ **누이**
자부심 (mada) A3:39 §1.
자비로운 (dayāpanna) A3:70 §9; A4:198 §8.
자세한 설명으로 이해하는 자 (vipacita-ññū) A4:133 §1.
자식과 아내 (putta-dārā) A3:48; A3:70 §3.
자신 ☞ **자기 존재**(atta-bhāva)
자신을 위하는 (attarūpa) A4:117 §1 [설명].
자신을 학대함 (attantapa) A4:198 §1.
자신의 바른 소원 (atta-sammāpaṇidhi) 31 §1[설명].
자신의 의도 (attasañcetanā) A4:172 §1.
자신의 이익 (attahita) A4:95~100; A4:186 §4.
자애[慈] (mettā) A1:2:7; A1:14:7; A1:20:7; A4:125 §1; A4:190 §4.
자애와 함께 하는 마음의 해탈 (mettā cetovimutti) A1:2:7[설명].
자애의 마음 (mettacitta) A1:6:3.
자연의 이치 (lokāyata) A3:58 §1; A3:59 §1.
자자[自恣] (pavāraṇā) A2:17:2.
자자에 동참함을 중지시킴 (pavāraṇa-ṭhapana) A2:17:2.
자재자 (vasavattī) A4:23 §3.
자재천 (issara) A2:4:2.
자책 (attānuvāda) A4:121 §1.
자칼 (bheraṇḍaka) A3:64 §6.
작은 (anumatta) A4:12 §1; A4:22 §3.
작은 강 (kunnadi) A1:12:1; A3:93 §5; A4:147 §2.
작은 돌 (pāsāṇaṅguḷa) A4:196 §3.
작은 못 (kussubbha) A3:93 §5; A4:147 §2.
잔(盞) (**물**~) (mallaka) A3:99 §3.
잔뿌리1 (nāli) A4:195 §9.
잔뿌리2 (usīra) A3:69 §11; A4:195 §9.
잔인한 (ludda) A4:184 §4.
잘 꿰뚫는 (suppaṭividdha) A4:22 §3; A4:191 §1.
잘 다듬어진 (suparikammakata) A4:196 §4.
잘 도를 닦은 (supaṭipanna) A3:70 §6; A4:52 §1 등.
잘 설해진 (svākkhāta) A1:18:6, 8, 10, 12; A3:40 §3; A3:70 §5; A3:72 §1; A4:52 §1.
잘 요리된 (susaṅkhata) A4:57 §3.
잘 준 (suhuta) A4:40 §3.
잘 파악한 (suggahīta) A2:4:10 §2; A4:160 §7; A4:180 §3.
잘라버림 (**무명을**~) (pabheda) A4:178 §3.
잘못 (accaya) A2:3:1; A3:4; A3:90 §3; A4:159 §8.
잘못 구성된 (dunnikkhitta) A2:3:3; A4:160 §3.
잘못 설해진 (durakkhāta) A1:18:5~9.
잘못 파악한 (duggahīta) A2:3:2; A2:4:10 §1; A4:160 §3; A4:180 §2.
잘못된 길을 감 (agati-gamana) A4:17~19.
잠부 강에서 산출된 금 (jambonada) A3:63 §3; A4:6 §2; A4:28 §2.

잠부 섬 (Jambudīpa) A1:19:1[설명].
잠재성향 (anusaya) A1:21:17~21; A3:32 §1; A4:170 §2[설명].
잡담 (samphappalāpa) A3:61 §2; A4:54 §2; A4:198 §8 등.
잡담하지 않는 (apalāpa) A4:190 §1.
장님 (andha) A3:29.
장려하는 자 (anuppadātā) A4:198 §8.
장로 (thera) A2:5:3; A2:6:12; A4:22 §2; A4:160 §6; A4:180 §6.
장로가 되는 [법] (thera-karaṇa) A4:22 §2~3.
장막을 벗겨버리는 (vivattacchada) A4:40 §3.
장사 (vaṇijja) A4:79.
장소 (ṭhāna) A4:118.
장소[處], **감각장소** (āyatana) A3:114 §1~3; A4:61 §10; A4:171 §5; A4:174 §1.
장소에 능숙함 (ṭhāna-kusala) A4:181 §1.
장수하는, 수명이 긴 (dīghāyuka) A4:33 §2.
장신구, 장식 (maṇḍana) A3:16 §3; A3:70 §15; A4:37 §4; A4:159 §4; A4:198 §9.
장애[五蓋] (nīvaraṇa) A1:2:1; A3:76 §1; A4:198 §14[**정형구**].
장애가 되는 법들 (āvaraṇīyā dhammā) A4:37 §5[설명].
장자 (gahapati) A2:4:4; A4:53; A4:55 §2.
장자의 아내 (gahapatānī) A4:55 §2.
재 (chārika) A3:70 §7.
재 (masi) A3:33 §2; A3:69 §11; A4:195 §9.
재가 든 자루 (assapuṭa) A4:242 §3 [설명].
재가 든 자루로 [이마를 맞아야 하는] (gārayhaṁ assapuṭaṁ) A4:242 §3[설명].
재가의 삶 (gahaṭṭhaka) A4:35 §2.
재가의 행복 (gihī-sukha) A2:7:1.
재난 (agha) A4:124 §1.
재난, 역경 (āpadā) A4:61 §11; A4:192.
재난, 재앙 ☞ **상실**
재물 (āmisa) A2:13:1[설명].
재물로 도움 (āmisa-saṅgaha) A2:13:8.
재물로 동정을 베풂 (āmisa-anukampā) A2:13:10.
재물로 손님을 환대함 (āmisa-atitheyya) A2:14:7.
재물로 예배함 (āmisa-pūjā) A2:14:6.
재물로 호의를 보임 (āmisa-anuggaha) A2:13:9.
재물로 환영함 (āmisa-paṭisanthāra) A2:14:1.
재물을 구함 (āmisesanā) A2:14:3.
재물을 나누어 가짐 (āmisa-saṁvibhāga) A2:13:7.
재물을 베푸는 관대함 (āmisa-cāga) A2:13:3.
재물을 베푸는 너그러움 (āmisa-pariccāga) A2:13:4.
재물을 애써 구함 (āmisa-pariyeṭṭhi) A2:14:5.
재물을 향유함 (āmisa-sambhoga) A2:13:6.
재물의 번영 (āmisa-vuḍḍhi) A2:14:9.
재물의 보배 (āmisa-ratana) A2:14:10.
재물의 보시 (āmisa-dāna) A2:13:1.

재물의 성취 (āmisa-iddhi) A2:14:8.
재물의 추구 (āmisa-pariyesanā) A2:14:4.
재물의 축적 (āmisa-sannicaya) A2:14:11.
재물의 충만 (āmisa-vepulla) A2:14:12.
재물의 향유 (āmisa-bhoga) A2:13:5.
재물의 헌공 (āmisa-yāga) A2:13:2.
재빠르게 앎 (khippanisanti) A4:97 §2[설명].
재산 (bhoga) A1:8:8; A2:13:5; A3:19; A3:20; A3:29; A4:31 §1; A4:61 §2 §9; A4:62 §2; A4:198 §4.
재생의 근거 (upadhi) A2:1:2 §3[설명]; A3:32 §1; A3:34 §4; A3:39 §2; A4:23 §4; A4:114 §10[설명].
재생의 근거를 벗어난 행복 (nirupadhi-sukha) A2:7:3[설명].
재생의 근거에 바탕을 둔 행복 (upadhi-sukha) A2:7:3[설명].
재앙 (anaya) A4:196 §4.
재앙 (upaddava) A3:1 §1.
재앙을 없애는 (anītiha) A4:25 §2[설명].
저속함 (gāmadhamma) A4:198 §8.
저승사자 (deva-dūta) A3:35 §[설명].
저질스런 사람들의 교제 (asanta-sannivāsa) A2:6:11 §1[설명].
적게 배운 (appassuta) A4:6 §1; A4:202 §2.
적당량 (pamāṇa) A3:132 §5[설명].
적당하지 않다고 생각하는 자 (akappiya-saññī) A2:10:4.
적당하지 않은 것 (akappiya) A2:10:3 §2[설명].
적당한 (sappāya) A3:22.
적당한 시기를 아는 것 (kālaññutā) A4:100 §4~5.
적당한 양을 모름 (amattaññutā) A2:15:6.
적당한 지역에 삶 (paṭirūpadesavāsa) A4:31 §1.
적당함1 (kappiya) A2:10:3[설명].
적당함2 (majjhimā) A3:151 §1[설명].
적당함을 앎 (음식에서~) (mattaññu) A2:15:7; A4:37 §4~6.
적의의 표상 (paṭigha-nimitta) A1:2:2[설명]; A2:11:7; A3:68 §3.
적절하게 응답하는 자 (yutta-paṭibhāna) A4:132 §1[설명].
적절한 (parimaṇḍala) A3:5.
적집 (samārambha) A4:233 §1[설명].
적합한 (anulomika) A3:11 §1; A4:27 §2.
전광석화와 같은 통찰지 (javana-paññatā) A1:21:31.
전광석화와 같이 꿰뚫음 (akkhaṇavedhī) A3:131 §4; A4:181 §1; A4:196 §7.
전념 (anuyoga) A1:8:2
전단향 (candana) A1:5:7; A3:38 §1.
전달하는 (뜻을~) (viññāpanī) A4:48 §1; A4:97 §2.
전도(顚倒) **(네 가지~)** (vipallāsa) A4:49 §1.
전령 (pahiṇa) A4:198 §9.
전륜성왕(轉輪聖王) (cakkavattī) A2:6:1; A4:245.
전생의 거주처, 전생 (pubbenivāsa) A1:14:4; A1:14:5; A3:58 §3; A3:108 §8; A4:189 §3[설명].
전승된 가르침에 능통한 자 (āgatāgama) A3:20 §2[설명];

A4:160 §5; A4:180 §8.
전율하다, 떨다 (santāsa) A4:33 §1; A4:117; A4:184 §1.
전쟁 (saṅgāma) A3:12 §1; A3:15 §1; A4:114 §3.
전적인 (samatta) A3:65 §3[설명]; A3:66 §2; A4:193 §10; A4:251.
절구공이 (musala) A3:151 §2; A4:198 §2.
절굿공이로 맞아 마땅한 (mosalla) A4:242 §1.
절대적인 행복 (ekanta-sukha) A3:23 §2[설명].
절름발이 (khañja) A4:85 §2.
절망 (upāyāsa) A2:1:6; A4:122 §3; A4:197 §3 등.
절망이 큰 (upāyāsa-bahula) A4:197 §2.
절박한 자 (saṁvigga) A1:19:1; A4:113 §5.
절박함 (saṁvega) A1:19:1[설명]; A1:21:2~8; A4:33 §1; A4:113 §3.
절박함을 일으키는 (saṁvejanīya) A4:118.
절박함을 일으키는 원인 (saṁvejanīya ṭhāna) A1:19:1[설명].
절을 올림 (abhivādana) A3:24 §3; A4:187 §6.
절제하는 ☞ **제어하는**
젊은 사람 (purisakhaḷuṅka) A3:137 §3.
젊은 자의 입장 (dahara-bhūmi) A2:4:7 §2.
젊은1 (khaḷuṅka) A2:137.
젊은2 (susu) A2:4:7; A4:22 §2.
젊은3 ☞ **어린**
젊은이 (yuvā) A2:4:7 §2; A4:22 §2.
젊음 (yobbana) A2:4:7; A3:38 §2; A4:22 §2.
젊음에 대한 자부심 (yobbanamada) A3:38 §2; A3:39 §1.
점액(粘液) (semha) A4:87 §5~6.
점점 커짐, 더욱 확고함, 증장함 (bhiyyobhāva) A2:17:1; A3:68 §2; A3:152 §2; A4:13 §1; A4:69 §5; A4:243 §1; A4:271 §2.
접시 (sarāva) A3:57 §2.
정당한 논박 (saha-dhammika niggaha) A3:61 §2~4.
정등각 (sammāsambuddha) A2:6: 1~5 등.
정등각으로 나아가는 (sambodhi-parāyana) A3:85 §2; A4:76 §6; A4:88 §2; A4:239 §2.
정리함 (sannicaya) A4:22 §3.
정법이 머묾 (saddhammaṭṭhiti) A2:17:1.
정복하기 어려운 (duppasaha) A4:42 §2.
정복한 (upātivatta) A4:13.
정성을 다한 (uddhagga) A4:61 §13.
정수의 회중 (maṇḍā parisā) A2:5:5 §2.
정신/물질[名色] (nāma-rūpa) A2:1.
정신적 즐거움 (somanassa) A3:61 §8; A3:101 §1.
정신적, 마음의 (cetasika) A2:7:7; A3:34 §3; A53 §2; A4:157 §1.
정의로운(dhammika) A3:14 §1[설명].
정제된 버터 (sappi) A3:125 §1; A4:95 §4; A4:198 §4.
정직함, 강직함 (ajjava) A2:15:2; A4:112.
정진 ☞ **노력**

정진, 노력 (viriya/vīriya) A1:20:14 ~18; A2:1 §5; A3:40 §1; A4:12 §1 등.
정진을 설하는 (viriya-vāda) A3:135 §3.
정진을 시작한 자, 열심히 정진함 (āraddha-viriya) A1:2:8; A1:14:2; A3:20 §2; A4:11 §2; A4:202 §4; A4:211 §2 등.
정진의 기능[精進根] (viriyindriya) A4:162 §2 등.
정진의 표상 (paggāha-nimitta) A3:100 §14.
정진의 힘[精進力] (viriyabala) A4:163 §2; A4:258 등.
정체에 빠진 (인식) (ṭhitibhāgiya) A4:179 §1.
정해진 법칙 ☞ **법다움**
젖지 않는 (anupalitta) A4:36 §3.
제거 ☞ **버림**
제거하다 (vinodeti) A3:100 §3; A4:11 §1~2; A4:114 §8.
제거함 (피로를~) (paṭivinodana) A4:45 §2; A4:46 §2.
제대로 몸을 감싸지 않은 (dunnivattha) A4:122 §6.
제대로 옷을 입지 않은 (duppāruta) A4:122 §6.
제따 숲 (Jetavana) A1:1:1; A2:1:1; A2:4:5; A3:1; A3:21; A3:125; A4:21 §1; A4:45 §1; A4:48 §1; A4:197 §1.
제방 (āḷi/ āli) A4:178 §3.
제방을 허물다 (āḷippabheda) A4:178 §3.
제사 (yañña) A3:59 §1; A3:60 §1; A4:38 §1~3; A4:39 §1[설명]; A4:40 §2 등.
제사학 (keṭubha) A3:58 §1; A3:59 §1.
제어1 (damatha) A4:36 §2[설명].
제어2 (niggaha) A2:17:1.
제어하는, 절제하는 (saññata/ saṁyata) A4:5 §2; A4:20 §3; A4:22 §4; A4:40 §2; A4:61 §15.
제자 (sāvaka) A2:12:1 등.
제정하지 않은 (appaññatta) A1:10:41; A1:11:9; A2:17:2.
제정한 (paññatta) A2:17:2.
제쳐두어야 하는 [질문] (ṭhapanīya) A3:67 §2; A4:42 §1[설명].
조가비 (sambuka) A1:5:5~6.
조건 없음 (appaccaya) A2:8:5; A3:25 §2; A4:197 §2.
조건[緣] (paccaya) A2:2:6; A4:79.
조건을 가진 (sappaccaya (dhamma)) A2:8:5.
조련 ☞ **길들임**
조상신 (pubbapeta) A4:61 §12.
조상신들에게 하는 헌공 (pubba-peta-bali) A4:61 §12[설명].
조어장부 (purisadammasārathi) A4:33 §1; A4:52 §1.
조짐 (nimitta) A4:8 §1[설명].
조합 (pūga) A3:28 §2.
족쇄 (saṁyojana/saññojana) A2:4:5; A4:5 §1; A4:88 §1; A4:131; A4:170 §2; A4:172 §3 등.
족쇄에 묶이게 될 법들 (saṁyojaniya dhamma) A2:1:6 §1[설명].
존경 (sakkāra) A4:197 §2.
존경 받는 (garu-kāra) A4:197 §2.
존경을 중시하는 (sakkāragaru) A4:43; A4:44; A4:84.

존자 (ayya) A4:159 §1.
존재[有] (bhava) A3:58 §5; A3:76 §1~3[설명]; A3:77 §1; A4:185 §5.
존재로 인도함 (bhava-netti) A4:1 §4.
존재를 얻게 하는 것 (bhava-paṭilābhiya) A4:131 §1 [설명].
존재에 대한 견해 (bhava-diṭṭhi) A2:9:5 §2[설명].
존재의 번뇌[有漏] (bhavāsava) A3:58 §5; A3:66 §13; A4:198 §15.
존재의 속박 (bhava-yoga) A4:10 §1 [설명].
존중, 존경심 (gārava) A4:20 §3; A4:43 §3; A4:76 §4.
존중받는 (mānana) A4:197 §2.
존중할 사람이 없는 자 (agārava) A4:21 §1.
졸음 (tandī) A1:2:3.
종기 (gaṇḍa) A4:124 §1.
종사하다 ☞ **열심히 하다**
종식시킴 ☞ **끝을 만듦 (괴로움의~)**
좋은 ☞ **선한, 선행**
좋은 가문의 아들 (kula-putta) A3:40; A3:41; A4:122 §2[설명].
좋은 곳[善處] (sugati) A1:5:4[설명].
좋은 낮 (sumajjhantika) A3:150.
좋은 말 (assasadassa) A3:138 §1.
좋은 사람 (세 부류~) (purisasadassa) A3:138.
좋은 아침 (supubbaṇha) A3:150.
좋은 저녁 (susāyaṇha) A3:150.
좋은 제사 (suyiṭṭha) A3:150 §2; A4:40 §3.
좋은 행위 (sucarita) A2:1:1; A3:2 §2; A4:85 §3 등.
좋지 않은 (asāta) A4:113 §8; A4:114 §10; A4:165 §2.
주는 것을 좋아함 (vossagga-rata) A3:42; A3:79 §2; A4:61 §6.
주문, 만뜨라 (mantā) A3:129 §1.
주사위 (akkha) A3:15 §2.
주의 ☞ **마음에 잡도리함**[作意]
주인 (sāmisa) A3:70 §2.
주장1 (āyatana) A3:61 §1[설명].
주장2 (vāda) A3:65 §1.
주장을 가진, 교설을 가진 (vādi) A2:4:3; A3:57 §4; A3:61 §1; A3:111; A3:151 §1; A4:181 §1 등.
주지 않은 것을 가짐 ☞ **도둑질**[偸盜]
죽 끓이는 가마솥 (bilaṅgathālika) A2:1:1 §2; A4:121 §4.
죽고 다시 태어남 (cutuppāta) A4:189 §4[설명].
죽기마련인 법 (maraṇa-dhamma) A4:182 §3; A4:184 §1.
죽기마련인 인간 (macca) A4:61 §15; A4:61 §14.
죽세공 가문 (veṇakula) A3:13 §1; A4:85 §2.
죽은 조상에게 올릴 음식 (saddha) A3:59 §1.
죽음 없음 ☞ **불사**(不死)
죽음, 임종 (kālakiriyā) A1:13:4; A2:6:3; A3:100 §1; A3:105 §3.
죽음[死] (maraṇa) A2:1:6.
죽음에 대한 두려움 (maraṇabhaya) A4:119; A4:120.
죽음에 대한 마음챙김 (maraṇa-sati) A1:16:8.
죽음에 대한 인식 (maraṇa-saññā) A4:163 §3[설명].
죽음의 올가미 (maccupāsa) A4:35 §6.
죽이는 자 (hantā) A4:114 §1~3.

준 것만 받으려 함 (dinnapāṭikaṅkhī) A3:70 §10; A4:198 §8.
준수함 (pokkharatā) A1:20:1; A4:85 §4; A4:197 §1.
줄(밧줄) (varatta) A4:33 §1.
줄기가 마른 (vinaḷīkata) A4:36 §4.
줄기로만 남은 (salākāvatta) A3:56.
줄기만 남은 야자수처럼 된 (tālā-vatthu-kata) A3:33 §2; A3:34; A4:36 §3[설명]; A4:38 §4 등.
줍는 (**나무뿌리나 열매 등을~**) (uñcha) A1:19:1.
중각강당 (kūṭāgārasālā) A3:74 §1; A4:193 §1[설명]; A4:196 §1.
중독성 물질(술) (majja) A3:70 §13; A3:79 §2; A4:53 §3; A4:61 §5; A4:99 §2; A4:201 §2; A4:234 §2.
중병 (bāḷhagilāna) A4:159 §1.
중생 (satta) A1:19:1.
중시함 (garu) A4:43; A4:84.
중심 (**바퀴의~**) (nābhi) A3:15 §3.
중진 비구 (majjhima bhikkhu) A2:6:11; A3:97 §3.
쥐 (mūsikā) A4:107.
즐거운 마음 (sumana) A4:195 §8.
즐거움[樂] (sukha) ☞ **행복**.
즐거움을 주는 것 (ramma) A4:2 §2 [설명].
즐거워함 (abhinandī) A4:50 §3; A4:66 §1.
즐거워함, 즐김 (nandi) A4:10 §1; A4:53 §7; A4:54 §7.
즐기다 (assādeti) A4:123 §1; A4:125 §1.
증득, 얻음 (adhigama) A2:5:3; A3:74 §2; A4:62 §2; A4:160 §6; A4:194 §1.
증득[等至] (samāpatti) A2:4:5 §4[설명]; A2:15:1[설명].
증득에 대한 능숙함 (samāpatti-kusalatā) A2:15:1[설명].
증득의 출정(出定)**에 대한 능숙함** (samāpatti-vuṭṭhāna-kusalatā) A2:15:1.
증득한, 구족하는, 든 (samāpanna) A4:39 §2; A4:40 §3; A4:198 §8.
증오 ☞ **원한**
증오 없음 (anupanāha) A2:16:6.
증장 (virūḷhi) A3:33 §1; A4:26 §1.
증장 ☞ **불어남**
지극히 (ekanta) A4:198 §6.
지극히 편안한 (accanta-sukhumāla) A3:38 §1; A4:160 §2.
지금여기/금생에서 행복하게 머묾 (diṭṭhadhamma-sukhavihāra) A1:21:7; A2:3:9; A4:22 §3; A4:35 §3; A4:87 §5.
지금여기[現法] (diṭṭhadhamma) A3:35 §6; A3:99 §1; A4:22 §3.
지금여기에서, 금생에 (diṭṭheva dhamme) A2:1:5; A2:1:1; A3:12 §2; A4:5 §1 등.
지나치게 엄한 자 (adhisallikhata) A3:90 §1[설명].
지루함 (aratī) A1:2:3.
지류 (sākhā) A4:147 §2.
지방, 나라 (janapada) A2:4:6 §8; A3:56; A3:62 §1.
지배 (abhibhū) A4:23 §3.
지배력, 우선한 것 (ādhipateyya) A3:14(**지배자**); A3:18 §2(**지배력**); A3:40 §1(**우선한 것**); A4:15(**지배력**); A4:137(**제일로 여김**); A4:243 §1(**통달**).

지배의 경지[八勝處] (abhibhāyatana) A1:20:47~54[설명].
지속적 고찰[伺] ☞ vitakka-vicāra (vicāra) A2:2:3; A3:60 §5.
지속적으로 고찰하다 (upavicarati) A3:61 §8[설명].
지역의 중심 (majjhima janapada) A1:19:1[설명].
지옥 (niraya) A1:5:3[설명]; A2:3:7 등.
지옥에 떨어지는 (nerayika) A3:111.
지옥지기 (niraya-pāla) A3:35 §1[설명].
지와 견[知見] (ñāṇa-dassana) A1:5:5; A1:21:1; A3:57 §3; A3:74 §1; A4:41 §1; A4:196 §2.
지와까 꼬마라밧짜 (Jīvaka Komārabhacca) A1:14:6(9)[설명].
지음 (samādāna) A3:58 §4; A3:81 §1; A3:90 §5; A3:100 §9; A4:49 §3.
지음 없음 (업~) (akiriya) A3:61 §1 [설명]; A4:233 §1[설명].
지음에 대한 교설 (kiriya-vāda) A2:4:3 §1[설명].
지지자를 얻음 (parivārasampadā) A1:20:1.
지키다 (saṁvidahati) A4:35 §2.

지혜[智] (ñāṇa) A3:58 §3; A4:196 §2.
지혜로운 주의, 지혜롭게 마음에 잡도리함[如理作意] (yoniso manasikāra) A1:2:6; A1:7:7; A1:8:5; A1:9:10; A1:10:25; A2:11:8; A3:68 §7; A4:246 §1[설명].
지혜 없이 마음에 잡도리함 (ayoniso manasikāra) A1:2:1; A1:7:6; A1:8:4; A1:9:10; A1:10:9; A1:17:5; A2:11:6; A3:68 §4.
지혜의 달인 (vedagū) A4:5 §3.
직접 대면하는 율 (sammukhā-vinaya) A2:17:2.
진리 ☞ **성스러운 진리** (sacca) A4:38 §1; A4:185 §1.
진리라는 고집 (sacca-parāmāsa) A4:38 §5.
진실에 부합하는 (saccasandha) A3:70 §12; A4:198 §8.
진실을 말하는 자 (saccavādī) A3:70 §12; A4:198 §8.
진실한 말 (saccavācā) A4:149; A4:221.
진정시키다 (neti) A4:187 §6[설명].
진중한 말 (mantā-bhāsa) A4:149 §2 [설명].
진지한 말 (mantā-vāca) A4:221 §2.
질문 없이 훈련된 회중 (ukkācita-vinītā parisā) A2:5:6; A3:132.
질문1 (pañnha) A3:5; A3:67 §2; A3:73 §2; A4:173; A4:186 §2; A4:194 §5 등.
질문2 (paripucchā) A3:20 §2; A3:132; A4:186 §1.
질문에 대한 설명 (pañnha-vyākaraṇīya) A4:42 §1 [설명].
질문하는 것 (pañha-samudācāra) A4:192 §5[설명].
질의응답으로 훈련된 (paṭipucchā-vinīta) A2:5:6.
질투 (issā) A2:16:3; A2:17:5; A3:163 §2; A4:197 §2; A4:271 §4.
질투 없음 (anissā) A2:16:8.

질투를 잘 하는 (issukī) A4:80.
질투심을 가진 (issā-manikā) A4:197 §2[설명].
질투의 더러움 (issā-mala) A3:10.
질투하다 (issati) A4:197 §2.
짐 (bhāra) A2:10:1.
짐승 (tiracchāna) A4:33 §1.
짐을 감당할 수 있는 [소] (dhorayha) A3:57 §4.
짐을 내팽개쳐버린 (nikkhittadhura) A2:5:3; A3:20 §2; A3:93~96; A4:160 §6; A4:256 §2.
짐을 내팽개치지 않는 (anikkhittadhura) A3:20 §2; A3:94 §4; A4:256 §2.
집 (gihī) A2:1:2; A2:4:9; A2:5:7; A2:17:1; A4:14.
집게 (saṇḍāsa) A3:70 §8; A3:100 §13.
집주(集注)**된, 집중된, 삼매에 든** (samāhita) A2:5:1; A3:40 §1; A3:58 §3; A4:29 §2; A4:30 §6; A4:34 §3 등.
집중됨 ☞ **한끝으로 됨**(ekaggatā)
집착 (ajjhopanna) A2:5:7; A3:121 §1; A4:28 §1.
집착, 감각적 쾌락, 숨겨진 곳 (ālaya) A4:34 §2; A4:51 §4; A4:128 §1.
집회소 (upaṭṭhāna-sālā) A4:48 §1; A4:195 §2.
징 (tiṇava) A4:114 §4.
짚더미 (palāla-puñja) A3:92 §3; A4:198 §13.
짚으로 덮어야 하는 [율] (tiṇa-vatthāraka) A2:17:2.
짚으로 만든 오두막 (tiṇāgāra) A3:1.
짠 [옷감] (tantāvuta) A3:135:1.
쩨띠 (**16국의 하나**) (Ceti) A3:70 § 17.
쭐라빤타까 존자 (Cullapanthaka) A1:14:2(2)[설명].
찌꺼기 (bhusika) A3:92 §3.
찌름 (pahāra) A4:114 §4.
찟**따** (**맛치까산다의~**) **장자** (Macchikasaṇḍika) A1:14:6(3)[설명].
찟**따 장자** (Citta) A1:14:6(3)[설명]; A2:12:3; A4:176 §3.
찢어발기다 (sampadāleti) A4:33 §1.

【차】

차가운 (sīta) A4:114 §8.
차분한 회중 (gambhīrā parisā) A2:5:1.
착한 자여 (samma) A3:74 §3[설명].
찬나 유행승 (Channa) A3:71 §1[설명].
참기름 ☞ **기름**
참되게 도를 닦는 (ñāyapaṭipanna) A3:70 §6; A4:52 §1.
참되지 못한 사람 (asappurisa) A2:4:1; A4:201~206.
참된 사람[眞人] (sappurisa) A4:3 §2; A4:187 §5; A4:201~206; A4:240 등.
참된 사람을 의지함 (sappurisūpassaya) A4:31 §1.
참된 사람의 바탕 (sappurisa-bhūmi) A2:4:1.
참된 사람이 천명한 (sappurisa-paññatta) A3:45 §1.
참된 이상 (sadattha) A3:37 §2[설명].
참선하는 자 (jhāyī) A1:14:2.
참회하여 면제받을 수 없는 범계 (appaṭikammāpatti) A1:12:9.

참회하여 면제받을 수 있는 범계 (sappaṭikammāpatti) A1:12:9.
창 (satti) A4:114 §4.
창공 ☞ **하늘**(nabhā)
찾아 헤맴 ☞ **추구**(追求), **탐구**
채찍 (patoda) A4:113 §1[설명].
책망 (anuvāda) A4:121 §1.
책망 받는 (upavajja) A3:61 §5; A4:188 §1; A4:242 §4.
책망하다 (nindati) A4:3 §3.
처음으로 되돌아가는 갈마 (mūlāya paṭikassana) A2:17:2.
처참한 곳, 악처(惡處) (apāya) A1:5:3[설명]; A4:178 §3 등.
천둥 치는 (gajjitā) A4:101 §7.
천민 (caṇḍāla) A3:13; A3:57 §2; A4:85.
천상세계 (sagga-loka) A1:5:4[설명].
천상에 태어나게 하는 (saggasaṁvattanika) A4:51 §1.
천상의 경행 (dibba caṅkama) A3:63 §5[설명].
천상의 궁전 (vimāna) A4:33 §2.
철저하게 안 (pariññāta) A1:21:67~68[설명].
철저하게 알아야 하는 (pariññeyya) A4:251 §1.
철저히 아는, 통달지 (pariññā) A2:17:4.
철저히 앎 (pariññā) A1:21:67; A3:163 §1; A4:10 §3; A4:271 §4.
청련(靑蓮) (uppala) A3:38 §1; A4:36 §3.
청정 (visuddhi) A4:78; A4:194 §1.
청정범행 (brahma-cariya) A2:1:5; A3:18; A3:60; A3:78; A4:22 §3; A4:159 §4; A4:160 §2.
청정범행을 닦는 자 (brahma-cārī) A3:111; A3:150 §2; A4:40 §3.
청정범행을 닦음 (brahma-cariya-vāsa) A3:99 §1.
청정범행의 시작 (ādibrahmacariyaka) A4:243 §1 [설명].
청정을 위한 노력의 구성요소 (네 가지~) (pārisuddhi-padhāniyaṅga) A4:194 §1.
청정치 못함 ☞ **쓰레기**
청정하게 함 (마음을~) (pariyodapana) A3:70 §4~8.
청정한 믿음 (abhippasanna) A4:187 §6.
청정한 믿음, 믿음, 신뢰, 확신 (pasāda) A2:2:1; A2:12:6; A2:17:1; A3:67 §7; A4:3 §1; A4:52 §2; A4:76 §6; A4:243 §1.
쳐부숨 (padāletā) A3:131 §5; A4:181 §1.
초목류 (bhūta-gāma) A4:198 §9.
초연함 (patilīna) A4:38 §4.
초월지 ☞ **최상의 지혜**
초청 (nimantana) A3:151 §2; A4:198 §2.
촉감 (samphassa) A3:97 §1; A3:98 §1; A3:135 §1.
총명한 자 (gatimā) A1:14:4(3)[설명].
최대로 일곱 번만 다시 태어나는 자 (sattakkhattu-parama) A3:86 §2; A3:87 §3.
최상의 버터[제호] (sappimaṇḍa) A4:95 §4.
최상의 제어를 통한 [최상의] 사마타 (uttama-damatha-samatha) A4:36 §2[설명].

최상의 지혜, 초월지 (abhiññā) A1:14:5; A2:17:3; A3:163 §1; A4:271 §2~3.
최상의 지혜로 안 (abhiññā) A4:5 §1 [설명].
최악의 패 (kali) A4:3 §3[설명].
최초의 것으로 인정된 (aggañña) A4:28; A4:29; A4:30 §2.
최초의 스승 (pubbācariya) A3:31; A4:63 §2.
최초의 스승과 함께 사는 (sapubbācariyaka) A4:63 §1.
최하의 (pacchimaka) A4:76 §6[설명].
추구 ☞ **구함**
추구(追求), **탐구, 찾아 헤맴** (pariyesanā) A2:4:7; A2:14:4; A3:101 §3; A4:252 §1.
추구를 완전히 포기한 (samavayasaṭhesana) A4:38 §1.
추구하다 ☞ **탐구하다**(pariyesati)
추방시킴 (nissāraṇiya) A2:17:2.
추악하지 않은 범계 (aduṭṭhullā āpatti) A1:12:3[설명].
추악한 범계 (duṭṭhullā āpatti) A1:12:3[설명].
축생의 모태 (tiracchāna-yoni) A1:19:2; A2:3:7; A3:75 §3; A3:114 §1; A4:111 §3; A4:123 §1; A4:125 §2.
축적 (sannicaya) A2:14:11.
출가생활, 사문됨 (sāmañña) A3:36; A4:27 §2; A4:196 §2.
출가자 (pabbajita) A2:4:9; A3:46.
출가자의 행복 (pabbajita-sukha) A2:7:1.
출리 (nekkhamma) A2:7:2; A3:39 §2[설명].
출산 (vijāyana) A2:6:10.
출세간법에 이르게 하는 법 (dhamma-anudhamma) A4:6 §1 [설명].
출세간의 행복 (nirāmisa-sukha) A2:7:5 §2[설명].
출현 (pātubhāva) A1:13:2; A3:112; A4:127 §1.
출현 (uppāda) A3:134 §1~3.
춤 (nacca) A3:70 §15; A3:103; A4:198 §9.
충만, 드세어짐 (vepulla) A1:2:1; A1:17:1; A1:20:14; A1:21:15; A2:14:12; A3:68 §2; A3:152 §2; A4:13 §1; A4:69 §2; A4:271 §2.
충족하지 못함 (atitta) A3:125 §2.
취착 않음 (anādāna) A4:9 §2.
취착 없는 완전한 열반 (anupādā-parinibbāna) A1:21:2 2~23[설명].
취착[取] (upādāna) A3:35 §6; A4:175 §3.
취착이 있는 채로 (savupādāna) A4:175 §3[설명].
취착하는 [다섯 가지] 무더기[五取蘊] (upādāna-kkhandha) A3:61 §10; A4:41 §5; A4:90 §3; A4:251.
취착하지 않는 (anūpaya) A4:23 §4.
취하다 (mada) A4:117 §1; A4:159 §4.
취함 (gāhī) A4:14 §1 등.
측근 (parihāraka) A4:187 §6; A4:198 §10.
측량하기 어려운 (duppameyya) A3:113.
측량할 수 없는 (appameyya) A3:80 §1; A3:113; A4:51 §2.
친구1 (mitta) A3:133.

친구2 (sahāyaka) A4:191 §4.
친근한 남자 (vissāsaka) A1:14:6 (10).
친근한 여자 (vissāsikā) A1:14:7(9).
친숙해진 (paricita) A4:22 §3; A4:191 §1.
친절한 환영 (paṭisanthāra) A2:14:2; A2:15:4.
친척1 (bandhava) A3:48.
친척2 (ñāti) A1:8:6; A3:28; A3:35 §1～3; A3:75 §1; A4:61 §2; A4:193 §13; A4:198 §7.
친척3 (ñātisaṅgha) A3:48.
친척4 (sālohita) A3:35 §1～3; A3:75 §1; A4:113 §7; A4:193 §3.
친하게 지냄 (mittakara) A4:31 §2.
침 (kheḷa) A1:18:15.
침상 (sayana) A3:31; A3:63 §3; A4:63 §3; A4:198 §9.
칭송1 (pasaṁsā) A4:192 §4.
칭송2 (siloka) A4:25 §1; A4:68 §1; A4:157 §2.
칭송3, **칭찬** (vaṇṇa) A2:12:5; A3:58 §1; A3:90 §5; A4:3 §1; A4:28 §1; A4:73 §2; A4:83 §1; A4:100 §2; A4:261～270.
칭송받지 못하는 (anavañña) A4:157 §2.
칭송하는 말을 하는 자 (vaṇṇa-vādī) A3:90 §5; A4:28 §1.
칭송하다 (ukkaṁseti) A4:28 §1.
칭찬 ☞ **칭송**

【카】

칼 (asi) A2:1:1 §2; A4:114 §4.
코끼리 (hatthi) A4:198 §9.
쿳줏따라 (Khujjuttarā) A1:14:7(2) [설명]; A2:12:4; A4:176 §4.
크게 ☞ **심한**
크게 공개적으로[無遮] **지내는 제사** (niraggala) A4:39 §3.
큰 권위[大法敎] (mahāpadesa) A4:180 §1[설명].
큰 나라 (mahā-janapada) A3:70 § 17.
큰 나무 (vanaspati) A3:48.
큰 바다 (mahodadhi) A4:51 §4.
큰 살라 나무 (mahāsālā) A3:48; A4:193 §13.
큰 삼림 (mahāvanasaṇḍa) A3:50.
큰 숲 (brahā-vana) A3:48.
큰 숲[大林] (Mahāvana) A3:74 §1; A3:80 §1; A4:193 §1[설명]; A4:196 §1.
큰 영향력을 가진, 큰 힘을 가진 (mahesakkha) A3:124 §6; A4:33 §1; A4:197 §1.
큰 욕구, 큰 욕심 (mahicchatā) A1:7:2; A1:9:6; A1:10 §5; A4:157 §2.
큰 침상 (mahāsayana) A3:63 §3; A3:70 §16; A4:198 §9.
큰 통찰지 (mahāpaññā) A1:14:4; A1:21:4; A4:35 §1; A4:186 §3.
큰 호수 (mahāsara) A4:51 §4.
큰 회중을 가진 자 (mahāparisā) A1:14:4; A1:14:5.
큰 힘을 가진 ☞ **큰 영향력을 가진**
큰북 (bheri) A4:114 §4; A4:191 §2.

키우는 (āpādaka) A2:4:2; A3:31 §2; A4:63 §2.

【타】

타락한 (paduṭṭha) A1:5:3; A4:30 §3; A4:234 §7.
타화자재천 (Paranimmitavasavattī) A3:70 §8[설명].
탁발 음식 ☞ **음식**(piṇḍapāta)
탁발로 얻은 한 덩이 음식 (piṇḍiyālopa) A4:27 §1.
탁발음식[과 관련된 오염원들을] 멀리 여읨 (piṇḍapāta-paviveka) A3:92 §1.
탁발음식만 수용함 (piṇḍapātikatta) A1:20:1.
탄식 (pariddava) A3:74 §2(soka+~, **근심과**~).
탄식 (parideva) A2:1:6; A3:61 §10; A4:194 §1.
탈것 (yāna) A4:85 §2; A4:197 §2.
탈곡장 (bhusāgāra) A3:92 §1.
탐구 ☞ **추구**(追求)
탐구하다, 추구하다 (pariyesati) A4:23 §3; A4:24 §2; A4:252.
탐닉 (paṭisevanā) A3:104.
탐욕 없음[不貪] (alobha) A3:33 §2; A3:65 §9; A3:66 §8.
탐욕[貪] (lobha) A2:4:5; A3:53 §1; A4:61 §7.
탐욕에 빠진 (giddha) A4:2 §2.
탐하기 마련인 ☞ **매혹적인**
탑을 세울만한 (thūpāraha) A2:6:4; A4:245.
태만 (līnatta) A1:2:3.
태생에 관한 (jātivāda) A3:58 §1; A3:59 §1.
태양1 (pabhaṅkara) A4:47 §2; A4:49 §3.
태양2 (suriya) A3:80 §3; A4:50 §1; A4:141; A4:143.
태양3 (verocana) A4:47.
태양4, **해** (ādicca) A3:92 §4.
태양의 후예 (ādicca-bandhu) A4:50 §3.
태어나게 하는 (**천상에**~) (saṁvattanika) A4:51 §1; A4:52 §1; A4:60 §1; A4:61 §13.
태어날 곳, 갈 곳, 행처(行處) (gati) A2:3:7; A3:15 §2; A4:12; A4:15; A4:125 §1; A4:174 §3.
태어남 ☞ **수명의 한계**
태어남[生] (jāti) A2:1:6; A3:35; A4:119 §120.
태어남1 (upapatti) A3:18 §1.
태어남2 (uppatti) A4:123 §4; A4:125 §1.
태어남을 얻게 하는 (upapatti-paṭilābhiyāni) A4:131 §1[설명].
태우다 (tappati) A2:1:3[설명].
태움 (nijjhānā) A3:151 §1[설명].
태움 [도닦음] (nijjhāma) A3:151; A3:152.
터전 (khetta) A4:171 §5[설명].
털끝만큼도 없다 (nāṇu pi khāyati) A3:99 §1[설명].
테두리 (**바퀴의**~) (nemi) A3:15 §3.
토론(**담론**)**하기에 적합 한** (kaccha) A3:67 §2~6.
토론하기에 적합하지 않은 (akaccha) A3:67 §2~7.
토막토막 (khaṇḍākhaṇḍika) A4:195

§9.
토지 (vatthu) A4:198 §9.
통달지 ☞ **철저히 아는 지혜**
통찰 ☞ **꿰뚫음**
통찰지[慧, **반야**] (paññā) A1:8:6~7; A1:21:31; A2:3:10; A2:4:2; A3:48; A3:73; A3:136; A4:137; A4:141 등.
통찰지가 거꾸로 놓인 항아리와 같은 (avakujja-pañña) A3:30.
통찰지가 없음 (duppaññā) A1:19:1; A4:192 §5; A4:202 §3.
통찰지가 허리에 달린 주머니와 같은 (ucchaṅga-pañña) A3:30 §2.
통찰지로 잘 검증된 (paññāya samavekkhitā) A4:243 §2[설명].
통찰지를 통한 해탈[慧解脫] (paññā-vimutti) A2:3:10; A2:5:7 §1[설명]; A2:9:1; A4:5 §1[설명]; A4:22 §3; A4:88 §5; A4:159 §4.
통찰지의 구족 (paññā-sampadā) A4:61 §7.
통찰지의 기능 (paññindriya) A4:162 §2.
통찰지의 눈[慧眼] (paññā-cakkhu) A4:158 §1[설명].
통찰지의 무더기[慧蘊] (pañña-kkhandha) A3:26 §4; A3:57 §3; A3:140 §1; A4:21 §1 등.
통찰지의 증장, 통찰지가 붙어남 (paññā-vuddhi) A1:8:7; A1:9:1:A1:21:31; A3:136; A4:246 §1.
통찰지의 충만 (paññā-vepulla) A1:21:31.
통찰했다 (upaññāsiṁ) A2:1:5[설명].
통치하는 ☞ **다스리는**
퇴보 (okkamana/vokamana) A2:5:3 [설명]; A3:93 §1; A4:160 §6.
퇴보에 빠진 (hānabhāgiya) A4:179 §1.
퇴보에 빠진 인식 (hānabhāgiyā saññā) A4:179 §1[설명].
투쟁적 (vāḷatta) A2:2:5; A2:6:12.
튀기는 (**손가락을**~) (saṅghāta) A1:6:3; A1:18:13~17; A1:20:2; A4:39 §2; A4:40 §2.
특별한 주의를 가지고 해야 할 말 (adhivacanīya) A4:187 §6.
특별한 주의를 가지고 해야 할 일 (adhikaraṇīya) A4:187 §6.
특별함으로 인도되는 자 (visesa-gāmī) A4:191 §1.
특별히 (odhiso) A4:173 §1[설명].
특징, 요소 (aṅga) A3:19; A4:170 §1; A4:181 §1.
티 없는 [**도닦음**] (apaṇṇakata) A3:16 §1; A4:71 §1; A4:72 §1.
티끌이 있는 (saraja) A4:50 §3.

【파】

파계의 더러움 (dussīlyamala) A3:10.
파고듦 (vedha/viddha) A4:113 §2.
파괴 ☞ **소진**
파괴된 (viddhasta) A4:36 §4.
파는 것 (vikkaya) A4:198 §9.
파다 (**땅을**~) (palikhaṇati) A4:195 §9.
파당을 짓는 회중 (vaggā parisā) A2:5:2; A3:93 §2.
파도에 대한 공포 (ūmi-bhaya) A4:122 §1.
파리 (makkhika) A3:126 §2; A3:151

§2; A4:198 §2.
파멸1 (parābhava) A4:68 §1[설명].
파멸2 (upahata) A2:12:5 §1; A3:9 §1; A4:3 §1; A4:222 §1 등.
파멸처 (vinipāta) A1:5:3[설명]; A2:1:1 §3; A4:85, 2 등.
파벌을 뿌리 뽑음 (pakkhupaccheda) A2:17:1.
판 (구멍 등을~) (khata) A4:3 §1; A4:4 §1; A4:107 §1.
판다나 나무 (phandana) A3:69 §5.
팔관재계(八關齋戒) (aṭṭhaṅgasamannāgata uposata) A3:70 §17[설명].
팔의 힘으로 모은 [재물] (bāhābalaparicita) A4:61 §9.
팔정도 (aṭṭhaṅgika magga) A3:61 §13; A3:62 §6.
패망, 망가짐, 벗어남 (parihāna) A2:16:21; A4:37 §1; A4:158 §1.
팽창하는 (겁) (vivaṭṭa) A3:100, 8; A4:156.
퍼지는 (sarita) A4:199 §2.
펴는 (pasārita) A2:4:5; A4:21 §2; A4:103 §3~6; A4:198 §2.
편안하게 머묾 (phāsuvihāra) A2:17:1; A3:16 §3; A4:37 §4; A4:159 §4.
편안한 ☞ 지극히 미묘한(sukhumāla)
평등한 마음을 가진 신들 (samacittā devatā) A2:4:5 §4[설명].
평온[捨] (upekkhā/upekhā) A1:20:10; A3:173; A2:2:2; A4:14; A4:190 §4 등.
평온의 행복 (upekkhā-sukha) A2:7:9.
평온이 있는 선(禪)을 대상으로 한 행복 (upekkhārammaṇa-sukha) A2:7:12.
평온한 (upekhaka) A2:2:3; A3:58 §2; A3:63 §5; A4:123 §3; A4:163 §4; A4:195 §8.
평화 (완전한~) (abhinibbuta) A3:35 §6.
평화 (santi) A4:23 §3.
평화로운 경지 (santipada) A4:16.
평화로운 마음의 해탈 (santa cetovimutti) A4:178 §1[설명].
평화롭게 머무는 자 (araṇa-vihāri) A1:14:2(4)[설명].
포기한 (paṭinissaṭṭha) A4:38 §1.
포도 (muddikā) A1:17:10.
포살, 포살일 (uposatha) A3:36~37; A3:70 §1~4 §9 §17[설명]; A4:190 §1.
포살을 준수하는 자 (uposathika) A3:70 §2.
포살의 중지 (pātimokkha-ṭhapana) A2:17:2.
포함된, 관계된 (pariyāpanna) A4:33 §2; A4:48 §1.
폭력 (sahasākāra) A4:198 §9.
폭력, 손상 (samārambha) A4:195 §4; A4:198 §9.
폭력적이지 않은 (asāraddha) A4:193 §9.
폭류 (ogha) A4:196 §1.
표백으로만 결정하는 갈마 (natti-kamma) A2:17:2 §96~100[설명].
표상 (nimitta) A2:8:1 §2[설명]; A3:16; A3:100 §11; 8.
표상[全體相, nimitta] A4:14 §2[설명].
풀 (tiṇa) A3:38 §1; A3:63 §5~7.
풀림 ☞ 벗어남

풀밭 (tiṇa-gahaṇa) A3:50.
품행이 단정함 (ākappa-sampadā) A1:20:1.
풍부한 통찰지 (vipulapaññatā) A1:21:36.
피 (lohita) A2:1 §5.
피로 (kilamatha) A4:45 §2; A4:46 §1; A4:195 §10.
필적할 인간 (paṭipuggala) A1:13:5; A4:23 §4.
필적할 자가 없는 (appaṭipuggala) A1:13:5; A4:23 §4.

【하】

하나에 고정시키다 (ekodikaroti) A4:94 §3.
하나에 고정하다 (ekodihoti) A3:100 §4; A4:170 §5.
하늘, 창공 (nabhā) A3:92 §4; A4:47 §1.
하늘을 나는 (vihaṅgama) A4:36 §4.
하루에 한번만 [음식을 먹는 자] (ekāhika) A3:151 §2.
하수구 (oḷigalla) A3:57 §2.
하얀 일산 (setacchatta) A3:38 §1.
하의 (nivāsana) A3:38 §1.
하인 (dāsa) A3:38 §1; A3:70 §3; A4:61 §10; A4:198 §9.
하찮은 존재 (appātuma) A3:99 §2 [설명].
하품 (vijambhikā) A1:2:3.
하현의 달 (kālapakkha) A4:17~19.
학대 (paritāpana) A3:151 §2; A4:198 §1.
학습계목 (sikkhāpada) A2:4:5; A2:17:2[설명]; A4:12 §1[설명]; A4:194 §2.
한 가지 법 (eka-dhamma) A1:2:1~10; A1:16:1~10; A1:17:1~10; A1:18:3; A1:31:1~6.
한 개의 눈을 가진 자 (eka-cakkhu) A3:29.
한 길 (byāmamatta) A4:45 §3; A4:46 §3.
한 끼만 먹는 자 (ekabhattika) A3:70 §14; A4:198 §9.
한 사람 (ekapuggala) A1:13:7; A1:18:1~10.
한 쌍의 살라 나무[娑羅雙樹] (yamaka-sālā) A3:71 §1.
한 집만 가서 음식을 받는 (ekāgārika) A3:151 §2; A4:198 §2.
한 집의 음식만 먹는 자 (ekālopika) A3:151 §2; A4:198 §2.
한거(閑居) (paviveka) A2:5:3; A3:92 §1; A4:160 §6.
한끝으로 됨, 일념, 집중됨 (ekaggatā) A1:19:1; A2:5:1; A3:40 §1; A3:58 §6; A3:113; A3:128 §1; A4:12; A4:29 §2.
한량없이 머무는 자 (appamāṇa-vihāri) A3:99 §2[설명].
한번만 싹 트는 자 (ekabījī) A3:86 §2; A3:87 §3.
한쪽 어깨가 드러나게 (ekaṁsa) A4:159 §8.
할 바를 다한 자 (katakaraṇīya) A3:37 §2[설명].
핥아서 먹는(apalekhaṇa) A4:198 §2.
함께 대화를 나눔 (saṁvohāra) A4:192 §1 §3.
함께 사는 (saddhi-vihārī) A4:241 §1.

함께 사는 쌍(부부) (jānipati) A4:53 §7; A4:54 §7; A4:55 §3.
함께 삶 (saṁvāsa) A4:53 §2; A4:54 §1; A4:74 §1; A4:192 §1.
함께 한 (samāgama) A4:47 §2.
함께 함[同事] (samānattatā) A4:32 §1; A4:253.
함께 향유함 (sambhoga) A2:13:6.
합당하게 도를 닦음 (sāmīci-paṭipanna/padā) A4:52 §1; A4:60 등.
합리적인 행위 (patta-kamma) A4:61.
합장 (añjali) A4:21 §2.
합장받아 마땅한 (añjali-karaṇīya) A3:75 §2; A3:94 §2; A4:34; A4:52 §1; A4:190 §1.
합장함 (añjali-kamma) A3:24; A4:187 §6.
핫타까 (Hatthaka) A1:14:6(4); A2:12:3; A3:34 §1[설명]; A3:125 §1[설명]; A4:176 §3.
항아리 (kumbha) A3:30.
항아리 (thāli) A3:57 §1.
해골의 인식 (aṭṭhikasaññā) A4:14.
해로운 법 ☞ **불선법**(不善法)
해로운[不善] (akusala) A1:6:6[설명]; A2:2:5 §2~3[설명] 등.
해악을 쉼 (vihiṁsūparati) A3:16 §3; A4:37 §4; A4:159 §4.
해침 (vyābādha) A3:17 §1; A3:53~55 §2; A3:71 §2; A4:186 §3.
해코지 않음 (avihiṁsā) A2:15:5.
해코지 않음에 대한 사유 (avihiṁsā-vitakka) A3:122.
해코지에 대한 생각 (vihiṁsā-vitakka) A3:40 §1; A3:100 §3; A3:121 ~122 §2; A4:11 §1; A4:14 §1; A4:72; A4:114 §8; A4:138 §2; A4:164 §5; A4:259 §1.
해탈 (vimutti) A1:19:1; A2:9:4[설명]; A3:57 §5; A3:84 §1; A4:1 §3; A4:2 §1; A4:21 §1; A4:150; A4:194 §1; A4:240; A4:243 §3; A4:251.
해탈[八解脫] (vimokkha) A3:32 §2; A4:87 §3[설명]; A4:189 §2.
해탈의 맛 (vimutti-rasa) A1:19:1[설명].
해탈의 무더기 (vimutti-kkhandha) A3:57 §3.
해탈의 정수 (vimutti-sāra) A4:150; A4:243 §1.
해탈의 청정 (vimutti-pārisuddhi) A4:194 §5.
해탈지견 (ñāṇadassana-vimutti) A3:57 §3.
해탈지견의 무더기 (vimuttiñāṇa-dassana-kkhandha) A3:57 §3.
해탈한 ☞ **벗어난**
해탈해야 하는 (vimocanīya) A4:194 §5.
해태 (thīna) A4:12; A4:61 §9.
해태와 혼침 (thīna-middha) A1:2:3; A1:2:8; A3:57 §1; A3:57 §3; A3:119 §6; A4:12 §1; A4:61 §7; A4:198 §13.
햇수 (vassa-gaṇika) A4:178 §3.
행(行) ☞ **형성된 것**, ☞ **심리현상**, ☞ **의도적 행위**
행동 (apadāna) A3:2 §1[설명].
행동의 영역 (gocara) A2:4:5; A4:12 §1[설명]; A4:33 §1.
행복 (sukha) A2:2:3 §2[설명]; A4:62 §2; A4:5 §3; A4:87 등.

행복으로 얻어진 행복 (sukhena anvāgata sukha) A4:2 §2[설명].
행복을 가져오는 법 (sukhudraya dhamma) A2:16:76~80.
행복을 익게 하는 법 (sukha-vipāka dhamma) A2:16:86~90.
행복이 없음 (禪의~) (rittassāda) A3:126 §1~2.
행복이라 인식하는 자 (sukha-saññī) A4:49 §3.
행복하게 머묾 (vāsattha) A4:53 §7 [설명]; A4:54 §7; A4:55 §3.
행복한 분 (sukhī) A4:191 §1.
행실 (**바른**~) (ācāra) A2:4:5; A4:12; A4:22 §3.
행위. 행동 (samācāra) A3:13 §2; A 23:27 §2; A4:196 §2; A4:241 §2;.
행위를 숨기는, 비밀리에 행하는 (paṭicchanna-kammanta) A2:3:7; A3:13 §2; A4:241 §2.
행위에 의해서 규정됨 (kamma-lakkhaṇa) A3:2 §1[설명].
행처(行處) ☞ **갈 곳**
행하는 대로 (yathākāri) A4:23 §3.
행한 것 (katatta) A2:2:7 §1.
향기 (gandha-jāta) A3:79 §1.
향기, 냄새 (gandha) A3:70 §15; A3:79 §1; A4:198 §9.
향상 ☞ **불어남**
향상으로 인도하는 것 (opanayika) A3:40 §3; A3:70 §5; A3:75 §2; A4:52 §1; A4:195 §4.
허공 (ākāsa) A1:20:58; A3:114 §1; A4:93 §1; A4:190 §5.
허공의 요소[空界] (ākāsa-dhātu) A3:61 §6.
허무론자 (natthika-vāda) A4:30 §5.
허물 (vajja) A2:1:1; A2:4:5 §2; A2:17:1; A4:12 §1; A4:37 §2.
헌공 (yāga) A2:13:2.
헌공, 세금 (bali) A4:61 §12.
헐뜯는 말 ☞ **이간질**
험악한 (kharatta) A2:2:5.
험한 말을 내뱉음 (vacī-saṁsāra) A2:6:12 §1[설명].
헤아릴 수 없는 (asaṅkheyya) A4:51 §2; A4:156.
혀를 무기로 함(mukhasatthi) A2:5:2.
현명한 (kovida) A4:40 §3; A4:42 §2.
현자 (paṇḍita) A2:3:1; A2:4:7; A2:10:2; A3:3 §3; A3:45; A4:48 §2; A4:115 §3; A4:256.
현자의 특징(paṇḍita-lakkhaṇa)A3:3.
현자의 표상 (paṇḍita-nimitta) A3:3.
현자의 행동 (paṇḍita-padāna) A3:1; A3:3; A3:145~148.
현존함 (sammukhībhāva) A3:41.
혈통 좋은 (ājānīya) A2:6:6; A3:94 §1; A4:112 §1 등.
혈통 좋은 말 (assājānīya) A3:94 §1; A3:95 §1; A3:96 §1; A3:139; A4:112; A4:113; A4:256; A4:257.
혈통 좋은 사람 (purisājānīya) A3:139 §2; A4:113 §5~6.
혐오스러워함 (jigucchā) A3:18 §1; A3:38 §2; A3:39 §1; A4:157 §3; A4:165 §2.
혐오하는 인식 (**음식에 대해**~) (paṭikkūla-saññī) A1:20:75; A4:163 §2; A4:169 §2.
협곡 (kandara) A3:93 §5; A4:147 §2; A4:198 §13.
형벌 (kamma-karaṇā) A2:1:1; A3:35 §5; A4:121 §4.

형상 (rūpa) A1:1:1[설명]; A2:4:6; A4:65 §1 등.
형성되지 않은[無爲] (asaṅkhata) A3:47.
형성된 것[有爲] (saṅkhata) A2:8:10; A3:8:10; A3:47 §1[설명]; A4:34 등.
형성된 것[有爲]**을 대상으로 한** (saṅkhatārammaṇa (dhamma)) A2:8:10.
형성된 것[行] (saṅkhāra) A1:15:1～3; A3:32 §1; A3:134 §1～3; A4:94 §2 §4; A4:114 §10; A4:163 §2; A4:169 §2.
형성된 것의 특징 (saṅkhata-lakkhaṇa) A3:47 §1.
형성된 법[有爲法]**들** (dhammā saṅkhatā) A4:34 §1[설명].
형제 (bhātā) A3:35 §1.
慧 ☞ **통찰지**
호감이 가는 (pāsādika) A4:197 §1.
호랑이가 다니던 길에 사는 자들 (Vyagghapajjā) A4:194 §1[설명].
호수1 (sara) A4:51 §4; A4:52 §2.
호수2 (rahada) A1:5:5～6; A4:105 §1;A4:192 §5.
호수3 (udaka-rahada) A4:192 §5; A4:198 §5.
호의 (anuggaha) A2:13:9.
호의적인 ☞ **악의 없는**
호주(護呪) (paritta) A4:67 §4[설명].
호지, 잘 지킴 (anuggaha) A2:17:1; A3:16 §3; A3:26 §4; A4:6 §1; A4:37 §4; A4:159 §4; A4:194 §2; A4:243 §4.
호지하는 사람 (dhārakajātika) A4:97 §2.
호지한 (dhata) A4:97 §2.
혹독한 (pharusa) A4:111 §2.
혹독한, 꽁꽁 (gāḷha) A4:184 §2; A4:242 §1.
혼란 (vimati) A4:76 §2; A4:173 §1; A4:191 §2.
혼란스럽게 하는 ☞ **어지럽히는**
혼란하지 않은 (asammosa) A1:10:18; A1:20:17; A2:2:10 §2; A3:152 §2; A4:13; A4:69 §5; A4:160 §7.
홀로 앉은 (paṭisallīna) A4:21 §1.
홀로 앉음 (paṭisallāna) A3:64 §3[설명]; A4:30 §1; A4:48 §1; A4:185 §1; A4:195 §2.
홈통 (doṇi) A3:100 §1.
홍련 (paduma) A3:38 §1.
홍련과 같은 사문 (samaṇa-paduma) A4:87 §4.
화, 분노 (kopa) A3:25; A3:27; A3:67 §4.
화락천(Nimmānaratī)A3:70,§8[설명].
화를 냄 (anabhiraddhi) A2:6:12.
화살1 (asana) A4:45 §2.
화살2 (usu) A4:114 §4.
화생(化生) (opapātika) A3:85 §4; A3:138 §3; A4:88 §4; A4:191 §4; A4:239.
화염에 휩싸이다 (pajjhāyati) A4:200 §8.
화장품 ☞ **바르는 것**
화합하는 (samagga) A3:122 §2; A4:241 §3; A4:198 §8; A4:241 §2.
화합하는 회중 (samaggā parisā) A2:5:2; A3:93 §3.
화해 (nijjhatti) A2:5:10.
화환 (mālā) A3:13; A3:70 §15; A4:85; A4:197 §2; A4:198 §9.
확고하게 서있는 (ṭhitatta) A4:5.

확립된 것 (법으로~) (ṭhitatā) A3:134 §1~3.
확신 (sampasāda) A2:2:3; A3:58 §2; A4:195 §10 등.
확신 ☞ **청정한 믿음**
확실한 (해탈이~)(niyata) A3:85 §2; A4:76 §6; A4:88 §2; A4:239 §2.
확실한 (niyāma) A3:22 §2; A3:134.
확정된 가르침 (이미 그 뜻이~) (nītattha suttanta) A2:3:5[설명].
환영 (santhāra) A2:14:1.
환자 ☞ **병자**
활력을 가진 (dhitimā) A1:14:4.
황금 장신구 (nekkha) A4:6 §2; A4:28 §2.
회복된 정신에 대한 무죄 선고 (amūḷha-vinaya) A2:17:2.
회의하는 자 (kaṅkhī) A4:184 §5.
회의하지 않음 (akaṅkhī) A4:184 §9.
회중, 대중 (parisatī) A3:64 §1; A4:187 §6.
회중(會衆) (parisā) A2:4:1; A2:5:5; A4:20; A4:91; A4:108; A4:109; A4:129~130; A4:190 §1; A4:211.
획득 (avakkhitta) A4:61 §9.
후손들에 대한 동정심 (pacchimañ ca janataṁ anukampa) A2:3:9 §2 [설명].
후원자 (nissaya) A3:20.
후회 (kukkucca) A1:2:4; A1:2:9; A3:119 §7; A3:128 §2; A4:12.
후회하지 않는 (ananutāpiya) A4:61 §15.
훈계를 받아들이지 않음 (dovacassatā) A2:9:8; A4:160 §4.
훈계하기 쉬운, 훈계를 잘 받아들이는 (sovacassa) A2:9:9; A4:160 §8.
훈계하는 (codaka) A2:2:5.
훈도하기 어려운(dubbaca)A4:160.§4.
훌륭한 (mokkha) A4:95 §3.
훌륭한 사람들의 교제 (santasannivāsa) A2:6:11.
훌륭한 자에게 올릴 음식 (thālipāka) A3:59 §1[설명].
훌륭한 회중 ☞ **으뜸가는 회중**
훔침 (theyya) A3:29.
훼손되지 않은 [계] (akkhaṇḍa) A4:52 §1.
훼손된 행동 (akkhaṇḍa-kārī) A4:192 §2; A4:243 §1.
훼손된 행동 (khaṇḍa-kārī) A4:192 §1.
휘감긴 ☞ **망가진**
흉작 (dussassa) A3:56.
흉한 ☞ **못생긴**
흉함 (aḍḍha) A4:197 §1.
흐름 (오염원들이~) (avassuta) A4:241 §2.
흐름 ☞ **내림 (비가~)**
흐름을 거스름 (paṭisotagāmī) A4:5.
흔들린 (iñjita) A4:41 §6.
흔들림 없는 경지 (ānejja/ āneñja) A4:190 §5[설명].
흔들림 없는 청정한 믿음 (aveccappasāda) A1:14:6; A3:75:2~4; A4:52 §1.
흔들림이 없는 상태에 이름 (ānejjappatta) A3:58 §3; A4:192 §5; A4:198 §15.
흙에 쓴 것과 같은 사람 (paṭhavilekhupama puggala) A3:130 §2.
흠뻑 취한 상태(pātabyatā)A3:151 §1.
흠이 없는 (aneḷagala) A4:48 §1;

A4:97 §2.
흠이 없음 (anaṅgana) A3:58 §3; A4:198 §15.
흩어버린 (panuṇṇa) A4:28 §2.
희망 없음 (nirāsa) A3:13.
희망1 (āsā) A2:11:1.
희망2 (āsaṁsa) A3:13.
희생제 (medha) A4:39 §3.
희열[喜] (pīti) A2:2:2 등.
희열과 행복(pīti-sukha)A2:2:3[설명].
희열이 없는 (nippītika) A2:7:8, 11.
희열이 있는 禪**을 대상으로 한 행복** (sappītikārammaṇa-sukha)A2:7:11.
희열이 있는 행복 (sappītika sukha) A2:7:8.
흰 (sukka) A2:1:9.
흰 과보(sukka-vipāka)A4:231~236.
흰 업 (sukka kamma) A4:231~236.
흰 옷 (odātavasana) A2:5:7.
힘, 능력 (paṭibala) A3:20 §1; A4:192 §5.
힘[力] (bala) A1:20:22~31; A3:108~112; A3:187~192; A2:2:1; A4:152~154; A4:163 §2.
힘들이지 않고 얻음 (akicchalābhi) A3:63 §3; A4:22 §3; A4:35 §3; A4:87 §5.
힘을 구족함 (balasampanna) A3:94 §4; A3:95 §4; A3:96 §4; A4:256 §1; A4:257 §2.
힘을 베푸는 자 (baladāyī) A4:58 §5; A4:59 §2.
힘이 미치는(abhisaṅkhāra)A3:15 §2.
힘줄 (nahāru) A2:1:5.

역자 · 대림스님

세등선원 수인(修印) 스님을 은사로 출가. 봉녕사 승가대학 졸업.
11년간 인도 뿌나 대학교(Pune University)에서 산스끄리뜨어와 빠알리어 수학.
3년간 미얀마에서 아비담마 수학.
현재 초기불전연구원 원장 소임을 맡아 삼장 번역불사에 몰두하고 있음.

역서로 『염수경(상응부 느낌상응)』(1996), 『아비담마 길라잡이』(전2권, 2002, 12쇄 2016, 전정판 2쇄, 2018, 각묵스님과 공역), 『들숨날숨에 마음챙기는 공부』(2003, 개정판 2005), 『청정도론』(전3권, 2004, 9쇄 2023), 『맛지마니까야』(전4권, 2012, 3쇄 2016), 니까야강독(I/II, 2013, 4쇄 2017, 각묵스님과 공역)이 있음

앙굿따라 니까야 제2권

2006년 8월 10일 초판1쇄 인쇄
2023년 9월 5일 초판6쇄 발행

옮긴이 | 대림스님
펴낸이 | 대림스님
펴낸 곳 | **초기불전연구원**
경남 김해시 관동로 27번길 5-79
전화 (055)321-8579
홈페이지 | http://tipitaka.or.kr
http://cafe.daum.net/chobul
이 메 일 | chobulwon@gmail.com
등록번호 | 제13-790호(2002.10.9)
계좌번호 | 국민은행 604801-04-141966 차명희
하나은행 205-890015-90404 (구.외환 147-22-00676-4) 차명희
농협 053-12-113756 차명희
우체국 010579-02-062911 차명희

ISBN 978-89-91743-07-2 04220
ISBN 89-91743-05-6(전6권)

값 | 30,000원